2025-26年合格目標

大卒程度 公務員試験

⑨ 憲法

はしがき

1　「最新の過去問」を掲載

2024年に実施された公務員の本試験問題をいち早く掲載しています。公務員試験は年々変化しています。今年の過去問で最新の試験傾向を把握しましょう。

2　段階的な学習ができる

公務員試験を攻略するには、さまざまな科目を勉強することが必要です。したがって、勉強の効率性は非常に重要です。『公務員試験 本気で合格！過去問解きまくり！』では、それぞれの科目で勉強すべき項目をセクションとして示し、必ずマスターすべき必修問題を掲載しています。このため、何を勉強するのかをしっかり意識し、必修問題から実践問題（基本レベル→応用レベル）とステップアップすることができます。問題ごとに試験種ごとの頻出度がついているので、自分にあった効率的な勉強が可能です。

3　満足のボリューム（充実の問題数）

本試験問題が解けるようになるには良質の過去問を繰り返し解くことが必要です。『公務員試験 本気で合格！過去問解きまくり！』は、なかなか入手できない地方上級の再現問題を収録しています。類似の過去問を繰り返し解くことで知識の定着と解法パターンの習得を図れます。

4　メリハリをつけた効果的な学習

公務員試験の攻略は過去問に始まり過去問に終わるといわれていますが、実際に過去問の学習を進めてみると戸惑うことも多いはずです。『公務員試験 本気で合格！過去問解きまくり！』では、最重要の知識を絞り込んで学習ができるインプット（講義ページ）、効率的な学習の指針となる出題傾向分析、受験のツボをマスターする10の秘訣など、メリハリをつけて必要事項をマスターするための工夫が満載です。

※本書は、2025年４月時点で施行されている、または施行予定の法律に基づいて作成しています。

みなさんが本書を徹底的に活用し、合格を勝ち取っていただけたら、わたくしたちにとってもそれに勝る喜びはありません。

2024年９月吉日

株式会社　東京リーガルマインド
LEC総合研究所　公務員試験部

本書の効果的活用法

STEP1 出題傾向をみてみよう

各章の冒頭には、取り扱うセクションテーマについて、過去９年間の出題傾向を示す一覧表と、各採用試験でどのように出題されたかを分析したコメントを掲載しました。志望先ではどのテーマを優先して勉強すべきかがわかります。

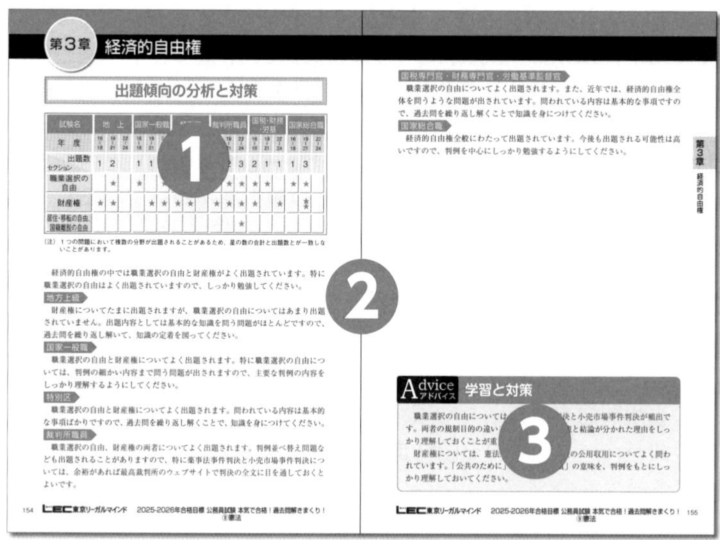

第3章 経済的自由権

出題傾向の分析と対策

試験名	地上			国家一般職			[illegible]			裁判所職員			国税・財務・労基			国家総合職		
年度	16-18	19-21	22-24	16-18	19-21	[illegible]	[illegible]	[illegible]	[illegible]	[illegible]	19-21	22-24	16-18	19-21	22-24	16-18	19-21	22-24
出題数 セクション	1	2		1	1	[illegible]	[illegible]	[illegible]	[illegible]	[illegible]	2	3	2	1	1	1	3	
職業選択の自由		★		★		★	[illegible]	[illegible]	[illegible]	[illegible]	★	★	★	★		★	★	
財産権	★	★			★	★	★	★		★	★	★	★		★		★★	
居住・移転の自由、国籍離脱の自由												★						

（注）１つの問題において複数の分野が出題されることがあるため、星の数の合計と出題数とが一致しないことがあります。

経済的自由権の中では職業選択の自由と財産権がよく出題されています。特に職業選択の自由はよく出題されていますので、しっかり勉強してください。

地方上級

財産権についてたまに出題されますが、職業選択の自由についてはあまり出題されていません。出題内容としては基本的な知識を問う問題がほとんどですので、過去問を繰り返し解いて、知識の定着を図ってください。

国家一般職

職業選択の自由と財産権についてよく出題されます。特に職業選択の自由については、判例の細かい内容まで問う問題が出されますので、主要な判例の内容をしっかり理解するようにしてください。

特別区

職業選択の自由と財産権についてよく出題されます。問われている内容は基本的な事項ばかりですので、過去問を繰り返し解くことで、知識を身につけてください。

裁判所職員

職業選択の自由、財産権の両者についてよく出題されます。判例並べ替え問題なども出題されることがありますので、特に薬事法事件判決と小売市場事件判決については、余裕があれば最高裁判所のウェブサイトで判決の全文に目を通しておくとよいです。

154 LEC東京リーガルマインド 2025-2026年合格目標 公務員試験 本気で合格！過去問解きまくり！ ⑨憲法

国税専門官・財務専門官・労働基準監督官

職業選択の自由についてよく出題されます。また、近年では、経済的自由権全体を問うような問題が出されています。問われている内容は基本的な事項ですので、過去問を繰り返し解くことで知識を身につけてください。

国家総合職

経済的自由権全般にわたって出題されています。今後も出題される可能性は高いですので、判例を中心にしっかり勉強するようにしてください。

第3章 経済的自由権

Advice アドバイス 学習と対策

職業選択の自由については[illegible]決と小売市場事件判決が頻出です。両者の規制目的の違い[illegible]と結論が分かれた理由をしっかり理解しておくことが重[illegible]

財産権については、憲法[illegible]の公用収用についてよく問われています。「公共のために」[illegible]」の意味を、判例をもとにしっかり理解しておいてください。

LEC東京リーガルマインド 2025-2026年合格目標 公務員試験 本気で合格！過去問解きまくり！ ⑨憲法 155

❶出題傾向一覧

章で取り扱うセクションテーマについて、過去９年間の出題実績を数字や★で一覧表にしています。出題実績も９年間を３年ごとに区切り、出題頻度の流れが見えるようにしています。志望先に★が多い場合は重点的に学習しましょう。

❷各採用試験での出題傾向分析

出題傾向一覧表をもとにした各採用試験での出題傾向分析と、分析に応じた学習方法をアドバイスします。

❸学習と対策

セクションテーマの出題傾向などから、どのような対策をする必要があるのかを紹介しています。

●公務員試験の名称表記について

本書では公務員試験の職種について、下記のとおり表記しています。

地上	地方公務員上級（※1）
東京都	東京都職員
特別区	東京都特別区職員
国税	国税専門官
財務	財務専門官
労基	労働基準監督官
裁判所職員	裁判所職員（事務官）／家庭裁判所調査官補（※2）
裁事	裁判所事務官（※2）
家裁	家庭裁判所調査官補（※2）
国家総合職	国家公務員総合職
国家総合職教養区分	国家公務員総合職（教養区分）
国Ⅰ	国家公務員Ⅰ種（※3）
国家一般職	国家公務員一般職
国Ⅱ	国家公務員Ⅱ種（※3）
国立大学法人	国立大学法人等職員

（※1）道府県、政令指定都市、政令指定都市以外の市役所などの職員

（※2）2012年度以降、裁判所事務官（2012～2015年度は裁判所職員）・家庭裁判所調査官補は、教養科目に共通の問題を使用

（※3）2011年度まで実施されていた試験区分

STEP2 「必修」問題に挑戦してみよう

「必修」問題はセクションテーマを代表する問題です。まずはこの問題に取り組み、そのセクションで学ぶ内容のイメージをつかみましょう。問題文の周辺には、そのテーマで学ぶべき内容や覚えるべき要点を簡潔にまとめていますので参考にしてください。

本書の問題文と解答・解説は見開きになっています。効率よく学習できます。

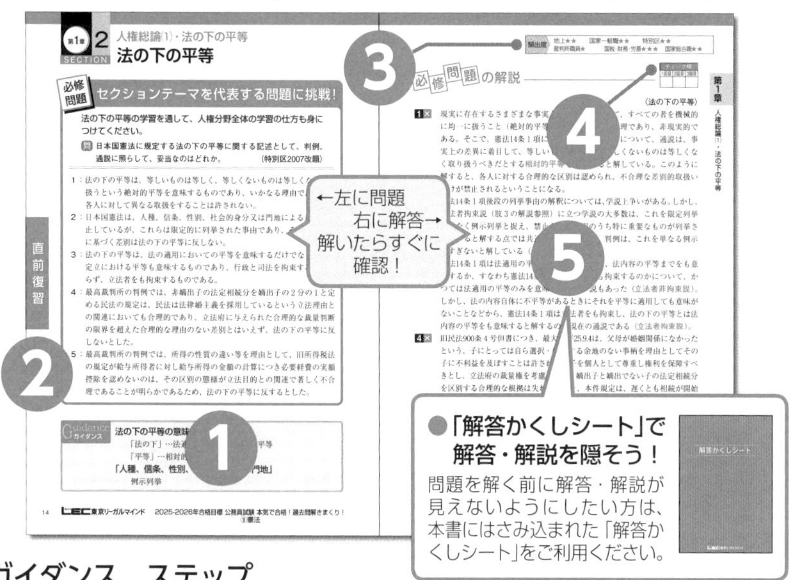

❶ ガイダンス、ステップ

「ガイダンス」は必修問題を解くヒント、ひいてはテーマ全体のヒントです。

「ステップ」は必修問題において、そのテーマを理解するために必要な知識を整理したものです。

❷ 直前復習

必修問題と、後述の実践問題のうち、ＬＥＣ専任講師が特に重要な問題を厳選しました。試験の直前に改めて復習しておきたい問題を表しています。

❸ 頻出度

各採用試験において、この問題がどのくらい出題頻度が高いか＝重要度が高いかを★の数で表しています。志望先に応じて学習の優先度を付ける目安となります。

❹ チェック欄

繰り返し学習するのに役立つ、書き込み式のチェックボックスです。学習日時を書き込んで復習の期間を計る、正解したかを○×で書き込んで自身の弱点分野をわかりやすくするなどの使い方ができます。

❺ 解答・解説

問題の解答と解説が掲載されています。選択肢を判断する問題では、肢１つずつに正誤と詳しく丁寧な解説を載せてあります。また、重要な語句や記述は太字や色文字などで強調していますので注目してください。

STEP3 テーマの知識を整理しよう

必修問題の直後に、セクションテーマの重要な知識や要点をまとめた「インプット」を設けています。この「インプット」で、自身の知識を確認し、解法のテクニックを習得してください。

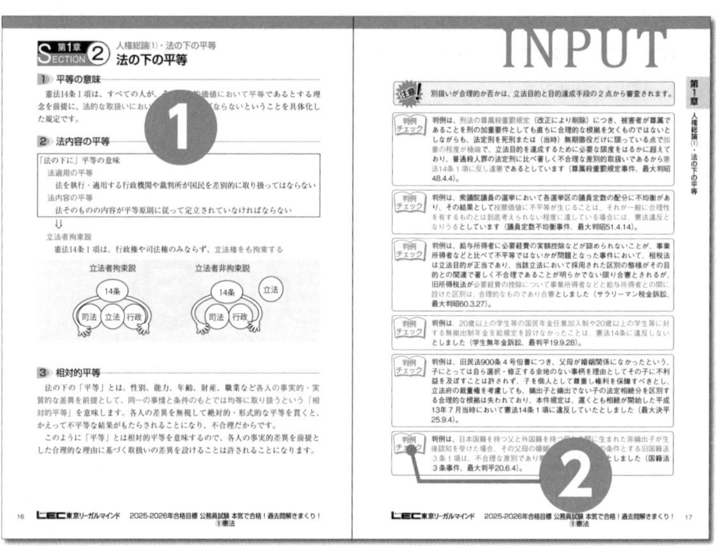

第1章 SECTION ② 人権総論(1)・法の下の平等

法の下の平等

1 平等の意味

憲法14条1項は、すべての人が、[illegible]価値において平等であるとする理念を前提に、法的な取扱いにおい[illegible]ならないということを具体化した規定です。

2 法内容の平等

「法の下に」平等の意味
　法適用の平等
　　法を執行・適用する行政機関や裁判所が国民を差別的に取り扱ってはならない
　法内容の平等
　　法そのものの内容が平等原則に従って定立されていなければならない
⇩
立法者拘束説
　憲法14条1項は、行政権や司法権のみならず、立法権をも拘束する

3 相対的平等

法の下の「平等」とは、性別、能力、年齢、財産、職業など各人の事実的・実質的な差異を前提として、同一の事情と条件のもとでは均等に取り扱うという「相対的平等」を意味します。各人の差異を無視して絶対的・形式的な平等を貫くと、かえって不平等な結果がもたらされることになり、不合理だからです。

このように「平等」とは相対的平等を意味するので、各人の事実的差異を前提とした合理的な理由に基づく取扱いの差異を設けることは許されることになります。

16　LEC東京リーガルマインド　2025-2026年合格目標 公務員試験 本気で合格！過去問解きまくり！⑨憲法

INPUT

第1章 人権総論(1)・法の下の平等

注意！ 別扱いが合理的か否かは、立法目的と目的達成手段の2点から審査されます。

判例チェック 判例は、刑法の尊属殺重罰規定（改正により削除）につき、被害者が尊属であることを刑の加重要件としても直ちに合理的な根拠を欠くものではないとしながらも、法定刑を死刑または（当時）無期懲役だけに限っている点で加重の程度が極端で、立法目的を達成するために必要な限度をはるかに超えており、普通殺人罪の法定刑に比べ著しく不合理な差別的取扱いであるから憲法14条1項に反し違憲であるとしています（尊属殺重罰規定事件、最大判昭48.4.4）。

判例チェック 判例は、衆議院議員の選挙において各選挙区の議員定数の配分に不均衡があり、その結果として投票価値に不平等が生じることは、それが一般に合理性を有するものとは到底考えられない程度に達している場合には、憲法違反となりうるとしています（議員定数不均衡事件、最大判昭51.4.14）。

判例チェック 判例は、給与所得者に必要経費の実額控除などが認められないことが、事業所得者などと比べて不平等ではないかが問題となった事件において、租税法は立法目的が正当であり、当該立法において採用された区別の態様がその目的との関連で著しく不合理であることが明らかでない限り合憲とされるが、旧所得税法が必要経費の控除について事業所得者などと給与所得者との間に設けた区別は、合理的なものであり合憲としました（サラリーマン税金訴訟、最大判昭60.3.27）。

判例チェック 判例は、20歳以上の学生等の国民年金任意加入制や20歳以上の学生等に対する無拠出制年金支給規定を設けなかったことは、憲法14条に違反しないとしました（学生無年金訴訟、最判平19.9.28）。

判例チェック 判例は、旧民法900条4号但書につき、父母が婚姻関係になかったという、子にとっては自ら選択・修正する余地のない事柄を理由としてその子に不利益を及ぼすことは許されず、子を個人として尊重し権利を保障すべきとし、立法府の裁量権を考慮しても、嫡出子と嫡出でない子の法定相続分を区別する合理的な根拠は失われており、本件規定は、遅くとも相続が開始した平成13年7月当時において憲法14条1項に違反していたとしました（最大決平25.9.4）。

判例チェック 判例は、日本国籍を持つ父と外国籍を持つ[illegible]に生まれた非嫡出子が生後認知を受けた場合、その父母の婚姻[illegible]の条件とする旧国籍法3条1項は、不合理な差別であり[illegible]としました（国籍法3条事件、最大判平20.6.4）。

LEC東京リーガルマインド　2025-2026年合格目標 公務員試験 本気で合格！過去問解きまくり！⑨憲法　17

❶「インプット」本文

セクションテーマの重要な知識や要点を、文章や図解などで整理しています。重要な語句や記述は太字や色文字などで強調していますので、逃さず押さえておきましょう。

❷ サポートアイコン

「インプット」本文の内容を補強し、要点を学習しやすくする手助けになります。以下のようなアイコンがありますので学習に役立ててください。

●サポートアイコンの種類

- 補足：「インプット」に登場した用語を理解するための追加説明です。
- ポイント：「インプット」の内容を理解するうえでの考え方などを示しています。
- 具体例：「インプット」に出てくることがらの具体例を示しています。
- ミニ知識：「インプット」を学習するうえで、付随的な知識を盛り込んでいます。
- 注意！：受験生たちが間違えやすい部分について、注意を促しています。
- OOO：「インプット」に出てくる専門用語など、語句の意味の紹介です。
- 注目：実際に出題された試験種以外の受験生にも注目してほしい問題です。
- 判例チェック：「インプット」の記載の根拠となる判例と、その内容を示しています。
- 判例：「インプット」に出てくる重要な判例を紹介しています。

科目によって、サポートアイコンが一部使われていない場合もあります。

STEP4 「実践」問題を解いて実力アップ!

「インプット」で知識の整理を済ませたら、本格的に過去問に取り組みましょう。「実践」問題ではセクションで過去に出題されたさまざまな問題を、基本レベルから応用レベルまで収録しています。

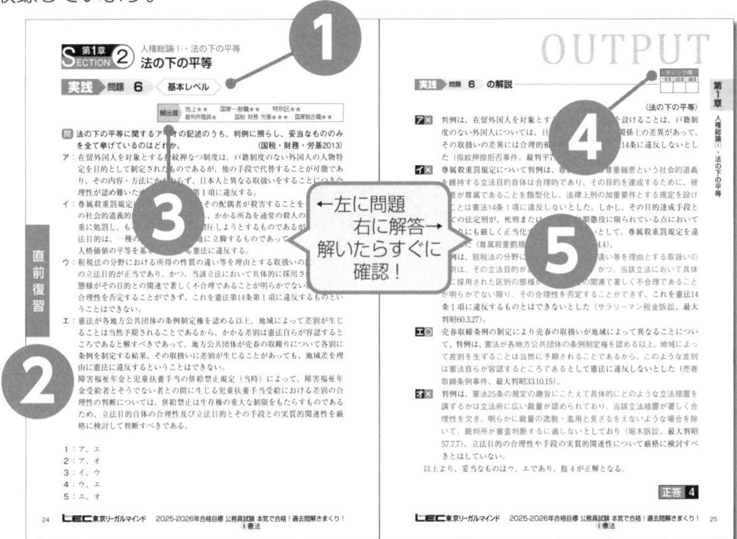

❶ 難易度

収録された問題について、その難易度を「基本レベル」「応用レベル」で表しています。

1周目は「基本レベル」を中心に取り組んでください。2周目からは、志望先の採用試験について頻出度が高い「応用レベル」の問題にもチャレンジしてみましょう。

❷ 直前復習、❸ 頻出度、❹ チェック欄、❺ 解答・解説

※各項目の内容は、STEP 2をご参照ください。

STEP5 「章末CHECK」で確認しよう

章末には、この章で学んだ内容を一問一答形式の問題で用意しました。
知識を一気に確認・復習しましょう。

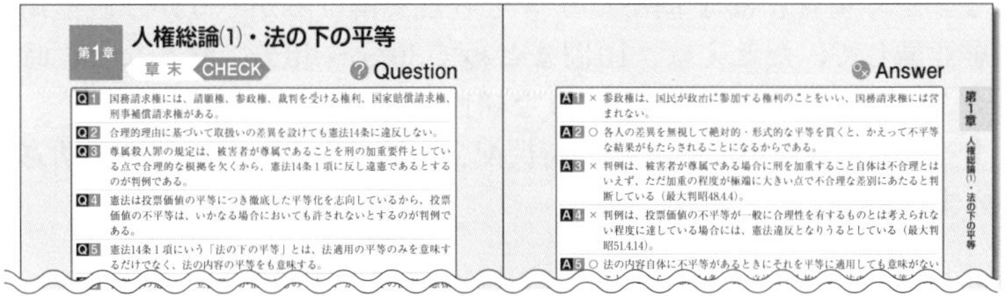

LEC専任講師が、『過去問解きまくり!』を使った「オススメ学習法」をアドバイス!⇒

講師のオススメ学習法

どこから手をつければいいのか?

まず各章の最初にある「出題傾向の分析と対策」を見て、その章の中で出題数が多いセクションがどこなのかを確認してください。

そのセクションを捨ててしまうと致命傷になりかねません。必ず取り組むようにしてください。逆に出題数の少ないセクションは1度解くにとどめる程度でよいでしょう。

各セクションにおいては、①最初に、必修問題に挑戦し、そのセクションで学ぶ内容のイメージをつけてください。②次に、必修問題の次ページのインプットの項目で、そのセクションで学習する考え方や知識を学びます。③そして、いよいよ実践問題に挑戦です。実践問題の基本レベルの問題を解いてみましょう。

演習のすすめかた

本試験で憲法の解答に割くことができる時間は、1問あたり3分程度です。

❶1周目(数分～20分程度:時間は気にしない)

最初は解答に至るまで考え抜くということが重要なので、いろいろと試行錯誤することになります。したがって、この段階では時間を気にしないで解けそうなら20分でも時間をかけ、解けなければ解説を見て考え方を学んでください。

❷2周目(3分～10分程度:解けるかどうかを確認するため時間内に解けなくてもよい)

問題集をひととおり終えて2周目に入ったときは、時間を意識して解いていきましょう。ただし、時間内に解けなくても気にしなくてもよいです。2周目は解答に至るプロセスと知識を覚えているかどうかの復習に重点を置くので、実際に解くことができるという実感が大切です。問題を自分の力で解くということを意識してください。

❸3周目以降や直前期(3分程度:時間内に解くことを意識する)

3周目以降や直前期は、逆に時間を意識するようにしてください。このとき、1問ごとに解く場合には1問あたり3分程度で解けるかどうか、直前期などは本試験を意識して、たとえば、10問まとめて30分～40分で解くなど、時間内に何問解くことができるのかというような練習をしてください。

まとまった問題数を解くことで、時間配分や時間がかかる問題を取捨選別する力を養います。

一般的な学習のすすめかた（目標正答率80％以上）

人権と統治といった憲法全体をひととおり学習する場合です。

全体的に学習することで、さまざまな職種や問題に対応することができることから、安定して合格に必要な得点をとることを目指します。

セクション1から順にすべての範囲を解いてください。得意な分野については実践問題の応用レベルにも挑戦していきましょう。

ほどほどに学習する場合のすすめかた（目標正答率60～80％）

試験まで時間はあるが、この科目にあまり時間をかけられない場合です。

頻出分野に絞って練習することにより、効率よく合格に必要な得点をとることを目指します。

学習のすすめかたとしては、最初に確認した「出題傾向の分析と対策」の中で出題数が多い分野を優先的に学習します。目指す職種が決まっている方はその職種の出題数に応じて分野の調整をしてください。

全体的には、人権では、新しい人権、法の下の平等、表現の自由、信教の自由、学問の自由、職業選択の自由、財産権といった自由権が中心で、生存権、労働基本権などの社会権が続き、統治では、国会・内閣・裁判所それぞれの制度上の役割、法律上の争訟、違憲審査制、憲法保障の優先順位が高いという特徴があります。

短期間で学習する場合のすすめかた（目標正答率50～60％）

試験までの日数が少なく、短期間で最低限必要な学習をする場合です。

学習効果が高い問題に絞って演習をすることにより、最短で合格に必要な得点をとることを目指します。

学習のすすめかたとしては、問題ページ左に「直前復習」と書かれた各セクションの必修問題と、以下の「講師が選ぶ『直前復習』50問」に掲載されている問題を解くことが肝要です。

直前復習

必修問題41問 ＋

講師が選ぶ「直前復習」50問

実践6	実践45	実践79	実践122	実践164
実践7	実践50	実践82	実践131	実践168
実践9	実践53	実践85	実践133	実践170
実践15	実践57	実践87	実践138	実践173
実践19	実践59	実践93	実践142	実践175
実践26	実践61	実践94	実践146	実践177
実践28	実践70	実践96	実践151	実践182
実践39	実践73	実践100	実践157	実践184
実践41	実践74	実践118	実践160	実践188
実践43	実践75	実践120	実践163	実践190

目次 CONTENTS

はしがき

本書の効果的活用法

講師のオススメ学習法

憲法をマスターする10の秘訣

第1編 人権

第1章 人権総論⑴・法の下の平等 …… 3

SECTION① 人権の意味・限界 問題1～2 …… 6

SECTION② 法の下の平等 問題3～10 …… 14

第2章 精神的自由権 …… 43

SECTION① 思想・良心の自由 問題11～15 …… 46

SECTION② 信教の自由 問題16～23 …… 62

SECTION③ 学問の自由 問題24～27 …… 84

SECTION④ 表現の自由 問題28～37 …… 96

SECTION⑤ 報道の自由、取材の自由 問題38～39 …… 124

SECTION⑥ 事前抑制・検閲の禁止 問題40～41 …… 132

SECTION⑦ 集会・結社の自由、通信の秘密 問題42～44 …… 140

第3章 経済的自由権 …… 153

SECTION① 職業選択の自由 問題45～51 …… 156

SECTION② 財産権 問題52～57 …… 176

SECTION③ 居住・移転の自由、国籍離脱の自由 問題58～59 …… 194

第4章 人身の自由 …… 205

SECTION① 適正手続の保障 問題60～64 …… 208

SECTION② 被疑者・被告人の権利 問題65～70 …… 222

第5章 社会権 …… 243
SECTION① 生存権 問題71～74 …… 246
SECTION② 教育を受ける権利 問題75～78 …… 258
SECTION③ 労働基本権 問題79～81 …… 272
第6章 参政権・国務請求権 …… 285
SECTION① 参政権 問題82～85 …… 288
SECTION② 国務請求権 問題86～93 …… 302
第7章 幸福追求権 …… 325
SECTION① 幸福追求権 問題94～97 …… 328
第8章 人権総論(2) …… 347
SECTION① 人権享有主体性 問題98～103 …… 350
SECTION② 特別な法律関係における人権 問題104～106 …… 368
SECTION③ 人権規定等の私人間効力 問題107 …… 380
第9章 人権総合問題 …… 389
SECTION① 人権総合 問題108～114 …… 392

第2編 統治

第1章 国会 …… 413
SECTION① 国会の地位 問題115～119 …… 416
SECTION② 国会の構成・活動、参議院の緊急集会 問題120～125 …… 430
SECTION③ 国会の権能 問題126～127 …… 448
SECTION④ 議院の権能 問題128～132 …… 456
SECTION⑤ 国会議員の特権 問題133～136 …… 470
SECTION⑥ 国会総合 問題137～140 …… 482

第2章 内閣 …… 499

SECTION① 内閣の地位・組織・権能 問題141 ～ 155 …… 502
SECTION② 議院内閣制、衆議院の解散 問題156 ～ 158 …… 538

第3章 裁判所 …… 551

SECTION① 裁判所の地位 問題159 ～ 160 …… 554
SECTION② 司法権の限界 問題161 ～ 165 …… 562
SECTION③ 裁判所の構成、最高裁判所の権能 問題166 ～ 168 …… 576
SECTION④ 司法権の独立 問題169 ～ 173 …… 586
SECTION⑤ 裁判の公開 問題174 ～ 176 …… 600
SECTION⑥ 違憲審査制 問題177 ～ 182 …… 610

第4章 財政 …… 631

SECTION① 財政 問題183 ～ 188 …… 634

第5章 地方自治 …… 657

SECTION① 地方自治 問題189 ～ 194 …… 660

第3編 憲法総論

第1章 憲法総論 …… 683

SECTION① 憲法総論 問題195 ～ 198 …… 686

■INDEX …… 700

NOTE

憲法をマスターする10の秘訣

1. 一日も早く全体のイメージをつかめ。
2. 試験種ごとの傾向をつかめ。
3. 過去問は合格への羅針盤。
4. 漫然と勉強するな。まずは過去問を解け。
5. 出題者のメッセージを読み取れ。
6. 過去問を使って知識のエッジを研ぎ澄ませ。
7. 手を広げるな。ど真ん中を繰り返せ。
8. 二度出る問題は、三度出る。
9. 実力は急に伸びない。日々の研鑽がスパートにつながる。
10. できないことは気にするな！本番が勝負だ！

憲法

第1編 人権

第1章

人権総論(1)・法の下の平等

SECTION

① 人権の意味・限界
② 法の下の平等

第1章 人権総論(1)・法の下の平等

出題傾向の分析と対策

試験名	地上			国家一般職			特別区			裁判所職員			国税・財務・労基			国家総合職		
年度	16-18	19-21	22-24	16-18	19-21	22-24	16-18	19-21	22-24	16-18	19-21	22-24	16-18	19-21	22-24	16-18	19-21	22-24
出題数 / セクション	2		1	2		1	1			2	3	2	2	1	1	2	1	
人権の意味・限界	★												★			★		
法の下の平等	★		★	★★		★	★			★★	★★★	★★	★	★	★	★	★	

（注）１つの問題において複数の分野が出題されることがあるため、星の数の合計と出題数とが一致しないことがあります。

この分野では法の下の平等が頻出です。どの試験種でもよく出題されていますので、必ず勉強してください。

地方上級

近年、法の下の平等と人権の意味・限界について出題されています。いずれも難しい知識は問われませんので、基本的な知識を確実に身につけてください。

国家一般職

近年、法の下の平等について出題されています。法の下の平等に関する判例の内容を問う問題がよく出題されます。判例のかなり細かい内容まで問われますので、特に判例の理由づけをしっかりと理解しておきましょう。

特別区

かつて、２～３年に１回は法の下の平等に関する出題がありましたので、必ず勉強しておいてください。問われる内容は基本的なものですので、法の下の平等の意味や、尊属殺違憲判決などの重要判例の内容をしっかり勉強するようにしてください。

裁判所職員

近年、連続して法の下の平等が出題されています。また、公共の福祉の学説についてたまに出題されますので、一元的外在的制約説、内在・外在二元的制約説、一元的内在的制約説それぞれの内容をしっかり理解しておいてください。

国税専門官・財務専門官・労働基準監督官

法の下の平等について2～3年に1回くらいの頻度で出題されます。判例の内容を問うものがほとんどですので、結論に至る理由づけをしっかり理解しておいてください。

国家総合職

法の下の平等に関する判例の内容を問う問題がほとんどです。あまり有名ではない判例が問われることもありますし、しかも判例のかなり細かい知識まで問われますので、判例集などで判例の内容をしっかり理解するようにしてください。

Advice アドバイス 学習と対策

法の下の平等については，まず「法の下」の意味，「平等」の意味を覚えてください。そのうえで法の下の平等に関する判例を理解することが必要です。ただ違憲・合憲の結論だけ覚えたのでは対応できないことが多いですので，結論に至る理由をしっかりと理解しておくことが重要です。

人権総論(1)・法の下の平等
人権の意味・限界

必修問題 セクションテーマを代表する問題に挑戦！

人権といえども限界があることを学びましょう。

問 公共の福祉に関する次のＡ説～Ｃ説の学説についての記述として最も適当なのはどれか。 （裁事2011）

Ａ説：憲法第12条、第13条の「公共の福祉」は、人権の外にあって、人権を制約することのできる原理である。

Ｂ説：人権が公共の福祉によって制約されるのは、個別の人権規定で「公共の福祉」による制約を認めている場合だけであり、憲法第12条、第13条の「公共の福祉」は、人権制約の根拠となりえない。

Ｃ説：公共の福祉は、人権相互の矛盾や衝突を調整するための実質的公平の原理である。

1：Ａ説は、人権を制約する根拠には人権に内在するものと外在するものがあると考えている。

2：Ｂ説に立つと、憲法第22条、第29条の「公共の福祉」は、特別の意味を持たないことになる。

3：Ｂ説は、明治憲法の場合と同じように、人権一般に「法律の留保」を認めたことになると批判される。

4：Ｃ説は、公共の福祉の内容を、自由権を各人に保障するために必要最小限度の規制のみを認める自由国家的公共の福祉と、社会権の実質的な保障のために自由権を規制する社会国家的公共の福祉とに区別する。

5：Ｃ説は、新しい人権の法的根拠を憲法第13条とすることができなくなると批判される。

Guidance ガイダンス　公共の福祉と人権との関係

・一元的外在制約説
　公共の福祉は人権の外にあって人権を一般に制限できる
・内在・外在二元的制約説
　経済的自由権…公共の福祉により制約
　精神的自由権…内在的制約
・一元的内在制約説
　公共の福祉は、すべての人権に内在する、人権相互の矛盾・衝突を調整する実質的衡平の原理

直前復習

必修問題の解説

チェック欄 1回目 2回目 3回目

〈公共の福祉〉

A説（一元的外在制約説）によれば、人権はすべて憲法12条・13条の「公共の福祉」によって政策的（外在的）に制約でき、憲法22条・29条の「公共の福祉」は、憲法12条・13条の再言であって特別の意味を持たないことになる。この説に対しては、公共の福祉という抽象的概念により人権を制限することができることになるため、人権制限が容易に肯定され、結果的に明治憲法の人権保障が「法律の留保」付きであったことと同じになってしまうという批判がある。

B説（内在・外在二元的制約説）によれば、「公共の福祉」による制約が認められる人権は、明文で定められている憲法22条・29条の場合であり、憲法12条・13条は訓示的・倫理的規定にすぎず人権制限の根拠にならないとする。それ以外の人権を公共の福祉によって制限することはできず、内在的制約のみに服することになるとする。この説に対しては、憲法13条を倫理的規定と解することになるため、新しい人権の法的根拠とすることができなくなるという批判がある。

C説（一元的内在制約説）は現在の通説であり、憲法12条・13条の「公共の福祉」は人権相互の矛盾、衝突を調整する実質的公平の原理であり、すべての人権に必然的に内在するものとする。これによれば、公共の福祉には、自由権を公平に保障するために加えられる必要最小限度の制約（自由国家的公共の福祉）と社会権を実質的に保障するために経済的自由権に加える必要な限度の制約（社会国家的公共の福祉）が含まれることになる。憲法22条・29条においてさらに「公共の福祉」による制約を受けることを定めたのは、この経済的自由権が社会国家的公共の福祉による制約を受けることを確認したものとされる。

1 × A説は人権を制約する根拠はすべて人権に外在すると考える。本肢はB説の説明である。

2 × B説は憲法22条・29条のように条文で「公共の福祉」を明示し個別的に政策的制約を定めた場合にのみ人権制約を認めているとするので、憲法22条・29条の「公共の福祉」は特別の意味を持つことになる。

3 × 人権一般に「法律の留保」を認めたことになると批判されるのは、人権をすべて人権に外在する「公共の福祉」によって政策的に制約できるとするA説である。

4 ○ 本肢は上述のとおりC説の説明であり、妥当である。

5 × 憲法13条を新しい人権の法的根拠にできなくなるとするのは、憲法13条を倫理的・訓示的規定と捉えるB説である。

正答 4

第1章 SECTION 1

人権総論⑴・法の下の平等
人権の意味・限界

1 人権の意味

人権とは、「人が人である以上、当然に有する権利」のことをいいます。

2 人権の特質

①**固有性**

憲法や法律によって与えられるものではなく、人が人であることにより当然有する権利

②**不可侵性**

侵すことのできない永久の権利

③**普遍性**

人種、性別、身分などにかかわらず、人であることに基づいて当然に保障される権利

3 人権の分類

⑴ 自由権

自由権とは、国家権力の干渉・介入を排除して、個人の自由を確保する権利をいいます。

→国家からの自由

→精神的自由権、経済的自由権、人身の自由

⑵ 社会権

社会権とは、個人の尊厳や、人の生存の維持・発展に必要な諸条件の整備を国家に対して要求する権利をいいます。

→国家による自由

→生存権、教育を受ける権利、労働基本権

⑶ 参政権

参政権とは、国民が政治に参加する権利をいいます。

→国家への自由

→選挙権、被選挙権

⑷ 国務請求権（受益権）

国務請求権（受益権）とは、他の人権を確保するために国家による行為を求める権利をいいます。

→請願権、裁判を受ける権利、国家賠償請求権、刑事補償請求権

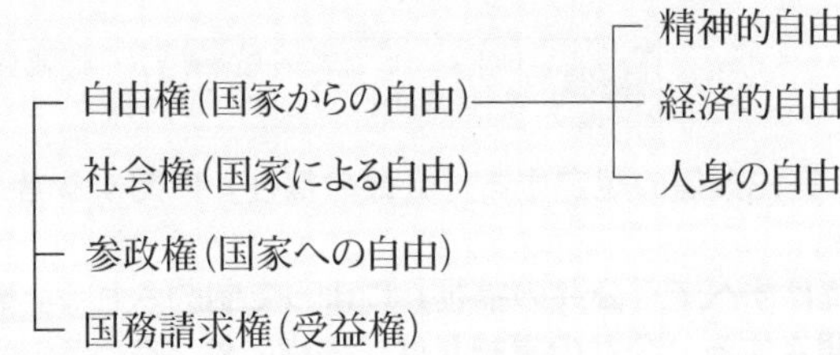

4 公共の福祉とは

人権の観念も、社会において多くの人間が共同体を作って生活していることを前提に成り立っています。そのため、社会生活上、人権と人権が衝突する局面が発生した場合には、その調整が必要となります。

この調整役が「公共の福祉」です。

公共の福祉の内容

・**内在的制約**
他人の人権との衝突の調整
→必要最小限度の制約のみ許される

・**政策的制約**
経済的弱者を保護するための制約
→必要な限度の制約が許される

人権総論(1)・法の下の平等

人権の意味・限界

実践 問題 1 応用レベル

頻出度	地上★	国家一般職★	特別区★
	裁判所職員★	国税·財務·労基★	国家総合職★

問 憲法第12条、第13条等の規定する「公共の福祉」に関する考え方として、次の３説がある。

（Ⅰ説）基本的人権はすべて「公共の福祉」によって制約される。憲法第12条及び第13条の規定する「公共の福祉」は、人権の外に在って、これを制約することのできる一般的な原理である。

（Ⅱ説）「公共の福祉」による制約が認められる人権は、その旨が明文で定められている経済的自由権及び国家の積極的施策によって実現される社会権に限られ、それ以外の自由権は、権利が社会的なものであることに内在する制約に服するにとどまる。憲法第12条及び第13条は訓示的な規定であるにとどまり、同条の規定する「公共の福祉」は、人権制約の根拠とはなり得ない。

（Ⅲ説）「公共の福祉」とは、人権相互の矛盾、衝突を調整するための実質的公平の原理であり、この意味での「公共の福祉」は、実際に憲法の条文に規定されているか否かにかかわらず、すべての人権に論理必然的に内在している。この意味での「公共の福祉」は、自由権を各人に公平に保障するための制約を根拠付ける場合には必要最小限度の規制のみを認め、社会権を実質的に保障するために自由権の制約を根拠付ける場合には必要な限度の規制を認めるものとして働く。

上記の各説に対しては、次のア～エのような批判があるが、上記の各説とこれに対応する批判の組合せとして、最も妥当なのはどれか。（国Ⅰ2001）

ア：この説によれば、例えば、「知る権利」がいかなる制約に服するか判別することが困難となるおそれがある。

イ：この説によれば、法律による人権制限が安易に肯定されるおそれがある。

ウ：この説によれば、例えば、「肖像権」を憲法上の権利として位置付けることが困難となるおそれがある。

エ：この説によれば、依然として、個々の人権を制約する立法の合憲性を判定する具体的基準が必ずしも明確にならないおそれがある。

	（Ⅰ説）	（Ⅱ説）	（Ⅲ説）
1：	ア、イ	エ	ウ
2：	ウ	ア	イ、エ
3：	イ	ア、ウ	エ
4：	ア、エ	イ	ウ
5：	エ	ア、ウ	イ

チェック欄

1回目	2回目	3回目

実践 問題 1 の解説

〈公共の福祉〉

ア Ⅱ説に対する批判である。 知る権利は、表現の自由の現代的変容として憲法21条1項によって保障される権利である。知る権利は、個人がさまざまな意見や事実を知ることを国家によって妨げられることはない点で自由権的性格を有している。さらに、知る権利は国家に対して政府情報等の公開を要求する社会権的性格も併有している。自由権的制約と社会権的制約とを区別する説からすると、両方の性格を有する「知る権利」は、いかなる制約に服するか判別できなくなる。したがって、アはⅡ説に対する批判となる。

イ Ⅰ説に対する批判である。 「公共の福祉」による一般的な制約を許すと、法律により広範囲に人権が制約される危険が生じてくる。したがって、法律による人権制限が安易に肯定されるおそれがあるというイの記述は、Ⅰ説に対する批判となる。

ウ Ⅱ説に対する批判である。 「肖像権」は憲法上規定されていないが、個人の人格的自律に不可欠な権利であることから、「新しい人権」として認められてきた人権である。このような「新しい人権」は憲法13条を根拠としている。そうだとすれば、「肖像権」を憲法上の権利として位置づけることが困難となるという批判は、憲法13条に実質的な意味を認めない見解に対してなされたものであるといえる。したがって、ウは憲法13条が訓示的規定にすぎないとするⅡ説に対する批判となる。

エ Ⅲ説に対する批判である。 Ⅲ説は、自由権相互の矛盾・衝突を調整するときは「必要最小限度」の制約が必要で、社会権を実質的に保障するための制約には「必要な限度」の制約が必要であるとするが、何が「必要最小限度」で、何が「必要な限度」であるかを明らかにしているわけではない。したがって、人権制約の合憲性判定基準が必ずしも明確にならないとするエの批判はⅢ説に対する批判となる。

以上より、Ⅰ説—イ Ⅱ説—ア、ウ Ⅲ説—エの組合せである肢3が正解となる。

正答 3

人権総論(1)・法の下の平等

人権の意味・限界

実践 問題 2 応用レベル

頻出度	地上★	国家一般職★	特別区★
	裁判所職員★	国税·財務·労基★	国家総合職★

問 **基本的人権を制限する立法の違憲審査基準に関する次の記述のうち、最も妥当なのはどれか。** **(国Ⅰ2002)**

1：比較衡量論（利益衡量論）とは、人権の制限によって得られる利益と人権の制限によって失われる利益とを比較衡量し、前者が大きい場合には人権の制限を合憲とし、後者が大きい場合には人権の制限を違憲とする判断方法をいうが、この手法は、一般に必ずしも比較の基準が明確でないなどの問題があることから、最高裁判所は、表現の自由を始めとする精神的自由権を制限する法律の違憲審査基準としては用いることができないとしている。

2：二重の基準論とは、基本的人権のうち精神的自由と経済的自由とを区分し、精神的自由は経済的自由より優越的地位を占めることから、人権を制限する法律の違憲審査に当たっては、経済的自由の制限が立法府の裁量を尊重して緩やかな基準で審査されるのに対して、精神的自由の制限はより厳密な基準によって審査されなければならないという考え方をいうが、その唯一の根拠は、精神的自由が不当に制約されると民主政の過程そのものが傷つけられるから裁判所が積極的に介入して民主政の過程を元どおりに回復させる必要があるとするものである。

3：表現の自由の優越的地位に照らせば、この領域では通常の合憲性の推定原則が排除され、違憲性の推定原則が妥当するとも主張されているが、ここにいう合憲性の推定原則の排除又は違憲性の推定原則については、表現の自由の制限は例外的に認められるものであることから、表現の自由を制限する法令の合憲性に関しては国が裁判所を説得するに足りる議論を積極的に展開しなければならないのはもちろん、訴訟手続上の挙証責任も国に転換されると解するのが通説である。

4：表現の自由を制限する立法の違憲審査基準としては、表現に対する公権力による事前の規制を排除するという事前抑制禁止の理論、あいまい不明確な法律によって表現の自由に対し制限を加えると萎縮的効果が生ずるから当該法律は原則として無効となるとする明確性の理論、明白かつ現在の危険の基準、より制限的でない他の選び得る手段（ＬＲＡ）の基準等が挙げられ、最高裁判所は、表現の自由を制限する立法の違憲審査基準として、事前抑制禁止の理論と明確性の理論を明示的に採用している。

5：事前抑制禁止の理論と検閲の禁止（憲法第21条第２項）との関係については、憲法第21条には事前抑制禁止の法理が当然含まれており、事前規制のうち、特に検閲については、同条第２項によって絶対的に禁止されると解する見解と、同項の検閲の禁止の原則が事前抑制の禁止の法理を定めたものであると解する見解とに分かれているが、最高裁判所は後者の見解を採用している。

チェック欄

1回目	2回目	3回目

実践 問題 2 の解説

〈違憲審査基準〉

1 × 比較衡量論（利益衡量論）の説明は本肢の記述のとおりである。この手法は、一般に比較の基準が必ずしも明確でなく、特に国家権力と個人の利益の衡量が行われる憲法の分野においては、国家権力の利益が優先する可能性が強いという点に問題があるとされる。しかし、最高裁判所は、よど号ハイジャック新聞記事抹消事件（最大判昭58.6.22）、博多駅事件（最大決昭44.11.26）などにおいて、表現の自由をはじめとする精神的自由権を制限する法律の違憲審査基準として比較衡量論を用いている。

2 × 二重の基準論の説明は本肢の記述のとおりである。しかし、二重の基準論の根拠は、第１に、精神的自由が不当に制約されると民主政の過程そのものが傷つけられるから裁判所が積極的に介入して民主政の過程を元どおりに回復させる必要があるとする点にあるが、それが唯一の根拠ではなく、第２に、経済的自由の規制は社会・経済政策の問題と関係することが多く、その合憲性を判定するには政策的な判断を必要とするが、裁判所はそのような判断能力に乏しいという点も挙げられる。

3 × 表現の自由の優越的地位に照らせば、この領域では通常の合憲性の推定原則が排除され、違憲性の推定原則が妥当するとも主張されている。しかし、ここにいう合憲性の推定原則の排除または違憲性の推定原則については、表現の自由の制限は例外的に認められるものであることから、表現の自由を制限する法令の合憲性に関しては国が裁判所を説得するに足りる議論を積極的に展開しなければならないという程度の意味であり、訴訟手続上の挙証責任が国に転換されるというような厳密な意味ではないとするのが通説である。

4 ○ 判例は、北方ジャーナル事件において事前抑制禁止の理論を明示的に採用している（最大判昭61.6.11）。また、徳島市公安条例事件において、明確性の理論を明示的に採用している（最大判昭50.9.10）。

5 × 判例は、北方ジャーナル事件において、検閲が憲法21条２項で絶対的禁止とされているのに対して、憲法21条１項による事前抑制は、例外的に事前差止めが許されると述べており、問題文の前者の見解を採用している。

正答 4

人権総論(1)・法の下の平等

法の下の平等

必修問題　セクションテーマを代表する問題に挑戦！

法の下の平等の学習を通して、人権分野全体の学習の仕方も身につけてください。

問　日本国憲法に規定する法の下の平等に関する記述として、判例、通説に照らして、妥当なのはどれか。　(特別区2007改題)

1：法の下の平等は、等しいものは等しく、等しくないものは等しくなく取り扱うという絶対的平等を意味するものであり、いかなる理由であっても各人に対して異なる取扱をすることは許されない。

2：日本国憲法は、人種、信条、性別、社会的身分又は門地による差別を禁止しているが、これらは限定的に列挙された事由であり、その他の事由に基づく差別は法の下の平等に反しない。

3：法の下の平等は、法の適用においての平等を意味するだけでなく、法の定立における平等も意味するものであり、行政と司法を拘束するのみならず、立法者をも拘束するものである。

4：最高裁判所の判例では、非嫡出子の法定相続分を嫡出子の２分の１と定める民法の規定は、民法は法律婚主義を採用しているという立法理由との関連においても合理的であり、立法府に与えられた合理的な裁量判断の限界を超えた合理的な理由のない差別とはいえず、法の下の平等に反しないとした。

5：最高裁判所の判例では、所得の性質の違い等を理由として、旧所得税法の規定が給与所得者に対し給与所得の金額の計算につき必要経費の実額控除を認めないのは、その区別の態様が立法目的との関連で著しく不合理であることが明らかであるため、法の下の平等に反するとした。

直前復習

Guidance ガイダンス

法の下の平等の意味

「法の下」…法適用の平等＋法内容の平等

「平等」…相対的平等

「人種、信条、性別、社会的身分又は門地」

例示列挙

必修問題の解説

チェック欄		
1回目	2回目	3回目

〈法の下の平等〉

1 × 現実に存在するさまざまな事実上の差異を無視して、すべての者を機械的に均一に扱うこと（絶対的平等）は、かえって不合理であり、非現実的である。そこで、憲法14条１項にいう「平等」の意味について、通説は、事実上の差異に着目して、等しいものは等しく、等しくないものは等しくなく取り扱うべきだとする**相対的平等**を意味すると解している。このように解すると、各人に対する合理的な区別は認められ、不合理な差別的取扱いだけが禁止されるということになる。

2 × 憲法14条１項後段の列挙事由の解釈については、学説上争いがある。しかし、立法者拘束説（肢３の解説参照）に立つ学説の大多数は、これを限定列挙ではなく例示列挙と捉え、禁止される差別のうち特に重要なものが列挙されていると解する点では共通している。また、判例は、これを単なる例示にすぎないと解している（最大判昭39.5.27）。

3 ○ 憲法14条１項は法適用の平等のみを意味するか、法内容の平等までをも意味するか、すなわち憲法14条１項が立法者をも拘束するのかについて、かつては法適用の平等のみを意味するとの学説もあった（**立法者非拘束説**）。しかし、法の内容自体に不平等があるときにそれを平等に適用しても意味がないことなどから、憲法14条１項は立法者をも拘束し、法の下の平等とは法内容の平等をも意味すると解するのが現在の通説である（**立法者拘束説**）。

4 × 旧民法900条４号但書につき、最大決平25.9.4は、父母が婚姻関係になかったという、子にとっては自ら選択・修正する余地のない事柄を理由としてその子に不利益を及ぼすことは許されず、子を個人として尊重し権利を保障すべきとし、立法府の裁量権を考慮しても、嫡出子と嫡出でない子の法定相続分を区別する合理的な根拠は失われており、本件規定は、遅くとも相続が開始した平成13年７月当時において憲法14条１項に違反していたとした。

5 × **サラリーマン税金訴訟**において、判例は、租税法の分野における取扱いの区別は、立法目的が正当で、その区別の態様が著しく不合理であることが明らかでない限り憲法14条１項に反しないとしたうえで、本肢のような規定も、目的は正当で、区別の態様も明らかに相当性を欠くとはいえないとして、憲法に反しないとした（最大判昭60.3.27）。

正答 3

第1章 SECTION 2 人権総論(1)・法の下の平等

法の下の平等

1 平等の意味

憲法14条１項は、すべての人が、その人格的価値において平等であるとする理念を前提に、法的な取扱いにおいて等しくなければならないということを具体化した規定です。

2 法内容の平等

「法の下に」平等の意味
　法適用の平等
　　法を執行・適用する行政機関や裁判所が国民を差別的に取り扱ってはならない
　法内容の平等
　　法そのものの内容が平等原則に従って定立されていなければならない

立法者拘束説
　憲法14条１項は、行政権や司法権のみならず、立法権をも拘束する

立法者拘束説

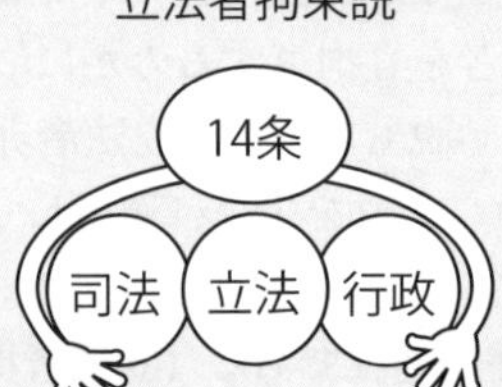

立法者非拘束説

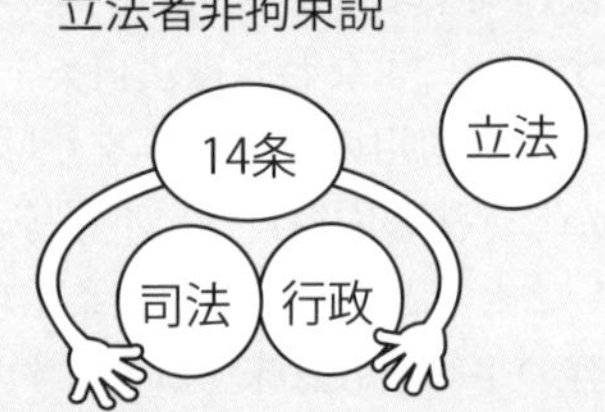

3 相対的平等

法の下の「平等」とは、性別、能力、年齢、財産、職業など各人の事実的・実質的な差異を前提として、同一の事情と条件のもとでは均等に取り扱うという「相対的平等」を意味します。各人の差異を無視して絶対的・形式的な平等を貫くと、かえって不平等な結果がもたらされることになり、不合理だからです。

このように「平等」とは相対的平等を意味するので、各人の事実的差異を前提とした合理的な理由に基づく取扱いの差異を設けることは許されることになります。

別扱いが合理的か否かは、立法目的と目的達成手段の２点から審査されます。

判例チェック

判例は、刑法の尊属殺重罰規定（改正により削除）につき、被害者が尊属であることを刑の加重要件としても直ちに合理的な根拠を欠くものではないとしながらも、法定刑を死刑または（当時）無期懲役だけに限っている点で加重の程度が極端で、立法目的を達成するために必要な限度をはるかに超えており、普通殺人罪の法定刑に比べ著しく不合理な差別的取扱いであるから憲法14条１項に反し違憲であるとしています（尊属殺重罰規定事件、最大判昭48.4.4）。

判例チェック

判例は、衆議院議員の選挙において各選挙区の議員定数の配分に不均衡があり、その結果として投票価値に不平等が生じることは、それが一般に合理性を有するものとは到底考えられない程度に達している場合には、憲法違反となりうるとしています（議員定数不均衡事件、最大判昭51.4.14）。

判例チェック

判例は、給与所得者に必要経費の実額控除などが認められないことが、事業所得者などと比べて不平等ではないかが問題となった事件において、租税法は立法目的が正当であり、当該立法において採用された区別の態様がその目的との関連で著しく不合理であることが明らかでない限り合憲とされるが、旧所得税法が必要経費の控除について事業所得者などと給与所得者との間に設けた区別は、合理的なものであり合憲としました（サラリーマン税金訴訟、最大判昭60.3.27）。

判例チェック

判例は、20歳以上の学生等の国民年金任意加入制や20歳以上の学生等に対する無拠出制年金支給規定を設けなかったことは、憲法14条に違反しないとしました（学生無年金訴訟、最判平19.9.28）。

判例チェック

判例は、旧民法900条４号但書につき、父母が婚姻関係になかったという、子にとっては自ら選択・修正する余地のない事柄を理由としてその子に不利益を及ぼすことは許されず、子を個人として尊重し権利を保障すべきとし、立法府の裁量権を考慮しても、嫡出子と嫡出でない子の法定相続分を区別する合理的な根拠は失われており、本件規定は、遅くとも相続が開始した平成13年７月当時において憲法14条１項に違反していたとしました（最大決平25.9.4）。

判例チェック

判例は、日本国籍を持つ父と外国籍を持つ母との間に生まれた非嫡出子が生後認知を受けた場合、その父母の婚姻を日本国籍取得の条件とする旧国籍法３条１項は、不合理な差別であり憲法14条に違反するとしました（国籍法３条事件、最大判平20.6.4）。

実践 問題 3 基本レベル

頻出度	地上★★　国家一般職★★　特別区★★ 裁判所職員★★　国税･財務･労基★★★　国家総合職★★

問 **法の下の平等に関する次のア～エの記述の正誤の組合せとして最も妥当なものはどれか（争いのあるときは、判例の見解による。）。（裁判所事務官2024）**

ア：国民の租税負担を定めるに当たっては、国政全般からの総合的な政策判断と、極めて専門技術的な判断が必要となるので、租税法の分野における取扱いの区別については、その立法目的が正当であり、区別の態様が目的との関連で著しく不合理であることが明らかでない限り、憲法第14条第１項に違反しない。

イ：憲法第14条第１項後段は、人種、信条、性別等により差別されないと定めるが、これはここに列挙された事由による差別だけが憲法上禁止されるという趣旨である。

ウ：地方公共団体が憲法第94条の条例制定権に基づいて売春の取締りについて各別に条例を制定した結果、その取扱いに差異が生じた場合には、憲法第14条第１項に違反する。

エ：憲法第14条第１項は、選挙権に関しては、各選挙人の投票の価値の平等も要求するものであるが、各投票が選挙の結果に及ぼす影響力が数字的に完全に同一であることまでも要求するものではない。

	ア	イ	ウ	エ
1：	正	正	誤	誤
2：	正	誤	正	誤
3：	正	誤	誤	正
4：	誤	正	誤	正
5：	誤	誤	正	正

チェック欄

1回目	2回目	3回目

実践 問題 3 の解説

〈法の下の平等〉

ア○ 給与所得者と事業所得者で必要経費の控除の方法が異なっていることが法の下の平等に抵触するかについて、判例は、「租税法の定立については立法府の政策的、技術的な判断にゆだねるほかはなく、裁判所は、基本的にはその裁量的判断を尊重せざるを得ない」とした後に、本記述と同様の見解を述べ、法の下の平等に反しないとしている（サラリーマン税金訴訟、最大判昭60.3.27）。

イ× 憲法14条によって禁止される差別的取扱いの範囲については、14条１項後段に列挙された事由は歴史的に存在した不合理な差別を特に例示したものであって、後段に列挙された事由に該当しなかったとしても、不合理な差別的取扱いは同項前段の原則に戻って禁止されると解されている。したがって、憲法14条１項後段の列挙事由による差別だけが禁止されるわけではない。

ウ× 条例による取扱いの差異について、判例は、憲法が地方公共団体の条例制定権を認める以上、地域によって差別を生ずることは当然に予期されることであるから、かかる差別は憲法自ら容認するところであるとして、憲法14条１項に違反しないとしている（最大判昭33.10.15）。したがって、条例による差異を違憲と述べる点が判例の見解と異なるので、本記述は誤りである。

エ○ 投票価値の平等が問われた判例において、まず、「選挙権の内容、すなわち各選挙人の投票の価値の平等もまた、憲法の要求するところである」としつつも、「各投票が選挙の結果に及ぼす影響力が数字的に完全に同一であることまでも要求するものと考えることはできない」として、選挙制度の設計について国会に裁量の余地があることを認めている（議員定数不均衡事件、最大判昭51.4.14）。

以上より、アー正、イー誤、ウー誤、エー正であり、肢３が正解となる。

正答 3

法の下の平等

実践 問題 4 基本レベル

頻出度 地上★★ 国家一般職★★ 特別区★★ 裁判所職員★ 国税・財務・労基★★★ 国家総合職★★

問 法の下の平等に関するア～オの記述のうち、判例に照らし、妥当なもののみを全て挙げているのはどれか。 (財務2020)

ア：選挙権の平等には投票価値の平等も含まれるから、一票の較差が１対２を超える定数配分は、ある選挙区の選挙人に二票以上の投票権を与えることとなり、直ちに憲法第14条第１項に違反する。

イ：障害福祉年金と児童扶養手当の併給を調整する規定は、障害福祉年金を受けることができる地位にある者とそうでない者との間に児童扶養手当の受給に関し差別を生じさせるものであり、憲法第14条第１項に違反する。

ウ：国籍法の規定が、日本国民である父と日本国民でない母との間に出生した後に父から認知された子について、父母の婚姻により嫡出子たる身分を取得した場合に限り届出による日本国籍の取得を認めることによって、認知されたにとどまる子と嫡出子たる身分を取得した子との間に日本国籍の取得に関し区別を生じさせていることは、憲法第14条第１項に違反する。

エ：尊属に対する尊重報恩を保護するという立法目的にのっとり、尊属を卑属又はその配偶者が殺害することを普通殺人と区別して重罰を科すことは、かかる立法目的のために刑を加重すること自体が合理的な根拠を欠くため、憲法第14条第１項に違反する。

オ：租税法の分野における所得の性質の違い等を理由とする取扱いの区別は、その立法目的が正当なものであり、かつ、当該立法において具体的に採用された区別の態様が当該立法目的との関連で著しく不合理であることが明らかでない限り、その合理性を否定することはできず、憲法第14条第１項に違反しない。

1：ア、イ
2：イ、ウ
3：ウ、エ
4：ウ、オ
5：エ、オ

チェック欄		
1回目	2回目	3回目

実践 問題 4 の解説

〈法の下の平等〉

ア× 一票の較差が問題となった判例は、衆議院、参議院、地方議会のそれぞれに多数の蓄積があるが、1対2を超える定数配分が直ちに憲法14条1項に違反すると判示したものは存在しない。

イ× 障害福祉年金と児童扶養手当との併給禁止が問題となった堀木訴訟（最大判昭57.7.7）において、最高裁は、併給禁止条項により障害福祉年金受給者とそうでない者との間に児童扶養手当の受給に関し差が生じても、広範な立法裁量を前提に判断すると、差別は不合理なものとはいえず、憲法14条1項に違反しないとした。

ウ○ 旧国籍法3条1項の規定は、日本国民である父から生後認知された準正子に日本国籍の取得を認める一方、日本国民である父から生後認知されただけの非嫡出子は日本国籍を取得することができないという区別をもたらしていた。判例は、国籍という法的地位は人権を享有するための重要な地位であること、嫡出子かどうかは子が自らの意思や努力で決定しえないものであることを理由に、当該規定は、制定当時には立法目的との間に合理的関連性があったものの、その後の立法事実の変化により現在では合理的関連性がなくなっており、憲法14条1項に違反するとした（国籍法3条事件、最大判平20.6.4）。

エ× 判例は、「尊属に対する尊重報恩は、社会生活上の基本的道義というべく、このような自然的情愛ないし普遍的倫理の維持は、刑法上の保護に値する」として、被害者が尊属であることを理由に刑の加重要件とする規定を設けても、直ちに憲法14条1項には違反しないとした（尊属殺重罰規定違憲判決、最大判昭48.4.4）。すなわち、判例は、刑を加重すること自体が合理的な根拠を欠くとは述べていないので、本記述は妥当でない。憲法14条1項に違反するとされたのは、旧刑法200条の法定刑が死刑および（当時）無期懲役刑のみに限られている点が、立法目的達成のため必要な限度を遥かに超え、著しく不合理な差別的取扱いをするものと認められたからである。

オ○ 本記述は判例の見解と合致しており、妥当である。旧所得税法の規定が、事業所得者等に比べて給与所得者に著しく不公平な税負担を課しているとして憲法14条1項違反が争われたサラリーマン税金訴訟（最大判昭60.3.27）において、本記述のように述べている。

以上より、妥当なものはウ、オであり、肢4が正解となる。

正答 4

法の下の平等

実践 問題 5 基本レベル

頻出度 地上★★　国家一般職★★　特別区★★　裁判所職員★　国税·財務·労基★★★　国家総合職★★

問 法の下の平等に関する次のア～オの記述のうち、妥当なもののみを全て挙げているものはどれか（争いのあるときは、判例の見解による。）。

（裁判所事務官2019）

ア：憲法第14条第１項は、合理的理由のない区別を禁止する趣旨であるから、事柄の性質に即応して合理的と認められる区別は許されるが、憲法第14条第１項後段に列挙された事由による区別は例外なく許されない。

イ：判例は、夫婦が婚姻の際に定めるところに従い夫または妻の氏を称することを定める民法第750条について、同条は、夫婦がいずれの氏を称するかを夫婦となろうとする者の間の協議に委ねており、夫婦同氏制それ自体に男女間の形式的な不平等が存在するわけではないものの、氏の選択に関し、これまでは夫の氏を選択する夫婦が圧倒的多数を占めている状況にあることに鑑みると、社会に男女差別的価値観を助長し続けているものであり、実質的平等の観点から憲法第14条１項に違反するものとした。

ウ：判例は、衆議院議員の選挙における投票価値の格差の問題について、定数配分又は選挙区割りが憲法の投票価値の平等の要求に反する状態に至っているか否かを検討した上で、そのような状態に至っている場合に、憲法上要求される合理的期間内における是正がされず定数配分規定又は区割り規定が憲法の規定に違反するに至っているか否かを検討して判断を行っている。

エ：判例は、男性の定年年齢を60歳、女性の定年年齢を55歳と定める就業規則は、当該会社の企業経営上の観点から、定年年齢において女子を差別しなければならない合理的理由が認められないときは、性別のみによる不合理な差別に当たるとした。

オ：憲法第14条第１項の「社会的身分」とは、自己の意思をもってしては離れることのできない固定した地位というように狭く解されており、高齢であることは「社会的身分」には当たらない。

1：ア、エ
2：イ、オ
3：イ、ウ
4：ウ、エ
5：エ、オ

チェック欄		
1回目	2回目	3回目

実践 問題 5 の解説

〈法の下の平等〉

ア× 憲法14条1項後段列挙事由による区別も許容される場合があるので、妥当でない。憲法14条1項の規定する法の下の平等の要請は、事柄の性質に即応した合理的な根拠に基づかない差別的な取扱いを禁止する趣旨である。もっとも、同項後段列挙事由は、民主主義の理念に照らして不合理な差別を例示したものにすぎず、これに対する区別を絶対的に禁止する趣旨ではない。すなわち、合理的な根拠に基づく区別は許されるのである。

イ× 判例は、夫の氏を選択する夫婦が圧倒的多数を占めることは民法750条のあり方自体から生じた結果ではなく、同規定は憲法14条1項に違反しないとしているので、妥当でない。判例は、「我が国において、夫婦となろうとする者の間の個々の協議の結果として夫の氏を選択する夫婦が圧倒的多数を占めることが認められるとしても、それが、本件規定の在り方自体から生じた結果であるということはできない」としている（最大判平27.12.16）。

ウ○ 判例（最大判昭60.7.17）は、衆議院議員選挙における議員定数不均衡の問題（国会議員の選挙で各選挙区の議員定数配分に不均衡が生じ、有権者との比率の点において投票価値の不平等が生じること）について、本記述のとおり述べているので、妥当である。すなわち、判例は、議員定数配分規定が憲法の平等権の要求に違反している状態かどうかを検討し、（違反している状態だと判断した場合には）憲法上要求される合理的期間内の是正が行われたかどうかを検討し、是正が行われていないと認めたときに初めて憲法に違反するという判断を行っている。

エ○ 判例は、男性の定年年齢を60歳、女性の定年年齢を55歳と定める就業規則は、「被告会社の企業経営上の観点から定年年齢において女子を差別しなければならない合理的理由は認められない」として、「性別のみによる不合理な差別を定めたもの」と述べた（女子若年定年制事件、最判昭56.3.24）。

オ× 判例は、「社会的身分」を「人が社会において占める継続的な地位をいう」と広く捉えているので、本記述は妥当でない。なお、判例は、このように広く捉えたうえでも、高齢であることは「社会的身分」にあたらないとしている（最大判昭39.5.27）。

以上より、妥当なものはウ、エであり、肢4が正解となる。

正答 4

実践 問題 6 基本レベル

頻出度 地上★★ 国家一般職★★ 特別区★★ 裁判所職員★ 国税·財務·労基★★★ 国家総合職★★

問 法の下の平等に関するア～オの記述のうち、判例に照らし、妥当なもののみを全て挙げているのはどれか。 (国税・財務・労基2013)

ア：在留外国人を対象とする指紋押なつ制度は、戸籍制度のない外国人の人物特定を目的として制定されたものであるが、他の手段で代替することが可能であり、その内容・方法にかかわらず、日本人と異なる取扱いをすることにつき合理性が認め難いため、憲法第14条第１項に違反する。

イ：尊属殺重罰規定は、尊属を卑属又はその配偶者が殺害することを一般に高度の社会的道義的非難に値するものとし、かかる所為を通常の殺人の場合より厳重に処罰し、もって特に強くこれを禁圧しようとするものであるが、かかる立法目的は、一種の身分制道徳の見地に立脚するものであって、個人の尊厳と人格価値の平等を基本理念とする憲法に違反する。

ウ：租税法の分野における所得の性質の違い等を理由とする取扱いの区別は、その立法目的が正当であり、かつ、当該立法において具体的に採用された区別の態様がその目的との関連で著しく不合理であることが明らかでない限り、その合理性を否定することができず、これを憲法第14条第１項に違反するものということはできない。

エ：憲法が各地方公共団体の条例制定権を認める以上、地域によって差別が生じることは当然予期されることであるから、かかる差別は憲法自らが容認するところであると解すべきであって、地方公共団体が売春の取締りについて各別に条例を制定する結果、その取扱いに差別が生じることがあっても、地域差を理由に憲法に違反するということはできない。

オ：障害福祉年金と児童扶養手当の併給禁止規定（当時）によって、障害福祉年金受給者とそうでない者との間に生じる児童扶養手当受給における差別の合理性の判断については、併給禁止は生存権の重大な制限をもたらすものであるため、立法目的自体の合理性及び立法目的とその手段との実質的関連性を厳格に検討して判断すべきである。

1：ア、エ
2：ア、オ
3：イ、ウ
4：ウ、エ
5：エ、オ

直前復習

チェック欄		
1回目	2回目	3回目

実践 問題 6 の解説

〈法の下の平等〉

ア× 判例は、在留外国人を対象とする指紋押なつ制度を設けることは、戸籍制度のない外国人については、日本人とは社会的事実関係上の差異があって、その取扱いの差異には合理的根拠があるので、憲法14条に違反しないとした（指紋押捺拒否事件、最判平7.12.15）。

イ× 尊属殺重罰規定について判例は、尊属に対する尊重報恩という社会的道義を維持する立法目的自体は合理的であり、その目的を達成するために、被害者が尊属であることを類型化し、法律上刑の加重要件とする規定を設けることは憲法14条１項に違反しないとした。しかし、その目的達成手段としての法定刑が、死刑または（当時）無期懲役に限られている点においてあまりにも厳しく正当化することはできないとして、尊属殺重罰規定を違憲とした（尊属殺重罰規定事件、最大判昭48.4.4）。

ウ○ 判例は、租税法の分野における所得の性質の違い等を理由とする取扱いの区別は、その立法目的が正当なものであり、かつ、当該立法において具体的に採用された区別の態様がその目的との関連で著しく不合理であることが明らかでない限り、その合理性を否定することができず、これを憲法14条１項に違反するものとはできないとした（サラリーマン税金訴訟、最大判昭60.3.27）。

エ○ 売春取締条例の制定により売春の取扱いが地域によって異なることについて、判例は、憲法が各地方公共団体の条例制定権を認める以上、地域によって差別を生ずることは当然に予期されることであるから、このような差別は憲法自らが容認するところであるとして憲法に違反しないとした（売春取締条例事件、最大判昭33.10.15）。

オ× 判例は、憲法25条の規定の趣旨にこたえて具体的にどのような立法措置を講ずるかは立法府に広い裁量が認められており、当該立法措置が著しく合理性を欠き、明らかに裁量の逸脱・濫用と見ざるをえないような場合を除いて、裁判所が審査判断するに適しないとしており（堀木訴訟、最大判昭57.7.7）、立法目的の合理性や手段の実質的関連性について厳格に検討すべきとはしていない。

以上より、妥当なものはウ、エであり、肢４が正解となる。

正答 4

人権総論(1)・法の下の平等

法の下の平等

実践 問題 7 基本レベル

頻出度	地上★★ 国家一般職★★ 特別区★★ 裁判所職員★ 国税·財務·労基★★★ 国家総合職★★

問 法の下の平等に関する次のア～ウの記述の正誤の組合せとして最も妥当なものはどれか（争いのあるときは、判例の見解による。）。（裁判所事務官2021）

ア：被害者が尊属であることを加重要件とする規定を設けること自体は直ちに違憲とはならないが、加重の程度が極端であって、立法目的達成の手段として甚だしく均衡を失し、これを正当化し得る根拠を見出し得ないときは、その差別は著しく不合理なものとして違憲となる。

イ：日本国籍が重要な法的地位であるとともに、父母の婚姻による嫡出子たる身分の取得は子が自らの意思や努力によっては変えられない事柄であることから、こうした事柄により国籍取得に関して区別することに合理的な理由があるか否かについては、慎重な検討が必要である。

ウ：夫婦が婚姻の際に定めるところに従い夫又は妻の氏を称すると定める民法第750条は、氏の選択に関し、夫の氏を選択する夫婦が圧倒的多数を占めている状況に鑑みると、性別に基づく法的な差別的取扱いを定めた規定であるといえる。

	ア	イ	ウ
1：	正	正	誤
2：	正	誤	正
3：	正	誤	誤
4：	誤	正	誤
5：	誤	正	正

直前復習

チェック欄		
1回目	2回目	3回目

実践 問題 7 の解説

〈法の下の平等〉

ア○ 被害者が加害者の尊属であることを刑の加重要件とすることにつき、判例は、尊属に対する尊重報恩は刑法上の保護に値し、憲法14条１項に反しないが、尊属殺人罪を定めた旧刑法200条の法定刑が死刑または（当時）無期懲役刑のみに限っていることは、その立法目的の達成のため必要な限度を遥かに超え、著しく不合理な差別的取扱いをするものとして、憲法14条１項に反するとしている（最大判昭48.4.4）。よって、本記述は妥当である。

イ○ 出生による日本国籍の取得について、非嫡出子のうち、日本国民を父、外国人を母とする生後認知を受けた子のみ、認知に加えて父母の婚姻（婚姻準正）を条件とする旧国籍法３条１項の合憲性につき判例は、本記述と同様の見解を述べて慎重な検討を行った結果、立法目的自体は合理的根拠があるものの、準正を日本国籍取得の要件としておくことについて、目的との間に合理的関連性を見出せず、憲法14条１項に反するとしている（最大判平20.6.4）。よって、本記述は妥当である。

ウ× 夫婦同氏の原則（民法750条）の合憲性につき、判例は、「夫婦がいずれの氏を称するかを夫婦となろうとする者の間の協議に委ねているのであり、性別に基づく法的な差別的取扱いを定めているわけではない」として憲法14条に反しない旨を示している（最大判平27.12.16、最大決令3.6.23）。よって、本記述は妥当でない。

以上より、アー正、イー正、ウー誤であり、肢１が正解となる。

正答 1

法の下の平等

実践 問題 8 基本レベル

頻出度	地上★★ 国家一般職★★ 特別区★★ 裁判所職員★★ 国税·財務·労基★★★ 国家総合職★★

問 日本国憲法に規定する法の下の平等に関する記述として、最高裁判所の判例に照らして、妥当なのはどれか。 (特別区2014)

1：児童扶養手当は、児童の養育者に対する養育に伴う支出についての保障である児童手当法所定の児童手当と同一の性格を有するものであり、受給者に対する所得保障である点において、障害福祉年金とは性格を異にするため、児童扶養手当と障害福祉年金の併給調整条項は憲法に違反して無効であるとした。

2：旧所得税法が給与所得に係る必要経費につき実額控除を排し、代わりに概算控除の制度を設けた目的は、給与所得者と事業所得者等との租税負担の均衡に配意したものであるが、給与所得者と事業所得者等との区別の態様が正当ではなく、かつ、著しく不合理であることが明らかなため、憲法の規定に違反するとした。

3：会社がその就業規則中に定年年齢を男子60歳、女子55歳と定めた場合において、少なくとも60歳前後までは男女とも通常の職務であれば職務遂行能力に欠けるところはなく、会社の企業経営上定年年齢において女子を差別する合理的理由がないときは、当該就業規則中女子の定年年齢を男子より低く定めた部分は性別のみによる不合理な差別を定めたものとして無効であるとした。

4：憲法が各地方公共団体の条例制定権を認める以上、地域によって差別を生ずることは当然に予期されるが、その結果生じた各条例相互間の差異が合理的なものと是認せられて始めて合憲と判断すべきであり、売春取締に関する法制は、法律によって全国一律に、統一的に規律しなければ憲法に反するとした。

5：信条による差別待遇を禁止する憲法の規定は、国または地方公共団体の統治行動に対する個人の基本的な自由と平等を保障するだけでなく、私人間の関係においても適用されるべきであり、企業者が特定の思想、信条を有する者をそのゆえをもって雇い入れることを拒むことは、当然に違法であるとした。

チェック欄

1回目	2回目	3回目

実践 問題 8 の解説

〈法の下の平等〉

1 × 児童扶養手当と障害福祉年金の併給調整条項は憲法に違反して無効であると述べる本肢は判例の見解と異なるので、妥当でない。堀木訴訟において主張された憲法14条違反の点について判例（最大判昭57.7.7）は、「本件併給調整条項の適用により、Xのような障害福祉年金を受けることができる地位にある者とそのような地位にない者との間に児童扶養手当の受給に関して差別を生ずることになるとしても、併給調整条項の合理性に加えて、身体障害者、母子に対する諸施策および生活保護制度の存在などに照らして総合的に判断すると、右差別が何ら合理的理由のない不当なものであるとはいえない」としている。

2 × 本肢は、給与所得者と事業所得者等との区別の態様が正当ではなく、かつ、著しく不合理であることが明らかなため、憲法の規定に違反する、としている点で妥当でない。サラリーマン税金訴訟において判例（最大判昭60.3.27）は、「所得税法が給与所得について、事業所得と異なり、必要経費につき実額控除の代わりに概算控除の制度を設けた目的は正当であり、また、給与所得控除の額は必要経費との対比で相当性を欠くとはいえないので、具体的に採用されている給与所得制度も合理性を有する」として合憲とする判断を示している。

3 ○ 本肢は、男子の定年年齢を60歳、女子の定年年齢を55歳と定める就業規則は、女子であることのみを理由として差別するものであり、性別による不合理な差別であるとして無効である、との趣旨を述べており妥当である。
なお、本肢は女子若年定年制事件（最判昭56.3.24）をもとにしているが、同判例は、「民法90条の規定により無効である」としており、憲法14条を直接に適用していない点に注意されたい。

4 × 本肢は、売春取締に関する法制は、法律によって全国一律に、統一的に規律しなければ憲法に反する、としている点で妥当でない。売春取締条例における自治体間の格差につき判例（最大判昭33.10.15）は、「憲法が各地方公共団体の条例制定権を認める以上、地域によって差別を生ずることは当然に予期されるから、売春の取締りについて格別に条例を制定する結果、その取扱いに差別が生ずることがあっても違憲とはいえない」としている。

5 × 本肢は、信条による差別待遇を禁止する憲法の規定が私人間の関係でも適用されるべきであり、企業者が特定の思想、信条を有する者をそのゆえをもって雇い入れることを拒むことは違法である、としているので妥当でない。**三菱樹脂事件**において判例（最大判昭48.12.12）は、「憲法の自由権と平等の規定は、……専ら国又は公共団体と個人との関係を規律するものであり、私人相互の関係を直接規律することを予定するものではない」として、私人間の関係に対し憲法14条の直接適用を否定したうえで、「企業者は、経済活動の一環としてする契約締結の自由を有し、自己の営業のために労働者を雇い入れるか、いかなる条件でこれを雇うかについて、原則として自由にこれを決定することができるのであって、企業者が特定の思想、信条を有する者をそのゆえをもって雇い入れることを拒んでも、それを当然に違法視することはできない」とした。

正答 3

memo

実践　問題 9　基本レベル

頻出度	地上★★　国家一般職★★　特別区★★ 裁判所職員★★　国税･財務･労基★★★　国家総合職★★

問　憲法第14条第１項に関するア～オの記述のうち、判例に照らし、妥当なもののみを全て挙げているのはどれか。　(財務2016)

ア：嫡出でない子の相続分を嫡出子の相続分の２分の１とすることは、法律婚という制度がわが国に定着しているとしても、父母が婚姻関係になかったという子にとっては自ら選択ないし修正する余地のない事柄を理由としてその子に不利益を及ぼすものであるから、当該差別の合理性を肯定することができず、憲法第14条第１項に反し違憲である。

イ：尊属殺重罰規定は、尊属を卑属又はその配偶者が殺害することを一般に高度の社会的道義的非難に値するものとし、かかる所為を通常の殺人の場合より厳重に処罰し、もって特にこれを禁圧しようとするものであるが、普通殺人と区別して尊属殺人に関する規定を設け、尊属殺人であることを理由に差別的取扱いを認めること自体が憲法第14条第１項に反し違憲である。

ウ：日本国民である父と日本国民でない母との間に出生した後に父から認知された子について、父母の婚姻により嫡出子たる身分を取得した場合に限り届出による日本国籍の取得を認めていることによって、出生後に認知されたにとどまる子と嫡出子たる身分を取得した子との間に日本国籍の取得に関する区別を生じさせていることは、憲法第14条第１項に反し違憲である。

エ：租税法の分野における所得の性質の違い等を理由とする取扱いの区別は、その立法目的が正当なものであり、かつ、当該立法において具体的に採用された区別の態様がその目的との関連で著しく不合理であることが明らかでない限り、その合理性を否定することができず、これを憲法第14条第１項に反し違憲であるとはいえない。

オ：年金と児童扶養手当の併給禁止規定は、障害福祉年金（当時）の受給者とそうでない者との間に児童扶養手当の受給に関して不合理な差別を生じさせるものであり、憲法第14条第１項に反し違憲である。

1：ア、ウ
2：イ、オ
3：ア、ウ、エ
4：イ、ウ、エ
5：ア、イ、エ、オ

直前復習

チェック欄

1回目	2回目	3回目

実践 問題 9 の解説

〈法の下の平等〉

ア○ 判例は、嫡出でない子の法定相続分を定めた旧民法900条４号但書について、父母が婚姻関係になかったという、子にとっては自ら選択・修正する余地のない事柄を理由としてその子に不利益を及ぼすことは許されず、立法府の裁量権を考慮しても嫡出子と嫡出でない子の法定相続分を区別する合理的な根拠は失われており、本件規定は憲法14条１項に違反するとした（最大決平25.9.4）。

イ× 尊属殺重罰規定事件において判例は、尊属殺重罰規定の立法目的について、尊属を卑属またはその配偶者が殺害することをもって一般に高度の社会的道義的非難に値するものとし、かかる所為を通常の殺人の場合より厳重に処罰し、もって特にこれを禁圧しようとすることにあるから、尊属に対する尊重報恩は刑法上の保護に値し、尊属殺人に加重要件を設けること自体は合理的根拠があり憲法14条１項に反しないとした。もっとも、刑罰の加重の程度が極端であるとして、立法目的達成の手段として均衡を失することを理由に憲法14条１項に違反するとした（最大判昭48.4.4）。すなわち、尊属殺人であることを理由に差別的取扱いを認めること自体が憲法14条１項に反するとしているわけではないので、それを述べる本記述は妥当でない。

ウ○ 判例は、子の国籍取得につき父母の婚姻を要件（準正要件）とした旧国籍法３条１項について、わが国との密接な結び付きを有する者に限り日本国籍を付与するという立法目的には合理性がある。しかし、準正要件につき、原告が法務大臣に国籍取得届を提出した時点（平成15年）では、わが国を取り巻く国内的、国際的な社会的環境等の変化により、立法目的との間の合理的関連性が失われているので憲法14条１項に違反するとした（国籍法３条事件、最大判平20.6.4）。

エ○ サラリーマン税金訴訟において判例は、租税法の分野における所得の性質の違いなどを理由とする取扱いの区別は、その立法目的が正当なものであり、当該立法において具体的に採用された区別の態様がその目的との関連で著しく不合理であることが明らかでない限り、その合理性を否定することができず、これを憲法14条１項の規定に違反するということができないとした（最大判昭60.3.27）。

オ× 堀木訴訟において判例は、障害福祉年金を受けることができる地位にある者と、そのような地位にない者との間に児童福祉手当の受給に関して差別を生じることになるとしても、身体障害者・母子に対する諸施策・生活保護制度の存在などに照らして総合的に判断すると、右差別が何ら合理性のない不当なものであるとはいえず、併給禁止規定は憲法14条1項に違反しないとした（最大判昭57.7.7）。

以上より、妥当なものはア、ウ、エであり、肢3が正解となる。

正答 3

memo

法の下の平等

実践 問題 10 応用レベル

頻出度 地上★★ 国家一般職★★ 特別区★★ 裁判所職員★★ 国税·財務·労基★★★ 国家総合職★★

問 法の下の平等に関するア～エの記述のうち、妥当なもののみを全て挙げているのはどれか。 (国家一般職2022)

ア：憲法第14条第1項は、すべて国民は、法の下に平等であって、人種、信条、性別、社会的身分又は門地により、政治的、経済的又は社会的関係において、差別されない旨を規定しているが、同項後段に列挙された事項は歴史的に存在した不合理な差別を特に例示したもので列挙された事項に該当しない場合でも、不合理な差別的取扱いはすべて禁止されるとするのが判例である。また、同項後段にいう「信条」とは、宗教上の信仰にとどまらず、広く思想上や政治上の主義を含むと一般に解されている。

イ：租税法の分野における所得の性質の違い等を理由とする取扱いの区別は、その立法目的が正当なものであり、かつ、当該立法において具体的に採用された区別の態様が当該目的との関連で著しく不合理であることが明らかでない限り、憲法第14条第1項に違反するものではないが、給与所得の金額の計算につき必要経費の実額控除を認めない所得税法の規定（当時）は、事業所得者等に比べて給与所得者に著しく不公平な税負担を課すものであり、その区別の態様が著しく不合理であるから、同項に違反するとするのが判例である。

ウ：憲法第14条の規定は専ら国又は公共団体と個人との関係を規律するものであり、私人相互の関係を直接規律することを予定するものではなく、私人間の関係においては、各人の有する自由と平等の権利が対立する場合の調整は、原則として私的自治に委ねられるのであって、企業者が特定の思想、信条を有する者をそのことを理由に雇入れを拒んでも、それを当然に違法とすることはできないとするのが判例である。

エ：参議院議員の選挙において、公職選挙法上、都道府県を単位として各選挙区の議員定数が配分されているために、人口変動の結果、選挙区間における投票価値の不均衡が生じていることについて、国会が具体的な選挙制度の仕組みを決定するに当たり、都道府県の意義や実体等を要素として踏まえた選挙制度を構築することは、国会の合理的な裁量を超えるものであり、同法の参議院（選挙区選出）議員の議員定数配分規定は憲法第14条第1項に違反するとするのが判例である。

1：ア、イ
2：ア、ウ
3：イ、ウ
4：イ、エ
5：ウ、エ

法の下の平等

実践 問題 10 の解説

チェック欄

1回目	2回目	3回目

〈法の下の平等〉

ア○ 本記述は判例のとおりであり、妥当である。憲法14条1項後段について判例は、「国民に対し、法の下の平等を保障したものであり、右各法条に列挙された事由は例示的なものであって、必ずしもそれに限るものではない」としている（最大判昭39.5.27）。また、「信条」とは、宗教上の信仰にとどまらず、思想上・政治上の主義を含むと解されている（最判昭30.11.22参照）。

イ× 判例は憲法14条1項に違反するとはしていないので、本記述は妥当でない。サラリーマン税金訴訟において判例は、「租税法の分野における所得の性質の違い等を理由とする取扱いの区別は、その立法目的が正当なものであり、かつ、当該立法において具体的に採用された区別の態様が右目的との関連で著しく不合理であることが明らかでない限り」、憲法14条1項に違反しないとしている。したがって、本記述前段は妥当である。しかし、旧所得税法が給与所得に係る必要経費につき実額控除を排し、代わりに概算控除の制度を設けた目的は正当であり、区別の態様についても、給与所得控除の仕組みが区別に十分に仕えているものかどうかを審査したうえで、事業所得者等と給与所得者との間に設けた区別は、合理的なものであり、同項に違反するものではないとしている（最大判昭60.3.27）。したがって、本記述後段は妥当でない。

ウ○ 本記述は判例のとおりであり、妥当である。三菱樹脂事件において判例は、憲法14条の規定は「もっぱら国または公共団体と個人との関係を規律するものであり、私人相互の関係を直接規律することを予定するものではない」としている。そして、私人間の関係においては、各人の有する自由と平等の権利が対立する場合の調整は、原則として私的自治に委ねられ、企業者が契約締結の自由に基づき特定の思想、信条を有する者をそのことを理由に雇い入れを拒んでも、当然に違法とすることはできないとしている（最大判昭48.12.12）。

エ× 判例は参議院の議員定数配分規定は憲法14条1項に違反するとはしていないので、本記述は妥当でない。参議院議員定数不均衡訴訟（最大判平24.10.17）において判例は、「人口変動の結果、投票価値の著しい不平等状態が生じ、かつ、それが相当期間継続しているにもかかわらずこれを是正する措置を講じないことが、国会の裁量権の限界を超えると判断される場合には、当該議員定数配分規定が憲法に違反する」としている。そして、都道府県が地方における１つのまとまりを有する行政等の単位であるという点は今日においても変わりはないが、これを参議院議員の選挙区の単位としなければならないという憲法上の要請はなく、本件選挙当時、選挙区間における投票価値の不均衡は投票価値の平等の重要性に照らしてもはや看過しえない程度に達しており、違憲の問題が生ずる程度の著しい不平等状態に至っていたとしつつも、本件選挙までに定数配分規定を改正しなかったことが国会の裁量権の限界を超えるものとはいえないとしている。

以上より、妥当なものはア、ウであり、肢２が正解となる。

正答 2

第1章

人権総論(1)・法の下の平等

章末CHECK

? Question

Q1 国務請求権には、請願権、参政権、裁判を受ける権利、国家賠償請求権、刑事補償請求権がある。

Q2 合理的理由に基づいて取扱いの差異を設けても憲法14条に違反しない。

Q3 尊属殺人罪の規定は、被害者が尊属であることを刑の加重要件としている点で合理的な根拠を欠くから、憲法14条１項に反し違憲であるとするのが判例である。

Q4 憲法は投票価値の平等につき徹底した平等化を志向しているから、投票価値の不平等は、いかなる場合においても許されないとするのが判例である。

Q5 憲法14条１項にいう「法の下の平等」とは、法適用の平等のみを意味するだけでなく、法の内容の平等をも意味する。

Q6 租税法の定立は、立法目的が正当なものであり、かつ、その区別の態様が著しく不合理であることが明らかでない限り、憲法14条１項に反しないとするのが判例である。

Q7 判例は、売春取締条例の取締規定がそれぞれの都道府県ごとに異なることは、居住地域によって差別を生ずるため、法の下の平等に反するとした。

Q8 投票価値の不平等が、一般に合理性を有するものとは到底考えられない程度に達しているときは、直ちに、憲法違反となるとするのが判例である。

Q9 判例は、非嫡出子の相続分を嫡出子の２分の１と定める民法の規定は、法律婚の尊重と非嫡出子の保護の調整を図ったもので、著しく不合理で立法府の合理的裁量判断の限界を超えているとはいえないため、法の下の平等に反しないとした。

Q10 判例は、保険料負担能力のない20歳以上60歳未満の者のうち、学生とそれ以外の者との間で、国民年金への加入および保険料免除規定の適用に関し区別したことは、合理的理由のない差別的取扱いでないとする。

A1 × 参政権は、国民が政治に参加する権利のことをいい、国務請求権には含まれない。

A2 ○ 各人の差異を無視して絶対的・形式的な平等を貫くと、かえって不平等な結果がもたらされることになるからである。

A3 × 判例は、被害者が尊属である場合に刑を加重すること自体は不合理とはいえず、ただ加重の程度が極端に大きい点で不合理な差別にあたると判断している（最大判昭48.4.4）。

A4 × 判例は、投票価値の不平等が一般に合理性を有するものとは考えられない程度に達している場合には、憲法違反となりうるとしている（最大判昭51.4.14）。

A5 ○ 法の内容自体に不平等があるときにそれを平等に適用しても意味がないことなどから、憲法14条１項は立法者をも拘束し、法の下の平等とは法適用の平等のみならず法内容の平等をも意味すると解するのが通説である。

A6 ○ サラリーマン税金訴訟（最大判昭60.3.27）において、本問のように判示している。

A7 × 判例は、憲法が各地方公共団体の条例制定権を認める以上、地域によって差別が生ずることは当然に予期され、憲法自ら容認するところであるとした（最大判昭33.10.15）。

A8 × 判例は、合理的期間内における是正がなされなかったと認められる場合に、初めて違憲となると判断した（最大判昭51.4.14）。

A9 × 判例は、非嫡出子の相続分を嫡出子の２分の１と定める民法の規定は、父母が婚姻関係になかったという、子が自ら選択・修正する余地のない事柄を理由として子に不利益を及ぼすものであり、同規定は、立法府の裁量を考慮しても、嫡出子と非嫡出子の法定相続分を区別する合理的な根拠は失われており、憲法14条１項に違反するとした（最大決平25.9.4）。

A10 ○ 判例は、本問のとおり述べている（最判平19.9.28）。

memo

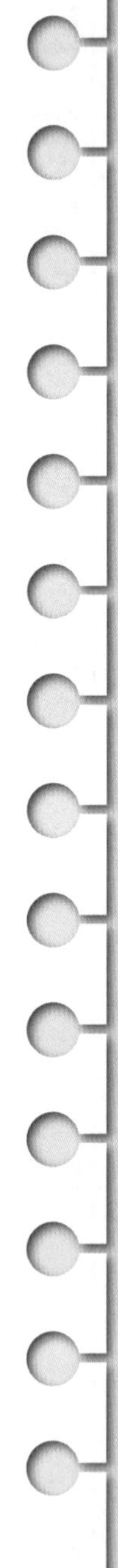

第2章 精神的自由権

SECTION

① 思想・良心の自由
② 信教の自由
③ 学問の自由
④ 表現の自由
⑤ 報道の自由、取材の自由
⑥ 事前抑制・検閲の禁止
⑦ 集会・結社の自由、通信の秘密

第2章 精神的自由権

出題傾向の分析と対策

試験名	地上			国家一般職			特別区			裁判所職員			国税・財務・労基			国家総合職		
年度	16-18	19-21	22-24	16-18	19-21	22-24	16-18	19-21	22-24	16-18	19-21	22-24	16-18	19-21	22-24	16-18	19-21	22-24
出題数 セクション	3	3		3	4	2	2	2		7	8	6	4	2	3	4	5	2
思想・良心の自由	★	★			★	★		★		★	★	★★		★			★	★
信教の自由		★		★	★		★			★			★★		★	★★	★	★
学問の自由				★							★	★				★		
表現の自由	★★			★	★★	★	★	★		★★★	★★	★	★★	★	★★	★	★★	
報道の自由、取材の自由										★								
事前抑制・検閲の禁止										★		★						
集会・結社の自由、通信の秘密		★				★					★×4	★					★	

（注）１つの問題において複数の分野が出題されることがあるため、星の数の合計と出題数とが一致しないことがあります。

精神的自由権は、公務員試験の憲法において最もよく問われる分野です。特に信教の自由と表現の自由が問われますので、これらの分野を中心にしっかりと勉強しておくことが必要です。

地方上級

信教の自由と表現の自由についてはよく出題されますが、学問の自由はほとんど出題されていません。問われている内容も基本的な知識を問うものばかりですので、信教の自由、表現の自由、思想・良心の自由をしっかりと勉強しておいてください。

国家一般職

精神的自由権についてほぼ満遍なく出題されています。その中でも表現の自由については頻繁に出題されています。判例のかなり細かい内容まで問う問題が出されますので、特に判例の結論に至る理由づけを中心にしっかり勉強してください。

特別区

精神的自由権についての出題はそれほど多くありませんが、近年は表現の自由について出題されています。基本的な問題ばかりですので、過去問を繰り返し解いて、基本的な知識をしっかり身につけてください。

裁判所職員

表現の自由について繰り返し出題されています。それほど細かい知識が問われているわけではありませんので、表現の自由に関する判例をしっかりと勉強しておきましょう。

国税専門官・財務専門官・労働基準監督官

分析表を見るとやや出題が減っているように見えますが、そもそもこの試験では人権の特定の分野だけを問うという問題が少なく、人権全体を満遍なく問うという問題が目立ちます。そうした問題の選択肢の1つとして、精神的自由権はよく出題されていますので、この分野についてしっかり勉強しておく必要があります。

国家総合職

信教の自由と表現の自由についてよく出題されています。どちらも判例の内容を問う問題です。かなり判例の細かい内容を問う問題が出されていますので、判例集などでしっかり判例の知識を身につけることが必要です。

Advice アドバイス 学習と対策

精神的自由権の中でも、表現の自由と信教の自由がよく出題されます。表現の自由については非常に多くの判例が出されていますので、判例の結論と理由づけをしっかり理解しておきましょう。信教の自由については、特に政教分離原則に関する判例の内容を問う問題が非常に多いですので、それらをしっかり理解しておきましょう。特に津地鎮祭事件判決は重要です。

精神的自由権
思想・良心の自由

必修問題 **セクションテーマを代表する問題に挑戦!**

保障内容と基本判例を勉強すれば十分です。

問 日本国憲法に規定する思想及び良心の自由に関する記述として、判例、通説に照らして妥当なのはどれか。 (特別区2019)

1：思想及び良心の自由は、絶対的に保障されるものではなく、憲法そのものを否認したり、憲法の根本理念である民主主義を否定するような思想については、それが内心にとどまる場合でも、制約することが許される。

2：思想及び良心の自由には、国家権力が人の内心の思想を強制的に告白させ、又は何らかの手段によってそれを推知することまでは禁止されておらず、内心における思想の告白を強制されないという意味での沈黙の自由は含まれない。

3：判例では、労働委員会が使用者に対し、使用者が労働組合とその組合員に対して不当労働行為を行ったことについて深く陳謝すると共に、今後このような行為を繰り返さないことを約する旨の文言を掲示するよう命じたポストノーティス命令は、使用者に対し陳謝の意思表明を強制するものではなく、憲法に違反するものとはいえないとした。

4：判例では、税理士法で強制加入の法人としている税理士会が、政党など政治資金規正法上の政治団体に金員の寄付をすることは、税理士に係る法令の制定改廃に関する政治的要求を実現するためのものであれば、税理士会の目的の範囲内の行為であり、当該寄付をするために会員から特別会費を徴収する旨の決議は有効であるとした。

5：判例では、公立学校の校長が教諭に対し卒業式における国歌斉唱の際に国旗に向かって起立し、国歌を斉唱することを命じた職務命令は、特定の思想を持つことを強制するものではなく、当該教諭の思想及び良心を直ちに制約するものではないが、当該教諭の思想及び良心についての間接的な制約となる面が認められるため、憲法に違反するとした。

直前復習

Guidance ガイダンス

思想・良心の自由の保障内容
- 特定の思想を強要・禁止されない
- 思想を理由とした不利益取扱いの禁止
- 沈黙の自由

頻出度	地上★	国家一般職★	特別区★★
	裁判所職員★	国税·財務·労基★	国家総合職★

必修問題の解説

チェック欄		
1回目	2回目	3回目

〈思想・良心の自由〉

1 × 思想·良心の自由を保障する憲法19条は、個人がどのような「危険思想」を持とうとも、それが内心にとどまる限り絶対的に保障する。なぜなら、憲法19条の真髄は、思想の世界における正統と異端の区別そのものを排除して、多くの国民が忌み嫌う思想の自由を認め、それを最大限に保障しようとすることにあるからである。したがって、民主主義を否定するような思想も制約することは許されず、かかる制約を認める本肢は妥当でない。

2 × 思想·良心の自由の保障には沈黙の自由の保障も含むと解されているので、本肢は妥当でない。すなわち、憲法19条は、国家が国民の内心における思想の告白を強制されないという意味での沈黙の自由も保障している。

3 ○ ポストノーティス命令の合憲性が問題となった事案につき、判例は、本肢にあるとおり、ポストノーティス命令は、使用者に対し陳謝の意思表明を強制するものではなく、憲法19条に反しないとしている（最判平2.3.6）。

4 × 南九州税理士会事件において判例は、税理士会は強制加入団体であり実質的には脱退の自由が保障されていないことや政治団体に対して金員を寄付するかどうかは選挙における投票の自由と表裏をなすものであることなどを根拠に、政治団体への金員の寄付を、税理士会が多数決原理によって団体の意思として決定し、会員にその協力を義務付けることはできないとして、寄付をするために会員から特別会費を徴収する旨の決議は税理士会の目的の範囲外の行為であり、無効であるとしている（最判平8.3.19）。

5 × 公立中学校の校長が教諭に対し、卒業式における国歌斉唱の際の起立斉唱行為を命ずる職務命令の合憲性が問題となった国歌斉唱拒否事件につき、判例は、同職務命令は、教諭個人の思想および良心の自由を直ちに制約するものと認めることはできないが、国歌斉唱の際の起立斉唱行為は、個人の歴史観・世界観に由来する行動と異なる外部的行為を求められる限りで、思想および良心の自由についての間接的な制約となる面があるとした。しかし、上記職務命令には上記制約を許容しうる程度の必要性および合理性が認められることから、憲法19条に違反しないとした（最判平23.5.30）。

正答 3

第2章 SECTION 1 精神的自由権

思想・良心の自由

1 精神的自由権の意味

人の内面的な精神活動、および、それに基づく外面的な精神活動についての権利を精神的自由権といいます。憲法は、精神的自由権として思想・良心の自由（19条）、信教の自由（20条）、表現の自由（21条）、学問の自由（23条）を規定しています。

2 思想・良心の自由の保障の意味・沿革

思想・良心の自由は、内面的精神活動の自由を保障するものであって、すべての精神活動の基礎となる重要な権利です。しかし、明治憲法下において、思想・良心の自由は保障されていませんでした。それどころか、治安維持法の運用によって、特定の思想を反国家的であるとして弾圧するという、個人の内心の思想を侵害することまで行われていました。こうした歴史的背景から、日本国憲法では精神的自由権の冒頭で、特に思想・良心の自由を保障したのです。

3 思想・良心の自由の内容

①特定の思想を強要・禁止されない
②思想を理由とした不利益取扱いの禁止
③思想の告白を強制されない（沈黙の自由）
→思想を推知するような手段を用いることもできない

4 思想・良心の自由の限界

絶対的保障
→公共の福祉による制約も受けない
※謝罪広告の合憲性

謝罪広告の命令（民法723条）は、国家機関たる裁判所が国民に対し特定の事実を表明することを強制することになり、許されないのではないかが問題となります。

判例　《謝罪広告事件》最大判昭31.7.4
【事案】衆議院議員選挙に際して、他の候補者の名誉を毀損したとして、「陳謝の意を表します」という文面の謝罪広告を判決で命じられた候補者が、当該判決は憲法19条の保障する良心の自由を侵害すると主張した事件
【判旨】謝罪広告を強制されたとしても、それが単に事態の真相を告白し陳謝の意を表明するにとどまる程度のものであれば、加害者の思想・良心の自由を侵害しない。

判例

《麹町中学内申書事件》最判昭63.7.15
【事案】内申書に、中学時代に行った政治活動についての記載がなされていたために、高校受験に失敗したとして、生徒が損害賠償を求めた事件
【判旨】本件の内申書の記載は、生徒の思想・信条そのものを記載したものでないことは明らかであり、その記載にかかる外部的行為によって生徒の思想信条を了知しうるものではない。また、生徒の思想信条自体を、高校入学者の選抜のための資料に供したとは到底解することができないことから、憲法19条には反しない。

思想・良心の自由

実践 問題 11 基本レベル

頻出度	地上★	国家一般職★	特別区★★
	裁判所職員★	国税·財務·労基★	国家総合職★

問 **思想・良心の自由に関する次のア〜ウの記述の正誤の組合せとして最も妥当なものはどれか（争いのあるときは、判例の見解による。）。**

（裁判所事務官2018）

ア：日の丸や君が代に対して敬意を表明することには応じ難いと考える者が、これらに対する敬意の表明の要素を含む行為を求められるなど、個人の歴史観ないし世界観に由来する行動と異なる外部的行為を求められる場合、その者の思想及び良心の自由についての間接的な制約が存在する。

イ：税理士会のような強制加入団体は、その会員に実質的には脱退の自由が保障されていないことや様々な思想・信条及び主義・主張を有する者の存在が予定されていることからすると、税理士会が多数決原理により決定した意思に基づいてする活動にもおのずから限界があり、特に、政党など政治資金規正法上の政治団体に対して金員の寄付をするなどの事柄を多数決原理によって団体の意思として決定し、構成員にその協力を義務付けることはできない。

ウ：他人の名誉を毀損した者に対し、民法第723条の「名誉を回復するのに適当な処分」として謝罪広告を新聞紙等に掲載すべきことを命ずることは、単に事態の真相を告白し陳謝の意を表明するにとどまる程度の場合であっても、これを強制することは意思決定の自由ないし良心の自由を不当に制限することになるから、代替執行によりこれを強制することは許されない。

	ア	イ	ウ
1：	正	正	正
2：	正	正	誤
3：	誤	誤	正
4：	正	誤	正
5：	誤	正	誤

チェック欄

1回目	2回目	3回目

実践 問題 11 の解説

〈思想・良心の自由〉

ア○ 都立高校の校長が教諭に対して卒業式における国歌斉唱の際の起立斉唱行為を命じた職務命令が憲法19条に違反するかが争われた事案において最高裁は、国歌斉唱の際の起立斉唱行為は、国旗・国歌に対する敬意の表明の要素を含む行為であることから、「日の丸」や「君が代」に対して敬意を表明することに応じがたいと考える者が、個人の歴史観・世界観に由来する行動（敬意の表明の拒否）と異なる外部的行為（敬意の表明の要素を含む行為）を求められる限りで、**その者の思想・良心の自由についての間接的な制約となる面がある**ことは否定しがたいとしている（**国歌斉唱拒否事件**、最判平23.5.30）。したがって、本記述は判例のとおりであり、正しい。

イ○ 税理士会による政治献金が目的の範囲内（権利能力の範囲内）か争われた事案において最高裁は、税理士会は強制加入団体であり実質的には脱退の自由が保障されていないこと、政治団体に対して金員を寄付するかどうかは選挙における投票の自由と表裏をなすものであることを根拠に、政治資金規正法上の政治団体への金員の寄付という事柄を、税理士会が多数決原理によって団体の意思として決定し、その決定を会員に義務付けることはできないとし、税理士会による政党等への当該政治献金は税理士会の目的の範囲外としている（**南九州税理士会事件**、最判平8.3.19）。したがって、本記述は判例のとおりであり、正しい。

ウ× 判例は、裁判所の謝罪広告命令は、単に事態の真相を告白し陳謝の意を表明するにとどまる程度のものであれば、屈辱的もしくは苦役的労苦を科し、または、個人の有する倫理的な意思、良心の自由を侵害することを要求するものとは解せられないとし、代替執行（債務者以外の者に債務の内容を実施させ、その費用を債務者から取り立てる方法）による強制を認めている（**謝罪広告事件**、最大判昭31.7.4）。したがって、謝罪広告を新聞紙等に掲載すべき旨の命令を代替執行により強制することができるので、本記述は誤りである。

以上より、ア―正、イ―正、ウ―誤であり、肢2が正解となる。

正答 2

第2章 SECTION 1 精神的自由権 思想・良心の自由

実践 問題 12 基本レベル

頻出度	地上★	国家一般職★	特別区★★
	裁判所職員★	国税·財務·労基★	国家総合職★

問 日本国憲法に規定する思想及び良心の自由に関する記述として、最高裁判所の判例に照らして、妥当なのはどれか。 （特別区2011）

1：企業が採用に当たって、志願者の思想やそれに関連する事項を調査すること及び特定の思想、信条の持主の採用をその故を以って拒否することは、違憲であるとした。

2：高等学校受験の際の内申書における政治集会への参加など外部的行為の記載は、受験生の思想、信条を記載したものであり、受験生の思想、信条自体を高等学校の入学者選抜の資料に供したものであると解されるので、違憲であるとした。

3：税理士法で強制加入とされる税理士会が政治資金規正法上の政治団体に寄付をすることは、税理士会の目的の範囲外の行為であり、様々な思想、信条を持つ会員から特定の政治団体への寄付を目的として、特別会費を徴収する旨の総会決議は無効であるとした。

4：謝罪広告を判決で強制することは、単に事態の真相を告白し陳謝の意を表明するにとどまる程度のものであっても、個人の有する倫理的な意思や良心の自由を侵害するものであるとした。

5：長野方式における教員の勤務評定について、各教員に学習指導及び勤務態度などに関する自己観察の記入を求めたことは、記入者の人生観、教育観の表明を命じたものであり、内心的自由を侵害するものであるとした。

チェック欄

1回目	2回目	3回目

実践 問題 12 の解説

〈思想・良心の自由〉

1 × 判例は、私人間の争いに憲法の規定は直接適用されずその趣旨を私法の一般条項を媒介して及ぼすべきである（間接適用説）としている。このため、企業の採用行為が違憲とされることはない。また、企業は経済活動の自由の一環として契約締結の自由を有し、いかなる者を雇い入れるかの自由を有するから、企業が特定の思想、信条を有する者をそのゆえをもって雇い入れることを拒んでも、それを当然に違法とし、直ちに民法上の不法行為とすることはできず、したがって、企業者が、労働者の採否決定にあたり、労働者の思想、信条を調査し、そのためにその者からこれに関する事項についての申告を求めることも違法でないとした（三菱樹脂事件、最大判昭48.12.12）。

2 × 判例は、内申書の記載は受験生の思想・信条そのものを記載したものでないことは明らかであり、その記載にかかる外部的行為によって生徒の思想・信条を了知するものではないとした。また、受験生の思想・信条自体を、高校入学者の選抜のための資料に供したとは到底解することができないから、憲法19条には反しないとしている（麹町中学内申書事件、最判昭63.7.15）。

3 ○ 判例は、税理士会は強制加入団体であり実質的には脱退の自由が保障されていないこと、政治団体に対して金員を寄付するかどうかは選挙における投票の自由と表裏をなすものであることを根拠に、政治資金規正法上の政治団体への金員の寄付という事柄を、税理士会が多数決原理によって団体の意思として決定し、会員にその協力を義務付けることはできないとしている（南九州税理士会事件、最判平8.3.19）。

4 × 判例は、裁判所の謝罪広告命令は、単に事態の真相を告白し陳謝の意を表明するにとどまる程度のものであれば、屈辱的もしくは苦役的労苦を科し、または、個人の有する倫理的な意思、良心の自由を侵害することを要求するものとは解せられないとしている（謝罪広告事件、最大判昭31.7.4）。

5 × 判例は、教職員の勤務評定を実施するにあたり、教職員に自己の職務、勤務、研修その他の事項につき自己観察の結果の記載を命じることは、記入者の有する世界観・人生観・教育観などの表明を命じたものと解することはできないので、内心的自由などに重大なかかわりを有するものとは認められないとした（最判昭47.11.30）。

正答 3

実践 問題 13 基本レベル

頻出度	地上★ 国家一般職★ 特別区★★ 裁判所職員★ 国税·財務·労基★ 国家総合職★

問 思想及び良心の自由に関するア〜オの記述のうち、妥当なもののみを全て挙げているのはどれか。 （国家一般職2014）

ア：憲法は、思想・信条の自由や法の下の平等を保障すると同時に、経済活動の自由も基本的人権として保障しているから、企業者は、経済活動の一環としてする契約締結の自由を有し、いかなる者を雇い入れるか、いかなる条件でこれを雇うかについて、法律その他による特別の制限がない限り、原則として自由に決定することができ、企業者が特定の思想、信条を有する者をその故をもって雇い入れることを拒んでも、当然に違法とすることはできないとするのが判例である。

イ：最高裁判所裁判官の国民審査は解職の制度であるから、積極的に罷免を可とするものがそうでないものより多数であるか否かを知ろうとするものであり、積極的に罷免を可とする意思が表示されていない投票は罷免を可とするものではないとの効果を発生させても、何ら当該投票を行った者の意思に反する効果を発生させるものではなく、思想及び良心の自由を制限するものではないとするのが判例である。

ウ：強制加入団体である税理士会が政党など政治資金規正法上の政治団体に金員を寄付することは、税理士会の目的の範囲内の行為であって、政党など政治資金規正法上の政治団体に金員の寄付をするために会員から特別会費を徴収する旨の税理士会の総会決議は、会員の思想・信条の自由を侵害するものではなく、有効であるとするのが判例である。

エ：労働組合法第７条に定める不当労働行為に対する救済処分として労働委員会が使用者に対して発するポストノーティス命令は、労働委員会によって使用者の行為が不当労働行為と認定されたことを関係者に周知徹底させ、同種行為の再発を抑制しようとする趣旨のものであるが、当該命令が掲示することを求める文書に「深く反省する」、「誓約します」などの文言を用いることは、使用者に対し反省等の意思表明を強制するものであり、憲法第19条に違反するとするのが判例である。

オ：憲法の下においては、思想そのものは絶対的に保障されるべきであって、たとえ憲法の根本原理である民主主義を否定する思想であっても、思想にとどまる限り制限を加えることができないが、思想の表明としての外部的行為が現実的・

具体的な害悪を生ぜしめた場合には、当該行為を一定の思想の表明であることを理由に規制することができ、当該行為の基礎となった思想、信条自体を規制の対象とすることも許されると一般に解されている。

1：ア、イ
2：ア、ウ
3：イ、オ
4：ウ、エ
5：エ、オ

精神的自由権
思想・良心の自由

チェック欄 1回目 2回目 3回目

実践 問題 13 の解説

〈思想・良心の自由〉

ア○ 本記述は判例のとおりであり、妥当である。三菱樹脂事件において、判例は、私人間効力の問題については間接適用説の立場に立ちつつ、具体的な解釈としては、憲法は、思想・信条の自由（憲法19条）や法の下の平等（憲法14条）を保障すると同時に、経済活動の自由（憲法22条・29条等）をも基本的人権として保障しているから、企業者は、経済活動の一環としてする契約締結の自由を有し、「いかなる者を雇い入れるか、いかなる条件でこれを雇うかについて、法律その他による特別の制限がない限り、原則として自由に決定することができるのであって、企業者が特定の思想、信条を有する者をそのゆえをもって雇い入れることを拒んでも、それを当然に違法とすることはできない」としている（最大判昭48.12.12）。

イ○ 本記述は判例のとおりであり、妥当である。判例は、最高裁判所裁判官の国民審査（憲法79条２項・３項）は解職の制度であるから、「積極的に罷免を可とするもの」が「そうでないもの」より多数であるか否かを知ろうとするものであり、積極的に罷免を可とする意思が表示されていない投票（白票）に対し「罷免を可とするものではない」との効果を発生させることは、何ら当該投票を行った者の意思に反する効果を発生させるものではなく、思想・良心の自由を制限するものではないとしている（最大判昭27.2.20）。

ウ× 本記述は、税理士会が政党など政治資金規正法上の政治団体に金員を寄付することが税理士会の目的の範囲内の行為であるとする点、その寄付をするために会員から特別会費を徴収する旨の税理士会の総会決議は有効であるとする点が妥当でない。南九州税理士会事件において、判例は、「税理士会は、強制加入団体であって、その会員には、実質的には脱退の自由が保障されていない」ことから、会員の思想・良心の自由との関係を配慮することが必要であり、「税理士会が政党など（政治資金）規正法上の政治団体に金員を寄付すること」は、「たとい税理士に係る法令の制定改廃に関する政治的要求を実現するためのものであっても」、「税理士会の目的の範囲外の行為であり、右寄付をするために会員から特別会費を徴収する旨の決議は無効である」としている（最判平8.3.19）。

エ× 本記述は、ポストノーティス命令が掲示することを求める文書に「深く反省する」、「誓約します」などの文言を用いることは憲法19条に違反するとする点が妥当でない。労働組合法は、使用者による労働基本権に対する一定の侵害行為を不当労働行為として（7条)、労働委員会に救済命令を発する権限を認めている（27条の12)。この救済命令の1つとしてのポストノーティス命令について、判例は、(労働委員会によって使用者の行為が不当労働行為と認定されたことを関係者に周知徹底させ、同種行為の再発を抑制しようとする趣旨の）当該命令が掲示することを求める文書に「深く反省する」、「誓約します」などの文言が用いられても、それは同種行為を繰り返さない旨の約束文言を強調する意味を有するにすぎず、使用者に対し反省等の意思表明を要求することが本旨ではないと解されるので、使用者の良心の自由（憲法19条）を侵害するものではないとしている（最判平2.3.6)。

オ × 本記述は、思想の表明としての外部的行為が現実的・具体的な害悪を生ぜしめた場合には、当該行為を一定の思想の表明であることを理由に規制することができ、当該行為の基礎となった思想、信条自体を規制の対象とすることも許されるとする点が妥当でない。日本国憲法のもとにおいては、思想そのものは絶対的に保障されるべきであって、たとえ憲法の根本原理である民主主義を否定する思想であっても、思想にとどまる限り制限を加えることができない（通説)。もっとも、思想の表明としての外部的行為が現実的・具体的な害悪を生ぜしめた場合には、当該行為を規制することができるが、その場合にあっても、当該行為が一定の思想の表明であることを理由に規制することは許されず、あくまで思想内容とかかわりのない現実的・具体的害悪の発生を理由にするものでなければならない。

以上より、妥当なものはア、イであり、肢1が正解となる。

正答 1

第2章 SECTION 1 精神的自由権

思想・良心の自由

実践 問題 14 応用レベル

頻出度 地上★ 国家一般職★ 特別区★ 裁判所職員★ 国税･財務･労基★ 国家総合職★

問 思想及び良心の自由に関するア〜エの記述のうち、判例に照らし、妥当なもののみを全て挙げているのはどれか。 (国家総合職2012)

ア：憲法第19条にいう「良心の自由」とは、単に事物に関する是非弁別の内心的自由のみならず、かかる是非弁別の判断に関する事項を外部に表現する自由やそのような事項を表現しない自由をも包含するため、裁判所が、名誉毀損の加害者に対し、事態の真相を告白するにとどまらず、陳謝の意を表明する内容の謝罪広告を新聞紙に掲載することを命ずることは、同条に違反する。

イ：憲法第19条の規定は、国又は公共団体の統治行動に対して個人の基本的な自由を保障する目的に出たもので、専ら国又は公共団体と個人との関係を規律するものであり、私人相互の関係を直接規律することを予定するものではない。

ウ：不当労働行為に対する救済命令として、労働委員会が使用者たる社団に対し、単に社団の行為が労働委員会によって不当労働行為と認定された旨を周知する文言を公示することのみならず、「深く反省するとともに今後、再びかかる行為を繰り返さないことを誓約します。」との文言をも公示することを命ずることは、たとえそれが同種行為を繰り返さない旨の約束文言を強調する意味を有するにすぎないものであっても、陳謝、反省等の倫理的な意思表明を強制するものであり、憲法第19条に違反する。

エ：労働者を雇い入れようとする企業が、その採否決定に当たり、労働者の思想、信条を調査し、そのためその者からこれに関連する事項についての申告を求めることは、社会的・経済的に強大な力を持つ企業の労働者に対する優越的地位に鑑みると、労働者の思想、信条の自由に対して影響を与える可能性は少なからずあり、憲法第19条に違反する。

1：イ
2：エ
3：ア、ウ
4：ア、エ
5：イ、ウ

チェック欄

1回目	2回目	3回目

実践 問題 14 の解説

〈思想・良心の自由〉

ア× 名誉毀損の加害者に対して、裁判所が謝罪広告を新聞紙上に掲載することを命じたことが、思想・良心の自由の侵害にあたるのではないかが問題となった事件において、判例は、単に事態の真相を告白し陳謝の意を表明する程度であれば、代替執行の手続によって強制執行しても、加害者の倫理的な意思や良心の自由を侵害しないとした（謝罪広告事件、最大判昭31.7.4）。

イ○ 判例は、基本的人権の成立および発展の歴史的沿革に徴し、かつ、憲法における基本権規定の形式・内容にかんがみ、憲法19条は、その他の自由権的基本権の保障規定と同じく、国または公共団体の統治行動に対して個人の基本的な自由と平等を保障する目的に出たもので、もっぱら国または公共団体と個人との関係を規律するものであり、私人相互の関係を直接規律することを予定するものではないとし、当該規定の私人間への直接適用ないし類推適用を否定している（三菱樹脂事件、最大判昭48.12.12）。

ウ× 判例は、いわゆるポストノーティス命令の「深く反省する」などの文言は、不当労働行為を繰り返さない旨の約束文言を強調する意味を有するにすぎないため、使用者たる社団に対して反省などを要求するものではないので、憲法19条に違反しないとした（最判平2.3.6）。

エ× 判例は、私人間の関係において、自由権的基本権の保障規定は直接適用ないし類推適用されないとするので、企業者の行為が憲法19条に違反することはない。また、判例は、企業者は、いかなる者をいかなる条件で雇うかについて原則として自由に決定することができるから、企業者が特定の思想、信条を有する者をそのゆえをもって雇い入れることを拒んでも、それを当然に違法とすることはできないとする。したがって、企業者が、労働者の採否決定にあたり、労働者の思想、信条を調査し、そのためその者からこれに関連する事項についての申告を求めることも、企業者が一般的に個々の労働者に対して社会的に優越した地位にあり、企業者のこの種の行為が労働者の思想、信条の自由に対して影響を与える可能性がないとはいえないが、違法とはいえないとする（三菱樹脂事件、最大判昭48.12.12）。

以上より、妥当なものはイであり、肢1が正解となる。

正答 1

精神的自由権
思想・良心の自由

実践 問題 15 応用レベル

頻出度			
	地上★	国家一般職★	特別区★
	裁判所職員★	国税･財務･労基★	国家総合職★

問 思想・良心の自由及び信教の自由に関する次のア～ウの記述の正誤の組合せとして最も妥当なものはどれか（争いのあるときは、判例の見解による。）。

（裁判所事務官2022）

ア：民法第723条にいう名誉の回復に適当な処分として謝罪広告を新聞紙等に掲載すべきことを加害者に命ずることは、それが単に事態の真相を告白し陳謝の意を表明するにとどまる程度のものである場合であっても、加害者の倫理的な意思、良心の自由を侵害するものであるから、憲法第19条に違反する。

イ：税理士会が、税理士に係る法令の制定改廃に関する要求を実現するため、政党等特定の政治団体に対して金員を寄付することは、税理士会の目的の範囲内の行為である。

ウ：判例は、高等専門学校において、信仰上の理由によって剣道の必修実技の履修を拒否した学生に対して、正当な理由のない履修拒否と区別することなく、代替措置が不可能というわけでもないのに、代替措置について何ら検討することもなく、体育科目を不認定とした担当教員らの評価を受けて、原級留置処分をし、さらに、不認定の主たる理由及び全体成績について勘案することなく、２年続けて原級留置となったため退学処分をしたという校長の措置は、裁量権の範囲を超える違法なものであるとした。

	ア	イ	ウ
1：	誤	誤	正
2：	誤	正	誤
3：	正	誤	正
4：	誤	正	正
5：	正	正	誤

直前復習

チェック欄		
1回目	2回目	3回目

実践 問題 15 の解説

〈思想・良心、信教の自由〉

ア× 本記述は判例の見解と異なるので、妥当でない。判例は、謝罪広告を命ずることによって、加害者の人格を無視し著しくその名誉を毀損し意思決定の自由ないし良心の自由を不当に制限することは許されないが、単に事態の真相を告白し陳謝の意を表明するにとどまる程度であれば、これを代替執行によって強制したとしても、思想・良心の自由（憲法19条）には反しないとしている（謝罪広告事件、最大判昭31.7.4）。

イ× 強制加入団体である税理士会が特定の政治団体に対して金員を寄付することは、税理士会の目的の範囲外であるので、本記述は妥当でない。判例は、税理士会が政党等特定の政治団体に対して金員を寄付することは、たとえ税理士に係る法令の制定改廃に関する要求を実現するためであっても、税理士会の目的の範囲外の行為となるとしている（南九州税理士会事件、最判平8.3.19）。税理士会は強制加入の団体であり、その会員である税理士に実質的には脱退の自由が保障されていないことからすると、その目的の範囲を判断するにあたっては、会員の思想・信条の自由との関係で、一定の考慮が必要となるからである。

ウ○ 信仰する宗教の教義に基づいて必修科目の体育の剣道実技を拒否したため、２年連続で原級留置ないし退学処分を受けた市立高等専門学校の学生が信教の自由（憲法20条１項）の侵害を理由に当該処分の取消しを求めて争った事案につき判例は、信仰上の理由により履修を拒否した者に対して、他の学生に不公平感を生じさせないような適切な方法、態様による代替措置が実際上不可能であったとはいえないとし、かかる代替措置をとることは、その目的において宗教的意義を有し、特定の宗教を援助、助長、促進する効果を有するものということはできず、他の宗教者または無宗教者に圧迫、干渉を加える効果があるともいえないのであって、その方法、態様のいかんを問わず、憲法20条３項に違反するとはいえないとした。そのうえで、校長の措置は社会通念上著しく妥当を欠く処分であり、裁量権を逸脱する違法なものであるとした（エホバの証人剣道拒否事件、最判平8.3.8）。

以上より、ア―誤、イ―誤、ウ―正であり、肢１が正解となる。

正答 1

精神的自由権
信教の自由

必修問題 セクションテーマを代表する問題に挑戦！

信教の自由は、その内容と限界、政教分離原則、基本的な判例を理解することが重要です。

問 信教の自由に関するア～オの記述のうち、妥当なもののみをすべて挙げているのはどれか。 （国Ⅱ2004）

ア：明治憲法下においても信教の自由は保障されていたが、日本国憲法とは異なり、法律の範囲内において保障されていたにすぎない。

イ：宗教的結社の自由は、憲法第21条第１項の結社の自由により保障されており、憲法第20条第１項の信教の自由には含まれないとする点で学説は一致している。

ウ：政教分離原則は、国家が宗教的に中立であることを要求するものではあるが、国家が宗教とのかかわり合いを持つことを全く許さないとするものではなく、宗教とのかかわり合いをもたらす行為の目的及び効果にかんがみ、そのかかわり合いが相当の限度を超える場合に許さないとするのが判例である。

エ：精神障害者の平癒を祈願するための宗教的行為として行った加持祈禱であっても、他人の生命、身体等に危害を及ぼす違法な有形力の行使として、当該他人を死に至らしめるようなものは、憲法第20条第１項の信教の自由の保障の限界を超えるものであるとするのが判例である。

オ：信仰する宗教の教義に基づいて体育科目の剣道実技を拒否した公立の高等専門学校の学生に対して、他の体育実技の履修等により剣道実技に代替する単位認定の措置をとることは、信教の自由を理由とする有利な取扱いであり、公教育の宗教的中立性に抵触するおそれがあることから、これを認めることはできないとするのが判例である。

1：ア、ウ
2：ア、オ
3：ウ、エ
4：イ、エ、オ
5：ウ、エ、オ

直前復習

頻出度	地上★★　国家一般職★★　特別区★★ 裁判所職員★　国税·財務·労基★★　国家総合職★★

チェック欄		
1回目	2回目	3回目

必修問題の解説

〈信教の自由〉

ア× 明治憲法のもとでも信教の自由は保障されていた。しかし、他の自由権と異なり法律の留保が定められておらず、法律のみならず命令によって制限することも認められていた（明治憲法28条）。

イ× 一般に信教の自由（憲法20条1項）の内容は、①内心における信仰の自由、②宗教的行為の自由、③宗教的結社の自由の3つであると解されている。したがって、学説で、宗教的結社の自由が信教の自由により保障されていないとする点で一致しているわけではない。

ウ○ 判例は、政教分離規定は制度的保障の規定であって、間接的に信教の自由の保障を確保しようとするものであるが、国家と宗教の完全な分離の実現は不可能に近く、逆に不合理な結果が生じてしまうおそれがあることから、国家と宗教の分離にも一定の限界があることもやむをえないとしたうえで、本記述のような目的・効果基準を用いることによって、国家の行為が政教分離規定に違反するかを判断している（津地鎮祭事件、最大判昭52.7.13など）。

エ○ 判例は、まず、信教の自由もまた「公共の福祉」による制約に服することを認めたうえで、信仰に基づく行為が他者の生命や身体に対する違法な有形力の行使にあたる場合は、信教の自由の保障の限界を逸脱するものであり、これを処罰しても違憲ではないとしている（加持祈祷事件、最大判昭38.5.15）。

オ× 判例は、公立高等専門学校が、信仰上の真摯な理由から剣道実技に参加することができない学生に対し、代替措置をとることは、その目的において宗教的意義を有し、特定の宗教を援助、助長、促進する効果を有するものということはできず、他の宗教者または無宗教者に圧迫、干渉を加える効果があるともいえないのであって、およそ代替措置をとることが、その方法、態様のいかんを問わず、憲法20条3項に違反するということはできないとした（エホバの証人剣道拒否事件、最判平8.3.8）。

以上より、妥当なものはウ、エであり、肢3が正解となる。

正答 3

精神的自由権

信教の自由

1 信教の自由の内容

① 信仰の自由

宗教を信仰する自由、信仰しない自由、あるいは信仰する宗教を選択する自由、変更する自由

② 宗教的行為の自由

信仰に関して、個人が単独で、または他人とともに、宗教上の祝典、儀式、行事などを任意に行い、または行わない自由（たとえば、礼拝や祈祷など）

③ 宗教的結社の自由

特定の宗教を宣伝し、または共同で宗教的行為を行うことを目的とする団体を結成する自由

2 信教の自由の限界

内心領域…絶対保障

外部的行為…内在的制約を受ける

判例 《エホバの証人剣道拒否事件》最判平8.3.8

【事案】神戸市立高専の１学年に在学していた生徒が自己の宗教的信条に基づいて体育の剣道実技の授業の受講を拒否したため受けた原級留置・退学処分が、信教の自由を害しないかが争われた事件

【判旨】①剣道実技の履修が必須のものとは言いがたく、代替的方法によっても体育教育の目的は達成しうること、②学生の剣道実技拒否の理由は信仰の核心部分と密接な関係を有する真摯なものであり、学生が被る不利益がきわめて大きいことなどを理由に、学校側の処分は裁量権の範囲を超える違法なものである。

3 政教分離原則

(1) 意味

・「いかなる宗教団体も、国から特権を受け、又は政治上の権力を行使してはならない」（憲法20条１項後段）

・「国及びその機関は、宗教教育その他いかなる**宗教的活動**もしてはならない」（憲法20条３項）

↓

政教分離原則

→国家の宗教的中立性を要求する原則

※　憲法89条前段では政教分離原則を財政面において具体化している

(2) 法的性質

制度的保障

→国家と宗教との分離を制度として保障することにより、間接的に信教の自由の保障を確保しようとするもの

補足

制度的保障
ある一定の制度に対して、立法によってもその核心ないし本質的内容を侵害できないという特別の保護を与え、当該制度それ自体を客観的に保障することにより、間接的に人権を保障しようとするもの
例　大学の自治、私有財産制

(3) 限界

目的・効果基準
①目的が宗教的意義を有する
②効果が宗教に対する援助、助長、促進または圧迫、干渉等になる
↓
憲法20条３項の禁止する「宗教的活動」に該当する
→該当しなければ国家が宗教と関係しても合憲

判例

《津地鎮祭事件》最大判昭52.7.13
【事案】市の体育館の起工式の際に市の主催により神式の地鎮祭が挙行され、市が公金からその費用を支出したことが政教分離原則に違反しないかが争われた事件
【判旨】①憲法20条３項にいう宗教的活動とは、目的が宗教的意義を有し、効果が宗教に対する援助、助長、促進または圧迫、干渉等になる行為をいう。
②地鎮祭の目的は工事の無事安全を願うという社会の一般的習慣に従った儀礼を行うという世俗的なものであり、前述のような効果もないので政教分離原則に違反しない。

判例

《愛媛玉串料事件》最大判平9.4.2
【事案】愛媛県が靖国神社の例大祭に奉納する玉串料を公金から支出したことが政教分離原則に違反しないかが争われた事件
【判旨】津地鎮祭事件の目的効果基準を援用したうえで、宗教団体にあたることが明らかな靖国神社の境内で玉串料などを奉納することは、建築主が主催する儀式としての起工式とは異なり、社会的儀礼にすぎないものになっているとは到底いうことができず、このような公金の支出は宗教的意義を有するし、特定の宗教に対する援助、助長、促進となるから宗教とのかかわり合いが相当とされる限度を超えるとして違憲とした。

第2章 SECTION 2 精神的自由権

信教の自由

判例

《箕面忠魂碑事件》最判平5.2.16

【事案】箕面市が小学校の校舎の増改築のため、遺族会所有の忠魂碑を代替地に移転・再建し代替地を無償貸与した行為が、政教分離原則違反に反しないかが争われた事件

【判旨】本件行為は小学校の校舎の建替え等のために戦没者記念碑的な性格を有する施設を他の場所に移転したものであって、その目的はもっぱら世俗的なものであり、その効果も特定の宗教を援助、助長、促進しまたは他の宗教に圧迫、干渉を加えるものではないから、憲法20条３項の宗教的活動にあたらない。

memo

精神的自由権
信教の自由

実践 問題 16 基本レベル

頻出度 地上★★ 国家一般職★★ 特別区★★ 裁判所職員★ 国税・財務・労基★★ 国家総合職★★

問 信教の自由に関する次の記述のうち、判例に照らし妥当なのはどれか。

（地上2010）

1：信教の自由の保障の重要性を踏まえると、宗教法人に関する法的規制については、信者の宗教上の行為を法的に制約する効果を伴わない場合でも、これに何らかの支障を生じさせる限り、憲法の許容するものか否かを慎重に吟味しなければならない。

2：公立学校が、信仰上の真摯な理由から剣道実技に参加することができない学生に対して他の体育実技を履修させるなどの代替措置を採ることは、その目的において宗教的意義を有し、特定の宗教の援助、助長、促進につながるので、憲法に違反する。

3：信教の自由の保障の趣旨に照らせば、自己の信仰と相容れない信仰に基づく行為に対して寛容であることが求められるので、当該行為が強制されたり、それによって不利益を受けたりする場合でも、法的救済を得ることはできない。

4：地方公共団体が宗教団体の行う宗教上の祭祀に際して宗教上の名目の金品を奉納することは、社会的儀礼の一つであり、当該宗教団体との間に特別のかかわり合いを生じさせるとはいえないことから、憲法が禁止する宗教的活動には当たらず、公金による支出も許される。

5：公金の支出等の制約を受ける宗教団体とは、特定の宗教の信仰、普及等の宗教的活動を行うことを本来の目的とするものをいうが、世俗的な目的のためであっても特定の宗教に基づく宗教的行事を主催する団体については、これに該当する。

チェック欄

1回目	2回目	3回目

実践 問題 16 の解説

〈信教の自由〉

1 ○ 宗教団体が法人格を得られなかったとしても、そのこと自体が直ちに宗教的結社の自由を侵害するものではない。もっとも、すでに宗教法人として、法人格を得て、社会的実体として活動している宗教団体が、法人格を剥奪されることは、法人の構成員の信教の自由に影響をもたらす。そこで、判例も、オウム真理教解散事件で本肢と同様のことを述べている（最決平8.1.30）。

2 × 判例は、本肢と同様の事案で、信仰上の真摯な理由で剣道実技に参加できない学生に代替措置をとることも、目的・効果基準に照らして憲法20条3項に反するものではないとしている（エホバの証人剣道拒否事件、最判平8.3.8）。

3 × 何人に対しても信教の自由が保障されているが、自己の信仰と相容れない信仰が存在することも往々にしてありうる。その場合でも、強制や不利益がない限り、他者の信仰に対する寛容が求められる。判例も、強制や不利益の付与が伴わない限り、たとえ近親者の慰霊についてであっても、自己の信仰と相容れない他者の信仰に基づく行為に対して寛容が求められ、それにより不快の念を抱いたとしても、そのことにより直ちに不法行為が成立するものではないとした（殉職自衛官合祀事件、最大判昭63.6.1）。

4 × 判例は、靖国神社が行う例大祭であるみたま祭に献灯料を支出することはもはや社会的儀礼とはいえず、憲法が禁止する宗教的活動にあたり、当該公金支出は許されないとした（愛媛玉串料事件、最大判平9.4.2）。

5 × 宗教団体に対して公金の支出等が禁止される（憲法89条前段）のは、財政面で政教分離原則を徹底するためである。ここでいう宗教団体とは、特定の宗教の信仰、礼拝または普及等の宗教的活動を行うことを本来の目的とする組織ないし団体を指すところ、郷土出身の戦没者遺族の相互扶助・福祉向上、英霊の顕彰などの世俗目的のために神式または仏式の慰霊祭といった宗教的行事を主催する団体はこれにあたらないとしている（箕面忠魂碑事件、最判平5.2.16）。

正答 1

実践 問題 17 基本レベル

頻出度	地上★★ 国家一般職★★ 特別区★★ 裁判所職員★ 国税·財務·労基★★ 国家総合職★★

問 信教の自由に関するア～オの記述のうち、妥当なもののみを全て挙げているのはどれか。（国家一般職2017）

ア：憲法第20条第１項前段は、「信教の自由は、何人に対してもこれを保障する」と規定している。ここにいう信教の自由には、内心における信仰の自由及び宗教的行為の自由が含まれるが、宗教的結社の自由は、憲法第21条第１項で保障されていることから、信教の自由には含まれないと一般に解されている。

イ：内心における信仰の自由とは、宗教を信仰し又は信仰しないこと、信仰する宗教を選択し又は変更することについて、個人が任意に決定する自由をいう。内心における信仰の自由の保障は絶対的なものであり、国が、信仰を有する者に対してその信仰の告白を強制したり、信仰を有しない者に対して信仰を強制したりすることは許されない。

ウ：知事が大嘗祭に参列した行為は、それが地方公共団体の長という公職にある者の社会的儀礼として、天皇の即位に伴う皇室の伝統儀式に際し、日本国及び日本国民統合の象徴である天皇の即位に祝意を表する目的で行われたものであるとしても、大嘗祭が神道施設の設置された場所において神道の儀式にのっとり行われたことに照らせば、宗教との過度の関わり合いを否定することはできず、憲法第20条第３項に違反するとするのが判例である。

エ：死去した配偶者の追慕、慰霊等に関して私人がした宗教上の行為によって信仰生活の静謐が害されたとしても、それが信教の自由の侵害に当たり、その態様、程度が社会的に許容し得る限度を超える場合でない限り、法的利益が侵害されたとはいえないとするのが判例である。

オ：市が町内会に対し無償で神社施設の敷地としての利用に供していた市有地を当該町内会に譲与したことは、当該譲与が、市の監査委員の指摘を考慮し、当該神社施設への市有地の提供行為の継続が憲法の趣旨に適合しないおそれのある状態を是正解消するために行ったものであっても、憲法第20条第３項及び第89条に違反するとするのが判例である。

1：ア、ウ
2：ア、エ
3：イ、エ
4：イ、オ
5：ウ、オ

チェック欄

1回目	2回目	3回目

実践 問題 17 の解説

〈信教の自由〉

ア× 信教の自由（憲法20条１項）の内容は、①個人の内心における信仰の自由、②礼拝などの宗教的行為の自由、③宗教的結社の自由の３つである。このうち、③は、憲法21条１項の結社の自由によっても保障されるが、信教の自由によっても保障される。

イ○ 信仰の自由とは、宗教を信仰する・しない自由、信仰する宗教を選択・変更する自由をいう。かかる自由は内心的精神活動の自由であり、他者の人権と衝突する可能性がないので、憲法19条と相まって絶対的に保障され、公共の福祉による制約も受けない。

ウ× 判例は、県知事が皇室行事である大嘗祭に公費で参列した行為が宗教とかかわり合いを持つものであるとしながらも、目的効果基準に照らし、その目的は、皇室の伝統儀式に際し日本国および日本国民の統合の象徴である天皇に対する社会的儀礼を尽くすものであり、その効果も、特定の宗教に対する援助、助長、または圧迫、干渉等になるようなものではないと認められ、宗教とのかかわり合いの程度が社会的・文化的諸条件に照らし相当とされる限度を超えるものとは認められず、政教分離原則に違反するものではないので合憲であるとしている（最判平14.7.11）。

エ○ 殉職自衛官合祀訴訟（最大判昭63.6.1）において最高裁は、信教の自由の保障は、何人も自己の信仰と相容れない信仰を持つ者の信仰に基づく行為に対して、自己の信教の自由を妨害するものでない限り寛容であることを要請しているので、静謐な宗教的環境のもとで信仰生活を送るべき利益なるものは、法的利益として認めることができないとしている。この判例に従えば、死去した配偶者の信仰生活の静謐が害されたとしても、法的な利益が害されたとはいえないことになるので、本記述は妥当である。

オ× 判例は、市が、町内会に対し、無償で神社施設の敷地としての利用に供してきた市有地につき、そうした形での市と宗教団体とのかかわり合いを是正解消するために、市がこれを同町内会に譲与したことは、憲法20条３項・89条に反せず合憲としている（富平神社事件、最大判平22.1.20）。

以上より、妥当なものはイ、エであり、肢３が正解となる。

正答 3

第2章 SECTION 2 精神的自由権 信教の自由

実践 問題 18 基本レベル

頻出度	地上★★ 国家一般職★★ 特別区★★ 裁判所職員★ 国税·財務·労基★★ 国家総合職★★

問 日本国憲法に規定する信教の自由又は政教分離の原則に関する記述として、最高裁判所の判例に照らして、妥当なのはどれか。 (特別区2012)

1：法令に違反して著しく公共の福祉を害すると明らかに認められる行為をした宗教法人について、宗教法人法の規定に基づいて行われた解散命令は、信者の宗教上の行為の継続に支障を生じさせ、実質的に信者の信教の自由を侵害することとなるので、憲法に違反する。

2：憲法は、内心における信仰の自由のみならず外部的な宗教的行為についてもその自由を絶対的に保障しており、宗教行為としての加持祈禱が、他人の生命、身体等に危害を及ぼす違法な有形力の行使に当たり、その者を死に致したとしても、信教の自由の保障の限界を逸脱したものとまではいえない。

3：信教の自由には、静謐な宗教的環境の下で信仰生活を送るべき法的利益の保障が含まれるので、殉職自衛隊員を、その妻の意思に反して県護国神社に合祀申請した行為は、当該妻の、近親者の追慕、慰霊に関して心の静謐を保持する法的利益を侵害する。

4：県が、神社の挙行した例大祭等に際し、玉串料、献灯料又は供物料をそれぞれ県の公金から支出して神社へ奉納したことは、玉串料等の奉納が慣習化した社会的儀礼にすぎないものであり、一般人に対して県が特定の宗教団体を特別に支援している印象を与えるものではなく、また、特定の宗教への関心を呼び起こすものとはいえないので、憲法の禁止する宗教的活動には当たらない。

5：市が、戦没者遺族会所有の忠魂碑を公費で公有地に移設、再建し、その敷地を同会に無償貸与した行為は、忠魂碑と特定の宗教とのかかわりは希薄であり、同会は宗教的活動を本来の目的とする団体ではなく、市の目的は移設後の敷地を学校用地として利用することを主眼とするものであるから、特定の宗教を援助、助長、促進するとは認められず、憲法の禁止する宗教的活動に当たらない。

チェック欄		
1回目	2回目	3回目

実践 問題 18 の解説

〈信教の自由〉

1 × 判例は、宗教法人法に基づく宗教法人の解散命令は、その宗教法人の信者らの宗教上の行為に何らかの支障を生ずることが避けられないが、その支障は、解散命令に伴う間接的で事実上のものにとどまるから、当該宗教法人やその信者らの精神的・宗教的側面に及ぼす影響を考慮しても、必要でやむをえない法的規制であり、憲法20条1項前段に違反しないとした（オウム真理教解散事件、最決平8.1.30）。

2 × 判例は、信教の自由の保障も絶対無制限のものではなく、宗教行為としての加持祈祷が他人の生命、身体等に危害を及ぼす違法な有形力の行使にあたるものであり、これによって人を死亡させた場合は、その宗教行為は著しく反社会的なものといえ、憲法20条1項前段の信教の自由の保障の限界を逸脱するとした（加持祈祷事件、最大判昭38.5.15）。

3 × 判例は、信教の自由の保障は、何人も自己の信仰と相容れない信仰を持つ者の信仰に基づく行為に対して、自己の信教の自由を妨害するものでない限り寛容であることを要請しているので、静謐な宗教的環境のもとで信仰生活を送るべき利益なるものは、法的利益として認めることができないとした（殉職自衛官合祀事件、最大判昭63.6.1）。

4 × 判例は、県が玉串料等を公金から支出して靖國神社等に奉納したことは、慣習化した社会的儀礼にすぎないものとはいえず、一般人に対して、県が特定の宗教団体を特別に支援しており、それらの宗教団体が他の宗教団体とは異なる特別のものであるとの印象を与え、特定の宗教への関心を呼び起こすものといわざるをえないとした（愛媛玉串料事件、最大判平9.4.2）。

5 ○ 判例は、忠魂碑は、戦没者の慰霊・顕彰のための記念碑的な性格のものであり宗教的施設とはいえないこと、忠魂碑を所有・維持管理している市遺族会は宗教的活動を本来の目的とする団体ではないこと、市が忠魂碑を移設・再建しその敷地を無償貸与した行為は小学校の校舎の建替え等のためであって、もっぱら世俗的なものであり、その効果も、特定の宗教を援助、助長、促進しまたは他の宗教に圧迫、干渉を加えるものとは認められないから、市有地を忠魂碑の敷地として無償貸与することなどは、憲法20条3項の宗教的活動にはあたらず合憲とした（箕面忠魂碑事件、最判平5.2.16）。

正答 5

第2章 SECTION ② 精神的自由権 信教の自由

実践 問題 19 基本レベル

頻出度	地上★★ 国家一般職★★ 特別区★★ 裁判所職員★ 国税·財務·労基★★ 国家総合職★★

問 信教の自由に関する次の記述のうち、妥当なのはどれか。

（国税・財務・労基2012）

1：県が神社の挙行する重要な宗教上の祭祀に際して玉串料等を奉納したとしても、当該奉納行為は起工式と同じく慣習化した社会的儀礼にすぎないものになっているから、県と神社とのかかわり合いは、我が国の社会的・文化的諸条件に照らし相当とされる限度を超えるものではないとするのが判例である。

2：宗教上の行為の自由は、内心における信仰の自由と異なり、公共の安全、公の秩序、公衆の健康若しくは道徳又は他の者の基本的な権利及び自由を保護するために必要な制約に服すると解されている。

3：政教分離原則とは、国家と宗教との完全な分離、すなわち、国家と宗教とはそれぞれ独立して相互に結びつくべきではなく、国家は宗教の介入を受けず、また宗教に介入すべきでないという国家の非宗教性を意味するものであるとするのが判例である。

4：町内会に対し無償で神社施設の敷地としての利用に供してきた市有地につき、市有地が神社の敷地となっているという市と特定の宗教とのかかわり合いを市が是正解消しようとするときは、当該神社施設を撤去すべきであって、市が当該市有地を当該町内会に譲与することは、市と神社とのかかわり合いを是正解消する手段としておよそ相当性を欠き、憲法第20条第３項及び第89条に違反するとするのが判例である。

5：信教の自由の保障は、何人も自己の信仰と相容れない信仰を持つ者の信仰に基づく行為に対して、それが自己の信教の自由を妨害するものでない限り寛容であるべきことを要請しているが、他方、いわゆる宗教的人格権である静謐な宗教的環境の下で信仰生活を送るべき利益も法的利益として認められるとするのが判例である。

チェック欄

1回目	2回目	3回目

実践 問題 19 の解説

〈信教の自由〉

1 × 判例は、県が玉串料などを奉納したことは、その目的が宗教的意義を持つことを免れず、その効果が特定の宗教に対する援助、助長、促進になると認めるべきであり、これによってもたらされる県と靖國神社等とのかかわり合いがわが国の社会的・文化的諸条件に照らし相当とされる限度を超えるものであって、憲法20条3項の禁止する宗教的活動にあたるとした（愛媛玉串料事件、最大判平9.4.2）。

2 ○ 通説的見解は、宗教上の行為の自由について、国際人権規約（自由権規約）18条の定めるように、公共の安全、公の秩序、公衆の健康もしくは道徳または他の者の基本的な権利および自由を保護するために必要な制約に服するとしている。

3 × 判例は、政教分離原則は、国家が宗教的に中立であることを要求するものではあるが、国家が宗教とのかかわり合いを持つことをまったく許さないとするものではなく、宗教とのかかわり合いをもたらす行為の目的および効果にかんがみ、そのかかわり合いが社会的・文化的諸条件に照らし相当とされる限度を超えるものと認められる場合にこれを許さないとするものであるとする（津地鎮祭事件、最大判昭52.7.13）。

4 × 判例は、本肢のような譲与について、市と本件神社とのかかわり合いを是正解消する手段として相当性を欠くとはいえないので、憲法20条3項および89条に反しないとしている（富平神社事件、最大判平22.1.20）。

5 × 判例は、信教の自由の保障は、何人も自己の信仰と相容れない信仰を持つ者の信仰に基づく行為に対して、それが強制や不利益の付与を伴うことにより自己の信教の自由を妨害するものでない限り寛容であることを要請しているとする。したがって、静謐な宗教的環境のもとで信仰生活を送るべき利益なるものは、これを直ちに法的利益として認めることができないとしている（殉職自衛官合祀事件、最大判昭63.6.1）。

正答 2

第2章 SECTION 2 精神的自由権 信教の自由

実践 問題 20 応用レベル

頻出度	地上★	国家一般職★	特別区★
	裁判所職員★	国税·財務·労基★	国家総合職★

問 信教の自由に関するア～オの記述のうち、妥当なもののみをすべて挙げているのはどれか。　(国Ⅱ2010)

ア：憲法第20条が保障する信教の自由とは内心における信仰の自由及び宗教的行為の自由のことであり、特定の宗教を宣伝し、又は共同で宗教的行為を行うことを目的とする団体を結成する自由（宗教的結社の自由）は同条から直接導き出せる権利ではないが、同条の精神に照らし、十分尊重しなければならないと一般に解されている。

イ：内心における信仰の自由は絶対的に保障されるものであり、たとえ俗悪な邪教であっても、その宗教への信仰それ自体を問題として、国家がその宗教を信仰することを禁止することは許されないと一般に解されている。

ウ：憲法第20条第３項により禁止される「宗教的活動」とは、国及びその機関の活動で宗教とのかかわり合いをもつすべての行為を指すものではなく、宗教とのかかわり合いが我が国の社会的・文化的諸条件に照らし相当とされる限度を超えるものに限られ、当該行為の目的が宗教的意義をもち、その効果が宗教に対する援助、助長、促進又は圧迫、干渉等になるような行為をいうとするのが判例である。

エ：公立学校において、学生の信仰を調査せん索し、宗教を序列化して別段の取扱いをすることは許されないが、学生が信仰を理由に剣道実技の履修を拒否する場合に、学校が、その理由の当否を判断するため、単なる怠学のための口実であるか、当事者の説明する宗教上の信条と履修拒否との合理的関連性が認められるかどうかを確認する程度の調査をすることは、公教育の宗教的中立性に反するとはいえないとするのが判例である。

オ：公職にある者の社会的儀礼として天皇の即位に祝意を表する目的で、知事が大嘗祭に参列した行為は、それが他の参列者と共に参列して拝礼したにとどまるものであっても、大嘗祭が皇位継承の際に通常行われてきた、神道の儀式にのっとった皇室の伝統儀式であることに照らせば、宗教とのかかわり合いを否定することができず、憲法第20条第３項に違反するとするのが判例である。

1：ア、エ
2：ウ、オ
3：ア、イ、オ
4：ア、ウ、エ
5：イ、ウ、エ

チェック欄

1回目	2回目	3回目

実践 問題 20 の解説

〈信教の自由・政教分離〉

ア× 信教の自由の内容には、内心における信仰の自由、礼拝、祈祷、儀式、行事などの宗教的行為の自由、宗教団体を設立して活動する宗教的結社の自由が含まれると解されている。

イ○ 内心活動は、他者の人権と衝突する可能性がないので絶対的に保障され、公共の福祉による制約も受けない。このため、内心における信仰の自由は絶対的に保障され、どのような内容の宗教であれ、国家がその信仰を禁止することはできない。

ウ○ 憲法20条３項の禁止する宗教的活動について、判例は、本記述のようないわゆる目的・効果基準に立っている（津地鎮祭事件、最大判昭52.7.13）。

エ○ 信仰の自由から、原則として公権力が私人に信仰の内容を調査することは許されない。もっとも、判例は、宗教上の理由に基づいて体育の剣道実技を拒否した生徒を公立高専が２度の原級留置処分とし、退学処分としたため提起された処分取消訴訟で、本記述のように述べた（エホバの証人剣道拒否事件、最判平8.3.8）。私人に不利益を課する目的でなく、信仰を理由とする剣道の不受講を正当な理由のあるものとして不利益に取り扱わないようにするか判断するためだからである。

オ× 皇室行事の大嘗祭に県知事が参列したことが政教分離原則に反するとして、支出された公金の返還を求める住民訴訟が提起された。これに対して判例は、大嘗祭への参列の目的は、天皇の即位に伴う皇室の伝統儀式に際し、日本国および日本国民統合の象徴である天皇に対する社会的儀礼を尽くすものであり、その効果も、特定の宗教に対する援助、助長、促進または圧迫、干渉等になるようなものではないので、県知事の大嘗祭への参列は、宗教とのかかわり合いの程度がわが国の社会的、文化的諸条件に照らし、信教の自由の保障の確保という制度の根本目的との関係で相当とされる限度を超えるものとは認められず、憲法上の政教分離原則およびそれに基づく政教分離規定に違反するものではないとした（最判平14.7.11）。

以上より、妥当なものはイ、ウ、エであり、肢５が正解となる。

正答 5

第2章 SECTION 2 精神的自由権 信教の自由

実践 問題 21 応用レベル

頻出度	地上★	国家一般職★	特別区★
	裁判所職員★	国税·財務·労基★	国家総合職★

問 政教分離の原則に関する次の記述のうち、判例に照らし、妥当なのはどれか。

(国Ⅱ2001)

1：県知事が、神社が挙行する例大祭に対し玉串料を県の公金から支出する行為に関し、神社の参拝の際に玉串料を奉納することは、一般人からみてそれが過大でない限りは社会的儀礼として受容されるものであり、特定の宗教に対する援助、助長、促進又は他の宗教への圧迫、干渉にはならないから、憲法第20条第3項及び第89条に違反しない。

2：遺族会が維持管理する忠魂碑について、市立小学校の増改築工事に伴い移転の必要が生じたため、市が移転用地を取得して忠魂碑を移設するとともに、その敷地を市が遺族会に無償貸与したことは、宗教的観念の表現である礼拝の対象物たる忠魂碑という宗教施設に対し、市が過度のかかわりを持ったものといえ、その目的が宗教的意義を持ち、その効果も宗教的活動に対する援助、助長又は促進になるから、憲法第20条第3項及び第89条に違反する。

3：市が町内会の申出により、地蔵像の設置を目的として市有地の無償使用を承認したことは、地蔵信仰が今日においても仏教信仰と不可分のものであって、明確に宗教的性格を備えている上、地蔵像の市有地上への設置承認により、その信仰者の礼拝の対象を存続させることになり、特定の宗教に対する援助、助長又は促進になるから、憲法第20条第3項及び第89条に違反する。

4：憲法第20条第3項の定める政教分離の原則は、国家と宗教との分離を制度として保障するもので、私人に対して信教の自由そのものを直接保障するものではないから、この規定に違反する国又はその機関の宗教的活動も、憲法が保障している信教の自由を直接侵害するに至らない限りは、私人に対する関係では当然に違法と評価されるものではない。

5：ある寺院が所有する建築物が文化財として指定されている場合であっても、その建築物の維持・保存を図るための修繕費を補助金として支出することは、特定の宗教に対する援助、助長又は促進になるから、憲法第20条第3項及び第89条に違反する。

チェック欄		
1回目	2回目	3回目

実践 問題 21 の解説

〈政教分離〉

1 × 本肢と同様の事案において判例は、目的・効果基準によったうえで、玉串料の奉納は社会的儀礼にすぎないものとはいえず、一般人に対してもそれらの宗教団体が特別なものであるとの印象を与え特定の宗教への関心を呼び起こす効果を及ぼしたとし、憲法20条3項および89条に違反するとしている（愛媛玉串料事件、最大判平9.4.2）。

2 × 本肢と同様の事案において判例は、目的・効果基準によったうえで、忠魂碑は戦没者記念碑的な性格のもので宗教とのかかわりは希薄であり、敷地の無償貸与も、その目的は学校の建替えのためというもっぱら世俗的なものであり、その効果も特定の宗教を援助、助長、促進することにならず、憲法20条3項および89条に違反しないとしている（箕面忠魂碑事件、最判平5.2.16）。

3 × 本肢と同様の事案において判例は、目的・効果基準によりつつ、地蔵信仰は習俗化し宗教性は希薄なものとなっており、地蔵像設置のための市有地無償使用の承認は、その目的および効果にかんがみ、宗教とのかかわりが相当とされる限度を超えていないから、憲法20条3項および89条に違反しないとしている（大阪地蔵像訴訟、最判平4.11.16）。

4 ○ 判例は、政教分離規定は、いわゆる制度的保障の規定であって、間接的に信教の自由を確保するものであり（津地鎮祭事件、最大判昭52.7.13）、その直接の保障対象は制度それ自体であって個人の人権そのものではないとしている。したがって、政教分離原則に違反する国またはその機関の宗教的活動も、憲法が保障している信教の自由を直接侵害するに至らない限りは、私人に対する関係では当然に違法と評価されるものではないという結論になる。

5 × 津地鎮祭事件において判例は、国家と宗教の完全な分離の実現は不可能に近くかえって不合理な事態を生じると論じ、その例として文化財である神社などの建築物の維持保存のための補助金支出が挙げられるとしている（最大判昭52.7.13）。したがって、寺院所有の文化財の維持・保存を図るための修繕費を補助金として支出することは、判例に照らし、憲法20条3項および89条に違反しないと解される。

正答 4

信教の自由

実践 問題 22 応用レベル

頻出度	地上★	国家一般職★	特別区★
	裁判所職員★	国税·財務·労基★	国家総合職★

問 信教の自由に関する次の記述のうち、判例に照らし、妥当なのはどれか。

（国Ⅰ2010）

1：憲法第20条第１項後段にいう「宗教団体」及び憲法第89条にいう「宗教上の組織若しくは団体」には、特定の宗教の信仰・礼拝・普及などの宗教的活動を行うことを本来の目的とするもののみならず、宗教と何らかのかかわり合いのある行為を行っている組織ないし団体はすべて含まれる。

2：憲法第20条第２項にいう「宗教上の行為、祝典、儀式又は行事」は、必ずしもすべて同条第３項にいう「宗教的活動」に含まれるわけではなく、たとえ後者に含まれない宗教上の祝典、儀式、行事等であっても、自らの宗教的信条に反するとしてそれへの参加を拒否する者に対し、国家が参加を強制すれば、同条第２項に違反する。

3：国家と宗教との完全な分離の実現は不可能に近く、かえって不合理な事態が生じることから、憲法第20条第３項は、国家が宗教的に中立であることを要求するものではなく、国家と宗教とのかかわり合いが我が国の社会的・文化的諸条件に照らして、信教の自由の確保という同項の根本目的との関係で相当な限度を超えると認められる場合にこれを許さないとする趣旨であると解すべきである。

4：ある行為が憲法第20条第３項にいう「宗教的活動」に該当するかどうかを検討するに当たっては、主宰者や順序作法といった当該行為の外形的側面を考慮してはならず、その行為に対する一般人の宗教的評価、行為者の意図・目的及び宗教的意識の有無・程度、一般人に与える効果、影響等、諸般の事情を考慮し、社会通念に従って判断しなければならない。

5：皇室行事である「大嘗祭」は、皇位継承の際に通常行われてきた皇室の伝統儀式であって、県知事が天皇の即位に祝意を表するために公費でこれに参列する行為は、何ら宗教とかかわり合いを持つものではないから、政教分離原則に違反するものではない。

チェック欄

1回目	2回目	3回目

実践 問題 22 の解説

〈信教の自由〉

1 × 判例は、憲法20条1項後段にいう「宗教団体」、憲法89条にいう「宗教上の組織若しくは団体」とは、宗教と何らかのかかわり合いのある行為を行っている組織ないし団体のすべてを意味するのではなく、特定の宗教の信仰、礼拝または普及等の宗教的活動を行うことを本来の目的とする組織ないし団体をいうとしている（箕面忠魂碑事件、最判平5.2.16）。

2 ○ 判例は、憲法20条2項の宗教上の行為と、憲法20条3項の宗教的活動は異なる視点に立つものであり、たとえ宗教的活動に含まれない行為であっても、宗教的信条に反するとしてこれに参加を拒否する者に対し国家が参加を強制すれば、その者の信教の自由を侵害し、憲法20条2項に違反するとした（津地鎮祭事件、最大判昭52.7.13）。

3 × 判例は、政教分離原則は、国家が宗教的に中立であることを要求するものであるが、宗教とのかかわり合いをもたらす行為の目的および効果にかんがみ、わが国の社会的・文化的諸条件に照らし相当とされる限度を超えるものと認められる場合にこれを許さないとしている（津地鎮祭事件、最大判昭52.7.13）。

4 × 判例は、憲法20条3項にいう「宗教的活動」に該当するか否かの判断にあたっては、当該行為の外形的側面のみにとらわれることなく、当該行為の行われる場所、当該行為に対する一般人の宗教的評価、行為者の意図、目的および宗教的意識の有無、程度、一般人に与える効果、影響等、諸般の事情を考慮し、社会通念に従って、客観的に判断しなければならないとしている（津地鎮祭事件、最大判昭52.7.13）。

5 × 判例は、県知事が皇室行事である大嘗祭に公費で参列した行為が宗教とかかわり合いを持つものであるとしながらも、目的・効果基準に照らし、その目的は、皇室の伝統儀式に際し日本国および日本国民の統合である天皇に対する社会的礼儀を尽くすものであり、その効果も、特定の宗教に対する援助、助長、促進または圧迫、干渉等になるようなものではないと認められ、宗教とのかかわり合いの程度が社会的、文化的諸条件に照らし相当とされる限度を超えるものとは認められず、政教分離原則に違反するものではないので合憲であるとしている（最判平14.7.11）。

正答 2

第2章 SECTION 2 精神的自由権

信教の自由

実践 問題 23 応用レベル

頻出度	地上★ 国家一般職★ 特別区★ 裁判所職員★ 国税·財務·労基★ 国家総合職★

問 信教の自由に関するア〜エの記述のうち、判例に照らし、妥当なもののみを全て挙げているのはどれか。 (財務2022)

ア：憲法は、第20条第１項後段、同条第３項、第89条において、いわゆる政教分離の原則に基づく諸規定を設けているところ、一般に、政教分離原則とは、国家の非宗教性ないし宗教的中立性を意味するものとされている。また、憲法は、政教分離規定を設けるに当たり、国家と宗教との完全な分離を理想とし、国家の非宗教性ないし宗教的中立性を確保しようとしたものと解すべきである。

イ：市が町会に対して地蔵像の建立あるいは移設のため市有地の無償使用を承認する行為は、無償使用の態様等の諸般の事情を考慮して総合的に判断すると、当該行為と宗教との関わり合いが、我が国の社会的、文化的諸条件に照らし、信教の自由の確保という制度の根本目的との関係で相当とされる限度を超えるものとして、憲法第20条第３項に違反する。

ウ：宗教法人法に基づいて裁判所によってなされた宗教法人に対する解散命令は当該解散命令が専ら宗教法人の世俗的側面を対象とし、かつ、専ら世俗的目的によるものであることから、宗教団体やその信者らが行う宗教上の行為に何ら支障を生じさせるものではなく、憲法第20条第１項に違反しない。

エ：内閣総理大臣の地位にある者が靖国神社に参拝した行為は、神道の教義を広める宗教施設である神社を援助、助長、促進するような効果をもたらしたとはいえないことから、憲法第20条第３項によって禁止されている宗教的活動には当たらず、また、人が神社に参拝する行為自体は他人の信仰生活等に対して圧迫、干渉を加えるような性質のものではないから、当該参拝行為によって損害賠償の対象となり得るような法的利益の侵害があったと認めることはできない。

1：ア
2：ウ
3：ア、イ
4：イ、エ
5：ウ、エ

実践 問題 23 の解説

チェック欄		
1回目	2回目	3回目

〈信教の自由〉

ア○ 政教分離原則とは、国家の非宗教性ないし宗教的中立性を意味する。判例は、「憲法は、政教分離規定を設けるにあたり、国家と宗教との完全な分離を理想とし、国家の非宗教性ないし宗教的中立性を確保しようとしたもの、と解すべきである」とした（津地鎮祭事件、最大判昭52.7.13）。

イ× 市が町会に対して地蔵像の建立あるいは移設のため市有地の無償使用を承認するなどした行為について判例は、「その目的及び効果にかんがみ、その宗教とのかかわり合いが我が国の社会的・文化的諸条件に照らし信教の自由の確保という制度の根本目的との関係で相当とされる限度を超えるものとは認められず、憲法20条３項あるいは89条の規定に違反するものではない」とした（大阪地蔵像訴訟、最判平4.11.16）。

ウ× 判例は、宗教法人に対する解散命令により宗教団体やその信者らの宗教上の行為に支障が生じること自体は否定していないので、本記述は妥当でない。大量殺人を目的としてサリンを組織的・計画的に大量に生成した宗教法人に対する解散命令が請求された事件につき、判例は、「解散命令によって宗教団体であるオウム真理教やその信者らが行う宗教上の行為に何らかの支障を生ずることが避けられないとしても、その支障は、解散命令に伴う間接的で事実上のものであるにとどまる」とし、本件解散命令は「必要でやむを得ない法的規制」であり、憲法20条１項に反しないとした（オウム真理教解散事件、最決平8.1.30）。

エ× 判例は、靖国神社に参拝する行為が憲法20条３項により禁止される「宗教的活動」にあたるかどうかを判断していないので、本記述は妥当でない。判例は、内閣総理大臣の靖国神社参拝行為につき、他人の信仰生活などに対して圧迫、干渉を加えるような性質のものではないから、他人が特定の神社に参拝することによって自己の心情ないし宗教上の感情が害され、不快の念を抱いたとしても、これを被侵害利益として直ちに損害賠償を請求することはできないとしている（最判平18.6.23）。ただし、内閣総理大臣の靖国神社参拝行為が憲法20条３項によって禁止される「宗教的活動」にあたるかどうかについては判断していない。

以上より、妥当なものはアであり、肢１が正解となる。

正答 1

精神的自由権

学問の自由

必修問題 セクションテーマを代表する問題に挑戦！

学問の自由は、大学の自治に関する判例を中心に学習することを心がけましょう。

問 憲法第23条に規定する学問の自由に関する記述として、妥当なのはどれか。　（東京都1987）

1：学問の自由は、特に大学における学問の自由を保障したものではあるが、大学以外においても認められないわけではない。

2：学問の自由は、教育の自由を一般的に保障したものであり、また学校教育および社会教育の制度的保障を意味するものである。

3：学問の自由は明治憲法においても規定されていたが、大学の自治の制度的保障については、現行法上認められたものである。

4：大学の自治は、大学が学問研究の場として絶対的な自治と自由を保障されたものであり、学内における秩序維持の最終的な責任は学長が負うため、公権力による干渉はいかなる場合も許されない。

5：大学の自治の内容として、人事の自治、施設管理の自治、研究内容決定の自治が挙げられるが、このうち国立大学においては、他の行政機関と同様、上級行政官庁の指揮命令系統に服するため、人事の自治は認められていない。

直前復習

Guidance ガイダンス

学問の自由の内容

・学問研究の自由、研究発表の自由、教授の自由

大学の自治

　大学の内部の事柄に関しては大学の自主的な決定に任せ、大学内の問題に外部の勢力（主に国家権力）が干渉することを排除しようとするもの。その目的は、大学における学問の自由を保障するためにある。

大学の自治の限界

・犯罪捜査のための警官立入りは拒否できない
・実社会における政治的社会的活動には大学の自治が及ばない

頻出度	地上★　国家一般職★★　特別区★★ 裁判所職員★　国税·財務·労基★　国家総合職★

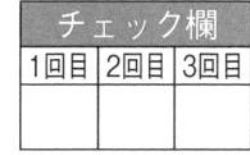

〈学問の自由〉

1 ○　判例は、学問の自由の保障は、一面で、すべての国民に対してそれらの自由を保障するとともに、他面において、大学が学術の中心として真理の探究を本質とすることから、特に大学におけるそれらの自由を保障することを趣旨とするとしている（東大ポポロ事件、最大判昭38.5.22）。

2 ×　判例は、学問の自由は、単に学問研究の自由ばかりでなく、その結果を教授する自由をも含むとし、普通教育の場における教師についても一定の範囲における教授の自由が保障されるべきことを肯定できないではないが、教育の機会均等を図るうえからも、全国的に一定の水準を確保すべき強い要請があることなどを考慮し、完全な教授の自由を認めることはできないとしているから（旭川学テ事件、最大判昭51.5.21）、「教育の自由を一般的に保障した」とはいえない。また、学校教育・社会教育の保障は、憲法26条の教育を受ける権利（社会権）に基づくものであり、憲法23条が制度として保障しているのは大学の自治のみである。

3 ×　明治憲法は、学問の自由について規定していなかった。日本国憲法の学問の自由の保障は、明治憲法下で、学問の自由が、直接国家権力によって侵害された歴史を踏まえて、特に規定されたものである。なお、大学の自治については、明治憲法下でも慣行として一応認められていた。

4 ×　学問の自由の保障は大学の自治の保障を含むが、大学の自治は絶対的なものではなく、適法な捜査令状がある場合、大学は犯罪捜査のための警察官の構内立入りを拒否できないと解されている。

5 ×　大学の自治は、具体的には、教員・学長などの人事の自治、施設の管理における自治、学生管理における自治、研究教育における自治、予算管理における自治などを内容とする。国立大学においても、人事は大学の自主的判断に基づいてなされなければならず、政府が大学の人事へ干渉することは許されない。

正答 1

第2章 SECTION 3 精神的自由権 学問の自由

1 学問の自由の内容

憲法23条 学問の自由は、これを保障する。

①**学問研究の自由** ②**研究発表の自由** ③**教授の自由**

なお、③教授の自由は、沿革的には大学を中心として認められてきたものですが、初等中等教育機関においても一定の範囲で教授の自由が認められるとするのが判例です（旭川学テ事件、最大判昭51.5.21）。

判例
《旭川学テ事件》最大判昭51.5.21
【事案】文部省（当時）の指示に基づいて行われた全国学力テストが違憲ではないかが争われた事件
【判旨】子どもの教育が教師と子どもとの人格的接触を通じて行われる以上、教師には教授の具体的内容・方法につきある程度の裁量が認められ、一定の範囲で教授の自由を保障すべきことは肯定できないわけではない。

2 大学の自治

(1) 意味

大学の自治とは、大学の運営に必要な事柄を大学が自主的に決定することをいいます。

(2) 存在理由

学問の研究・発表は主に大学において行われ、多くの研究者は大学に所属しています。そこで、権力者としては、研究者を管理・監督する大学に圧力をかけて、学問研究への干渉を図るおそれがあります。こうしたことが容認されると、学問の自由を保障した趣旨が失われてしまうので、大学に最大限の自主性を認め、公権力による大学当局への干渉を排除しようとするのが「大学の自治」の狙いです。

(3) 法的性質

大学の自治も政教分離原則と同じく、学問の自由の保障を確保するための制度的保障であると解されています。

(4) 大学の自治の内容

大学の自治の内容として重要なものは、①学長・教授その他の研究者の人事は、大学の自主的判断に基づいてなされなければならないという**人事の自治**と、②大学の施設と学生の管理は大学の自主的判断に基づいてなされなければならないという**施設・学生の管理の自治**の２つです。

(5) 大学の自治と警察権との関係

正規の令状に基づく犯罪捜査を大学が拒否できないことは言うまでもありません。大学といえども治外法権の場ではないからです。

これに対して、**警備公安活動**（公共の安寧秩序を保持するため、犯罪の予防・鎮圧に備えて各種の情報収集をする警察活動）のために、警察官が大学の了解なしに大学構内に立ち入ることは原則として認められません。治安維持の名のもとに自由な学問研究が阻害されるおそれが大きいからです。

判例

《東大ポポロ事件》最大判昭38.5.22

【事案】東京大学の教室において大学の公認団体「劇団ポポロ」が大学から正式許可を得て演劇発表会を行った際に、潜入していた私服の警察官に劇団員が暴行を加えたため暴力行為等処罰法違反に問われた裁判において当該警察官の行動が大学の自治に反するとして争われた事件

【判旨】大学における学問の自由を保障するために大学の自治が認められているが、学生は、大学が大学当局によって自治的に管理されることの反射的効果として学問の自由と施設の利用を認められるにすぎず、真に学問的な研究またはその結果の発表のためでない学生の政治社会的行動は大学の自治の範囲内にないため、大学の自治を侵害しない。

精神的自由権
学問の自由

実践 問題 24 基本レベル

頻出度	地上★ 国家一般職★★ 特別区★★ 裁判所職員★ 国税･財務･労基★ 国家総合職★

問 学問の自由に関するア〜オの記述のうち、妥当なもののみを全て挙げているのはどれか。　（国家総合職2017）

ア：学問の自由の観念を早くから発達させてきたドイツの影響を受け、明治憲法では学問の自由が明文で規定されていたが、その保障は必ずしも十分なものではなく、天皇機関説事件などが生じるに至った。

イ：憲法第23条で保障される学問の自由は、沿革的に大学等の機関の内部において行われる研究や教育に関して認められるものであって、大学を離れた一個人が行う学問の追究は思想及び良心の自由を規定する憲法第19条によって、大学等の機関の外部に学問研究の結果を発表することは表現の自由を規定する憲法第21条によって、それぞれ保障されるべきであり、かつそれで足りると一般に解されている。

ウ：憲法第23条で保障される学問の自由には、大学において研究活動を行う自由だけでなく、その成果を学生に教授する自由も含まれていると解され、他方、初等中等教育機関における教師による児童・生徒に対する教授の自由については、同条による保障は一切及ばないとするのが判例である。

エ：学術的な研究であっても、その内容によっては、人の尊厳の保持、人の生命及び身体の安全の確保、社会秩序の維持といった観点から、必要に応じて法律により規制することも許容され得ると一般に解され、実際、ヒトに関するクローン技術の研究については、法律により一定の制限が課されている。

オ：大学における学生の集会について、その集会が真に学問的な研究又はその結果の発表のためのものでなく、実社会の政治的社会的活動に当たる行為をする場合には、大学の有する特別の学問の自由と自治は享有しないとするのが判例である。

1：ア、ウ
2：イ、ウ
3：イ、オ
4：エ、オ
5：ア、エ、オ

チェック欄

1回目	2回目	3回目

実践 問題 24 の解説

〈学問の自由〉

ア× 明治憲法では学問の自由が規定されていなかったので、本記述は妥当でない。そもそも、英米法系や大陸法系のいずれにおいても学問の自由を明文で定める国は少ない。思想の自由や思想の表現の自由といった市民的自由が保障されれば、その結果として学問の自由も保障されると考えられていたし、また、大学教授その他の研究者に一般市民とは異なる特別の自由を認めることは民主主義の原理に反するとも考えられていたからである。

イ× 東大ポポロ事件（最大判昭38.5.22）において最高裁は、「憲法23条が学問の自由はこれを保障すると規定したのは、一面において、広く全ての国民に対してそれらの自由を保障するとともに、他面において、特に大学におけるそれらの自由を保障することを趣旨としたものである」としている。したがって、大学を離れた一個人が行う学問の追究と学問研究の結果の発表は、憲法23条によっても保障されており、それを認めない旨を述べる本記述は妥当でない。

ウ× 旭川学テ事件（最大判昭51.5.21）において最高裁は、「普通教育の場においても、教授の具体的内容及び方法につき、一定の範囲における教授の自由が保障される」としている。したがって、初等中等教育機関における教師の教授の自由についても一定の範囲における教授の自由が保障されており、憲法23条による保障は一切及ばないと述べる本記述は妥当でない。

エ○ 真理の発見・探求を目的とする学問研究の自由は、内心の精神活動にとどまる限り、絶対的に保障されるのが原則である。しかし、かかる自由も、近年、ヒトのＤＮＡ操作やクローン技術、バイオ技術等の先端科学技術研究については、事故が起きた場合や技術が濫用された場合に取り返しのつかない損害をもたらすおそれがあると指摘されてきた。現在、こうした先端科学技術研究については、法律による必要最小限の規制が許されると解されている（「ヒトに関するクローン技術等の規制に関する法律」参照）。

オ○ 東大ポポロ事件（最大判昭38.5.22）において最高裁は、「学生の集会が真に学問的な研究またはその結果の発表のためのものではなく、実社会の政治的社会的活動にあたる行為をする場合には、大学の有する特別の学問の自由と自治は享有しない」と判示している。

以上より、妥当なものはエ、オであり、肢４が正解となる。

正答 4

精神的自由権
学問の自由

実践 問題 25 基本レベル

頻出度	地上★	国家一般職★★	特別区★★
	裁判所職員★	国税·財務·労基★	国家総合職★

問 学問の自由に関する次のア〜エの記述のうち、妥当なもののみを全て挙げているものはどれか（争いのあるときは、判例の見解による。）。

（裁判所事務官2023）

ア：学問の自由は教授の自由を含むと解されるところ、普通教育において、教師と子どもとの間の直接の人格的接触を通じ、その個性に応じて行わなければならないという本質的要請に照らし、教授の具体的内容及び方法につき自由な裁量が認められなければならないから、普通教育における教師に対しても、完全な教授の自由が認められる。

イ：大学の自治は、大学における学問の自由を制度的に保障するために憲法第23条によって保障されていると解されるから、研究教育の内容に直接関係しない大学の教授その他の研究者の人事に関しては、大学の自治権は及ばない。

ウ：普通教育の場において使用される教科書は、学術研究の結果の発表を目的とするものではなく、教科書検定は、一定の場合に教科書の形態における研究結果の発表を制限するにすぎないから、憲法第23条に反しない。

エ：大学における学生の集会について大学の自治の保障が及ぶか否かの判断に当たっては、その集会の目的や性格を考慮することも許される。

1：ア、イ
2：ア、エ
3：イ、ウ
4：イ、エ
5：ウ、エ

チェック欄

1回目	2回目	3回目

実践 問題 25 の解説

〈学問の自由〉

ア× 普通教育における教師に対しても完全な教授の自由を認めると述べる本記述は、判例の見解と異なるので妥当でない。判例は、普通教育においても、子どもの教育が教師と子どもとの間の直接の人格的接触を通じ、その個性に応じて行われなければならないという本質的要請に照らし、教授の具体的内容および方法につき、ある程度自由な裁量が認められなければならないと述べる一方で、普通教育においては、教師が児童に対して強い支配力を持つこと、および全国的に一定の水準を確保すべきことから、教師に完全な教授の自由を認めることは、とうてい許されないとしている（旭川学テ事件、最大判昭51.5.21）。

イ× 教授その他の研究者の人事は大学の自治に含まれないと述べる点が判例の見解と異なるので、本記述は妥当でない。東大ポポロ事件において判例は、大学の自治は特に大学の教授その他の研究者の人事、および大学の施設と学生の管理について認められるとしており、大学の自治が人事に及ぶことを認めている（最大判昭38.5.22）。

ウ○ 本記述は判例の見解のとおりであり、妥当である。まず、学問の自由には、研究発表の自由が含まれる。次に、研究発表の自由と教科書検定の関係について判例は、教科書検定は研究結果の発表を教科書という形態で行うことを制限しているにすぎないので、憲法23条に反しないとしている（第1次家永教科書事件、最判平5.3.16）。

エ○ 本記述は判例の見解のとおりであり、妥当である。大学における学生の集会に大学の自治の保障が及ぶかどうかについて判例は、学生の集会が真に学問的な研究またはその結果の発表のためのものではなく、実社会の政治的社会的活動にあたる行為をする場合には、大学の有する特別の学問の自由と自治は享有しないとしている（上掲東大ポポロ事件判決）。すなわち、判例は学生の集会について大学の自治の保障が及ぶか否かの判断に際して、その集会の目的や性格（研究発表のためか、政治的社会的活動か）を考慮している。

以上より、妥当なものはウ、エであり、肢5が正解となる。

正答 5

精神的自由権
学問の自由

実践 問題 26 応用レベル

頻出度 地上★ 国家一般職★ 特別区★ 裁判所職員★ 国税·財務·労基★ 国家総合職★

問 学問の自由に関するア～オの記述のうち、妥当なもののみをすべて挙げているのはどれか。 (国Ⅱ2007)

ア：学問の自由は、真理の発見や探求を目的とする内面的精神活動の自由たる性格を有し、明治憲法においても一応は学問の自由を保障する明文の規定が設けられていたが、ある学説を主張する学者の著書が国の安寧秩序を害するものとして発売禁止の処分を受け、その学説を大学で教えることが禁止されたりするなど、政府により学問の統制が厳しく行われていた。

イ：普通教育の場において児童、生徒用として使用される教科書の検定は、ある記述がいまだ学界において支持を得ていないとき、あるいは、該当する学校、教科、科目、学年の児童や生徒の教育として取り上げるにふさわしい内容と認められないときなどに、教科書の形態における研究結果の発表を制限するにすぎないから、学問の自由を保障した憲法第23条の規定に違反しないとするのが判例である。

ウ：今日の大学は、高度な科学技術の発達や社会の複雑多様化を背景として、政府や産業界と人事・財政面で強く結び付いており、大学が学問の自由を確保するためには学生を含めた大学に所属する者全体の一致した協力が不可欠であるから、学生も教授その他の研究者と同様に大学の自治の主体に含まれるとするのが判例である。

エ：大学における学生の集会は、大学の自治の一環として認められるものであるから、大学が許可した学内集会であるならば、当該集会が真に学問的な研究又はその結果の発表のためのものでなく、実社会の政治的社会的活動に当たる行為をする場合であっても、大学の有する学問の自由と自治を享有するとするのが判例である。

オ：学問の自由は、広くすべての国民に対して学問的研究の自由及びその研究結果の発表の自由を保障しており、特に大学においては、これらの自由に加えて教授の自由が保障されている一方で、高等学校以下の初等中等教育機関においては、教育ないし教授の自由はおよそ認められないとするのが判例である。

1：ア、ウ
2：ア、オ
3：イ
4：イ、ウ
5：エ

直前復習

チェック欄		
1回目	2回目	3回目

実践 問題 26 の解説

〈学問の自由〉

ア× 明治憲法は学問の自由を保障する明文の規定を設けていなかった。そのため、滝川事件（1933年）や天皇機関説事件（1935年）などで学問の自由および大学の自治は弾圧された。そうした明治憲法下の経験を踏まえて、日本国憲法は学問の自由を保障した。

イ○ 判例は、①教科書は、教科課程の構成に応じて組織、配列された教科の主たる教材として、普通教育の場において使用される児童、生徒用の図書であって、学術研究の結果の発表を目的とするものではないこと、②教科書検定は、申請図書に記述された研究結果が、たとえ執筆者が正当と信ずるものであったとしても、いまだ学界において支持を得ていないとき、あるいは当該教科課程で取り上げるにふさわしい内容と認められないときなど検定基準の各条件に違反する場合に、教科書の形態における研究結果の発表を制限するにすぎないことを理由に、教科書検定は学問の自由を保障した憲法23条に違反しないとした（**第３次家永教科書事件**、最判平9.8.29）。

ウ× 判例は、大学の自治は、特に大学の教授その他の研究者の人事に関して認められ、さらに、大学の施設と学生の管理についてもある程度大学に自主的な秩序維持の権能が認められるとしたうえで、大学の施設と学生は、大学における学問の自由と大学の自治の効果として、施設は大学当局によって自治的に管理され、学生も学問の自由と施設の利用を認められるにすぎないとした（**東大ポポロ事件**、最大判昭38.5.22）。つまり、大学の自治の主体は教授その他の研究者であって、学生は自治の客体にすぎないのである。

エ× 判例は、大学における学生の集会が真に学問的な研究またはその結果の発表のためのものではなく、実社会の政治的社会的活動にあたる行為をする場合には、大学の有する学問の自由および大学の自治を享有しないとした（**東大ポポロ事件**、最大判昭38.5.22）。

オ× 判例は、普通教育の場においても「一定範囲における教授の自由が保障されるべきことを肯定できないではない」とし、初等中等教育機関における教育ないし教授の自由を一定の範囲で認めた（**旭川学テ事件**、最大判昭51.5.21）。

以上より、妥当なものはイであり、肢３が正解となる。

正答 3

精神的自由権
学問の自由

実践 問題 27 応用レベル

頻出度	地上★ 国家一般職★ 特別区★ 裁判所職員★ 国税·財務·労基★ 国家総合職★

問 学問の自由に関するア～オの記述のうち、判例に照らし、妥当なもののみをすべて挙げているのはどれか。 (国Ⅰ2006)

ア：学問の自由の内容としては、学問研究の自由、研究発表の自由及び教授の自由が含まれると解される。このうち、教授の自由は他者に働きかける側面を有しているため、大学における教授の自由に対する規制は、これが著しく不合理であることが明白である場合に限って違憲となる。

イ：普通教育の一環である中学校における教授の自由については、教師が子どもに対して強い影響力や支配力があること、子どもの側に学校や教師を選択する余地がないこと等を理由に、これを認める余地はない。

ウ：大学における学生の集会が真に学問的な研究又はその結果の発表のためのものでなく、実社会の政治的社会的活動に当たる行為をする場合には、大学の有する特別の学問の自由と自治は享有しない。

エ：大学における学問の自由を保障するために、伝統的に大学の自治が認められ、この自治は､特に大学の教授その他の研究者の人事に関して認められる。また、この自治は、大学の施設と学生の管理についてもある程度で認められ、これらについてある程度で大学に自主的な秩序維持の権能が認められる。

オ：学問の自由は学生の学問的な研究又はその結果の発表の自由も包含している。大学の自治は、学生の学問的な研究又はその結果の発表の自由をも確保するための制度的保障であり、学生にも大学当局と同じ程度の自主的な秩序維持の権能が認められる。

1：ア、ウ
2：イ、ウ
3：イ、エ
4：ウ、エ
5：ウ、オ

実践 問題 27 の解説

チェック欄		
1回目	2回目	3回目

〈学問の自由〉

ア× 判例は、憲法23条の学問の自由は、学問研究の自由とその研究結果の発表の自由を含むとした（東大ポポロ事件、最大判昭38.5.22）。また、判例は、憲法23条の保障する学問の自由は、単に学問研究の自由ばかりでなく、その結果を教授する自由をも含むとした（旭川学テ事件、最大判昭51.5.21）。しかし、明白性の原則を学問の自由の規制の合憲性審査基準として適用した判例は存在しない。

イ× 判例は、普通教育の場においても、教師が公権力によって特定の意見のみを教授することを強制されないことや、子どもの教育が教師と子どもとの間の人格的接触を通じ、その個性に応じて行われなければならないことから、一定の範囲における教授の自由が保障されるとした（旭川学テ事件、最大判昭51.5.21）。

ウ○ 判例は、学生の集会が真に学問的な研究またはその結果の発表のためのものではなく、実社会の政治的社会的活動にあたる行為をする場合には、大学の有する特別の学問の自由と自治は享受しないと判示した（東大ポポロ事件、最大判昭38.5.22）。

エ○ 判例は、大学における学問の自由を保障するために、特に教授・研究者の人事、施設と学生の管理について、伝統的に大学の自治が認められているとした（東大ポポロ事件、最大判昭38.5.22）。

オ× 大学の自治が制度的保障であると明言した判例はない。また東大ポポロ事件において判例は、大学の学問の自由と自治は、直接には教授その他の研究者の研究、その結果の発表、研究結果の教授の自由とこれらを保障するための自治とを意味するのであり、大学の学生は、これらの自由と自治の効果として、学問の自由と施設の利用を認められているとした（東大ポポロ事件、最大判昭38.5.22）。つまり判例は、学生を単なる営造物の利用者と捉えており、大学の自治の主体とは考えていない。

以上より、妥当なものはウ、エであり、肢４が正解となる。

正答 4

精神的自由権
表現の自由

必修問題 セクションテーマを代表する問題に挑戦！

表現の自由は学習すべき量の多い分野ですが、丁寧に勉強して、確実な知識を身につけることが肝心です。

問 日本国憲法に規定する表現の自由に関する記述として、最高裁判所の判例に照らして、妥当なのはどれか。 （特別区2010）

1：新聞記事に取り上げられた者は、当該新聞紙を発行する者に対し、その記事の掲載により名誉毀損の不法行為が成立しない場合でも、人格権又は条理を根拠として、記事に対する自己の反論文を当該新聞紙に無修正かつ無料で掲載することを求める権利が認められるとした。

2：法廷メモ採取事件では、法廷で傍聴人がメモを取ることの自由は、憲法が直接保障する表現の自由そのものに当たるため、いかなる場合であっても妨げられないものとした。

3：取材の自由は、憲法の保障の下にあるため、報道機関の取材の手段や方法がそそのかしに当たり、社会観念上是認することのできない態様のものであっても、その行為は、正当な取材活動の範囲内として認められるとした。

4：徳島市公安条例の規定は、通常の判断能力を有する一般人であれば、経験上、蛇行進、渦巻行進、座り込み等の行為が殊更な交通秩序の阻害をもたらすような行為に当たることは容易に判断できるから、明確性を欠くとはいえず、憲法に違反しないとした。

5：新聞が真実を報道することは、憲法の認める表現の自由に属し、また、そのための取材活動も認められなければならないことはいうまでもないため、公判廷の状況を一般に報道するための取材活動として行う公判開廷中における自由な写真撮影の行為を制限する刑事訴訟規則の規定は、憲法に違反するとした。

Guidance ガイダンス

・取材の自由…憲法21条により尊重
　→法廷におけるメモ採取…ゆえなく妨げられない
　　法廷における写真撮影…制限は合憲
・反論権…反論権法がない限り認められない
・徳島市公安条例の「交通秩序を維持すること」
　→明確性を欠くものとはいえない

直前復習

頻出度　地上★★　国家一般職★★★　特別区★★★
裁判所職員★★★　国税·財務·労基★★　国家総合職★★★

必修問題の解説

チェック欄		
1回目	2回目	3回目

〈表現の自由〉

1 × 判例は、いわゆる反論文掲載請求権を認めていない。すなわち、新聞発行者にとって、反論文の掲載を強制されることにより、紙面を割かなくてはならなくなるなどの負担が、公的事項をはじめとする批判的記事の掲載を躊躇させ、憲法の保障する表現の自由を間接的に侵す危険につながることなどを理由に、これを否定した（サンケイ新聞事件、最判昭62.4.24）。

2 × 判例は、メモを取る自由は、憲法21条１項の規定の精神に照らして尊重されるとした。また、傍聴人が法廷でメモを取ることは、ゆえなく妨げられてはならないとしながらも、他者の人権との調整や優越する公共の利益を確保する必要から、合理的な制限を受けることがあるとした（レペタ事件、最大判平元.3.8）。

3 × 判例は、取材の自由は、憲法21条の精神に照らし十分尊重に値するとしており、憲法21条により保障されるとはしていない（博多駅事件、最大決昭44.11.26）。また、新聞記者が公務員に対して国家秘密の漏示をそそのかしたことについて、判例は、それが真に報道の目的から出たもので、その手段・方法が法秩序全体の精神に照らし相当なものとして社会観念上是認されるものである限りは、実質的に違法性を欠く正当な業務行為にあたるとした。逆に、判例は、取材活動の態様が社会観念上是認されない場合には正当な取材活動の範囲を逸脱し、違法性を帯びるとしている（外務省秘密漏洩事件、最決昭53.5.31）。

4 ○ 判例は、刑罰法規の明確性は、通常の判断能力を有する一般人の理解において、具体的場合に当該行為がその適用を受けるものかどうかの判断を可能ならしめるような基準が読み取れるか否かにより決定すべきであるとし、蛇行進や渦巻行進などの行為が本条例の禁止対象とする交通秩序の阻害をもたらす行為であることは容易に判断できるから、明確性を欠くものではなく、憲法31条に違反しないとしている（徳島市公安条例事件、最大判昭50.9.10）。

5 × 判例は、公判廷における写真撮影は、審判の秩序を乱し、被告人や訴訟関係人の正当な利益を不当に害する可能性があるので、撮影の許可を裁判所に委ね、自由な撮影を制限する刑事訴訟規則215条の規定は、憲法に違反しないとした（北海タイムス事件、最大決昭33.2.17）。

正答 4

第2章 SECTION 4 精神的自由権 表現の自由

1 表現の自由の価値

> 憲法21条1項
> 集会、結社及び言論、出版その他一切の表現の自由は、これを保障する。

⇓

> 表現の自由を支える2つの価値
> ①**自己実現の価値**
> 個人が言論活動を通じて自己の人格を発展させるという個人的な価値
> ②**自己統治の価値**
> 言論活動によって国民が政治的意思決定に関与するという民主政に資する社会的な価値
> **※思想の自由市場論**
> 思想の自由市場が成り立つためには、表現の自由の保障が不可欠

2 知る権利

(1) 意味

知る権利とは、国民が自由に情報を受け取り、または**国家に対して情報の公開を請求する権利**のことをいいます。

(2) 保障の意義

表現の自由とは、情報の発信の自由だけを保障しているようにも思われます。しかし、社会が発展するに従ってマスメディアが情報を独占するようになり、一般国民の大多数は情報の受け手にまわることとなった結果、情報の受け手の自由を保障する必要が格段に高まりました。そこで、表現の自由を一般国民の側から再構成し、情報の受け手の自由を保障したのが知る権利なのです。

知る権利は、国民の情報収集が国家によって妨げられないという意味で自由権的側面を有します。また、国家に対して情報の公開を請求するという意味で社会権的側面も有します。

3 反論権（アクセス権）

(1) 意味

反論権（アクセス権）とは、一般に、**マスメディアに対して、一般国民が自己の意見の発表の場を提供することを要求する権利**をいいます。

(2) 法的性質

反論権を容易に認めると、マスメディアに対して「これを掲載しろ」という命令をする権限が国家に認められ、国家による言論統制の危険があるばかりでなく、マスメディアが批判的な報道を差し控えるという萎縮的効果を及ぼすおそれがあります。そこで、判例は、不法行為が成立する場合は別論として、具体的な成文法の根拠がない限り、反論権を導き出すことはできないとしています（サンケイ新聞事件、最判昭62.4.24）。

4 性表現・名誉毀損的表現

性表現・名誉毀損的表現は、わいせつ文書の頒布・販売罪や名誉毀損罪など刑法で規制がなされていますから、これらの表現は憲法で保障されていないとも考えられます。しかし、このように考えると、「わいせつ」や「名誉毀損」の概念をどのように決めるかによって、本来憲法で保障されるべき表現まで規制されてしまうおそれが生じます。そこで、性表現・名誉毀損的表現も表現の自由に含まれるとしたうえで、いかなる範囲で性表現・名誉毀損的表現が憲法上保護されるのかを確定していこうとするのが現在の判例（最大判昭32.3.13など）・通説です。

5 営利的言論の自由

営利広告などの営利的言論は、経済的自由権としての側面を有しますが、営利的言論であっても、国民が消費者として広告を通じてさまざまな生活情報を受け取ることができるという意味で、消費者の知る権利にとって重要な意義を有します。そこで、営利的言論も表現の自由に含まれると解するのが通説です。もっとも、表現の自由の重点は、自己統治の価値にあるので、営利的言論の自由の保障の程度は、非営利的言論の自由よりも低いと解されています。

6 二重の基準論

(1) 意味

二重の基準論とは、精神的自由（特に表現の自由）を制限する法律が、憲法に適合するか否かを判断するにあたっては、経済的自由権を制限する法律に適用される基準よりも厳しい基準（違憲となりやすい）によって審査しなければならないとする法原則をいいます。

(2) 根拠

① 民主政過程論

表現の自由の侵害は、経済的自由の侵害と異なり、民主政の過程（自由公正な選挙によって成立する国会を通じて立法の過誤を是正する機能）による是正が困難

② 裁判所の審査能力

経済的自由に対する規制については、経済政策の当否について審査する能力に乏しい裁判所は、立法府の判断を尊重すべき

判例
《屋外広告物条例事件》最大判昭43.12.18
【事案】指定する物件に関してはビラの貼り付けを禁止する大阪市屋外広告物条例の合憲性が争われた事件
【判旨】都市の美観風致と公衆に対する危害の防止という立法目的は正当であり、この程度の規制は、公共の福祉のため、表現の自由に対して許された必要かつ合理的な制限である。

判例
《選挙運動規制事件》最大判昭30.3.30
【事案】選挙の際に一定文書の頒布・掲示を禁じた公職選挙法が憲法21条に反しないかが争われた事件
【判旨】選挙につき文書図画の頒布・掲示を無制限に認めると、選挙運動に不当の競争を招き、選挙の公正を害するおそれがあるので、このような弊害を防止するため選挙運動中に限り、一定の文書図画の頒布・掲示を禁止した公職選挙法は憲法上許された必要かつ合理的な規制である。

7 明確性の理論

明確性の理論とは、**精神的自由を制限する立法は、その内容が明確でなければならないという理論**をいいます。いかなる場合に規制されるのかが漠然不明確であると、本来許されるべき表現行為をも差し控えるという萎縮的効果を及ぼしますから、かかる立法は無効であるとされます。

判例は、立法が明確であるか否かを、**通常の判断能力を有する一般人の理解**を基準に判断しています。

判例
《徳島市公安条例事件》最大判昭50.9.10
【事案】「交通秩序を維持すること」に反する行為を刑罰により禁止する徳島市の公安条例が、あいまい不明確であるがゆえに違憲無効であるとして争われた事件
【判旨】ある刑罰法規があいまい不明確ゆえに憲法31条に違反するかどうかは、通常の判断能力を有する一般人の理解において、具体的場合に当該行為がその適用を受けるものかどうかの判断を可能ならしめる基準が読み取れるかどうかによって判断すべきである。本条例の規定は文言が抽象的ではあるが明確性を欠くとはいえない。

memo

表現の自由

実践 問題 28 基本レベル

頻出度 地上★★ 国家一般職★★★ 特別区★★★ 裁判所職員★★★ 国税·財務·労基★★ 国家総合職★★★

問 日本国憲法に規定する表現の自由に関する記述として、最高裁判所の判例に照らして、妥当なのはどれか。 (特別区2012)

1：税関において公安又は風俗を害すべき書籍等を検査することは、関税徴収手続の一環として行われ、思想内容等を網羅的に審査し規制することを目的とするものではないが、国民が当該書籍等に接する前に規制がなされ、発表の自由と知る自由が著しく制限されることになるので検閲に当たり、違憲である。

2：取材の自由は、報道の自由の一環として憲法の精神に照らして十分尊重に値するものであり、裁判所による報道機関の取材フィルムに対する提出命令は、取材フィルムが刑事裁判の証拠のために使用される場合であっても、報道機関の将来における取材の自由が必ず妨げられることとなるので、違憲である。

3：人格権としての名誉権に基づく出版物の印刷、製本、販売、頒布等の事前差止めは、その出版物が公職選挙の候補者に対する評価、批判等に関するものである場合には、原則として許されず、その表現内容が真実でないか又は専ら公益を図る目的のものでないことが明白であって、かつ、被害者が重大にして著しく回復困難な損害を被るおそれがあるときに限り、例外的に許される。

4：報道機関が公務員に対し秘密を漏示するようそそのかした行為は、その手段・方法が、取材対象者の人格を蹂躙する等法秩序全体の精神に照らし相当なものとして社会観念上是認することができない態様のものであっても、刑罰法令に触れない限り、実質的に違法性を欠き正当な業務行為である。

5：憲法は、表現の自由を保障するため、新聞記者に対し、その取材源に関する証言を拒絶し得る特別の権利を保障したものと解することができるので、新聞記者の証言が、公の福祉のため最も重大な司法権の公正な発動につき必要欠くべからざるものであっても、新聞記者は、取材源の秘匿を理由に、証言を拒絶できる。

チェック欄		
1回目	2回目	3回目

実践 問題 28 の解説

〈表現の自由〉

1 × 判例は、税関検査は、これにより輸入を禁止される表現物は、国外においてすでに発表済みのものであり、税関により没収、廃棄されるわけでないから発表の機会が全面的に奪われるものではないとして、検閲にあたらないとした（税関検査事件、最大判昭59.12.12）。

2 × 判例は、取材の自由も憲法21条の精神に照らして十分尊重に値し、取材フィルムが刑事裁判の証拠のために使用されるような場合には、報道機関の将来における取材活動の自由を妨げることになるおそれがないわけではないが、公正な刑事裁判の実現を保障するためにある程度制約を受けることもやむをえないとして、提出命令を合憲とした（博多駅事件、最大決昭44.11.26）。

3 ○ 裁判所の行う出版物の頒布などの事前差止めについて、判例は、憲法21条の趣旨に照らし、厳格かつ明確な要件のもとにおいてのみ許容され、差止めの対象が公務員または公職選挙の候補者に対する評価、批判等の表現行為に関するものである場合には、その表現は私人の名誉権に優先する社会的価値を含むので、当該表現行為の事前差止めは原則として許されないが、①表現内容が真実でなく、またはそれがもっぱら公益を図る目的のものでないことが明白であって、かつ②被害者が重大にして著しく回復困難な損害を被るおそれがあるときは、例外的に事前差止めが許されるとした（北方ジャーナル事件、最大判昭61.6.11）。

4 × 判例は、報道機関が取材の目的で公務員に対し秘密を漏示するようにそそのかすことについて、取材の手段・方法が一般の刑罰法令に触れないものであっても、人格の尊厳を著しく蹂躙する等法秩序全体の精神に照らし社会観念上是認することのできない態様のものである場合には、正当な取材活動の範囲を逸脱し違法であるとした（外務省秘密漏洩事件、最決昭53.5.31）。

5 × 判例は、憲法21条は、公の福祉のため最も重大な司法権の公正な発動につき必要欠くべからざる証言の義務をも犠牲にして、証言拒絶の権利までも保障したものではないとし、また憲法21条による表現の自由の保障は一般国民に平等に認められたものであり、新聞記者に特別の権利を与えたものではないとした（石井記者事件、最大判昭27.8.6）。

正答 3

第2章 SECTION 4 精神的自由権 表現の自由

実践 問題 29 基本レベル

頻出度	
地上★★　国家一般職★★★　特別区★★★	裁判所職員★★★　国税·財務·労基★★　国家総合職★★★

問 表現の自由に関するア～オの記述のうち、妥当なもののみを全て挙げているのはどれか。 **（国家総合職2013）**

ア：集団行進等の際に「交通秩序を維持すること」を遵守事項とした市の条例について、判例は、ある刑罰法規があいまい不明確の故に憲法第31条に違反するものと認めるべきかどうかは、通常の判断能力を有する一般人の理解において、具体的場合に当該行為がその適用を受けるものかどうかの判断を可能ならしめるような基準が読み取れるかどうかによってこれを決定すべきであるとしている。

イ：税関検査と検閲禁止の原則について、判例は、憲法第21条第２項にいう「検閲」を、行政権が主体となって、表現物一般を対象とし、その全部の発表の禁止を目的として、網羅的一般的に、発表前にその内容を審査した上、不適当と認めるものの発表を禁止することをその特質として備えるものと定義した上で、税関検査は、関税徴収手続の一環として行われるもので、表現物それ自体を網羅的に審査し規制することを目的とするものではないことを理由に、検閲には該当しないとしている。

ウ：取材の自由について、判例は、報道のための取材の自由も、憲法第21条の精神に照らし、十分尊重に値するものとした上で、公正な刑事裁判の実現を保障するために、報道機関の取材活動によって得られたものが証拠として必要と認められるような場合には、取材の自由がある程度の制約を受けることになってもやむを得ないというべきであるが、これを刑事裁判の証拠として使用することがやむを得ない場合においても、それによって受ける報道機関の不利益が必要な限度をこえないように配慮されなければならないとしている。

エ：公立図書館による図書の廃棄について、判例は、著作者は、自らの著作物を図書館が購入することを法的に請求することができる地位になく、また、その著作物が図書館に収蔵され閲覧に供されている著作者も、その著作物が図書館に収蔵され閲覧に供されることにつき、何ら法的な権利利益を有するものではないとして、図書の廃棄が著作者の思想·信条を理由とするものであっても、その廃棄は当該著作者が著作物によってその思想、意見等を公衆に伝達する利益を不当に損なうものではないとしている。

オ：名誉毀損罪について規定する刑法第230条の２の解釈について、判例は、表現の自由と人格権としての個人の名誉の保護との調和の観点から、同法第230条の２第１項にいう真実性の証明がなかった場合には、行為者が真実であると誤信し、誤信したことについて、確実な資料、根拠に照らして相当の理由があっても、同罪の成立を妨げないとしている。

1：ア、ウ
2：ア、オ
3：イ、オ
4：ア、ウ、エ
5：イ、エ、オ

（参　考）刑　法
（公共の利害に関する場合の特例）
第230条の２　前条第１項の行為が公共の利害に関する事実に係り、かつ、その目的が専ら公益を図ることにあったと認める場合には、事実の真否を判断し、真実であることの証明があったときは、これを罰しない。
（第２項以下略）

表現の自由

チェック欄		
1回目	2回目	3回目

実践 問題 29 の解説

〈表現の自由〉

ア○ 判例は、ある刑罰法規があいまい不明確のゆえに憲法31条に違反するものと認めるべきかどうかは、通常の判断能力を有する一般人の理解において、具体的場合に当該行為がその適用を受けるものかどうかの判断を可能ならしめるような基準が読み取れるかどうかによってこれを決定すべきであるとした（徳島市公安条例事件、最大判昭50.9.10）。

イ× 判例は、憲法21条２項が絶対的に禁止する検閲とは、行政権が主体となって、思想内容等の表現物を対象とし、その全部または一部の発表の禁止を目的として、対象とされる一定の表現物につき網羅的一般的に、発表前にその内容を審査したうえ、不適当と認めるものの発表を禁止することを、その特質として備えるものを指すと定義した（税関検査事件、最大判昭59.12.12）。すなわち判例は、検閲の対象を「思想内容等の表現物」と限定しており、「表現物一般」としていない。他方、判例は、検閲の目的を「その全部または一部の発表の禁止」としており、「その全部の発表の禁止」に限定していない。

ウ○ 判例は、報道機関の報道が正しい内容を持つためには、報道のための取材の自由も、憲法21条の精神に照らし、十分尊重に値するものといわなければならないとしたうえで、取材したものを刑事裁判の証拠として使用することがやむをえないと認められる場合においても、それによって受ける報道機関の不利益が必要な限度を超えないように配慮されなければならないとしている（博多駅事件、最大決昭44.11.26）。

エ× 判例は、公立図書館は、住民に対して思想、意見その他の種々の情報を含む図書館資料提供してその教養を高めること等を目的とする公的な場であるとし、そこで閲覧に供される図書を著作者の思想や信条を理由とするなど不公正な取扱いによって廃棄することは、当該著作者が著作物によってその思想、意見等を公衆に伝達する利益を不当に損なうとした。そして、著作者の思想の自由、表現の自由が憲法により保障された基本的人権であることにもかんがみると、公立図書館において、その著作物が閲覧に供されている著作者が有する上記利益は、法的保護に値する人格的利益であるとした。このため、著作者の思想・信条を理由とする図書館員による図書の廃棄は、著作者の人格的利益を侵害し、国家賠償法上も違法となるとした（船橋市西図書館蔵書廃棄事件、最判平17.7.14）。

オ × 判例は、刑法230条の２は、人格権としての個人の名誉の保護と、憲法21条による正当な言論の保障との調和を図ったものというべきであり、これら両者間の調和と均衡を考慮するならば、たとえ同条１項にいう事実が真実であることの証明がない場合でも、行為者がその事実を真実であると誤信し、その誤信したことについて、確実な資料、根拠に照らし相当の理由があるときは、犯罪の故意がなく、名誉毀損の罪は成立しないとした（夕刊和歌山時事事件、最大判昭44.6.25）。

以上より、妥当なものはア、ウであり、肢１が正解となる。

正答 1

精神的自由権
表現の自由

実践 問題 30 基本レベル

頻出度 地上★★　国家一般職★★★　特別区★★★
裁判所職員★★★　国税·財務·労基★★　国家総合職★★★

問 日本国憲法に規定する表現の自由に関する記述として、最高裁判所の判例に照らして、妥当なのはどれか。 （特別区2008）

1：新聞記事に取り上げられた者が、当該新聞紙を発行する者に対し、その記事の掲載により名誉毀損の不法行為が成立するかどうかとは無関係に、人格権又は条理を根拠として、その記事に対する自己の反論文を当該新聞紙に無修正かつ無料で掲載することを求めることはできないとした。

2：裁判所による報道機関に対する取材フィルムの提出命令が許容されるか否かの決定では、公正な刑事裁判を実現するに当たっての必要性の有無を考慮すればよく、これによって報道機関の取材の自由が妨げられる程度や報道の自由に及ぼす影響の度合その他諸般の事情との比較衡量をする必要はないとした。

3：都市の美観風致を維持することは、公共の福祉を保持するゆえんであるが、はり紙等の電柱などへの表示を条例で禁止することは、公共の福祉のため、表現の自由に対し許された必要かつ合理的な制限とはいえず、憲法に違反するとした。

4：雑誌その他の出版物の頒布等の仮処分による事前差止めは、憲法の禁止する検閲に当たるため、名誉侵害の被害者は回復困難な損害を被るおそれがある場合に限り、侵害行為の差止めを求めることができるが、その出版物が公務員に対する評価、批判等に関するものである場合には一切許されないとした。

5：戸別訪問の禁止によって失われる意見表明の自由という利益は、選挙の自由と公正の確保という戸別訪問の禁止によって得られる利益に比してはるかに大きいということができるので、戸別訪問を一律に禁止している公職選挙法の規定は、合理的で必要やむを得ない限度を超えるものであり、違憲であるとした。

チェック欄		
1回目	2回目	3回目

実践 問題 30 の解説

〈表現の自由〉

1 ○ 判例は、名誉毀損による不法行為が成立する場合とは無関係に、具体的な成文法の根拠がない限り、反論権は認められないとした（サンケイ新聞事件、最判昭62.4.24）。

2 × 判例は、裁判所による報道機関に対する取材フィルムの提出命令が許されるか否かは、公正な刑事裁判実現の要請に基づく提出命令の必要性と、これにより取材の自由が妨げられる程度、報道の自由に及ぼす影響の度合いなどの事情とを比較衡量したうえで決すべきとした（博多駅事件、最大決昭44.11.26）。

3 × 電柱などに対するビラ貼りを全面的に禁止する条例の合憲性が争われた事案で、判例は、都市の美観風致を維持することは公共の福祉を保持するゆえんであり、この程度の規制は、公共の福祉のために、表現の自由に対して許された必要かつ合理的な制限であるとして、当該条例は憲法に違反しないとした（屋外広告物条例事件、最大判昭43.12.18）。

4 × 判例は、当該事前差止めは「検閲」にあたらないとしたうえで、事前差止めは、出版物の内容が公務員に対する評価などに関するものである場合には、原則として許されないが、表現内容が真実ではなく、またはそれがもっぱら公益を図る目的でないことが明らかであって、かつ、被害者が重大にして著しく回復困難な損害を被るおそれがあるときには、例外的に許されるとしている（北方ジャーナル事件、最大判昭61.6.11）。

5 × 判例は、戸別訪問の一律禁止は、選挙の自由と公正を確保するという正当な目的を有するとしたうえで、この制約によって失われる意見表明の自由という利益よりも、選挙の公正という得られる利益のほうがはるかに大きいことから、合理的で必要やむをえない限度を超えるものではなく、憲法に違反しないとした（最判昭56.6.15）。

正答 1

精神的自由権
表現の自由

実践 問題 31 基本レベル

頻出度	地上★★　国家一般職★★★　特別区★★★ 裁判所職員★★★　国税･財務･労基★★　国家総合職★★★

問 **日本国憲法に規定する表現の自由に関する記述として、最高裁判所の判例に照らして、妥当なのはどれか。**　**(特別区2016)**

1：報道関係者の取材源の秘密は、民事訴訟法に規定する職業の秘密に当たり、民事事件において証人となった報道関係者は、保護に値する秘密についてのみ取材源に係る証言拒絶が認められると解すべきであり、保護に値する秘密であるかどうかは、秘密の公表によって生ずる不利益と証言の拒絶によって犠牲になる真実発見及び裁判の公正との比較衡量により決せられるべきであるとした。

2：夕刊和歌山時事に掲載された記事により名誉が毀損されたとする事件で、刑法は、公然と事実を摘示し、人の名誉を毀損した者を処罰対象とするが、事実の真否を判断し、真実であることの証明があったときは罰しないとするところ、被告人の摘示した事実につき真実である証明がない以上、真実であると誤信したことにつき相当の理由があったとしても名誉毀損の罪責を免れえないとした。

3：著名な小説家が執筆した小説によって、交友関係のあった女性がプライバシーを侵害されたとした事件で、当該小説において問題とされている表現内容は、公共の利害に関する事項であり、侵害行為の対象となった人物の社会的地位や侵害行為の性質に留意することなく、侵害行為の差止めを肯認すべきであり、当該小説の出版等の差止め請求は肯認されるとした。

4：公立図書館の図書館職員が閲覧に供されている図書を著作者の思想や信条を理由とするなど不公正な取扱いによって廃棄することは、当該著作者が著作物によって、その思想、意見等を公衆に伝達する利益を損なうものであるが、当該利益は、当該図書館が住民の閲覧に供したことによって反射的に生じる事実上の利益にすぎず、法的保護に値する人格的利益であるとはいえないとした。

5：電柱などのビラ貼りを全面的に禁止する大阪市屋外広告物条例の合憲性が争われた事件で、当該条例は、都市の美観風致を維持するために必要な規制をしているものであるとしても、ビラの貼付がなんら営利と関係のない純粋な政治的意見を表示するものである場合、当該規制は公共の福祉のため、表現の自由に対し許された必要かつ合理的な制限であるとはいえないとした。

チェック欄

1回目	2回目	3回目

実践 問題 31 の解説

〈表現の自由〉

1 ○ 判例は、報道関係者の取材源は、これが開示されると将来の円滑な取材活動が妨げられ、報道機関の業務遂行が困難になるから、証言拒絶権を定めた民事訴訟法197条1項3号の「職業の秘密」にあたるとした。もっとも、証言拒絶が認められるかについて、その秘密が保護に値する場合に限定している。すなわち、秘密が保護に値するか否かは、秘密の公表によって生ずる不利益と証言の拒絶によって犠牲になる真実発見および裁判の公正との比較衡量により決せられるとした（最判平18.10.3）。

2 × 夕刊和歌山時事事件において判例は、刑法230条の2の証明に失敗した場合でも、行為者がその事実が真実であると誤信し、その誤信したことについて、確実な資料、根拠に照らし相当の理由があるときは、犯罪の故意がなく、名誉毀損の罪は成立しないとしている（最大判昭44.6.25）。したがって、真実であると誤信したことにつき相当の理由がある場合にも名誉毀損の罪責を免れえないとする本肢は妥当でない。

3 × 『石に泳ぐ魚』事件において判例は、①小説の表現内容が公共の利益にかかわらない原告のプライバシーに関する事項であること、②小説のモデルとなった原告が公的立場にないこと、③小説の出版により原告に回復困難な重大な損害のおそれがあることを考慮して出版の差止めを認めた（最判平14.9.24）。したがって、問題となった表現内容が公共の利害に関する事項とする点および侵害行為の対象となった人物の社会的地位や侵害行為の性質に留意することなく侵害行為の差止めを肯認すべきとする点が妥当でない。

4 × 著作者の思想の自由、表現の自由が憲法で保障された基本的人権であることにかんがみると、公立図書館において、著作者が有する著作物が閲覧に供されていることによってその思想、意見等を公衆に伝達する利益は、法的保護に値する人格的利益であるから、図書館職員による著作者の思想や信条を理由とするなどの不公正な取扱いによって行われた図書の廃棄は、著作者の人格的利益を侵害し、国家賠償法上違法になるとした（最判平17.7.14）。

5 × 屋外広告物条例事件において判例は、本件印刷物が営利とは関係のないものであったとしても、国民の文化的生活の向上を目途とする憲法のもとにおいては、都市の美観風致を維持することは、公共の福祉を保持するゆえんであるから、この程度の規制は、公共の福祉のため、表現の自由に対し許された必要かつ合理的な制限であるとした（最大判昭43.12.18）。

正答 1

第2章 SECTION 4 精神的自由権

表現の自由

実践 問題 32 基本レベル

頻出度	地上★	国家一般職★★	特別区★
	裁判所職員★	国税·財務·労基★	国家総合職★★★

問 表現の自由に関する次のア～エの記述のうち、判例の立場として妥当なもののみを全て挙げているものはどれか。 **（裁判所事務官2019）**

ア：裁判所の許可を得ない限り公判廷における取材活動のための写真撮影を行うことができないとすることは、憲法に違反しない。

イ：事実の報道の自由は、国民の知る権利に奉仕するものであるとしても、憲法第21条によって保障されるわけではなく、報道のための取材の自由も、憲法第21条とは関係しない。

ウ：美観風致の維持及び公衆に対する危害防止の目的のために、屋外広告物の表示の場所・方法及び屋外広告物を掲出する物件の設置・維持について必要な規制をすることは、それが営利と関係のないものも含めて規制の対象としていたとしても、公共の福祉のため、表現の自由に対して許された必要かつ合理的な制限であるといえる。

エ：人の名誉を害する文書について、裁判所が、被害者からの請求に基づいて当該文書の出版の差止めを命ずることは、憲法第21条第2項の定める「検閲」に該当するが、一定の要件の下において例外的に許容される。

1：ア、イ
2：ア、ウ
3：ア、エ
4：イ、エ
5：ウ、エ

チェック欄

1回目	2回目	3回目

実践 問題 32 の解説

〈表現の自由〉

ア○ 判例は、公判廷における写真の撮影等は、その行われる時、場所等のいかんによっては、その活動が公判廷における審判の秩序を乱し被告人その他訴訟関係人の正当な利益を不当に害するような好ましくない結果を生ずるおそれがあるので、写真撮影の許可等を裁判所の裁量に委ね、その許可に従わない限りこれらの行為をすることができないことを規定する刑事訴訟規則215条は憲法に違反しないとしている（最大判昭33.2.17）。

イ× 博多駅事件において判例は、報道機関の報道は、民主主義社会において、国民が国政に関与するにつき、重要な判断の資料を提供し、国民の「知る権利」に奉仕することを根拠に、事実の報道の自由は、表現の自由を規定した憲法21条の保障のもとにあり、取材の自由も憲法21条の精神に照らし十分尊重に値するとしている（最大判昭44.11.26）ので、本記述は妥当でない。

ウ○ 判例は、大阪市屋外広告物条例の憲法21条適合性が争われた事件において、本記述のように述べており、妥当である（最大決昭43.12.18）。

エ× 判例は、裁判所が仮処分による出版差止めを命ずることは「検閲」にあたらず、また、「検閲」は絶対的禁止であるとしているので、本記述は妥当でない。北方ジャーナル事件において判例は、「憲法21条２項前段にいう検閲とは、行政権が主体となって、思想内容等の表現物を対象とし、その全部又は一部の発表の禁止を目的として、対象とされる一定の表現物につき網羅的一般的に、発表前にその内容を審査したうえ、不適当と認めるものの発表を禁止することを、その特質として備えるものを指す」としたうえで、仮処分による出版物の事前差止めは、「個別的な私人間の紛争について、司法裁判所により、当事者の申請に基づき差止請求権等の私法上の被保全権利の存否、保全の必要性の有無を審理判断して発せられるものであって、『検閲』には当たらない」としている（最大判昭61.6.11）。また、同判例は、「憲法21条２項前段は、検閲の絶対的禁止を規定したものである」としているので、仮に「検閲」に該当すると、これが許容される余地はない。

以上より、妥当なものはア、ウであり、肢２が正解となる。

正答 2

実践 問題 33 基本レベル

頻出度	地上★	国家一般職★★	特別区★
	裁判所職員★	国税･財務･労基★	国家総合職★★★

問 **知る権利や表現の自由に関するア～オの記述のうち、妥当なもののみを挙げているのはどれか。ただし、争いのあるものは判例の見解による。**

（国税・財務・労基2024）

ア：様々な意見、知識、情報の伝達の媒体である新聞紙等の閲読の自由が憲法上保障されるべきことは、思想及び良心の自由の不可侵を定めた憲法第19条の規定や、表現の自由を保障した憲法第21条の規定の趣旨、目的から、いわばその派生原理として当然に導かれるものである。

イ：表現の自由は、単に表現の送り手の自由だけではなく、表現の受け手の自由も含むものであり、この表現の受け手の自由が知る権利として捉えられている。知る権利は、国家に対して積極的に情報の公開を要求する請求権的性格を有しており、直接憲法第21条第１項を根拠にして政府情報の開示を請求することができると一般に解されている。

ウ：公立図書館の職員が、閲覧に供されている図書を、著作者の思想や信条を理由とするなど不公正な取扱いによって廃棄することは、その著作者の思想、意見等を公衆に伝達する利益を不当に損なうものとはいえない。

エ：報道機関による事実の報道の自由は、思想の表明の自由と並んで憲法21条の保障の下にあり、報道機関の報道が正しい内容を持つためには、報道の自由とともに、報道のための取材の自由についても、同条の精神に照らし十分尊重に値する。

オ：裁判の公開が制度として保障されていることに伴い、傍聴人が法廷においてメモを取ることも報道機関による取材の自由と同様に憲法第21条の精神に照らし尊重される。したがって、司法記者クラブ所属の報道機関の記者に法廷でメモを取ることを許可しながら、一般の傍聴者にはこれを禁止することは、合理性を欠き、違法である。

1：ア、ウ
2：ア、エ
3：イ、ウ
4：イ、オ
5：エ、オ

チェック欄

1回目	2回目	3回目

実践 問題 33 の解説

〈知る権利・表現の自由〉

ア○ 未決拘禁者の新聞閲読の自由について、判例は、本記述と同様の見解を述べている（よど号ハイジャック新聞記事抹消事件、最大判昭58.6.22）。

イ× 知る権利は、情報の受け手の自由を確保するための観念として生み出されたものであり、知る権利は国家から知る自由を妨げられない自由権的性格と国家に情報の開示を請求する社会権・請求権的性格を併有している。もっとも、情報公開請求権は抽象的権利にとどまり、その請求権を行使するには、公開の基準や手続について具体的に定めた法律（情報公開法など）を必要とする。したがって、直接憲法21条１項を根拠にして政府情報の開示を請求することができるわけではないので、本記述後半が妥当でない。

ウ× 判例は、公立図書館は、そこで閲覧に供された図書の著作者にとって、その思想、意見等を公衆に伝達する公的な場でもあることを理由として、公立図書館の職員が閲覧に供されている図書を著作者の思想や信条を理由とするなど不公正な取扱いによって廃棄することは、当該著作者が著作物によってその思想、意見等を公衆に伝達する利益を不当に損なうものであり、その利益は法的保護に値する人格的利益であるとして、この不正廃棄を国家賠償法上違法と判断している（最判平17.7.14）。

エ○ 判例は、報道機関の事実の報道の自由について、憲法21条の保障の下にあるとし、また取材の自由についても、憲法第21条の精神に照らし、十分尊重に値するとしている（博多駅事件、最大決昭44.11.26）。

オ× 裁判でメモを取る行為を制限することが憲法に適合するかにつき、判例は、「さまざまな意見、知識、情報に接し、これを摂取することを補助するものとしてなされる限り、筆記行為の自由は、憲法21条１項の規定の精神に照らして尊重されるべきである」としつつも、法廷で「最も尊重されなければならないのは、適正かつ迅速な裁判を実現すること」であり、メモを取る行為がいささかでも法廷における公正かつ円滑な訴訟の運営を妨げる場合は、これを制限または禁止しうるとした。上記を踏まえて、同判例は司法記者クラブの記者に対してのみ法廷においてメモを取ることを許可することも合理性を欠く措置とはいえないとしている（レペタ事件、最大判平元.3.8）。

以上より、妥当なものはア、エであり、肢２が正解となる。

正答 2

精神的自由権
表現の自由

実践 問題 34 応用レベル

頻出度	地上★　国家一般職★★　特別区★ 裁判所職員★　国税·財務·労基★　国家総合職★★★

問 **表現の自由の制限に対する違憲審査基準に関する次の記述のうち、妥当なのはどれか。** **(国Ⅰ1991)**

1：「二重の基準論」によれば、表現の自由は人権体系の中でも優越的地位を占めるから、表現の自由の制限立法と他の自由、ことに経済的自由の制限立法とではその合憲性審査の基準を異にすべきで、前者に対しては後者に対してよりも厳しい審査基準が適用されなければならないが、合憲性の推定までが排除されることはない。

2：「明白かつ現在の危険の原則」によれば、表現行為を規制しうるのは当該表現行為によってもたらされる実体的害悪の内容が明白で、かつ、その害悪が現実に発生することを要するから、ある表現行為をその有する危険性のゆえに規制することは許されない。

3：「ＬＲＡの基準」によれば、ある目的を達成するため法令の採っている表現行為に対する規制手段よりもより制限的でない手段によって同じ目的を達成できると認められる場合には、当該法令は違憲とされるが、裁判所がより制限的でない手段が何であるかを具体的に特定することができない場合は、この基準により当該法令を違憲とすることはできない。

4：「明確性の理論」によれば、表現の自由を制限する法令の文言が漠然としており不明確である場合には、当該法令がどのように厳格に限定して解釈され適用されたとしても、恣意的な法適用を招く危険と国民の権利行使への萎縮抑制効果の存在が払拭されない限り、当該法令は文面上無効とされなければならない。

5：「過度の広汎性の理論」によれば、法令がある種の人権について合憲的に規制しうる範囲を超えて包括的な形で規制している場合は、当該法令の規定を文面上無効とすべきであるとされる。ことに優越的地位をもつ表現の自由を規制する法令については、限定解釈によって規制対象を合憲的に規制しうる行為に限定することが可能であっても、法の無効宣言を避けることが許されることはない。

チェック欄

1回目	2回目	3回目

実践 問題 34 の解説

〈表現の自由〉

1 × 「二重の基準論」とは、基本的人権を規制する立法の合憲性の判定にあたって、精神的自由と経済的自由とを区別し、前者に対する規制立法は、後者に対するそれよりも厳格な基準によって審査されなければならず、合憲性の推定が排除されるとする理論である。

2 × 「明白かつ現在の危険の原則」とは、①近い将来、実質的害悪を引き起こす蓋然性が明白であること、②その実質的害悪が重大であり、その発生が時間的に切迫していること、③当該規制手段がその実質的害悪を避けるのに必要不可欠であること、の３要件をすべて充たす場合に、表現行為を規制できるとする違憲審査基準である。①の要件については、害悪が発生する蓋然性が明白であればよく、害悪が現実に発生することまでは要求されない。

3 × 「ＬＲＡの基準」(less restrictive alternatives) とは、立法目的を達成するために、法の定めている手段よりも、より制限的でない他の選びうる手段が存在する場合には、法の定めている手段は必要最小限度を超える規制として違憲になるとするものである。この基準は、立法目的が正当だとしても、規制手段について厳格に判断するものであり、より制限的でない他の選びうる手段の不存在を規制者側で立証しない限り、当該規制は違憲とされる。

4 ○ 「明確性の理論」とは、人権制約立法の規定の文言自体が抽象的できわめて不明確である場合は、それ自体で違憲であるとするものである。国民の権利行使への萎縮的効果の存在と恣意的な法適用の危険性が払拭されない以上、法令の存在自体が人権に対する必要最小限の範囲を超えた制約となるから、文面上無効の判決手法が妥当する。

5 × 「過度の広汎性の理論」とは、人権規制がその必要性を超えて過度に広汎である場合は、それ自体で違憲になるとする理論である。ただし、合憲限定解釈が可能であれば、それによって規制対象を限定すれば足りるから、必ずしも、常に文面上無効の判決をする必要はない。

正答 4

精神的自由権
表現の自由

実践 問題 35 応用レベル

頻出度	地上★	国家一般職★★	特別区★
	裁判所職員★	国税·財務·労基★	国家総合職★★★

問 **表現の自由に関する次の記述のうち、判例に照らし、妥当なのはどれか。**

(国税・財務・労基2013)

1：報道の自由は憲法第21条によって保障され、報道のための取材の自由も、報道の自由に含まれるものとして同条によって保障されることから、報道機関の撮影した取材フィルムを刑事事件の証拠として提出させることは、取材の自由を侵すものであり、同条に違反する。

2：刑法第230条の２の規定は、個人の名誉の保護と表現の自由の保障との調和を図ったものであり、同法第230条の２第１項にいう事実が真実であることの証明がない場合は、行為者がその事実を真実であると誤信し、その誤信したことについて、確実な資料、根拠に照らして相当の理由があったとしても、名誉毀損の罪が成立する。

3：憲法第21条第２項が禁止する「検閲」とは、公権力が主体となって、思想内容等の表現物を対象とし、その全部又は一部の発表の禁止を目的として、対象とされる一定の表現物につき網羅的一般的に、発表前にその内容を審査した上、不適当と認めるものの発表を禁止することをいい、裁判所の仮処分による出版物の頒布等の事前差止めは、同項にいう「検閲」に当たり、許されない。

4：表現の自由を規制する法律の規定について限定解釈をすることが許されるのは、その解釈により、規制の対象となるものとそうでないものとが明確に区別され、かつ、合憲的に規制し得るもののみが規制の対象となることが明らかにされる場合でなければならず、また、一般国民の理解において、具体的場合に当該表現物が規制の対象となるかどうかの判断を可能ならしめるような基準をその規定から読みとることができるものでなければならない。

5：都市の美観風致の維持と公衆に対する危害の防止を目的として屋外広告物の表示の場所、方法等を規制する場合に、非営利広告を含めて規制対象とすることは、立法目的に照らして必要最小限度の規制を超えるものであり、表現の自由に対して許された必要かつ合理的な制限と解することはできない。

チェック欄		
1回目	2回目	3回目

実践 問題 35 の解説

〈表現の自由〉

1 × 判例は、報道機関の報道が正しい内容を持つために、報道の自由とともに、報道のための取材の自由も憲法21条の精神に照らし、十分尊重に値するとしている。また、取材フィルムを刑事事件の証拠として提出させることの許否については、公正な刑事裁判実現の要請に基づく提出命令の必要性と、それにより取材の自由が妨げられる程度、報道の自由に及ぼす影響の度合いなどの事情を比較衡量したうえで決すべきであるとし、取材フィルムの提出命令が憲法に違反しない場合があることを認めた（博多駅事件、最大決昭44.11.26）。

2 × 判例は、刑法230条の2第1項にいう事実が真実であることの証明がない場合でも、行為者がその事実を真実であると誤信し、その誤信したことについて、確実な資料、根拠に照らし相当の理由があるときは、犯罪の故意がなく、名誉毀損の罪は成立しないとした（夕刊和歌山時事事件、最大判昭44.6.25）。

3 × 判例は、検閲の主体を公権力ではなく「行政権」と解しており（税関検査事件、最大判昭59.12.12）、裁判所の仮処分による出版物の頒布等の事前差し止めは、司法裁判所によるものであるので検閲にあたらないとした（北方ジャーナル事件、最大判昭61.6.11）。

4 ○ 判例は、表現の自由を規制する法律の規定について限定解釈をすることが許されるのは、①その解釈により、規制の対象となるものとそうでないものとが明確に区別され、かつ、合憲的に規制しうるもののみが規制の対象となることが明らかにされる場合で、②一般国民の理解において、具体的場合に当該表現物が規制の対象となるかどうかの判断を可能ならしめるような基準をその規定から読み取ることができるものでなければならないとした（税関検査事件、最大判昭59.12.12）。

5 × 判例は、国民の文化的生活の向上を目途とする憲法のもとにおいては、都市の美観風致を維持することは、公共の福祉を保持するゆえんであるから、この程度の規制は公共の福祉のため、表現の自由に対し許された必要かつ合理的な制限であるとしている（屋外広告物条例事件、最大判昭43.12.18）。

正答 4

実践 問題 36 応用レベル

頻出度 地上★ 国家一般職★★ 特別区★ 裁判所職員★ 国税·財務·労基★ 国家総合職★★★

問 表現の自由に関する次の記述のうち、妥当なのはどれか。 (国Ⅰ2011)

1：刑事事件において新聞記者に取材源の証言拒絶権が認められるか否かについて、判例は、取材源の秘密は、憲法第21条で保障される取材の自由を確保するために必要不可欠なものであることを理由に、業務上知り得た秘密について証言拒絶権を認める刑事訴訟法第149条を新聞記者に類推適用し、重大な誤判可能性があり、取材源開示を求める以外に司法権の公正な発動のための方法が存在しない場合を除き、新聞記者に取材源の証言拒絶権が認められるとしている。

2：検閲は憲法第21条第２項により絶対的に禁止されるが、判例は、同項にいう検閲を、公権力が、思想・事実伝達等の表現物の全部の発表禁止を目的に、表現物について発表前にその内容を審査し、不適当と認めるものの発表を禁止すること、と定義した上で、税関検査は、表現物の発表禁止を目的とするものではなく、関税徴収手続の一環として行われるものであるから、検閲に該当しないとしている。

3：刑法第175条は、わいせつな文書、図画その他の物の販売目的による所持等を処罰の対象としているところ、同条にいう文書のわいせつ性と芸術性・思想性との関係について、判例は、わいせつ性は文書全体ではなく、個々の章句の部分で判断すべきであり、文書が全体としては芸術性·思想性をもっていたとしても、それが個々の章句における性的描写による性的刺激を減少・緩和させて、刑法が処罰の対象とする程度以下にわいせつ性を解消させることはないとしている。

4：国家公務員法は、公務員が「職務上知ることのできた秘密」を漏らすことを禁止しているのみならず、公務員が秘密を漏らすことの「そそのかし」行為をした者を処罰の対象としているところ、判例は、報道機関の国政に関する取材活動は国民の知る権利のために重要であるが、外交・防衛上の国家秘密に関わる取材活動において、報道機関の記者が、取材の目的で公務員に対し秘密を漏示するようにそそのかした場合には、当該行為の違法性が推定され、それが誘導・唆誘的な性質を伴うものでなかったことを立証しない限り、当該記者の取材活動は違法となるとしている。

5：人格権としての名誉権に基づく出版物の印刷、販売等の裁判所による事前差止めについて、判例は、当該出版物が公務員又は公職選挙の候補者に対する評価、批判等に関するものである場合には、事前差止めは原則として許されず、その表現内容が真実でないか又は専ら公益を図る目的のものでないことが明白であって、かつ、被害者が重大で著しく回復困難な損害を被るおそれがあるときに限り、例外的に許されるとしている。

チェック欄

1回目	2回目	3回目

実践 問題 36 の解説

〈表現の自由〉

1 × 刑事訴訟法149条では、医師、弁護士など刑事裁判において証言拒絶権が認められる者が列挙されているが、この規定は、証言義務が国民の司法裁判の適正な行使に協力すべき重大な義務であることから、限定列挙であって、新聞記者に類推適用することはできないとするのが判例である（石井記者事件、最大判昭27.8.6）。

2 × 判例は、「検閲」の主体を行政権に限定している。そのうえで税関検査は、表現物の発表禁止を目的とするものではなく、関税徴収手続の一環として行われるものであるから、検閲に該当しないとした（税関検査事件、最大判昭59.12.12）。

3 × 判例は、文書が持つ芸術性・思想性が、文書の内容である性的描写による性的刺激を減少・緩和させて、刑法が処罰の対象とする程度以下にわいせつ性が解消される余地を認めつつ、文書の個々の章句の部分は、全体としての文書の一部として意味を持つものであるから、その章句の部分のわいせつ性の有無は、文章全体との関連において判断されなければならないとした（悪徳の栄え事件、最大判昭44.10.15）。

4 × 判例は、報道機関が取材の目的で公務員に対し秘密を漏示するようにそそのかしたからといって、そのことだけで、直ちに当該行為の違法性が推定されるものではなく、報道機関が公務員に対し根気強く執拗に説得ないし要請を続けることは、それが真に報道の目的からでたものであり、その手段・方法が法秩序全体の精神に照らし相当なものとして社会観念上是認されるものである限りは、実質的に違法性を欠き正当な業務行為といえるとしている（外務省秘密漏洩事件、最決昭53.5.31）。

5 ○ 判例は、裁判所による事前差止めは、検閲を禁止し表現の自由を保障する憲法21条の趣旨から原則として禁止され、例外的に厳格かつ明確な要件のもとでのみ許されるとする。そして、公務員や公職選挙の候補者の評価・批判などに関する出版物については、公共の利害に関する事項であり、名誉権を上回る社会的価値を含むので、本肢のような事由がある場合に限って、例外的に事前差止めが許されるとした（北方ジャーナル事件、最大判昭61.6.11）。

正答 5

第2章 SECTION 4 精神的自由権
表現の自由

実践 問題 37 応用レベル

頻出度	地上★	国家一般職★★	特別区★
	裁判所職員★	国税･財務･労基★	国家総合職★★★

問 次の文章の空欄①～⑤に語句群から適切な語句を入れると、表現の自由に対する規制に関する記述となる。空欄に入る語句の組合せとして適当なもののみを挙げているものはどれか。

ただし、異なる空欄に同じ語句は入らない。 **(裁判所職員2017)**

一般的に、表現の内容に着目した規制は、（　①　）、表現の内容に関係ない表現の手段・方法等に対する規制は、（　②　）といわれる。

（　①　）の例としては、（　③　）に対する規制が挙げられる。

他方で、（　②　）には、表現活動の規制を直接の目的とする場合と、何らかの弊害をもたらす行為を規制した結果、付随的に表現活動も規制されることになり得る場合とを区別して考える見解もある。

前者の例としては、（　④　）が挙げられる。ここでは、ビラ配布という表現行為を一定の範囲で規制することが目的となっているからである。

他方で、後者の例としては、（　⑤　）などが挙げられる。

【語句群】

ア　内容規制

イ　内容中立規制

ウ　わいせつ表現や名誉毀損表現

エ　ビラ配布

オ　特定の時間帯や場所でのビラ配布を規制する場合や交通の重大な妨害となる態様でのビラ配布の規制

カ　ビラ配布のために他人の管理する建物などに立ち入った者を建造物侵入罪により処罰する場合

1：①－ア、③－ウ、⑤－オ

2：②－ア、④－オ、⑤－カ

3：①－イ、③－エ、④－オ

4：②－イ、③－ウ、⑤－カ

5：③－エ、④－カ、⑤－オ

チェック欄

1回目	2回目	3回目

実践 問題 37 の解説

〈表現の自由〉

空欄①～③について。本問では、表現の自由に対する規制の種類およびその具体例について聞いている。一般に、表現の内容に着目した規制は内容規制という。他方、表現内容に関係ない表現の手段・方法等に対する規制は内容中立規制という。したがって、空欄①にはアが、空欄②にはイが入る。内容規制の例としては、「わいせつ」かどうか、または、「名誉毀損」かどうか、という表現の内容に着目したわいせつ表現や名誉毀損表現などがある。したがって、空欄③にはウが入る。

空欄④～⑤について。内容中立規制の中でも、表現活動の規制を直接の目的とする場合と、弊害の除去を目的としてなされた行為への規制が結果として表現活動をも間接・付随的に規制する場合に区別する見解に基づいて、それぞれの具体例を検討していくことになる。まず、前者について、表現活動を規制するため、表現の時・場所・方法を規制することが考えられる。具体的には、特定の時間帯や場所でのビラ配布を規制すること（時・場所の規制）や、交通の重大な妨害となる態様でのビラ配布を規制すること（方法の規制）がこれにあたる。したがって、空欄④にはオが入る。次に、後者について、たとえば、建造物侵入罪（刑法130条前段）自体は、建造物の管理権者が有する管理権を保護し、管理権侵害という弊害を除去するために規定されているので、表現自体を規制することを目的とした罪（規制）ではない。しかし、ビラ配布のために他人の住居・建造物等に立ち入った場合において、正当な理由を欠く建造物への立ち入りが建造物侵入罪によって処罰されることにより、結果として、かかる建造物等での表現活動ができなくなるから、表現活動を間接的付随的に規制したことになる。したがって、空欄⑤にはカが入る。

以上より、空欄①～⑤には、順に①－ア、②－イ、③－ウ、④－オ、⑤－カが入るので、肢４が正解となる。

正答 4

精神的自由権

報道の自由、取材の自由

必修問題 セクションテーマを代表する問題に挑戦！

報道の自由は、基本的な判例の学習が不可欠です。間違えた場合には、よく復習してください。

問 報道の自由に関する次の記述のうち、判例に照らし、正しいのはどれか。

（国Ⅰ1983）

1：憲法第21条に規定する表現の自由は報道の自由にも及ぶから、裁判所は、報道機関に対して、その取材活動の結果得られた資料の提出を命令することは一切できない。

2：裁判所が報道機関に対し、その取材活動の結果得られた資料の提出を命令することは、その命令の目的が公正な刑事裁判の実現にある限り、憲法第21条の保障する表現の自由を何ら侵害するものではない。

3：条約や協定の締結を目的とする外交交渉の具体的内容については、当事国がこれを公けにしないという国際的外交慣行があるから、この具体的内容を新聞などで暴露することは公共の福祉に反し、憲法第21条の保障を受けない。

4：国家公務員に対する取材の方法が社会観念上是認することができない態様のものである場合であっても、それが贈賄など一般刑罰法令に触れるものでないときには、その取材行為は、違法性を帯びることはない。

5：報道機関の国政に関する取材行為は、時として誘導的性質を伴うものであるから、報道機関が取材の目的で国家公務員に対し秘密を漏示するようにそそのかしたからといって、そのことだけで、直ちに当該行為の違法性が推定されるものではない。

直前復習

Guidance ガイダンス

・報道の自由→憲法21条１項より保障
　cf.　取材の自由は尊重に値する
・取材フィルムの提出命令の可否…比較衡量で判断
・国家機密漏示のそそのかし
　→報道目的で手段が相当であれば正当な業務行為

頻出度	地上★	国家一般職★	特別区★
	裁判所職員★	国税·財務·労基★	国家総合職★

必修問題の解説

チェック欄		
1回目	2回目	3回目

〈報道の自由・取材の自由〉

本問は、博多駅事件における最高裁決定（最大決昭44.11.26）と、外務省秘密漏洩事件における最高裁決定（最決昭53.5.31）を題材としている。前者は、報道のための取材の自由も、憲法21条の精神に照らし、十分尊重に値するとする一方で、その自由も、たとえば公正な裁判の実現というような憲法上の要請があるときは、ある程度の制約を受けることもありうる、としている。また後者は、公務員に対する取材の働きかけも、真の報道目的からでたものであり、手段・方法が社会観念上是認されるものである限りは、違法性を欠き正当業務行為となるとしている。

1 × 上述のように、公正な裁判の実現などの要請があれば、取材活動の結果得られた資料の提出を命令できるとしており、一切できないわけではない。

2 × 博多駅事件における最高裁決定は、公正な刑事裁判の実現と報道機関の取材の自由・報道の自由とを比較衡量して、フィルム提出命令の合憲性を決しており、憲法21条との抵触がなくなるわけではない。

3 × 最高裁判所は、本肢のように判示していない。

4 × 最高裁判所は、一般刑罰法令に触れなくても、社会観念上是認できない態様のものである場合には違法となるとしている。

5 ○ 最高裁判所は、本肢のように述べた後で、上記の基準を定立し、本事案では、社会観念上、到底是認できず、違法性は阻却されない、としている。

正答 5

精神的自由権

報道の自由、取材の自由

1 報道の自由

報道の自由とは、報道手段を通じて事実の伝達を行う自由をいいます。本来、表現の自由は、精神活動の自由の一環として、「思想・意見の表明」の自由をいうものと解され、事実の伝達はこれに該当しないと解されていました。しかし、現在では、「事実」の発表にすぎない報道の自由も憲法21条によって保障されると解されています。

2 取材の自由

報道機関による報道は、その前提としての「情報収集活動」である取材活動なしには成り立ちません。そこで、取材の自由も報道の自由と同じく、憲法21条によって保障される権利といえるかどうかが問題とされます。

博多駅事件で判例は、報道の自由を「憲法21条で保障される」としながら、取材の自由は「憲法21条の精神に照らし、十分尊重に値する」として、憲法21条で保障されることを明言していません。この判例の立場は、裁判の傍聴人がメモを取る自由についても用いられています。

判例

《博多駅事件》最大決昭44.11.26

【事案】裁判所が放送会社に、デモに参加した学生と機動隊との衝突の模様を撮影したテレビフィルムの提出を求めたことが報道の自由を侵害するとして争われた事件

【判旨】報道機関の報道は、民主主義社会において国民が国政に関与するについて重要な判断資料を提供し、国民の知る権利に奉仕するものであるから、報道の自由は憲法21条で保障される。そして、報道が正しい内容を持つために、取材の自由も憲法21条の精神に照らし、十分尊重に値する。ただし、取材の自由も無制限ではなく、取材の自由制限の可否は、公正な裁判の要請と取材の自由が妨げられる度合いの比較衡量によって判断すべきである。

取材の自由・報道の自由・知る権利

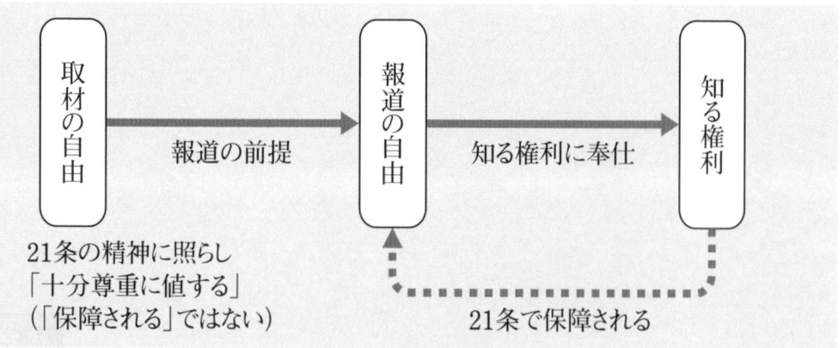

判例

《レペタ事件》最大判平元.3.8
【事案】アメリカ人弁護士レペタ氏が、裁判の傍聴の際のメモ採取の許可を求めて争った事件
【判旨】各人が自由にさまざまな意見、知識、情報に接し、これを摂取する自由は、憲法21条1項の規定の派生原理として当然に導かれる。このような情報等に接し、これを補助するものとしてなされる限り、筆記行為の自由は憲法21条1項の規定の精神に照らして尊重されるべきであり、原則としてメモ採取は認められる。

3 報道・取材の自由に対する制限

(1) 公正な裁判との関係

報道・取材の自由は、公正な裁判を実現するために一定の制限に服する場合があります。先の博多駅事件で判例は、公正な裁判を実現するために、報道機関の取材活動によって得られたものが証拠として必要と認められる場合には、取材活動の自由がある程度の制約を被る結果となってもやむをえないとしました。

(2) 国家機密との関係

公務員の証言から国家機密の存在をスクープし報道した場合、こうした取材行為は国家公務員法によって、秘密の漏洩をそそのかす行為として処罰されます。しかし、判例は、報道の自由を保障する観点から一定の場合に処罰されないことを認めています（**外務省秘密漏洩事件**、最決昭53.5.31）。

判例

《外務省秘密漏洩事件》最決昭53.5.31
【事案】沖縄返還協定に秘密取り決めがあるのではないかとして取材していた新聞記者が、外務省極秘電文を同省の事務官から入手した事件
【判旨】取材が真に報道目的でなされ、その手段・方法が法秩序全体の精神に照らし相当なものとして社会観念上是認されるものであれば、正当な業務行為というべきである。もっとも、取材対象者と性的関係を持つなど、人格の尊厳を著しく蹂躙した取材行為は、法秩序全体の精神に照らし不相当なものであるから、違法である。

第2章 SECTION 5 精神的自由権

報道の自由、取材の自由

実践 問題 38 基本レベル

頻出度			
	地上★	国家一般職★	特別区★
	裁判所職員★	国税･財務･労基★	国家総合職★

問 取材の自由に関する次の記述のうち、判例に照らし、妥当なのはどれか。

（国Ⅱ2000）

1：報道の自由は表現の自由を規定した憲法第21条の保障の下にあり、報道のために不可欠な取材の自由も尊重されなければならないことから、報道機関の行う取材はその方法・手段を問わず正当な業務行為というべきであって、違法となることはない。

2：報道のための取材の自由は十分に尊重されなければならないことから、効果的な取材を可能にするため、新聞記者が刑事裁判において取材源に関する証言を拒否することが認められる。

3：取材の自由は憲法第21条に照らして十分に尊重されなければならず、報道機関の正当な取材活動によって得られたものを裁判の証拠として提出させることは、間接的に取材の自由を侵すものであり、表現の自由の侵害として憲法に違反する。

4：報道の自由は全く制約を受けないというものではなく、報道機関が取材の目的であっても、公務員に秘密を漏示するようそそのかす行為は、正当な業務行為とはいえず、直ちに違法性が推定される。

5：国家公務員に対して秘密漏えいをそそのかした場合に罪に問われる国家公務員法第109条第12号にいう秘密とは、非公知の事実であって、実質的にもそれを秘密として保護するに値するものをいい、その判定は司法判断に服する。

チェック欄

1回目	2回目	3回目

実践 問題 38 の解説

〈報道の自由・取材の自由〉

1 × 国家秘密と取材の自由につき、判例は、報道機関が取材の目的で公務員に対して秘密の漏示をそそのかした場合に、取材行為がその手段・方法において法秩序全体の精神に照らし社会観念上是認できない態様のものである場合には、正当な取材活動の範囲を逸脱し、違法性を帯びるとしている（**外務省秘密漏洩事件**、最決昭53.5.31）。

2 × 判例は、憲法21条は新聞記者に特種の保障を与えているものではなく、公正な裁判の実現に必要不可欠な証言の義務を犠牲にしてまで、取材源についての証言を拒否する権利は保障していないとしている（**石井記者事件**、最大判昭27.8.6）。

3 × 判例は、取材の自由につき十分尊重に値するとするが、取材の自由も公正な裁判の実現のために制約を受け、諸般の事情を比較衡量した結果、報道機関が取材活動によって得たものを刑事裁判の証拠として提出させることによって、将来の取材の自由が妨げられるおそれがあるという不利益を受忍しなければならない場合があるとしている（**博多駅事件**、最大決昭44.11.26）。

4 × 判例は、報道機関の国政に関する取材行為は、国家秘密の探知という点で公務員の守秘義務と対立拮抗するものであり、時として誘導的性質を伴うのであるから、報道機関が取材の目的で公務員に対し秘密を漏示するようそそのかしたからといって直ちに違法性が推定されるものと解するのは相当でないとしている（**外務省秘密漏洩事件**、最決昭53.5.31）。

5 ○ 肢１の解説の外務省秘密漏洩事件において、判例は、国家公務員法109条12号にいう秘密とは、非公知の事実であって、実質的にもそれを秘密として保護するに値すると認められるものをいい、その判定は司法判断に服するとしている。

正答 5

実践 問題 39 基本レベル

頻出度	地上★	国家一般職★	特別区★
	裁判所職員★	国税･財務･労基★	国家総合職★

問 報道の自由等に関するア～オの記述のうち、判例に照らし、妥当なもののみをすべて挙げているのはどれか。（国Ⅱ2004）

ア：人格権としての名誉権に基づく出版物の印刷、製本、販売、頒布等の事前差止めは、当該出版物が公務員又は公職選挙の候補者に対する評価、批判等に関するものである場合には、原則として許されず、その表現内容が真実でないか又は専ら公益を図る目的のものでないことが明白であって、かつ、被害者が重大にして著しく回復困難な損害を被るおそれがあるときに限り、例外的に許される。

イ：報道機関の活動が、公判廷における審判の秩序を乱し、被告人その他訴訟関係人の正当な利益を不当に害することはもとより許されないが、カメラマンが公判開始後に法廷内の写真撮影を行ったとしても、訴訟の運営を妨げる恐れはないから、当該撮影行為は取材の自由の範囲内である。

ウ：刑法第230条の２の規定は、個人の名誉の保護と、正当な言論の保障との調和を図ったものとされるが、新聞発行人がその発行する新聞において摘示した事実につき真実であることの証明がない場合は、同人において真実であると誤信していたとしても、名誉毀損罪の刑責を免れることはできない。

エ：憲法第21条は、新聞記者に対し、その取材源に関する証言を拒絶し得る特別の権利までも保障したものではないが、報道機関にとって、情報提供者との信頼関係を保護し将来における取材の自由を確保することは必要不可欠であるから、刑事訴訟法の規定が類推適用され、新聞記者には刑事裁判における取材源の秘匿が認められている。

オ：報道機関の取材ビデオテープが悪質な被疑事件の全容を解明する上で重要な証拠価値を持ち、他方、当該テープが被疑者らの協力によりその犯行場面等を撮影収録したものであり、当該テープを編集したものが放映済みであって、被疑者らにおいてその放映を了承していたなどの事実関係の下においては、当該テープに対する捜査機関の差押処分は、憲法第21条に違反しない。

1：ア、ウ
2：ア、オ
3：イ、エ、オ
4：ウ、エ
5：ウ、オ

直前復習

チェック欄

1回目	2回目	3回目

実践 問題 39 の解説

〈報道の自由・取材の自由〉

ア○ 裁判所の仮処分による出版の事前差止めが憲法21条に違反しないかが争われた事案で、判例は、本記述のような厳格な要件が充たされた場合には、例外的に事前差止めが許されるとしている（北方ジャーナル事件、最大判昭61.6.11）。

イ× 判例は、自由な写真撮影を許すと、その態様によっては、公判廷における秩序維持や被告人などの正当な利益を不当に害するおそれが生じることになることから、法廷内での写真撮影の可否を裁判所の裁量に委ねる刑事訴訟規則215条は憲法に違反していないとした（北海タイムス事件、最大決昭33.2.17）。

ウ× 刑法230条の２は、①事実の公共性、②目的の公益性、③事実の真実性の証明があったときは、名誉毀損罪が成立しないとしている。ただし、判例は、事実の真実性の証明がない場合であっても、行為者がその真実性を誤信し、その誤信したことについて確実な資料・根拠に照らし相当の理由があるときは、犯罪の故意は認められず、名誉毀損罪は成立しないとしている（夕刊和歌山時事事件、最大判昭44.6.25）。

エ× 刑事訴訟法149条では、医師、弁護士など刑事裁判において証言拒絶権が認められる者が列挙されているが、この規定は、証言義務が国民の司法裁判の適正な行使に協力すべき重大な義務であることから、限定列挙であって、新聞記者に類推適用することはできないとするのが判例である（石井記者事件、最大判昭27.8.6）。

オ○ 判例は、報道機関の報道の自由は憲法21条の保障のもとにあり、取材の自由も憲法21条の趣旨に照らし十分尊重されるべきものではあるが、取材の自由も公正な刑事裁判を実現するために不可欠である適正迅速な捜査の遂行という要請がある場合にはある程度の制約を受けることがあるとしたうえで、本記述のような事実関係のもとでの、捜査機関によるビデオテープの差押えは憲法に違反しないとしている（ＴＢＳビデオテープ差押事件、最決平2.7.9）。

以上より、妥当なものはア、オであり、肢２が正解となる。

正答 2

精神的自由権

事前抑制・検閲の禁止

必修問題　セクションテーマを代表する問題に挑戦！

判例の検閲の概念を理解しましょう。そのうえで検閲該当性が問題となった判例を学習しましょう。

問　憲法第21条第２項の禁ずる「検閲」の概念に関する記述で判例に照らして最も適切なのはどれか。　（地上1999）

A：検閲を行う主体は、行政権でなければならず、公権力一般ではない。

B：発表後、表現物の審査をし、不適当な表現内容を理由に刑罰の制裁を加えることが検閲に該当することもある。

C：思想内容などの表現を対象として審査するときは、網羅的一般的でないにしても、また、思想内容の規制を目的とするものでなくても、検閲に該当する。

D：検閲に該当するか否か検討し、該当しないとすれば、それが事前抑制の原則的禁止に該当するか否か検討する必要はない。

E：検閲の禁止は絶対的であり、公共の福祉の見地から例外的に許容される余地は全くあり得ない。

1：A・C
2：A・E
3：B・D
4：B・E
5：C・D

Guidance ガイダンス

判例の立場－検閲は絶対禁止

主体：行政権
目的：発表の禁止
手段：審査の対象－思想内容等の表現物
　　　審査の時期－発表前
　　　審査の方法－網羅的、一般的に

直前復習

頻出度	地上★	国家一般職★	特別区★
	裁判所職員★★	国税·財務·労基★	国家総合職★

チェック欄		
1回目	2回目	3回目

必修問題の解説

〈事前抑制・検閲の禁止〉

本問は、検閲の禁止（憲法21条２項前段）および事前抑制禁止の法理（同条１項）に関する、税関検査事件（最大判昭59.12.12）および北方ジャーナル事件（最大判昭61.6.11）の判例の理解を問うものである。

憲法21条２項が絶対的に禁止する検閲の意味について、判例は、行政権が主体となって、思想内容等の表現物を対象とし、その全部または一部の発表の禁止を目的として、対象とされる一定の表現物につき網羅的一般的に、発表前にその内容を審査したうえ、不適当と認めるものの発表を禁止することをその特質として備えるものを指すとした（税関検査事件、最大判昭59.12.12）。

A○　税関検査事件によれば、検閲の主体は行政権に限られる。

B×　税関検査事件によれば、発表後の審査は、たとえ表現内容が不当であることを理由とする場合でも、検閲に該当しない。

C×　税関検査事件によれば、思想内容等の表現物を対象とする審査であっても、網羅的一般的審査でなかったり、思想内容等の規制を目的とするものでなかったりすれば、検閲に該当しない。

D×　北方ジャーナル事件によれば、検閲に該当しなければ、さらに事前抑制の原則的禁止に抵触しないか検討する必要がある。

E○　税関検査事件によれば、検閲の禁止は絶対的である。

以上より、最も適切なのはＡ・Ｅであり、肢２が正解となる。

正答 2

精神的自由権
事前抑制・検閲の禁止

1 検閲の禁止

(1) 内容

憲法21条２項前段
検閲は、これをしてはならない。

⇓

検閲を絶対的に禁止

(2) 検閲の定義

判例は、行政権が主体となり、思想内容等の表現物を対象とし、その全部または一部の発表の禁止を目的として、対象とされる一定の表現物について網羅的・一般的に発表前に内容を審査したうえ、不適当と認めるものの発表を禁止することを特質として備えているものを指すとしています（税関検査事件、最大判昭59.12.12）。

判例による検閲の定義

誰が（主体）		行政権
何を（対象）		思想内容等の表現物
何のために（目的）		全部または一部の発表の禁止
どのように（手段）	審査範囲	網羅的一般的に
	審査時期	発表前に
	審査態様	内容審査
どうする（行為）		不適当と認めるものの発表を禁止

(3) 検閲該当性が問題となったもの

判例は、これまですべて検閲にあたらず、合憲であるとしています。

判例

《税関検査事件》最大判昭59.12.12
【事案】輸入映画が風俗を害すべき輸入禁制品にあたるとした税関の通知が検閲にあたるとして争われた事件
【判旨】表現物は国外で発表済みであり、税関検査は、事前に発表そのものを禁止するものではなく、関税徴収の手続の一環として行われるものであって思想内容等の網羅的審査を目的としないから、「検閲」にはあたらない。

判例

《第１次家永教科書事件》最判平5.3.16

【事案】大学教授自ら執筆した高校用教科書が教科書検定不合格とされたため、この検定を違憲・違法として国家賠償を求めた事件

【判旨】教科書検定は、不合格となった図書が一般図書として発行されることを何ら妨げるものではなく、発表禁止目的や発表前の審査などの特質を備えていないから、「検閲」にはあたらない。

2 事前抑制禁止の理論

(1) 内容

事前抑制禁止の理論とは、およそ公権力が事前に表現活動を抑制することは原則として許されないことをいいます。「検閲」の場合と異なり、主体が行政権に限られず、絶対的禁止ではなく例外的に許容される場合があることに注意しましょう。

(2) 裁判所による事前差止め

たとえば、個人の名誉を侵害する出版物については、虚偽の内容が一度社会に出回ってしまうと、後から出版物が回収されても被害者の名誉回復は著しく困難になります。こうした場合にまで事前抑制が禁止されるとするのは、本末転倒ということになります。そこで、裁判所による、きちんとした手続を経たうえで行われる出版差止めなどの措置については、例外的に許容されると解されています。

判例

《北方ジャーナル事件》最大判昭61.6.11

【事案】北海道知事に立候補の予定であった者を「大道ヤシ」などと評した月刊の道域誌である「北方ジャーナル」の発行の事前差止めが許されるかが争われた事件

【判旨】表現内容が真実でなく、またはそれがもっぱら公益を図る目的のものでないことが明白であり、かつ、被害者が重大にして著しく回復困難な損害を被るおそれがあるときは、例外的に事前差止めが許される。

第2章 SECTION 6 精神的自由権

事前抑制・検閲の禁止

実践 問題 40 基本レベル

頻出度 地上★ 国家一般職★ 特別区★ 裁判所職員★★ 国税·財務·労基★ 国家総合職★

問 「検閲」(憲法第21条第2項)に関する次のア〜エの記述の正誤の組合せとして最も妥当なものはどれか(争いのあるときは、判例の見解による。)。

(裁判所事務官2024)

ア：税関検査の結果、輸入禁制品に該当すると認められれば、日本国内に表現物を適法に輸入することができなくなるため、税関検査は、「検閲」に該当する。

イ：有害図書であることを理由に発表済みの図書について自動販売機への収納を禁止することは、「検閲」に該当する。

ウ：裁判所が仮処分により名誉毀損表現の事前差止めを命ずることは、「検閲」に該当する。

エ：教科用図書の検定は、教科書としての出版を妨げるため、「検閲」に該当する。

	ア	イ	ウ	エ
1：	正	正	誤	正
2：	正	誤	正	誤
3：	誤	正	誤	正
4：	誤	正	正	正
5：	誤	誤	誤	誤

チェック欄

1回目	2回目	3回目

実践 問題 40 の解説

〈検閲〉

ア× 税関検査が検閲に該当するかについて、判例は、「行政権が主体となって、思想内容等の表現物を対象とし、その全部又は一部の発表の禁止を目的として、対象とされる一定の表現物につき網羅的一般的に、発表前にその内容を審査した上、不適当と認めるものの発表を禁止すること」と検閲の定義を述べたうえで、税関検査の対象となった表現物が国外においてはすでに発表済みであること、税関検査は関税徴収手続の一環として行われるもので思想内容等それ自体を網羅的に審査し規制することが目的ではないことなどを理由に、税関検査は検閲に当たらないとしている（税関検査事件、最大判昭59.12.12）。

イ× 本記述と類似の事案において、判例は、有害図書は発表済みであり、成年者には店頭で入手する途が開かれていることを理由に、有害図書の自動販売機への収納禁止は検閲には該当しないとしている（最判平元.9.19）。

ウ× 裁判所が仮処分の形式で行う事前差止めが検閲に該当するかについて、判例は、個別的な私人間の紛争について、司法裁判所により、当事者の申請に基づき差止請求権等の私法上の被保全権利の存否、保全の必要性の有無を審理判断して発せられるものであって、「検閲」（記述アの解説参照）には当たらないとしている（北方ジャーナル事件、最大判昭61.6.11）。

エ× 文部大臣（現・文部科学大臣）による教科書検定が検閲に該当するかについて、判例は、教科書検定が一般図書としての発行を何ら妨げるものではなく、発表禁止目的や発表前の審査などの特質（記述アの解説参照）を持たないことを理由に検閲に当たらないとしている（第１次家永教科書事件、最判平5.3.16）。

以上より、ア―誤、イ―誤、ウ―誤、エ―誤であり、肢５が正解となる。

正答 5

精神的自由権

事前抑制・検閲の禁止

実践 問題 41 基本レベル

頻出度	地上★	国家一般職★	特別区★
	裁判所職員★★	国税·財務·労基★	国家総合職★

問 **表現行為に対する事前抑制と検閲に関するア～オの記述のうち、判例に照らし、妥当なもののみを全て挙げているのはどれか。　(国家一般職2012)**

ア：憲法第21条第２項前段は、「検閲は、これをしてはならない。」と規定する。憲法が、表現の自由につき、広くこれを保障する旨の一般的規定を同条第１項に置きながら、別に検閲の禁止についてこのような特別の規定を設けたのは、検閲がその性質上表現の自由に対する最も厳しい制約となるものであることに鑑み、これについては、公共の福祉を理由とする例外の許容をも認めない趣旨を明らかにしたものと解すべきである。

イ：我が国内において処罰の対象となるわいせつ文書等に関する行為は、その頒布、販売及び販売の目的をもってする所持等であって、単なる所持自体は処罰の対象とされていないから、単なる所持を目的とする輸入は、これを規制の対象から除外すべきである。そのため、単なる所持の目的かどうかを区別して、わいせつ文書等の流入を阻止している限りにおいて、税関検査によるわいせつ表現物の輸入規制は、憲法第21条第１項の規定に反するものではないということができる。

ウ：出版物の頒布等の事前差止めは、表現行為に対する事前抑制に該当するが、その対象が公務員又は公職選挙の候補者に対する評価、批判等の表現行為に関するものである場合であっても、その表現内容が私人の名誉権を侵害するおそれがあるときは、原則として許される。

エ：条例により、著しく性的感情を刺激し又は著しく残忍性を助長するため青少年の健全な育成を阻害するおそれがある図書を有害図書として指定し、自動販売機への収納を禁止することは、青少年に対する関係において、憲法第21条第１項に違反しないことはもとより、成人に対する関係においても、有害図書の流通を幾分制約することにはなるものの、青少年の健全な育成を阻害する有害環境を浄化するための規制に伴う必要やむを得ない制約であり、同項に違反しない。

オ：教科書検定は、教育の中立・公正、一定水準の確保等の要請に照らして、不適切と認められる図書の教科書としての発行、使用等を禁止するものであり、同検定による表現の自由の制限は、思想の自由市場への登場を禁止する事前抑制そのものに当たるものというべきであって、厳格かつ明確な要件の下においてのみ許容され得る。

1：ア、イ
2：ア、エ
3：イ、オ
4：ウ、エ
5：ウ、オ

直前復習

チェック欄

1回目	2回目	3回目

実践 問題 41 の解説

〈事前抑制・検閲の禁止〉

ア○ 判例は、憲法21条２項の検閲の禁止は、検閲がその性質上表現の自由に対する最も厳しい制約となるものであることにかんがみ、これについては、公共の福祉を理由とする例外の許容（憲法12条、13条参照）をも認めない趣旨を明らかにしたものであるとした（税関検査事件、最大判昭59.12.12）。

イ× 判例は、流入した猥褻表現物を頒布、販売の過程に置くことは容易であるから、猥褻表現物の流入、伝播によりわが国内における健全な性的風俗が害されることを実効的に防止するには、単なる所持目的かどうかを区別することなく、その流入を一般的に、いわば水際で阻止することもやむをえないとした（税関検査事件、最大判昭59.12.12）。

ウ× 判例は、裁判所による出版物の頒布等の事前差止めは、事前抑制に該当するものであって、とりわけ、その対象が公務員または公職選挙の候補者に対する評価、批判等の表現行為に関するものである場合には、そのこと自体から、一般にそれが公共の利害に関する事項であるということができ、その表現が私人の名誉権に優先する社会的価値を含み憲法上特に保護されるべきであることにかんがみると、原則として許されないとした（北方ジャーナル事件、最大判昭61.6.11）。

エ○ 判例は、有害図書の自動販売機への収納の禁止は、青少年に対する関係において、憲法21条１項に違反しないことはもとより、成人に対する関係においても、有害図書の流通をいくぶん制約することにはなるものの、青少年の健全な育成を阻害する有害環境を浄化するための規制に伴う必要やむをえない制約であるから、憲法21条１項に違反するものではないとした（岐阜県青少年保護育成条例事件、最判平元.9.19）。

オ× 判例は、教科書検定は教科書としての発行を禁ずるにすぎず、一般図書として発行することを何ら妨げないため、思想の自由市場への登場自体を禁ずるものといえないので、憲法21条２項が禁止する検閲に該当しないとした（第１次家永教科書事件、最判平5.3.16）。

以上より、妥当なものはア、エであり、肢２が正解となる。

正答 2

精神的自由権

集会・結社の自由、通信の秘密

必修問題 セクションテーマを代表する問題に挑戦！

集会と結社の違いを意識しつつ、基本判例を学習しよう！

問 集会・結社の自由に関する次のア～エの記述の正誤の組合せとして最も妥当なものはどれか（争いのあるときは、判例の見解による。）。

（裁判所事務官2024）

ア：憲法第21条第１項の「集会」とは、多数の人間が共通の目的のために一時的に会合することをいい、葬儀も「集会」に該当する。

イ：普通地方公共団体の公の施設として、集会の用に供する施設が設けられている場合、管理者が正当な理由なくその利用を拒否するときは、集会の自由の不当な制限につながるおそれがある。

ウ：個人の結社の自由は、団体の結成、団体への加入及び団体の構成員であり続けることについて公権力の介入を受けない自由を意味し、個人が団体から脱退する自由を含まない。

エ：政党は、政治上の信条、意見等を共通にする者が任意に結成する政治結社であり、政党を結成する自由は、結社の自由により保障される。

	ア	イ	ウ	エ
1：	正	正	誤	正
2：	正	誤	正	誤
3：	正	正	正	誤
4：	誤	誤	正	誤
5：	誤	正	誤	正

直前復習

頻出度	地上★	国家一般職★	特別区★
	裁判所職員★	国税·財務·労基★	国家総合職★

チェック欄		
1回目	2回目	3回目

〈集会・結社の自由〉

ア○ 集会とは、特定または不特定の多数人が、共同目的のため、一定の場所において集まる一時的な集合体のことを指す。葬儀は、多数人が、弔いという共通の目的のため、葬儀会場という一定の場所に一時的に会合することであるから、集会の定義に該当することになる。判例も、葬儀が集会に該当することを前提に、公の施設の葬儀利用を拒否した処分を違法と判断している（上尾市福祉会館事件、最判平8.3.15）。

イ○ 地方自治法244条２項は、正当な理由がない限り住民の公の施設の利用を拒んではならないと規定している。この「正当な理由」の意義について、判例は、集会の自由の重要性と、当該集会が開かれることによって侵害されうる他の基本的人権の内容や侵害の危険性の程度等を較量して決せられるべきであり、条例による規制がそのような較量によって必要かつ合理的なものとして肯認される限りは、集会の自由を不当に侵害するものではないとしている（泉佐野市民会館事件、最判平7.3.7）。したがって、正当な理由なく利用を拒否した場合は、集会の自由の不当な制限につながるおそれがある。

ウ× 結社の自由には、個人が団体を結成し、団体に加入し、団体の構成員であることについて、公権力の介入を受けない自由（積極的結社の自由）だけでなく、個人が団体を結成せず、団体に加入せず、団体から脱退する自由（消極的結社の自由）も含む。判例も、従業員と使用者との間でされた従業員に対し特定の労働組合から脱退する権利を行使しないことを義務付ける合意の効力について、「脱退の自由という重要な権利を奪い、組合の統制への永続的な服従を強いるものであるから、公序良俗に反し無効である」としている（最判平19.2.2）。

エ○ 政党について、判例は、「政党は、政治上の信条、意見等を共通にする者が任意に結成する政治結社」と定義付けたうえで、「各人に対して、政党を結成し、又は政党に加入し、若しくはそれから脱退する自由を保障するとともに、政党に対しては、高度の自主性と自律性を与えて自主的に組織運営をなしうる自由を保障しなければならない」とし、消極的・積極的結社の自由により保障される旨を述べている（共産党袴田事件、最判昭63.12.20）。

以上より、ア―正、イ―正、ウ―誤、エ―正であり、肢１が正解となる。

正答 1

精神的自由権

集会・結社の自由、通信の秘密

1 集会・結社の自由

集会とは、特定または不特定の多数人が、共通の目的をもって一定の場所に事実上集まる一時的な集合体のことをいいます。結社とは、必ずしも場所を前提としない、共通の目的を持つ多数人の継続的な結合体のことをいいます。

集会や結社は、個人の言論や表現を超えて、人との連帯感や共感意識を持つことによって表現活動を一層確実なものとする意義を有します。情報の送り手と受け手が分離し、一般国民がもっぱら情報の受け手に回る現代においては国民にとって集会などの表現手段は自己の意見を表明する重要な意義を有すると評価されています。

結社の自由の内容としては、①団体を結成する自由もしくは結成しない自由、②団体に加入する自由もしくは加入しない自由、③団体が団体として意思形成し、その実現のために活動する自由が含まれます。

2 集会の自由の限界

集会の自由は、多数人が集合する場所を前提とする表現行為であり、外部的な行動を伴うことから、他者の人権との調整が必要となります。この点で、公共施設の使用拒否が許される限度が問題となります。

判例

《泉佐野市民会館事件》最判平7.3.7

【事案】市民会館の使用許可の申請を条例が定める「公の秩序をみだすおそれがある場合」に該当するとして不許可とした処分の合憲性が争われた事件

【判旨】「公の秩序をみだすおそれがある場合」とは、集会の自由を保障することの重要性よりも、集会が開かれることによって人の生命、身体、財産が侵害され公共の安全が損なわれる危険を回避・防止することの必要性が優越する場合をいい、その危険性は明らかに差し迫った危険の発生が具体的に予見されることが必要である。

判例

《上尾市福祉会館事件》最判平8.3.15

【事案】労組の福祉会館使用許可申請に対し、反対派の妨害による混乱が生じる危険があるとして、市が不許可処分を行ったことの合憲性が争われた事件

【判旨】主催者が集会を平穏に行おうとしているのに、反対派の妨害を理由に拒否することができるのは、警察の警備等によってもなお混乱を防止することができないなどの特別の事情がある場合に限られる。本件では、そのような特別の事情があるとはいえないから、本件不許可処分は違法である。

3 集団行動の自由

デモ行進などの集団行動の自由も、「動く集会」と解することによって、**憲法21条で保障される**と解されています。

ただし、集団行動は外部的な行動を伴うので、他の人権との調整が必要であるとされます。たとえば、デモ行進をするには公道を使用しなければなりませんが、無制約なデモ行進を容認すると他の人々の通行を阻害するなどの弊害をもたらすので、一定の制約を加えることが必要となるのです。そこで、通常、デモ行進については、各都道府県が制定した**公安条例**によって規制されます。

そして、一般に公安条例においては、デモ行進を行うにあたって、行政機関から事前に許可を受けることを要求しています。しかし、こうした許可制を一般的に採用することは、本来自由であるべき国民の表現活動を、行政機関（役所）の許可がもらえなければ原則としてできないものとしてしまうので、表現の自由に対する重大な侵害であると批判されます。

判例

《東京都公安条例事件》最大判昭35.7.20
【事案】公安条例が、集団行進の際に事前の許可を必要とする許可制を採用していることが憲法に違反しないかが争われた事件
【判旨】集団の潜在的な力は一瞬にして暴徒化するおそれがあるから、公安条例で必要最小限の措置を事前に講じることはやむをえない。この場合、一般的許可制は憲法上許されないが、許可が義務付けられ、不許可の場合が厳格に制限されていれば、実質的な届出制として憲法上許される。本条例は、文言上は許可制を採用しているが、実質において届出制と異ならないから憲法に反しない。

許可を与えない旨の意思表示をしないときは許可があったものとして行動することができると定める、いわゆる許可推定条項の存在が、文面上の許可制を実質届出制とみるうえで重要なポイントの１つであるとされます。

第2章 SECTION 7 精神的自由権

集会・結社の自由、通信の秘密

実践 問題 42 基本レベル

頻出度	地上★	国家一般職★	特別区★
	裁判所職員★	国税・財務・労基★	国家総合職★

問 集会・結社の自由に関する記述として最も妥当なものはどれか（争いのあるときは、判例の見解による。）。（裁判所事務官2019）

1：集会は、多数人が政治・学問・芸術・宗教などの問題に関する共通の目的をもって一定の場所に集まることをいうところ、集会の自由は、表現の自由の一形態として重要な意義を有する人権であるから、原則として、土地・建物の所有権等の権原を有する私人は、その場所における集会を容認しなければならない。

2：集会が民主主義社会における重要な基本的人権の一つとして特に尊重されなければならないとする理由は、対外的に意見を表明するための有効な手段であるのみならず、様々な意見や情報等に接することによって思想や人格を形成、発展させ、相互に意見や情報等を伝達、交流する場として必要であるからである。

3：集団行動は、平穏静粛な集団であっても、時に昂奮、激昂の渦中に巻き込まれ、甚だしい場合には一瞬にして暴徒と化すものであって、憲法上の保障外にあるといえるから、地方公共団体が制定した集団行動を規制する公安条例は合憲である。

4：結社の自由は、団体を結成しそれに加入する自由、その団体が団体として活動する自由に加えて、団体を結成しない、団体に加入しない又は加入した団体から脱退するという自由を含むものであるから、個々人に特定の団体への加入を強制する法律は許されない。

5：憲法第21条第1項が保障する結社の自由は、信教の自由及び団結権と保障範囲が重なることはない。

チェック欄		
1回目	2回目	3回目

実践 問題 42 の解説

〈集会・結社の自由〉

1 × 土地・建物の所有権などの権原を有する私人は、当該権原に基づき、その場所における集会を拒否しうるため、本肢は妥当でない。集会の自由は、表現の自由の一形態として重要な意義を有する（肢2の解説参照）。しかし、集会の自由も他者の権利と矛盾･衝突する限りでは、合理的な制約に服する。そのため、他人の土地や建物で集会をするに際しては、その所有者や管理者など権原を有する者の許諾を得ることが必要であり、所有者・管理者などはその権原に基づき集会を拒否することもできるのである。

2 ○ 本肢は、判例の見解と合致しており、妥当である。成田新法事件において判例は、「現代民主主義社会においては、集会は、国民が様々な意見や情報等に接することにより自己の思想や人格を形成、発展させ、また、相互に意見や情報等を伝達、交流する場として必要であり、対外的に意見を表明するための有効な手段である」としている（最大判平4.7.1）。

3 × 東京都公安条例事件において判例は、「集団行動には、表現の自由として憲法によって保障されるべき要素が存在する」としており、「憲法上の保障外にある」と述べる本肢はこれに反するため妥当でない。もっとも、「平穏静粛な集団であっても、時に昂奮、激昂の渦中に巻きこまれ、甚だしい場合には一瞬にして暴徒と化す危険がある」ことなどを理由に、集団行動を規制する東京都公安条例を合憲としている（最大判昭35.7.20）。

4 × 本肢前段は、結社の自由の内容を正しく述べている。しかし、弁護士会、税理士会、司法書士会、行政書士会、公認会計士会などのような専門的かつ公共的性格を有する職業の団体については、強制設立・強制加入とすることが法律によって義務付けられており、それらの団体は合憲と解されていることから、本肢後段が妥当でない。

5 × 結社とは、政治・経済・学問・宗教・芸術・学術・社交などの共通の目的を持つ多数人の継続的な結合体をいう。憲法21条1項はその自由を保障しているが、宗教的結社については憲法20条、労働組合の結成については憲法28条がそれぞれ保障しており、これらの団体については憲法21条1項と相まって保障範囲が重なりうるので、本肢は妥当でない。

正答 2

精神的自由権
集会・結社の自由、通信の秘密

実践 問題 43 基本レベル

頻出度	地上★	国家一般職★	特別区★
	裁判所職員★	国税·財務·労基★	国家総合職★

問 集会の自由に関する次の記述のうち、判例に照らし、妥当なのはどれか。

(国家一般職2022)

1：憲法第21条の保障する「集会」とは、特定又は不特定の多数人が一定の場所において事実上集まる一時的な集合体を指すところ、集会の自由が個人の人格形成や民主主義社会の維持発展に不可欠な表現の自由の一環であることからすると、同条の集会は、公共的事項を討議し、意見を表明するための集会のみを指し、冠婚葬祭のための集会を含まないと解されるから、何者かに殺害された労働組合幹部を追悼するための合同葬はこれに当たらない。

2：集会の自由は、公共の安全や他者の権利保護の点からの制約を免れないところ、主催者が集会を平穏に行おうとしているのに、その集会の目的や主催者の思想等に反対する者らが、集会を実力で阻止しようとして紛争を起こすおそれがあることを、市の福祉会館管理条例が定める「会館の管理上支障があると認められるとき」に当たるとして市長が当該会館の利用を拒むことができるのは、警察の警備等によっても混乱を防止することができないような事情がある場合に限られず、警察の警備等が行われることによりその他の当該会館の利用客に多少の不安が生ずる場合をも含むと解すべきである。

3：道路における危険を防止し、交通の安全等を図り、及び道路の交通に起因する障害の防止に資するという道路交通法所定の目的の下に、道路使用の許可に関する明確かつ合理的な基準を掲げて不許可とされる場合を厳格に制限した上、道路を使用して集団行進をしようとする者に対し、あらかじめ警察署長の許可を受けさせることとした同法及び県道路交通法施行細則の規定は、表現の自由に対する必要かつ合理的な制限として憲法上是認される。

4：行列行進又は公衆の集団示威運動について、県の公安条例をもって、地方的情況その他諸般の事情を十分考慮に入れ、不測の事態に備え、必要かつ最小限度の規制措置を事前に講ずることはやむを得ないから、公安委員会に広範な裁量を与え、不許可の場合を厳格に制限しない一般的な許可制を定めて集団行動の実施を事前に抑制することは、憲法に違反しない。

5：公共用財産である皇居外苑の利用の許否は、その利用が公共用財産の公共の用に供せられる目的に沿うものであったとしても皇居外苑の管理権者である厚生大臣（当時）の自由裁量に委ねられることから、メーデーのための皇居外苑の使用許可申請に対して、同大臣が行った不許可処分は、管理権の適正な運用を誤ったものとはいえず、憲法第21条に違反するものではない。

直前復習

チェック欄

1回目	2回目	3回目

実践 問題 43 の解説

〈集会の自由〉

1 × 上尾市福祉会館事件において判例は、普通地方公共団体の公の施設（地方自治法244条）として集会の用に供する施設が設けられている場合、管理者が正当な理由もないのにその利用を拒否するときは、憲法の保障する集会の自由の不当な制限につながるおそれがあるとしている。すなわち、合同葬のための集会も集会の自由として保障されることを前提としている（最判平8.3.15）。

2 × 上掲上尾市福祉会館事件において判例は、「会館の管理上支障があると認められるとき」とは、会館の管理上支障が生ずるとの事態が、客観的な事実に照らして具体的に明らかに予測される場合に初めて本件会館の使用を許可しないことができることを定めたものであるから、主催者が集会を平穏に行おうとしているのに、その集会の目的や主催者の思想等に反対する者らが、これを実力で阻止しようとして紛争を起こすおそれがあることを理由に公の施設の利用を拒むことができるのは、警察の警備等によってもなお混乱を防止することができないなど特別な事情がある場合に限られるべきであるとしている。

3 ○ 判例は、集団行進をしようとする者に対しあらかじめ所轄警察署長の許可を受けさせることとした道路交通法および県道路交通法施行細則の規定は、同法の目的のもと、道路使用の許可に関する明確かつ合理的な基準を掲げて道路における集団行進が不許可とされる場合を厳格に制限しており、表現の自由に対する公共の福祉による必要かつ合理的な制限として憲法上是認されるべきものであるとしている（最判昭57.11.16）。

4 × 新潟県公安条例事件において判例は、「行列行進又は公衆の集団示威運動は、……本来国民の自由とするところであるから、条例において……一般的な許可制を定めて、これを事前に抑制することは、憲法の趣旨に反し許されない」としている（最大判昭29.11.24）。

5 × 判例は、公共用財産の利用の許否は、その利用が公共用財産の、公共の用に供せられる目的に沿うものである限り管理権者の単なる自由裁量に属するものではなく、管理権者は、当該公共用財産の種類に応じ適正にその管理権を行使すべきであるとしている（最大判昭28.12.23）。

正答 3

精神的自由権

集会・結社の自由、通信の秘密

実践 問題 44 応用レベル

頻出度	地上★	国家一般職★	特別区★
	裁判所職員★	国税·財務·労基★	国家総合職★

問 通信の秘密に関する次のア～ウの記述の正誤の組合せとして最も妥当なものはどれか（争いのあるときは、判例の見解による。）。 （裁判所事務官2020）

ア：通信の秘密の保障は、通信の内容についてのみ及び、信書の差出日時など、通信の存在それ自体に関する事項には及ばない。

イ：通信の秘密にも一定の内在的制約があり、破産管財人が破産者に対する郵便物を開封することは、必ずしも通信の秘密を侵すものではない。

ウ：捜査機関が、犯罪捜査のため、通信事業を営む民間企業から任意に特定者間の通信内容の報告を受けた場合には、通信の秘密が侵されたとはいえない。

	ア	イ	ウ
1：	正	誤	正
2：	正	誤	誤
3：	誤	正	誤
4：	誤	正	正
5：	誤	誤	正

チェック欄

1回目	2回目	3回目

実践 問題 44 の解説

〈通信の秘密〉

ア× 通信の秘密の保障は、通信の内容にとどまらず、通信に関するすべての事項に及ぶので、本記述は誤りである。通信の秘密の保障（憲法21条2項後段）は、通信の内容について及ぶことはもちろんであるが、それだけでなく、差出人・受取人の氏名・住所や、通信の日時、個数など、通信の存在それ自体に関するものも含め、通信に関するすべての事項に及ぶ。

イ○ 本記述は通信の秘密の限界についての説明として適切であるので、正しい。通信の秘密は絶対的なものではなく、内在的制約を受ける。現行法上認められている限界として、破産管財人による破産者宛の郵便物等の開封（破産法82条）、受刑者が発受する信書の検査（刑事収容施設及び被収容者等の処遇に関する法律127条）などがある。

ウ× 本記述のような場合には通信の秘密が侵害されたといえるので、本記述は誤りである。通信の秘密の保障は、公権力による通信内容の探索の可能性を断ち切ることに意義を持つから、公権力によって通信の内容やその存在等について調査の対象とされないこと、および通信業務従事者によって職務上知りえた通信に関する情報を漏洩されないことを内容とする。これに照らすと、捜査機関が、犯罪捜査のために、通信事業を営む民間業者から任意に特定者間の通信内容の報告を受けた場合には、発信人・受信人の知らぬ間に両者の通信内容が捜査機関（公権力）に提供されたことになるので、発信人・受信人の通信の秘密の侵害となる。

以上より、アー誤、イー正、ウー誤であり、肢3が正解となる。

正答 3

第2章 精神的自由権

章末 CHECK　? Question

Q1 思想・良心の自由を「侵してはならない」とは、国民がいかなる思想・良心を有しているかを外部に表明することを国家に強制されない自由をも意味する。

Q2 裁判所が謝罪広告を命じることは、加害者の思想・良心の自由を常に侵害する。

Q3 政教分離原則は、憲法20条１項後段および同条３項に規定されており、憲法89条前段で財政面においても具体化されている。

Q4 政教分離原則の目的は、国家と宗教とのかかわり合いを制度として禁止することで個人の信教の自由を間接に保障することにある。

Q5 憲法20条３項にいう「宗教的活動」とは、①目的が宗教的意義を有し、②効果が宗教に対する援助、助長、促進または圧迫、干渉などとなるような行為をいう。

Q6 信仰の自由を侵害することは絶対に許されない。

Q7 初等教育機関においては教育の自由は一切認められない。

Q8 大学内での学生の集会が真に学問研究の発表のためではなく実社会の政治的社会的活動にあたる場合には、大学が有する学問の自由と自治を享有しない。

Q9 反論権の制度は、名誉が毀損され不法行為が成立する場合は別として、具体的な成文法の根拠がない限り認めることはできない。

Q10 報道の自由と同様、取材の自由も憲法21条で保障されるとするのが判例である。

Q11 公正な裁判を実現するためであっても、報道機関の取材活動によって得られたものを証拠として強制的に提出させることは許されない。

Q12 国家公務員に対し秘密漏洩をそそのかす行為は、報道目的でなされたものである限り、報道の自由の一内容として許容される。

Q13 選挙運動中に限り一定の文書図画の頒布・掲示を禁止した公職選挙法の規定は、憲法上許された必要かつ合理的な規制である。

Q14 検閲の主体は「公権力」であるとするのが判例である。

Q15 事前抑制禁止の原則とは、公権力が事前に表現活動を抑制することは絶対に許されないことをいう。

A1 ○ 憲法19条により、いわゆる「沈黙の自由」が保障されると解されている。

A2 × 判例は、単に事態の真相を告白し陳謝の意を表明するにとどまる程度のものであれば、謝罪広告を命じても加害者の思想・良心の自由を侵害しないとする（最大判昭31.7.4）。

A3 ○ 本問のとおりである。

A4 ○ これを制度的保障という。

A5 ○ 判例は、津地鎮祭事件（最大判昭52.7.13）以来、本問のようないわゆる目的効果基準を用いて政教分離原則違反の有無を判断する手法をとっている。

A6 ○ 信仰の自由は人間の内心にとどまるものであるから、絶対的な保障が及び、これを制約することは許されない。

A7 × 旭川学テ事件は、初等教育機関においても一定の範囲で教育の自由が保障されるとしている（最大判昭51.5.21）。

A8 ○ 東大ポポロ事件（最大判昭38.5.22）の判示である。

A9 ○ サンケイ新聞事件（最判昭62.4.24）の判示である。

A10 × 博多駅事件は、憲法21条の精神に照らし「十分尊重に値する」と述べるにとどまり（最大決昭44.11.26）、「保障される」とまでは言っていない。

A11 × 証拠として必要と認められる場合には、取材活動の自由が、ある程度の制約を被る結果となってもやむをえないとするのが判例である（最大決昭44.11.26）。

A12 × 国家公務員に対し秘密漏洩をそそのかす行為は、報道目的でなされ、その手段・方法が法秩序全体の精神に照らし相当なものとして社会通念上是認されるものであった場合には処罰されないとするのが判例である（最決昭53.5.31）。

A13 ○ 選挙運動規制事件（最大判昭30.4.6）の判示である。

A14 × 判例は、検閲とは「行政権」が行うものであるとしている（最大判昭59.12.12）。裁判所等をも含む「公権力」としているのではない点に注意が必要である。

A15 × 事前抑制禁止の原則は、公権力が事前に表現活動を抑制することは原則として許されないとするものであり、絶対的にこれを禁止するものではない。

memo

第3章

経済的自由権

SECTION

① 職業選択の自由
② 財産権
③ 居住・移転の自由、国籍離脱の自由

第3章 経済的自由権

出題傾向の分析と対策

試験名	地　上			国家一般職			特別区			裁判所職員			国税・財務・労基			国家総合職		
年　度	16-18	19-21	22-24	16-18	19-21	22-24	16-18	19-21	22-24	16-18	19-21	22-24	16-18	19-21	22-24	16-18	19-21	22-24
出題数 / セクション	1	2		1	1	2	2	1	1	2	2	3	2	1	1	1	3	
職業選択の自由		★		★		★	★		★	★	★	★	★	★		★	★	
財産権	★	★			★	★	★	★		★	★	★	★		★		★★	
居住・移転の自由、国籍離脱の自由												★						

（注）１つの問題において複数の分野が出題されることがあるため、星の数の合計と出題数とが一致しないことがあります。

経済的自由権の中では職業選択の自由と財産権がよく出題されています。特に職業選択の自由はよく出題されていますので、しっかり勉強してください。

地方上級

財産権についてたまに出題されますが、職業選択の自由についてはあまり出題されていません。出題内容としては基本的な知識を問う問題がほとんどですので、過去問を繰り返し解いて、知識の定着を図ってください。

国家一般職

職業選択の自由と財産権についてよく出題されます。特に職業選択の自由については、判例の細かい内容まで問う問題が出されますので、主要な判例の内容をしっかり理解するようにしてください。

特別区

職業選択の自由と財産権についてよく出題されます。問われている内容は基本的な事項ばかりですので、過去問を繰り返し解くことで、知識を身につけてください。

裁判所職員

職業選択の自由、財産権の両者についてよく出題されます。判例並べ替え問題なども出題されることがありますので、特に薬事法事件判決と小売市場事件判決については、余裕があれば最高裁判所のウェブサイトで判決の全文に目を通しておくとよいです。

国税専門官・財務専門官・労働基準監督官

職業選択の自由についてよく出題されます。また、近年では、経済的自由権全体を問うような問題が出されています。問われている内容は基本的な事項ですので、過去問を繰り返し解くことで知識を身につけてください。

国家総合職

経済的自由権全般にわたって出題されています。今後も出題される可能性は高いですので、判例を中心にしっかり勉強するようにしてください。

Advice アドバイス 学習と対策

職業選択の自由については、薬事法事件判決と小売市場事件判決が頻出です。両者の規制目的の違いをもとに、違憲・合憲と結論が分かれた理由をしっかり理解しておくことが重要です。

財産権については、憲法29条3項の私有財産の公用収用についてよく問われています。「公共のために」や「正当な補償」の意味を、判例をもとにしっかり理解しておいてください。

経済的自由権

職業選択の自由

必修問題 セクションテーマを代表する問題に挑戦！

職業選択の自由は、重要な判例を中心に出題されます。判例の学習を丁寧に行ってください。

問 憲法に定める職業選択の自由についての最高裁判所の判例に関する記述として、妥当なのはどれか。　（東京都2002）

1：小売市場事件では、小売市場開設の許可規制が消極的・警察的目的の規制であると認定したが、規制の目的に対して規制手段は必要以上に制限的でないとして、許可規制の合理性を認めた。

2：薬局距離制限事件では、薬局開設の距離制限が薬局等の経営保護という社会経済政策の一環としての規制であり、目的に合理性が認められ、規制の手段・態様も著しく不合理であるとはいえないとして、距離制限の合理性を認めた。

3：酒類販売免許制事件では、租税の適正・確実な賦課徴収のための許可制は、その必要性と合理性について、立法府の政策的・技術的な裁量を逸脱し著しく不合理なものでない限り違憲ではないとの立場から、免許制度の合理性を認めた。

4：1989年の公衆浴場距離制限事件では、公衆浴場の設立を業者の自由に委ねると偏在のおそれや乱立による過当競争のおそれがあるとし、制限を消極的・警察的目的の規制であるとしたうえで、距離制限規定は違憲であるとした。

5：西陣ネクタイ事件では、生糸の輸入制限措置は、国内の生糸生産業者の保護という積極目的規制であるとしたが、絹織物製造業者の営業の自由を侵害しており、規制手段が合理的とはいえず、違憲であるとした。

直前復習

Guidance ガイダンス

消極目的規制…国民の生命、健康に対する害悪発生防止

薬事法事件…違憲

積極目的規制…弱者救済、調和のとれた経済の発展

小売市場事件、西陣ネクタイ事件、公衆浴場事件…合憲

財政目的規制

酒類販売免許制…合憲

頻出度 地上★ 国家一般職★★ 特別区★★ 裁判所職員★★ 国税･財務･労基★★★ 国家総合職★★

必修問題の解説

チェック欄 1回目 2回目 3回目

〈職業選択の自由〉

1 × 小売市場事件で判例は、小売市場開設の許可規制を、社会経済の分野における積極的な法的規制措置、すなわち、積極目的の規制であると認定し、当該規制は、著しく不合理であることが明白であるとは認められないとして、許可規制の合理性を認めている（最大判昭47.11.22)。

2 × 薬事法事件で判例は、薬局の適正配置規制は、主として国民の生命および健康に対する危険の防止という消極的・警察的目的のための規制措置であるとしたうえで、その目的達成のための必要性と合理性を肯定することができないとした（最大判昭50.4.30)。

3 ○ 酒類販売免許制事件で判例は、租税の適正・確実な賦課徴収を図るという国家の財政目的のための職業の許可制による規制は、その必要性と合理性についての立法府の判断が政策的・技術的な裁量の範囲を逸脱し著しく不合理でない限り、憲法22条１項に違反しないとした（最判平4.12.15)。

4 × 1989年には、公衆浴場の距離制限についての判例が２つ出ている（公衆浴場距離制限事件、最判平元.1.20、最判平元.3.7)。そして前者は、当該規制を積極的・社会経済政策的なものとしたうえで明白性の原則により合憲とし、後者は、消極目的と積極目的とをあわせ持っているとしたうえで、合理性の基準により合憲とした。

5 × 西陣ネクタイ事件で判例は、当該規制措置を積極目的規制としたうえで、社会経済政策の実施の一手段として個人の経済活動に対し一定の合理的規制措置を講ずることは、憲法が予定し、かつ、許容するところであるから、裁判所は立法府がその裁量を逸脱し当該規制措置が著しく不合理であることの明白な場合に限り違憲となるとし、当該規制措置を合憲とした（最判平2.2.6)。

正答 3

経済的自由権

職業選択の自由

1 意義

職業選択の自由、居住･移転の自由、財産権を総称して**経済的自由権**といいます。

職業選択の自由（憲法22条１項）とは、自己の従事する職業を選択する自由（狭義の職業選択の自由）だけでなく、自己の選択した職業を遂行する自由（**営業の自由**）をも含みます。

経済的自由権	①職業選択の自由（22 条１項）→「営業の自由」を含む ②居住・移転の自由（22 条１項） ③財産権（29 条１項）

2 限界

消極目的規制
国民の**生命および健康に対する危険の防止**
積極目的規制
経済の調和のとれた発展を確保し、**社会的・経済的弱者を保護**するための規制

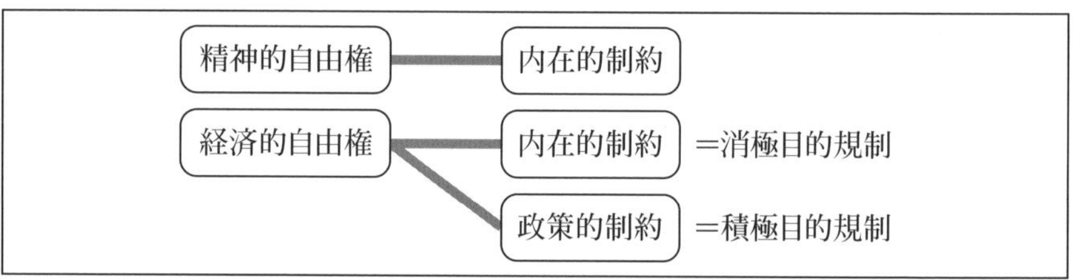

3 合憲性判定基準（規制目的二分論）

消極目的規制
厳格な合理性の基準
・目的…必要性・合理性あり
・手段…同じ目的を達成しうる、より緩やかな規制手段の不存在
積極目的規制
明白性の原則
・当該規制が著しく不合理であることが明白な場合に限り違憲

判例

《薬事法事件》最大判昭50.4.30

【事案】薬局の開設の条件として既存業者から一定の距離をとらなければならないとする適正配置規制の合憲性が争われた事件

【判旨】薬局距離制限は主に国民の生命および健康に対する危険の防止という消極的・警察的目的のための規制であるから、規制の必要性・合理性と、同じ目的を達成することができるより緩やかな規制手段がないかの検討が必要である。①薬局の偏在、競争激化が不良医薬品の供給の危険などの弊害をもたらすという事由は、適正配置の必要性と合理性を肯定する理由とはならないこと、②立法目的は、行政上の取締りの強化など、より緩やかな規制手段によっても達成できるから距離制限規定は違憲である。

判例

《小売市場事件》最大判昭47.11.22

【事案】小売市場の設置に一定の距離制限を定めた規制の合憲性が争われた事件

【判旨】積極目的規制については、立法府の政策的・技術的な裁量に委ねるほかなく、裁判所は、立法府が裁量権を逸脱し当該法的措置が著しく不合理であることの明白である場合に限ってこれを違憲とすべきであるが、小売市場の開設の許可規制は、国が社会経済の調和的発展を企図するという観点から中小企業保護政策の一方策としてとった措置であるから積極目的規制である。そして、小売商の共倒れ防止という規制目的には一応の合理性があり、規制手段も著しく不合理であることが明白であるとはいえないので、小売市場の開設の許可規制は合憲である。

判例

《酒類販売免許制事件》最判平4.12.15

【事案】酒税法の規定する酒類販売の免許制が職業選択の自由の不当な制限ではないかが争われた事件

【判旨】租税法の定立は立法裁量であるので、租税の適正かつ確実な賦課徴収を図るという国家の財政目的のための職業の許可制による規制については、その必要性と合理性についての立法府の判断が、その政策的、技術的な裁量の範囲を逸脱するもので、著しく不合理なものでない限り、これを憲法22条1項の規定に違反するものということはできない。そして、酒税の確実な徴収とその税負担の消費者への円滑な転嫁という酒類販売免許制の目的には合理性が認められるので、酒類販売免許制は合憲である。

経済的自由権

職業選択の自由

実践 問題 45 基本レベル

頻出度	地上★	国家一般職★★	特別区★★
	裁判所職員★★	国税・財務・労基★★★	国家総合職★★

問 職業選択の自由に関するア～オの記述のうち、判例に照らし、妥当なもののみをすべて挙げているのはどれか。 (国Ⅱ2008)

ア：憲法第22条第１項は、狭義における職業選択の自由のみならず、職業活動の自由の保障をも包含しているものと解すべきであるが、職業の自由は、いわゆる精神的自由に比較して、公権力による規制の要請が強く、憲法第22条第１項が「公共の福祉に反しない限り」という留保のもとに職業選択の自由を認めたのも、特にこの点を強調する趣旨に出たものと考えられる。

イ：職業の許可制による規制は、職業の自由に対する強力な制限であるから、その合憲性を肯定するためには、原則として、重要な公共の利益のために必要かつ合理的な措置であることを要し、租税の適正かつ確実な賦課徴収を図るという国家の財政目的のために、特定の職業について職業の許可制をとることは憲法第22条第１項に反し、許されない。

ウ：小売商業調整特別措置法による小売市場の許可規制は、国が社会経済の調和的発展を企図するという観点から中小企業保護政策の一方策としてとった措置ということができ、その目的において一応の合理性を認めることができないわけではなく、また、その規制の手段・態様においても、それが著しく不合理であることが明白であるとは認められず、憲法第22条第１項に反しない。

エ：薬局の設置場所が配置の適正を欠き、その偏在ないし濫立を来すに至るがごときは、不良医薬品の供給の危険をもたらす蓋然性が高いものといえ、そのような危険を防止する措置として、薬局の配置の適正を欠くと認められる場合には薬局開設の許可を与えないことができるとする薬局の適正配置規制を設けることは、国民の保健に対する危険を防止するために必要性がないとは認められないから、憲法第22条第１項に反しない。

オ：公衆浴場法による公衆浴場の適正配置規制は、日常生活において欠くことのできない公共的施設である公衆浴場の経常の健全と安全を確保し、もって国民の保健福祉を維持しようとする消極的目的に出たものであるが、近年、いわゆる自家風呂の普及により、公衆浴場の新設がほとんどなくなったことにかんがみると、当該規制は必要かつ合理的な規制の範囲を超えるに至ったものと認められるので、憲法第22条第１項に反する。

1：ア、ウ
2：ア、エ
3：イ、エ
4：イ、オ
5：ウ、オ

直前復習

チェック欄

1回目	2回目	3回目

実践 問題 45 の解説

〈職業選択の自由〉

ア○ 判例は、職業はその性質上社会的相互関連性が大きいものであるから、職業の自由は精神的自由に比較して公権力による規制の要請が強く、憲法22条1項が「公共の福祉に反しない限り」という留保のもとに職業選択の自由を認めたのも、特にこの点を強調する趣旨に出たものと考えられるとしている（薬事法事件、最大判昭50.4.30）。

イ× 判例は、租税の適正かつ確実な賦課徴収を図るという国家の財政目的のための職業の許可制による規制については、その必要性と合理性についての立法府の判断がその政策的、技術的な裁量の範囲を逸脱するもので著しく不合理なものでない限り、これを憲法22条1項の規定に違反するものということはできないとして、酒類販売業の許可制は憲法22条1項に違反しないとした（酒類販売免許制事件、最判平4.12.15）。

ウ○ 判例は、小売商業調整特別措置法に基づく小売市場の許可規制は、国が社会経済の調和的発展を企図するという観点から中小企業保護政策の一方策としてとった措置ということができ、その目的において、一応の合理性を認めることができないわけではなく、また、その規制の手段・態様においても、それが著しく不合理であることが明白であるとは認められないとしたうえで、小売市場の許可規制は憲法22条1項に違反しないとしている（小売市場事件、最大判昭47.11.22）。

エ× 判例は、薬局開設に距離制限を課すことは国民の保健上の目的につながるものではなく、憲法22条1項に違反するとしている（薬事法事件、最大判昭50.4.30）。

オ× 公衆浴場の距離制限について判例は、国民保健および環境の衛生の見地からする弊害防止を公共の福祉の内容と捉え、距離制限規定を合憲としている（公衆浴場距離制限事件、最大判昭30.1.26）。また、近年においても判例は、自家風呂の普及により、公衆浴場の経営が苦しくなっているので、日常生活に不可欠な公共施設である公衆浴場の経営安定化を図るための距離制限は、積極的・社会経済政策的目的からする合理的な規制であるとして、これを合憲としている（最判平元.1.20）。

以上より、妥当なものはア、ウであり、肢1が正解となる。

正答 1

第3章 SECTION 1 経済的自由権
職業選択の自由

実践 問題 46 基本レベル

頻出度			
	地上★	国家一般職★★	特別区★★
	裁判所職員★★	国税・財務・労基★★★	国家総合職★★

問 職業選択の自由に関する次のア～オの記述のうち、適当なもののみをすべて挙げているのはどれか（争いのあるときには、判例の見解による。）。

（裁判所職員2012）

ア：小売市場の許可規制は、過当競争によって招来されるであろう小売商の共倒れから小売商を保護するために採られた措置であるが、立法目的との関係において、合理性と必要性のいずれをも肯定することができないから、憲法22条1項に違反し、無効である。

イ：特定の団体でなければ生糸を輸入することができないとする一元輸入措置を内容とする法律を制定することは、営業の自由に対し制限を加えるものではあるが、積極的な社会経済政策の実施の一手段として、一定の合理的規制措置を講ずることは許容されることなどからすると、その立法行為が国家賠償法1条1項の適用上例外的に違法の評価を受けるものではない。

ウ：薬局の開設等の許可における適正配置規制は、主として国民の生命及び健康に対する危険の防止という消極的、警察的目的のための規制措置であり、公共の福祉の確保のために必要な制限と解されるから、憲法22条1項に違反するものではない。

エ：公衆浴場法による適正配置規制は、国民保健及び環境衛生を目的とするものであるが、その目的を達成する手段としては過度の規制であるから、公衆浴場の経営の許可を与えないことができる旨の規定を設けることは、憲法22条に違反する。

オ：医業類似行為を業とすることが公共の福祉に反するのは、かかる業務行為が人の健康に害を及ぼすおそれがあるからである。それゆえ、あん摩師、はり師、きゅう師及び柔道整復師法が医業類似行為を業とすることを禁止処罰するのも人の健康に害を及ぼすおそれのある業務行為に限局する趣旨と解しなければならないのであって、このような禁止処罰は公共の福祉上必要であるから、憲法22条に反するものではない。

1：ア、ウ
2：イ、エ
3：イ、オ
4：ウ、エ
5：エ、オ

チェック欄

1回目	2回目	3回目

実践 問題 46 の解説

〈職業選択の自由〉

ア× 判例は、小売市場の許可規制は、小売商相互間の過当競争による小売商の共倒れから小売商を保護するためにとられた積極目的の規制であると認定したうえで、立法目的との関係において一応の合理性が認められ、その規制の手段・態様においても、それが著しく不合理であることが明白であるとは認められないとして、憲法22条１項に違反しないとした（小売市場事件、最大判昭47.11.22）。

イ○ 判例は、生糸の一元輸入措置を内容とする法律を制定することが立法府の裁量を逸脱し、規制が著しく不合理であることが明白とはいえないとし、国家賠償法１条１項の適用上違法の評価を受けるものではないとした（西陣ネクタイ事件、最判平2.2.6）。

ウ× 判例は、薬局適正配置規制は、主として国民の生命および健康に対する危険の防止という消極的、警察的目的のための規制措置であり、その目的は公共の福祉に合致するとした。しかし、薬局適正配置規制は、規制がない場合に不良医薬品の供給の危険が発生する可能性があるとすることは単なる観念上の想定にすぎず、仮にその危険発生の可能性を肯定するとしても、立法目的は供給業務に対する規制や監督の励行などのより緩やかな規制手段によって達成できるから、必要かつ合理的な規制とはいえず憲法22条１項に違反するとした（薬事法事件、最大判昭50.4.30）。

エ× 判例は、公衆浴場の濫立によって過当競争が生じ、ひいては浴場の衛生設備の低下等のおそれがあるので、これを国民保健および環境衛生を保持するうえから防止するための適正配置規制は、憲法22条に違反しないとした（公衆浴場距離制限事件、最大判昭30.1.26）。

オ○ 判例は、医業類似行為を業とすることが公共の福祉に反するのは、これらの業務行為が人の健康に害を及ぼすおそれがあるからであり、したがって、医業類似行為を業とすることを禁止処罰するのは、人の健康に害を及ぼすおそれのある業務行為に限局する趣旨と解しなければならず、このような禁止処罰は公共の福祉上必要であるから憲法22条に反しないとした（最大判昭35.1.27）。

以上より、妥当なものはイ、オであり、肢３が正解となる。

正答 3

経済的自由権

職業選択の自由

実践 問題 47 基本レベル

頻出度	地上★　国家一般職★★　特別区★★ 裁判所職員★★　国税·財務·労基★★★　国家総合職★★

問 **職業選択の自由に関するア～オの記述のうち、判例に照らし、妥当なもののみをすべて挙げているのはどれか。** **(国Ⅱ2010)**

ア：酒税法に基づく酒類販売の免許制度は、制度導入当初は、酒税の適正かつ確実な賦課徴収を図るという重要な公共の利益のためにとられた合理的措置であったが、その後の社会状況の変化と酒税の国税全体に占める割合等が相対的に低下したことにより、当該免許制度を存置しておくことの必要性及び合理性は失われていると解されるから、憲法第22条第１項に違反する。

イ：旧繭糸価格安定法（平成20年廃止）に基づく生糸の一元輸入措置及び価格安定制度は、養蚕業及び製糸業の保護政策としての規制措置であるが、外国産生糸を国際糸価で購入する途を閉ざされるなど、絹織物生地製造業者の経済的活動の自由を著しく制限するものであり、当該保護政策の目的達成のために必要かつ合理的な規制の範囲を逸脱するものであるから、憲法第22条第１項に違反する。

ウ：薬事法に基づく薬局開設の許可制及び許可条件としての適正配置規制は、主として国民の生命及び健康に対する危険の防止という消極的、警察的目的のための規制措置であるが、許可制に比べて職業の自由に対するより緩やかな制限である職業活動の内容及び態様に対する規制によっても、その目的を十分に達成することができると解されるから、許可制の採用自体が公共の利益のための必要かつ合理的措置であるとはいえず、憲法第22条第１項に違反する。

エ：小売商業調整特別措置法に基づく小売市場の許可規制は、国が社会経済の調和的発展を企図するという観点から中小企業保護政策の一方策としてとった措置ということができ、その目的において一応の合理性を認めることができ、また、その規制の手段・態様においても著しく不合理であることが明白であるとは認められないから、憲法第22条第１項に違反しない。

オ：公衆浴場法に基づく公衆浴場の許可制及び許可条件としての適正配置規制は、既存公衆浴場業者の経営の安定を図り、自家風呂を持たない国民にとって必要不可欠な厚生施設である公衆浴場自体を確保するという積極的、政策的目的とともに、国民保健及び環境衛生の確保という消極的、警察的目的も有しているが、後者の目的との関係では、目的を達成するための必要かつ合理的な措置であるとはいえず、憲法第22条第１項に違反する。

1：ウ
2：エ
3：ア、イ
4：イ、オ
5：ウ、エ

チェック欄

1回目	2回目	3回目

実践 問題 47 の解説

〈職業選択の自由〉

ア× 判例は、酒税法は、酒税の確実な徴収とその税負担の消費者への円滑な転嫁を確保する必要から、酒類製造業および酒類販売業について免許制を採用しており、酒税の国税全体に占める割合が相対的に低下しても、そうした免許制を存置する合理性は失われていないので、酒類販売業の免許制は憲法22条１項に違反しないとした（酒類販売免許制事件、最判平4.12.15）。

イ× 判例は、生糸の一元輸入措置および価格安定制度は、立法府の裁量を逸脱し、規制が著しく不合理であることが明白とはいえないとして、合憲としている（西陣ネクタイ事件、最判平2.2.6）。

ウ× 判例は、許可制を採用したことは、それ自体としては公共の福祉に適合する目的のための必要かつ合理的措置として肯認することができるが、適正配置規制は、薬局間の競争の激化、一部薬局の経営の不安定、経営不安定な薬局による不良医薬品の供給という因果関係は認められず、不合理かつ不必要なものとして違憲であるとした（薬事法事件、最大判昭50.4.30）。

エ○ 小売市場の適正配置規制は小売商相互間の過当競争による小売商の共倒れ防止という中小企業保護政策の一方策としてとられた措置であり、その目的において一応の合理性を認めることができ、その規制の手段・態様においても、それが著しく不合理であることが明白であるとはいえないので、合憲であるとした（小売市場事件、最大判昭47.11.22）。

オ× 当初、判例は、公衆浴場の偏在により、多数の国民が日常容易に公衆浴場を利用しようとする場合に不便をきたすおそれがあり、また、その濫立により、浴場経営に無用の競争を生じその経営を経済的に不合理ならしめ、ひいて浴場の衛生設備の低下等好ましからざる影響をきたすおそれがあるとして、消極目的としての適正配置規制を合憲とした（公衆浴場距離制限事件、最大判昭30.1.26）。その後、公衆浴場の適正配置規制に公衆浴場業者の経営安定という積極目的を認定したり（最判平元.1.20）、消極目的とともに積極目的があることを認定したりしている（最判平元.3.7）が、判例は、一貫して公衆浴場の適正配置規制を必要かつ合理的規制として合憲としている。

以上より、妥当なものはエであり、肢２が正解となる。

正答 2

経済的自由権

職業選択の自由

実践 問題 48 基本レベル

頻出度	地上★ 国家一般職★★ 特別区★★ 裁判所職員★★ 国税·財務·労基★★★ 国家総合職★★

問 日本国憲法に規定する職業選択の自由に関する記述として、最高裁判所の判例に照らして、妥当なのはどれか。 (特別区2011)

1：小売市場開設許可に関する距離制限を定める規制では、緩やかな合理性の基準を適用し、過当競争による小売商の共倒れから小売商を保護するという消極的、警察的目的の規制であると判断して、立法裁量を尊重し、距離制限を合憲とした。

2：昭和30年の公衆浴場開設許可の距離制限に関する判決では、公衆浴場の偏在によって利用者の不便をきたし、濫立によって経営に無用の競争が生じるおそれはあるが、その結果、衛生設備が低下するとはいえないとして、距離制限を違憲とした。

3：薬局開設許可に関する距離制限を定める規制では、立法事実を検討し、制限が国民の生命及び健康に対する危険の防止という積極的、政策的目的のための規制措置であると判断した上で、その目的を達成するために必要かつ合理的な規制とはいえないとして、距離制限を違憲とした。

4：繭糸価格安定法改正による生糸の輸入制限は、養蚕業及び製糸業を保護するための法的規制措置であるが、売渡方法や価格について規定している点で営業の自由に対する制約であることは明白な事実であるとして、輸入制限措置を違憲とした。

5：酒類販売業の免許制は、租税の適正かつ確実な賦課徴収を図るという国家の財政目的のための規制であり、その必要性と合理性についての立法府の判断が、政策的、技術的な裁量の範囲を逸脱し、著しく不合理であるとまでは断定し難いとして、免許制を合憲とした。

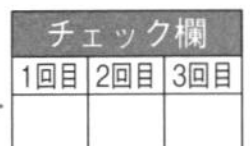

実践 問題 48 の解説

〈職業選択の自由〉

1 × 小売市場開設許可に基づく小売市場の適正配置規制の合憲性が争われた事件で、判例は、この規制は小売商相互間の過当競争による小売商の共倒れ防止という中小企業保護政策の一方策としてとられた措置であり、その目的において一応の合理性を認めることができ、その規制の手段・態様においても、それが著しく不合理であることが明白であるとはいえないので、合憲であるとした（小売市場事件、最大判昭47.11.22）。

2 × 昭和30年の公衆浴場の距離制限の合憲性が争われた事件で、判例は、公衆浴場の偏在・濫立による国民保健及び環境衛生上の弊害の防止を「公共の福祉」の内容と捉えて合憲とした（公衆浴場距離制限事件、最大判昭30.1.26）。その後、公衆浴場業者の経営安定という積極目的と判断したり（最判平元.1.20）、消極目的とともに積極的目的があると判断したりしているが（最判平元.3.7）、いずれも必要かつ合理的規制として合憲としている。

3 × 薬局開設許可に関する距離制限（適正配置規制）について、判例は主として国民の生命および健康に対する危険の防止という消極的、警察的目的のための規制措置であるとしている（薬事法事件、最大判昭50.4.30）。

4 × 生糸の輸入制限規定の合憲性が争われた事件で、判例は、生糸の一元輸入措置および価格安定制度は、立法府の裁量を逸脱し、当該規制措置が著しく不合理であることが明白とはいえないとして、合憲としている（西陣ネクタイ事件、最判平2.2.6）。

5 ○ 酒類販売業の免許制の合憲性が争われた事件で、判例は、酒税法は、酒類の確実な徴収とその税負担の消費者への円滑な転嫁を確保する必要から、酒類製造業および酒類販売業について免許制を採用したものと解されるが、酒税の国税全体に占める割合が相対的に低下した本件処分当時においても、免許制度を存置しておくことの必要性・合理性は失っておらず、政策的、技術的な裁量の範囲を逸脱し、著しく不合理であるとはいえず、憲法22条１項に違反しないとした（酒類販売免許制事件、最判平4.12.15）。

正答 5

第3章 SECTION 1 経済的自由権
職業選択の自由

実践 問題 49 基本レベル

頻出度	地上★	国家一般職★★	特別区★
	裁判所職員★	国税·財務·労基★	国家総合職★

問 **経済的自由権に関するア～オの記述のうち、妥当なもののみを全て挙げているのはどれか。** **(国家総合職2016)**

ア：憲法第22条第1項は、職業選択の自由について、「公共の福祉に反しない限り」という留保を付しているが、憲法は、国の責務として積極的な社会経済政策の実施を予定しているものということができ、個人の経済活動の自由に関する限り、個人の精神的自由等に関する場合と異なって、当該社会経済政策の実施の一手段として、これに一定の合理的規制措置を講ずることは許されるとするのが判例である。

イ：憲法第22条第2項は、国籍を離脱する自由を保障しているが、この国籍離脱の自由には、無国籍になる自由までも含むものではないと一般に解されている。

ウ：憲法第22条第2項は、外国に移住する自由を保障しているが、この外国に移住する自由は外国へ一時旅行する自由までも含むものではなく、外国への一時旅行の自由は、幸福追求の権利の一部分をなすものとして、憲法第13条により保障されるとするのが判例である。

エ：憲法第29条第3項にいう「正当な補償」とは、原則として、その当時の経済状態において成立すると考えられる価格に基づき、合理的に算出された相当な額をいうが、具体的な補償の額があまりに低廉と認められる場合には、かかる価格と一致することを要するとするのが判例である。

オ：旧薬事法による薬局の開設等の許可における適正配置規制は、主として小企業の多い薬局等の経営の保護という社会政策及び経済政策上の積極的な目的のための規制であるから、当該適正配置規制が著しく不合理であることの明白な場合に限って、これを違憲であるとするのが判例である。

1：イ
2：ア、イ
3：イ、オ
4：エ、オ
5：ア、ウ、エ

チェック欄

1回目	2回目	3回目

実践 問題 49 の解説

〈職業選択の自由〉

ア○ **小売市場事件**において判例は、公共の福祉に基づく規制について、憲法は、国の責務として積極的な社会経済政策の実施を予定しているものということができ、個人の経済活動の自由に関する限り、社会経済政策の実施の一手段として、これに一定の合理的規制措置を講ずることは、もともと、憲法が予定し、かつ許容するとした（最大判昭47.11.22）。

イ○ 国際関係上のトラブルの予防や個人の権利保護の観点に基づき、現代の国際社会は無国籍者の発生を防止しようとしている。かかる国際社会の現状から、憲法22条２項は、一般に、無国籍になる自由を保障したものではないと解されている。ちなみに、日本の国籍法は、他国の国籍の取得を条件として、日本国籍からの離脱を認めている（国籍法11条ないし13条）。

ウ× **帆足計事件**において判例は、外国への一時旅行の自由は、**憲法22条２項の「外国に移住する自由」に含まれる**とした（最大判昭33.9.10）。したがって、憲法13条により保障されるとする本記述は妥当でない。

エ× **農地改革事件**において判例は、**憲法29条３項の正当な補償とは、その当時の経済状態において成立することを考えられる価額に基づき、合理的に算出された相当な額をいう**が、買収対価の算出に用いられる公定または統制価格については、必ずしも常に当時の経済状態における収益に適合する価格と完全に一致するとはいえず、まして自由な市場取引において成立することを考えられる価格と一致することを要しないとした（最大判昭28.12.23）。したがって、補償の具体的金額が低廉の場合に、合理的に算出された価格と一致することを要するとする本記述は妥当でない。

オ× **薬事法事件**において判例は、旧薬事法による薬局の開設等の許可における適正配置規制は、主として国民の生命および健康に対する危険の防止という消極的、警察的目的のための規制措置とした。そして、**消極目的の許可制の場合、害悪発生の防止のための必要最小限の規制措置を要求するいわゆる厳格な合理性の基準**を定立した（最大判昭50.4.30）。したがって、当該規制を積極目的規制とし、違憲審査基準としていわゆる「明白性の原則」を述べる本記述は妥当でない。

以上より、妥当なものはア、イであり、肢２が正解となる。

正答 2

経済的自由権
職業選択の自由

実践 問題 50 基本レベル

頻出度	地上★	国家一般職★★	特別区★
	裁判所職員★	国税·財務·労基★	国家総合職★

問 職業の自由に関する次の記述のうち、判例に照らし、最も妥当なのはどれか。

（国家一般職2024）

1：公衆浴場法による公衆浴場の適正配置規制について、公衆浴場の偏在により、多数の国民が日常容易に公衆浴場を利用しようとする場合に不便を来し、また、その濫立により、浴場経営に無用の競争を生じ、浴場の衛生設備の低下等好ましくない影響を来すというのは、単なる観念上の想定にすぎず、確実な根拠に基づく合理的な判断とは認めがたいため、当該規制は、その必要性と合理性を肯定するに足りず、憲法第22条第１項に違反する。

2：一般に、国民生活上不可欠な役務の提供の中には、当該役務のもつ高度の公共性に鑑み、その適正な提供の確保のために、法令によって、提供すべき役務の内容及び対価等を厳格に規制するとともに、更に役務の提供自体を提供者に義務付ける等の強い規制を施す反面、これとの均衡上、役務提供者に対してある種の独占的地位を与え、その経営の安定を図る措置がとられる場合がある。薬局等の適正配置規制は、医薬品の供給の適正化措置として強力な規制を施す代わりに、既存の薬局等にある程度の独占的地位を与えるのが主たる趣旨、立法目的である。

3：薬局等の適正配置規制について、予防的措置として職業の自由に対する大きな制約である薬局の開設等の地域的制限が憲法上是認されるためには、国民の保健上の必要性がないとはいえないというだけでは足りず、このような制限を施さなければ当該措置による職業の自由の制約と均衡を失しない程度において国民の保健に対する危険を生じさせるおそれのあることが、合理的に認められることを必要とする。

4：租税の適正かつ確実な賦課徴収を図るという国家の財政目的のための職業の許可制による規制は、単なる職業活動の内容及び態様に対する規制を超えて、狭義における職業選択の自由そのものに制約を課するものであり、職業の自由に対する強力な制限であるから、より制限的でない他の選び得る規制手段が存在するかを実質的に審査し、それがあり得る場合には違憲となる。

5：酒税の確実な賦課徴収のための酒類販売業免許制度について、制度採用当初は、その必要性と合理性があったが、その後の社会状況の変化と租税法体系の変遷に伴い、酒税の国税全体に占める割合等が相対的に低下するに至った時点においては、同制度を存置しておくことの必要性と合理性は失われたため、当該時点以降、同制度を定める規定は憲法第22条第１項に違反する。

直前復習

チェック欄

1回目	2回目	3回目

実践 問題 50 の解説

〈職業選択の自由〉

1 × 公衆浴場の適正配置規制については複数の判例が存在するが、中でも初期の判例は、公衆浴場の偏在により、多数の国民が日常容易に公衆浴場を利用しようとする場合に不便を来たし、また、その濫立により浴場経営に無用の競争を生じ、浴場の衛生設備の低下等好ましくない影響をきたすおそれがあることから、当該規制には合理性があり憲法22条に反しないとしている（**公衆浴場距離制限事件**、最大判昭30.1.26）。

2 × 薬局等の適正配置規制の立法目的が判例の見解と異なるので、本肢は妥当でない。判例は、規制と独占的地位の関連性の一般論としては本肢と同様の見解を述べている。したがって、本肢前半は正しい。しかし、同判例は薬局等の適正配置規制について、薬事法その他の関係法令は、医薬品の供給の適正化措置としてそのような強力な規制を施してはおらず、したがって、その反面において既存の薬局等にある程度の独占的地位を与える必要も理由もなく、本件適正配置規制にはこのような趣旨、目的はなんら含まれていないとしている（**薬事法事件**、最大判昭50.4.30）。

3 ○ 判例は、薬局等の適正配置規制が職業選択の自由に対する制約的効果を有することを認めて、適正配置規制のような地域的制限が憲法上是認されるための要件として本肢のとおりに述べている（上掲**薬事法事件**、最大判昭50.4.30）。

4 × 酒類販売免許制の合憲性が問われた事案において、判例は、立法府の判断が政策的技術的裁量の範囲を逸脱して著しく不合理なものでない限りは、憲法22条に反しない、という「**明白性の原則**」を用いて審査している（**酒類販売免許制事件**、最判平4.12.15）。本肢で展開されたのは「**より制限的でない他の選びうる手段（ＬＲＡ）の基準**」である。この基準は、学説では評価されているが、最高裁判所が採用した判例は存在しない。

5 × 酒類販売免許制度の必要性と合理性は失われたと述べる本肢は、判例の見解と異なるので妥当でない。判例は、**酒類販売免許制について、酒税の国税全体に占める割合が相対的に低下した時点においてもなお、酒税の賦課徴収に関する仕組みが合理性を失うに至っているとはいえないとし**、憲法22条に反しないとしている（上掲最判平4.12.15）。

正答 3

経済的自由権
職業選択の自由

実践 問題 51 応用レベル

頻出度 地上★ 国家一般職★★ 特別区★ 裁判所職員★ 国税·財務·労基★ 国家総合職★

問 次の文章は、小売商業調整特別措置法による小売市場の許可規制に関する最高裁判所の判決（最大判昭47.11.22刑集26巻９号586頁）の抜粋及び同判決に対する評釈である。文章中の空欄Ａ～Ｇに入る言葉に関する１～５の記述のうち、妥当なのはどれか。　(国Ⅱ2004)

【判決】

「個人の経済活動に対する法的規制は、個人の自由な経済活動からもたらされる諸々の弊害が社会公共の安全と秩序の維持の見地から看過することができないような場合に、［　A　］的に、かような弊害を除去ないし緩和するために必要かつ合理的な規制である限りにおいて許されるべきことはいうまでもない。のみならず、憲法の他の条項をあわせ考察すると、憲法は、全体として、［　B　］的理想のもとに、社会経済の均衡のとれた調和的発展を企図しており、その見地から、すべての国民にいわゆる生存権を保障し、その一環として、国民の勤労権を保障する等、経済的劣位に立つ者に対する適切な保護政策を要請していることは明らかである。このような点を総合的に考察すると、憲法は、国の責務として［　C　］的な社会経済政策の実施を予定しているものということができ、個人の経済活動の自由に関する限り、個人の［　D　］的自由等に関する場合と異なつて、右社会経済政策の実施の一手段として、これに一定の合理的規制措置を講ずることは、もともと、憲法が予定し、かつ、許容するところと解するのが相当であり、国は、［　C　］的に、国民経済の健全な発達と国民生活の安定を期し、もつて社会経済全体の均衡のとれた調和的発展を図るために、立法により、個人の経済活動に対し、一定の規制措置を講ずることも、それが右目的達成のために必要かつ合理的な範囲にとどまる限り、許されるべきであつて、決して、憲法の禁ずるところではないと解すべきである。もつとも、個人の経済活動に対する法的規制は、決して無制限に許されるべきものではなく、その規制の対象、手段、態様等においても、自ら一定の限界が存するものと解するのが相当である。

ところで、社会経済の分野において、法的規制措置を講ずる必要があるかどうか、その必要があるとしても、どのような対象について、どのような手段・態様の規制措置が適切妥当であるかは、主として立法政策の問題として、立法府の［　E　］的判断をまつほかない。というのは、法的規制措置の必要の有無や法的規制措置の対象・手段・態様などを判断するにあたつては、その対象となる社会経済の実態についての正確な基礎資料が必要であり、具体的な法的規制措置が現実の社会経済にどのような影響を及ぼすか、その利害得失を洞察するとともに、広く社会経済政策全体との調和を考慮する等、相互に関連する諸条件についての適正な評価と判断が必要であつて、このような評価と判断の機能は、まさに立法府の使命とするところであり、立法府こそがその機能を果たす適格を具えた国家機関であるというべきだからである。したがつて、右に述べたような個人の経済活動に対する法的規制措置については、立法府の政策的技術的な裁量に委ねるほかはなく、裁判所は、立法府の右 E 的判断を尊重するのを建前とし、ただ、立法府がその裁量権を逸脱し、当該法的規制措置が著しく不合理であることの明白である場合に限つて、これを違憲として、その効力を否定することができるものと解するのが相当である。」

【評釈】

個人の経済活動の自由の法的規制について、本判決の意義は、第一に、規制の目的によって、社会公共の安全と秩序の維持の見地からする A 的な F 的規制と、 B 的理想の下における社会経済政策実施のための C 的な政策的規制の二つに分類されることを明らかにしたこと、第二に、個人の経済活動の自由については、 D 的自由等の場合と異なって合理的規制が許されるという、いわゆる G の考え方を判例上初めて明らかにしたところにある。

1：Aには「積極」、Bには「福祉国家」、Fには「警察」が入る。
2：Cには「積極」、Dには「精神」、Gには「二重の基準」が入る。
3：Aには「積極」、Eには「裁量」、Fには「合理」が入る。
4：Cには「消極」、Dには「精神」、Eには「専門」が入る。
5：Bには「夜警国家」、Cには「積極」、Gには「二重の基準」が入る。

経済的自由権
職業選択の自由

実践 問題 51 の解説

チェック欄		
1回目	2回目	3回目

〈職業選択の自由〉

本問の**小売市場事件判決**は、小売市場相互の共倒れを防止するための距離制限という、経済的自由に対する規制の合憲性が争われた事案に関するものである。

ところで、基本的人権を制約する立法の合憲性判断については、優越的地位にある精神的自由については厳格な基準で、経済的自由については比較的緩やかな合理性の基準でこれを行おうとする、いわゆる**二重の基準論**が学説上有力である。

さらに、経済的自由に妥当する合理性の基準については、これを規制目的に応じて分類する見解が有力である。この見解は、規制目的を**消極的・警察的規制**（国民の生命・身体の保護や社会秩序維持を目的とする規制）と、**積極的・政策的規制**（福祉国家理念の実現を目的とする規制）とに分類したうえで、消極的・警察的規制の場合には、裁判所が規制の必要性・合理性および同じ目的を達成できる、より緩やかな規制手段の有無を判断する「**厳格な合理性の基準**」で合憲性を判断しようとする。消極的・警察的目的規制の場合には、裁判所が合理性の有無を客観的に審査することが可能であるからである。他方、積極的・政策的規制（福祉国家理念の実現を目的とする規制）の場合には、当該規制措置が著しく不合理であることの明白である場合に限って違憲であるとする「**明白性の原則**」で行うとする。どのような政策が福祉国家理念の実現にとって有効かは、裁判所よりも政治部門の裁量的判断に委ねたほうが国民の福利に役立つと考えられるからである。

本問の**小売市場事件判決**は、小売市場相互の共倒れを防止するための距離制限という積極的・政策的規制の合憲性に関する事案についてのものであり、上記の学説に類似した基準で合憲性を判断している（最大判昭47.11.22）。

以上のことを前提に【評釈】の空欄を先に埋めてみると、A＝「消極」、B＝「福祉国家」、C＝「積極」、D＝「精神」、F＝「警察」、G＝「二重の基準」が入ることがわかる。これだけで肢２の正解に達することができる。なお、Eには「裁量」が入る。

穴埋め問題は、確実に埋めることができるところから埋めていき、間違った語句が入っている選択肢を消去していくと短時間で正解に達することができる。

正答 2

memo

経済的自由権
財産権

必修問題 セクションテーマを代表する問題に挑戦！

財産権の保障は、まず、条文の意味を理解し、そのうえで判例を学習するようにしてください。

問 日本国憲法に規定する財産権に関する記述として、判例、通説に照らして、妥当なのはどれか。　（特別区2013）

1：財産権の保障とは、個々の国民が現に有している個別的、具体的な財産権の保障を意味するものではなく、個人が財産権を享有することができる法制度すなわち私有財産制を保障したものとされている。

2：財産権とは、すべての財産的価値を有する権利を意味するものではなく、所有権その他の物権、債権のほか、著作権、意匠権などの無体財産権をいい、漁業権、鉱業権などの特別法上の権利は財産権には含まれない。

3：財産権の制約の根拠としての「公共の福祉」は、自由国家的な消極的な公共の福祉のみならず、社会国家的な積極的・政策的な公共の福祉の意味をもつものとして解釈され、財産権は積極目的規制にも服するものとされる。

4：最高裁判所の判例では、条例をもって、ため池の堤とうに竹木若しくは農作物を植え、又は建物その他の工作物を設置する行為を禁止することは、財産権を法律ではなく条例で制限することになるので、財産権の内容は法律で定めるとする憲法の規定に違反するとした。

5：最高裁判所の判例では、財産上の犠牲が単に一般的に当然に受認すべきものとされる制限の範囲をこえ、特別の犠牲を課したものである場合であっても、法令に損失補償に関する規定がない場合は、直接憲法を根拠にして補償請求をすることはできないので、損失補償を請求する余地はないとした。

Guidance ガイダンス

- 財産権の保障…財産上の権利の保障と私有財産制の保障
- 財産権…一切の財産的価値を有する権利
- 財産権を条例で制限できるか？
  →制限できる（通説）
- 財産権と公共の福祉
  →財産権は消極目的規制と積極目的規制を受ける
- 補償の要否…特定人に対する受忍限度を超える犠牲の場合に補償が必要
- 憲法29条３項…損失補償の根拠法条となりうる

頻出度	地上★★　国家一般職★★　特別区★★ 裁判所職員★★　国税·財務·労基★★　国家総合職★★

チェック欄		
1回目	2回目	3回目

〈財産権〉

1 × 憲法29条１項は、個人が財産権を享有することができるという私有財産制自体を制度として保障しているだけでなく、各個人が現に有している個別的・具体的な財産権も保障しているとするのが、判例（森林法事件、最大判昭62.4.22）・通説である。

2 × 通説は、財産権とは、物権や債権、無体財産権（特許権、著作権、意匠権等）、また漁業権や鉱業権などの特別法上の権利などを含む、一切の財産的価値を有する権利をいうとしている。

3 ○ 憲法29条２項は、財産権は「公共の福祉」に適合するように、これを法律で定めると規定するが、ここでいう「公共の福祉」は、自由国家的な消極的な公共の福祉のみならず、社会国家的な積極的・政策的な公共の福祉も意味するとされ、財産権は積極目的規制にも服するものとされる。判例も、財産権の規制には、社会公共の便宜の促進、経済的弱者の保護等の社会政策および経済政策上の積極的なものから、社会生活における安全の保障や秩序の維持等の消極的なものまで多岐にわたるものがあると指摘している（森林法事件、最大判昭62.4.22）。

4 × 判例は、本肢のため池の堤とうの使用を禁止することも、災害を未然に防止するという社会生活上やむをえない必要からくることであって、何人も公共の福祉のため、当然これを受忍しなければならない責務を負うとした。そして、ため池の破損、決壊の原因となるため池の堤とうの使用行為は、憲法でも民法でも適法な財産権の行使として保障されていないものであって、これらの行為を条例をもって禁止しても憲法に違反するものではないとした（奈良県ため池条例事件、最大判昭38.6.26）。

5 × 判例は、公共のために必要な制限によるものとはいえ、単に一般的に当然に受忍すべきものとされる制限の範囲を超え、特別の犠牲を課したものといえる場合に、法令に損失補償に関する規定がないからといって、あらゆる場合について一切の損失補償をまったく否定する趣旨とまでは解されず、特別の犠牲を受ける者が、その損失を具体的に主張立証して、別途、直接憲法29条３項を根拠にして補償請求をする余地があるとした（河川附近地制限令事件、最大判昭43.11.27）。

正答 3

経済的自由権
財産権

1 財産権保障の意味

・個人の具体的な財産権の保障
・私有財産制度の保障

※財産権
物権や債権、無体財産権（特許権や著作権など）などを含む一切の財産的価値を有する権利

※私有財産制度
個人が財産権を享有しうる法制度、すなわち、資本主義経済体制

2 財産権の制限

(1) 「公共の福祉」による制限

憲法29条２項
財産権の内容は、公共の福祉に適合するやうに、法律でこれを定める。

消極目的規制と積極目的規制に服することを意味する

判例
《森林法事件》最大判昭62.4.22
【事案】共有森林につき持分価格の２分の１以下の共有者からの分割請求を否定した森林法186条の規定が憲法29条に反するのではないかが争われた事件
【判旨】本規定の立法目的は、森林の細分化を防止することによって森林経営の安定を図ることを目的とするものであるが、この目的と規制の手段との間には合理的関連性がなく、現物分割をしても直ちに森林の細分化をきたすものではないから、立法目的との関係において合理性と必要性のいずれも肯定できないため、違憲である。

(2) 条例による制限

憲法29条２項
財産権の内容は、公共の福祉に適合するやうに、「法律」でこれを定める。

条例による財産権の制限も許される
(理由)
条例は、地方公共団体の議会による民主的手続によって制定される法であり、実質的には法律と差異がないといえるし、地方の実情に応じて財産権を制約する必要があるともいえる。

判例 《奈良県ため池条例事件》最大判昭38.6.26
【事案】奈良県は条例でため池の堤とうに農作物を植えることを禁止し、違反者を罰金刑の対象とすることは、財産権を保障した憲法29条に反するのではないかが争われた事件
【判旨】本条例は、堤とうを使用する財産上の権利行使をほぼ全面的に禁止するが、これは災害を未然に防止するという社会生活上のやむをえない措置であり、当然に受忍されるべき制約である。したがって、堤とうの使用行為は憲法、民法の保障する財産権行使のらち外であり、これを条例で禁止・処罰しても憲法に違反しない。

3 財産権の制限と補償の要否

憲法29条３項
私有財産は、正当な補償の下に、これを公共のために用ひることができる。

(1) 「公共のために用ひる」の意味

「公共のために用ひる」とは、病院・学校・鉄道・道路・公園などの建設のような公共事業のために強制的に個人の財産を収用する場合に限らず、収用全体の目的が広く社会公共の利益のためであれば「公共のために用ひる」に該当します。たとえば、第二次世界大戦直後の「農地改革」では、地主の土地を政府が強制的に買い上げて、小作人に安く売り払いました。こうした場合には、利益を受けるのは土地を安く売り払ってもらった小作人たちですが、収用全体の目的が農地改革という社会公共の利益のためであるといえるので、「公共のために用ひる」に該当します。

判例チェック 判例は、農地改革は、耕作者の地位を安定し、その労働の成果を公正に享受させるため自作農を急速かつ広汎に創設し、また、土地の農業上の利用を増進し、もって農業生産力の発展と農村における民主的傾向の促進を図るという公共の福祉のための必要に基づいたものだから「公共のために」といえるとしています（最判昭29.1.22）。

(2) 補償の要否

憲法29条３項により「正当な補償」が必要とされるのは、特別の犠牲、すなわち、特定人に対して受忍限度を超えるような強い制約を加えた場合であり、一般的に受忍すべきものとされる程度の犠牲に対しては補償の必要はないとされています。

経済的自由権
財産権

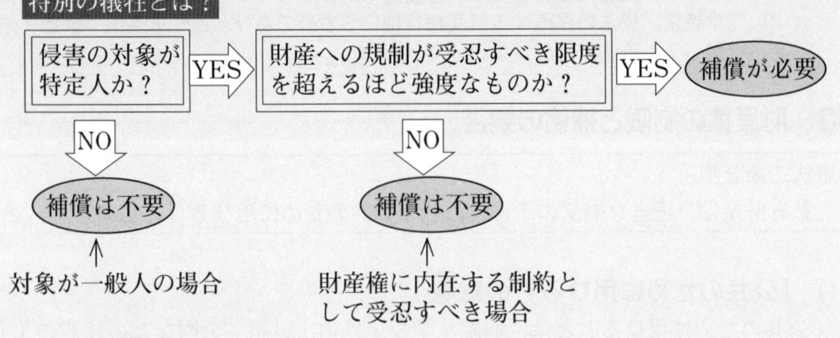

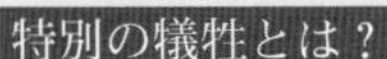

4 「正当な補償」の意味

判例は、憲法29条３項にいう「正当な補償」とは、その当時の経済状態において成立することが考えられる価格に基づいて合理的に算出された相当な額のことをいい、必ずしも常にかかる価格と完全に一致することを必要とするものではないとしています（農地改革事件、最大判昭28.12.23）。

判例は、土地収用における補償の価格を決定する場合においては、完全な補償、すなわち、収用の前後を通じて被収用者の財産価値を等しくならしめるような補償をなすべきであるとしています（土地収用法事件、最判昭48.10.18）。もっとも、本判決は直接憲法論に触れたものではなく、土地収用法の解釈を示したにすぎない点に注意が必要です。

memo

経済的自由権
財産権

実践 問題 52 基本レベル

頻出度	地上★★　国家一般職★★　特別区★★ 裁判所職員★★　国税・財務・労基★★　国家総合職★★

問 **財産権の保障に関するア～オの記述のうち、判例に照らし、妥当なもののみをすべて挙げているのはどれか。** （国Ⅱ2008）

ア：憲法第29条第１項は、「財産権は、これを侵してはならない。」と規定し、私有財産制度を保障しているのみではなく、社会的経済的活動の基礎をなす国民の個々の財産権につき、これを基本的人権として保障している。

イ：憲法第29条第２項は、「財産権の内容は、公共の福祉に適合するやうに、法律でこれを定める。」と規定しており、私有地に対する個人の権利の内容を法律によらずに条例で規制することは同項に違反する。

ウ：土地収用法上の収用における損失の補償については、収用の前後を通じて被収用者の財産価値を等しくならしめるような補償をなすべきであり、金銭をもって補償する場合には、被収用者が近傍において被収用地と同等の代替地等を取得することを得るに足りる金額の補償を要する。

エ：財産権について、憲法は正当な補償に関して規定するのみで、補償の時期については規定していないが、補償が財産の供与と交換的に同時に履行されるべきことは、憲法の保障するところであるといえる。

オ：ある法令が財産権の制限を認める場合に、その法令に損失補償に関する規定がないからといって、その制限によって損失を被った者が、当該損失を具体的に主張立証して、直接、憲法第29条第３項を根拠にして補償を請求する余地が全くないとはいえない。

1：ア、イ
2：ア、ウ、オ
3：ア、オ
4：イ、ウ、エ
5：ウ、エ

チェック欄

1回目	2回目	3回目

実践 問題 52 の解説

〈財産権〉

ア○ 判例は、憲法29条は私有財産制度を保障しているのみでなく、社会的経済的活動の基礎をなす国民の個々の財産につき、これを基本的人権として保障するとしている（森林法事件、最大判昭62.4.22）。

イ× 判例は、ため池の破損・決かいの原因となるため池の堤とうの使用行為は、憲法でも、民法でも適法な財産権の行使として保障されていないものであって、憲法・民法の保障する財産権の行使のらち外にあるものというべきであるから、これらの行為を条例をもって禁止・処罰しても憲法および法律に抵触またはこれを逸脱するものとはいえないとしており（奈良県ため池条例事件、最大判昭38.6.26）、条例による財産権の規制を認めている。

ウ○ 判例は、土地収用法上の収用における損失補償について、完全な補償、すなわち、収用の前後を通じて被収用者の財産価値を等しくならしめるような補償をなすべきであり、金銭をもって補償する場合には、被収用者が近傍において被収用地と同等の代替地等を取得することをうるに足りる金額の補償を要するとしている（土地収用法事件、最判昭48.10.18）。

エ× 判例は、憲法は「正当な補償」と規定しているだけであって、補償の時期については言明していないのであるから、補償が財産の供与と交換的に同時に履行さるべきことについては、憲法の保障するところではないと言わなければならないとしている（最大判昭24.7.13）。

オ○ 判例は、ある法令に損失補償に関する規定がない場合であっても、特別の犠牲を受ける者が損失を具体的に主張立証して、直接憲法29条３項を根拠にして補償請求する余地を認めている（河川附近地制限令事件、最大判昭43.11.27）。

以上より、妥当なものはア、ウ、オであり、肢２が正解となる。

正答 2

経済的自由権
財産権

実践 問題 53 基本レベル

頻出度	地上★ 国家一般職★★ 特別区★★ 裁判所職員★★ 国税·財務·労基★★ 国家総合職★★

問 憲法第29条に関する次のア～ウの記述の正誤の組合せとして最も妥当なものはどれか（争いのあるときは、判例の見解による。）。　（裁判所事務官2018）

ア：憲法第29条は、個人の現に有する具体的な財産上の権利のみならず、個人が財産権を享有し得る法制度を保障している。

イ：憲法第29条第３項にいう「公共のために用ひる」とは、病院や道路の建設といった公共事業のための収用を指し、特定個人が受益者となる場合は含まれない。

ウ：判例は、憲法第29条第３項を直接の根拠として補償請求をする余地を否定していない。

	ア	イ	ウ
1：	正	正	誤
2：	正	誤	正
3：	誤	正	正
4：	誤	正	誤
5：	誤	誤	正

直前復習

チェック欄

1回目	2回目	3回目

実践 問題 53 の解説

〈財産権〉

ア○ 森林法事件において最高裁は、憲法29条1項は、個人が財産権を享有することができるという私有財産制自体を制度として保障しているだけでなく、各個人が現に有している個別的・具体的な財産権も基本的人権として保障しているとした（最大判昭62.4.22）。したがって、本記述は正しい。

イ× 判例は、戦後の自作農創設を目的とする農地買収について、特定の個人に分配される場合であっても、収用全体の目的が広く農地改革を目的とする社会公共の利益のためであれば「公共のために用ひる」（憲法29条3項）といえるとしている（最判昭29.1.22）。したがって、特定個人を受益者とする場合も「公共のために用ひる」に含まれるので、本記述は誤りである。

ウ○ 河川附近地制限令事件において最高裁は、公共のために必要な制限によるものとはいえ、単に一般的に当然に受忍すべきものとされる制限の範囲を超え、特別の犠牲を課したものといえる場合に、法令に損失補償に関する規定がないからといって、あらゆる場合について一切の損失補償をまったく否定する趣旨とまでは解されず、特別の犠牲を受ける者が、その損失を具体的に主張立証して、別途、直接憲法29条3項を根拠にして補償請求をする余地がまったくないわけではないとしている（最大判昭43.11.27）。したがって、憲法29条第3項を直接の根拠として補償請求をする余地を否定していないと述べる本記述は正しい。

以上より、ア―正、イ―誤、ウ―正であり、肢2が正解となる。

正答 2

経済的自由権
財産権

実践 問題 54 基本レベル

頻出度	地上★★ 国家一般職★★ 特別区★★
	裁判所職員★★ 国税・財務・労基★★ 国家総合職★★

問 **財産権に関するア～オの記述のうち、妥当なもののみをすべて挙げているのはどれか。** **(国Ⅱ2011)**

ア：憲法第29条第１項にいう「財産権」とは、個人の有する現実の個々の財産上の権利を保障するものではなく、それらの権利の主体となり得る能力の意味であり、同項は専ら私有財産制を保障するものであると解されている。

イ：憲法第29条第３項にいう「公共のために用ひる」とは、直接公共の用に供する公共事業のための財産権の侵害に限られないが、広く社会公共の利益を収用全体の目的とするものであっても、自作農創設を目的とする農地買収のように、収用された財産が特定の個人に分配される場合は含まれないと解されている。

ウ：憲法第29条第３項にいう「正当な補償」とは、その当時の経済状態において成立すると考えられる価格に基づき合理的に算出された相当な額をいうのであって、必ずしも常にかかる価格と完全に一致することを要するものではないとするのが判例である。

エ：財産権は個人の生存の基礎をなし、自己実現の重要な手段であるという普遍性をも併せ持つものであるから、財産権に対して加えられる規制が憲法第29条第２項にいう公共の福祉に適合するものとして是認されるかについての判断は一般に厳格にすべきであり、規制目的が正当であり、かつ、規制手段が当該目的の達成にとって必要最小限度のものでない限り、当該規制は同項に違反するとするのが判例である。

オ：ため池の堤とうを使用する財産上の権利に対する法令による制限が、当該権利の行使をほとんど全面的に禁止するものである場合は、それが災害を未然に防止するという社会生活上のやむを得ないものであっても、当該権利を有する者が当然に受忍しなければならないものとまではいうことはできないから、その制限に当たっては、憲法第29条第３項の補償を要するとするのが判例である。

1：イ
2：ウ
3：ア、ウ
4：ア、エ、オ
5：イ、エ、オ

チェック欄

1回目	2回目	3回目

実践 問題 54 の解説

〈財産権〉

ア× 憲法29条1項は、私有財産制度を保障しているのみでなく、国民の個々の財産権を保障するものであると解されている（**森林法事件**、最大判昭62.4.22）。

イ× 判例は、たとえば、戦後の自作農創設を目的とする農地買収について、特定の個人に分配される場合であっても、収用全体の目的が広く農地改革を目的とする社会公共の利益のためであれば「公共のために用ひる」といえるとした（最判昭29.1.22）。

ウ○ 判例は、**農地改革事件**において正当な補償の意味について本記述のように述べている（最大判昭28.12.23）。

エ× 判例は、財産権の規制には積極的なものから消極的なものに至るものまで多岐にわたるとしたうえで、財産権規制立法の違憲審査基準について、職業選択の自由に関する判決にみられるような形式的な規制目的二分論を採用せずに、立法事実を具体的に検証し、規制手段がその目的を達成するための手段として必要性もしくは合理性に欠けていることが明らかであって、そのため立法府の判断が合理的裁量の範囲を超えるものとなる場合に限り違憲になるとしている（**森林法事件**、最大判昭62.4.22）。

オ× 判例は、本記述における法令による制限も、災害を防止し公共の福祉を保持するうえに社会生活上やむをえないものであり、財産権を有する者が当然受忍しなければならない責務というべきものであって、憲法29条3項の損失補償はこれを必要としないとしている（**奈良県ため池条例事件**、最大判昭38.6.26）。

以上より、妥当なものはウであり、肢2が正解となる。

正答 2

経済的自由権

財産権

実践 問題 55 基本レベル

頻出度 地上★★ 国家一般職★★ 特別区★★ 裁判所職員★★ 国税･財務･労基★★ 国家総合職★★

問 憲法第29条第３項に定める損失補償に関する次の記述のうち、判例に照らし妥当なのはどれか。 （地上2011）

1：ため池の堤とうに農作物を植える行為を禁止することは、災害防止のために社会生活上やむをえないもので、こういう制約は受忍しなければならないものであるから、憲法上の損失補償は必要でない。

2：自作農創設特別措置法による土地の買収は、その後売渡しを受ける特定の小作人の利益を図るものであり、「公共のために用ひる」とはいえないが、これは農地改革という憲法外的な行為の一環であるから、憲法第29条第３項に違反しない。

3：日本国が連合国との平和条約の締結に伴い、日本国民の在外財産に対して請求権を放棄したことは、国民が等しく受忍すべき戦争損害には含まれないから、連合国に財産を没収された者は、日本国に対し損失補償を請求できる。

4：公共の福祉のために財産権を制約する条例の規定が、特定の者に特別の犠牲を課しており、しかも損失補償の規定がない場合、当該規定は違憲無効である。

5：憲法第29条第３項にいう「正当な補償」とは、その当時の経済状態において成立すると考えられる価格と一致する額、いわゆる「完全な補償」を意味する。

チェック欄		
1回目	2回目	3回目

実践 問題 55 の解説

〈財産権〉

1 ○ 判例は、ため池の堤とうに農作物を植える行為を禁止することは、災害を防止し公共の福祉を保持する上に社会生活上やむをえないものであり、そのような制約は、ため池の堤とうを使用しうる財産権を有する者が当然受忍しなければならない責務というべきであって、憲法29条３項の損失補償はこれを必要しないと解するのが相当であるとする（奈良県ため池条例事件、最大判昭38.6.26)。

2 × 判例は、自創法により買収された農地、宅地、建物等が買収申請人である特定の者に売り渡されるとしても、それは農地改革を目的とする公共の福祉の為の必要に基づいて制定された自創法の運用による当然の結果にほかならないので、「公共のために用ひる」といえるとした（最判昭29.1.22)。

3 × 判例は、戦中・戦後の非常事態にあっては、国民すべてがその生命・身体・財産の犠牲を余儀なくされ、これらの犠牲は、いずれも、戦争犠牲または戦争損害として、国民の等しく受忍しなければならなかったところであり、在外資産の賠償への充当による損害のごときも、一種の戦争損害として、これに対する補償は、憲法のまったく予想しないところというべきであるとする（最大判昭43.11.27)。

4 × 判例は、ある法令に損失補償に関する規定がないからといって一切の損失補償をまったく否定する趣旨とまでは解されず、特別の犠牲を受ける者が損失を具体的に主張立証して、直接憲法29条３項を根拠にして補償請求する余地を認めて、当該法令を直ちに違憲無効と解すべきでないとする（河川附近地制限令事件、最大判昭43.11.27)。

5 × 判例は、正当な補償とは、その当時の経済状態において成立することを考えられる価格に基き、合理的に算出された相当な額をいうのであって、必ずしも常にかかる価格と完全に一致することを要するものでないとし、相当補償説をとった（農地改革事件、最大判昭28.12.23)。

正答 1

経済的自由権
財産権

実践 問題 56 応用レベル

頻出度			
	地上★	国家一般職★★	特別区★
	裁判所職員★	国税·財務·労基★	国家総合職★★

問 財産権の保障に関するア～オの記述のうち、判例に照らし、妥当なもののみをすべて挙げているのはどれか。 (国Ⅰ2010)

ア：憲法第29条第２項は、財産権の内容は「法律でこれを定める」と規定しているから、地方公共団体が私有地に対する個人の権利の行使を法律によらずに条例のみで規制することは、同項の規定に違反する。

イ：憲法第29条第３項の「公共のために用ひる」とは、直接公共の用に供するため私有財産を収用又は制限する場合のみならず、特定の個人が受益者となるが収用全体の目的が公共の利益のためである場合も含まれるのであり、国による土地の買収において、買収された土地が特定の個人に売り渡されるとしても、そのことのみをもって当該買収の公共性は否定されない。

ウ：土地の形状の変更に制限を課す法令の規定に損失補償に関する定めがない場合、当該規定はあらゆる場合において一切の損失補償を否定していると解されるから、当該規定は憲法第29条第３項の規定に違反する。

エ：法律でいったん定められた財産権の内容を事後の法律で変更しても、その変更が当該財産権に対する合理的な制約として容認されるべきものである限り、これをもって違憲の立法ということはできない。

オ：ある河川付近の土地に、河川管理上支障のある事態の発生を事前に防止することを目的とした規制が新たに課されたため、従来その土地の賃借料を支払い、労務者を雇い入れ、相当の資本を投入して砂利採取業を営んできた者が、以後これを営み得なくなり、それにより相当の損失を被ったとしても、当該規制は公共のために必要な制限であり、一般的に当然に受忍すべきものとされる制限の範囲を超えるものではないから、損失補償を請求することはできない。

1：ア、ウ
2：ア、オ
3：イ、ウ
4：イ、エ
5：エ、オ

チェック欄

1回目	2回目	3回目

実践 問題 56 の解説

〈財産権〉

ア× 判例は、堤とうの使用行為は、憲法、民法の保障する財産権の行使のらち外にあるため、これを条例で禁止しても憲法に抵触しないとした（奈良県ため池条例事件、最大判昭38.6.26）。

イ○ 判例は、憲法29条3項の「公共のために用ひる」とは、直接公共の用に供する公共事業のためというだけではなく、特定人が受益者となる場合であっても広く公共の利益のためになるものであれば「公共のために」といえるとしている。そして、特定の者が利益を享受する結果となっても、本件買収は、自作農の創設、農業生産力の発展、農村の民主的傾向の促進という公共の福祉のための必要に基づいたものであるから、当該買収の公共性は否定されず憲法29条3項には反しないと判示した（最判昭29.1.22）。

ウ× 判例は、河川附近地制限令4条2号による制限について、同条に損失補償に関する規定がないからといって、同条があらゆる場合について一切の損失補償をまったく否定する趣旨とまでは解されず、別途、直接憲法29条3項を根拠にして補償請求をする余地がまったくないわけではないから、憲法29条3項に違反するとはいえないとした（河川附近地制限令事件、最大判昭43.11.27）。

エ○ 判例は、財産権の内容を事後の法律で変更することは、その変更の内容が公共の福祉に適合するのであれば、そのような変更は憲法上当然容認されるとした（最大判昭53.7.12）。

オ× 判例は、同様の事案において、河川付近地の利用規制により業者が被った損失は、公共のために必要な制限によるものとはいえ、一般的に当然に受忍すべきものとされる制限の範囲を超え、特別の犠牲を課したものとみる余地がまったくないわけではないので、憲法29条3項の趣旨に照らし、業者はその補償を請求できると解する余地があるとしている（河川附近地制限令事件、最大判昭43.11.27）。

以上より、妥当なものはイ、エであり、肢4が正解となる。

正答 4

第3章 SECTION ② 経済的自由権

財産権

実践 問題 57 応用レベル

頻出度	地上★ 国家一般職★★ 特別区★ 裁判所職員★ 国税·財務·労基★ 国家総合職★★

問 **財産権の保障に関するア～オの記述のうち、妥当なもののみを全て挙げているのはどれか。** **(国家総合職2013)**

ア：憲法第29条第２項は、財産権の内容は法律によって定めると規定していることから、財産権に対する規制は法律によってのみ可能であり、条例によって規制することは許されないと一般に解されている。

イ：憲法第29条第１項にいう「財産権」とは、個人の有する現実の個々の財産上の権利を保障するものではなく、それらの権利の主体となり得る能力の意味であり、同項は専ら私有財産制度を保障するものであると一般に解されている。

ウ：憲法第29条第３項は、私有財産について、正当な補償の下に公共のために用いることができるとしているが、財産権は最大限尊重されるべきものであることから、その制限は病院、学校、道路の設置・建設など不特定多数の人々が受益者となる場合に限られるとするのが判例である。

エ：公用収用や公用制限を行う場合、法令に損失補償に関する規定を特段設けていない場合であっても、直接憲法第29条第３項を根拠にして補償請求をする余地があるとするのが判例である。

オ：法律によって共有森林につき持分価額２分の１以下の共有者に分割請求を禁ずることは、財産権への重大な制限であるから、その立法目的が正当であり、その規制手段が目的達成のために必要最小限度のものであることを要するところ、森林経営の安定を図るという目的は正当であるが、分割後の面積が安定的な森林経営のために必要な面積を下回るような分割請求を禁ずることによってもその目的を達成することができるから、必要最小限度の制限とはいえず、憲法第29条第２項に違反するとするのが判例である。

1：エ
2：ア、ウ
3：エ、オ
4：ア、イ、オ
5：イ、ウ、エ、オ

直前復習

チェック欄

1回目	2回目	3回目

実践 問題 57 の解説

〈財産権〉

ア× 通説は、条例は、地方公共団体の議会において民主的手続によって制定される法であるから、特に地方的な特殊な事情のもとで定められる条例については、条例による財産権の規制を否定することは妥当ではないと解している。

イ× 判例・通説は、憲法29条1項は、私有財産制度を保障するだけではなく、社会的経済的活動の基礎をなす国民の個々の財産権につきこれを基本的人権として保障するものであるとする（森林法事件、最大判昭62.4.22）。

ウ× 判例は、特定の者が利益を享受する結果となっても、農地改革における農地買収は、自作農の創設、農業生産力の発展、農村の民主的傾向の促進という公共の福祉のための必要に基づいたものであるから、当該買収の公共性は否定されず憲法29条3項には反しないとした（最判昭29.1.22）。

エ○ 判例は、河川附近地制限令4条2号による制限について、同条に損失補償に関する規定がないからといって、同条があらゆる場合について一切の損失補償をまったく否定する趣旨とまでは解されず、別途、直接憲法29条3項を根拠にして補償請求をする余地がまったくないわけではないから、憲法29条3項に違反するとはいえないとした（河川附近地制限令事件、最大判昭43.11.27）。

オ× 判例は、財産権に対する規制立法について、①規制目的が公共の福祉に合致しないことが明らかであるか、②規制手段が目的を達成するための手段として必要性もしくは合理性に欠けていることが明らかであって、そのため立法府の判断が合理的裁量の範囲を超えるものとなる場合に限り、違憲となるとした。そのうえで、共有林の分割請求を制限する森林法186条の立法目的は、森林の細分化を防止することによって森林経営の安定を図り、ひいては森林の保続培養と森林の生産力の増進を図り、もって国民経済の発展に資することにあるとして、公共の福祉に合致しないことが明らかであるとはいえないとした。しかし、同条による分割請求権の制限は立法目的との関係において、合理性と必要性のいずれをも肯定することのできないことが明らかであって、憲法29条2項に違反し無効であるとした（森林法事件、最大判昭62.4.22）。

以上より、妥当なものはエであり、肢1が正解となる。

正答 1

第3章 3 SECTION

経済的自由権

居住・移転の自由、国籍離脱の自由

必修問題　セクションテーマを代表する問題に挑戦！

居住・移転の自由、国籍離脱の自由については、あまり出題されません。職業選択の自由と一緒に出題されることもあります。

問 居住・移転の自由、外国移住・国籍離脱の自由に関する次のア～ウの記述の正誤の組合せとして最も妥当なものはどれか（争いのあるときは、判例の見解による。）。（裁判所事務官2022）

ア：憲法第22条は、我が国に在留する外国人について、外国へ一時旅行する自由を保障している。

イ：憲法第22条第２項は、国籍離脱の自由を保障するが、その自由も他の国籍を有することが前提であり、無国籍になる自由を保障するものではない。

ウ：憲法第22条は、日本人だけでなく、外国人についても入国の自由を保障している。

	ア	イ	ウ
1：	誤	正	正
2：	誤	誤	誤
3：	誤	正	誤
4：	正	誤	正
5：	正	正	誤

直前復習

Guidance ガイダンス

居住・移転の自由→経済的自由権だけでなく表現の自由や人身の自由の性質あり

国籍離脱の自由→無国籍になる自由までは保障していない

外国旅行の自由→外国移住の自由の１つとして保障される

チェック欄 1回目 2回目 3回目

必修問題の解説

〈居住・移転、外国移住・国籍離脱の自由〉

ア × 外国人の外国へ一時旅行する自由は保障されないので、本記述は妥当でない。まず、記述ウの解説で述べるとおり、外国人に入国の自由は保障されない。次に、再入国の自由も入国の自由と同質のものであるから、入国の自由と同様に保障されない。そして、再入国の自由が保障されない以上、外国へ一時旅行する自由も保障されない。判例も、わが国に在留する外国人は、憲法上、外国へ一時旅行をする自由を保障されるものではないとしている（森川キャサリーン事件、最判平4.11.16）。

イ ○ 国籍離脱の自由には、無国籍者になる自由は含まれないので、本記述は妥当である。国籍法は、憲法22条2項を受けて、本人の志望に基づく国籍離脱の規定（同法11条1項）を置くと同時に、外国の国籍を有する日本人について一定の条件のもとで国籍を喪失させる旨の規定（同法11条2項·12条·13条等）を置き、重国籍の解消を図っている。すなわち、今日における国際社会の現状では、国民はいずれかの国家に属することとされており、国籍離脱の自由には、無国籍者になる自由は含まれないと解されている。

ウ × 外国人に入国の自由は保障されないので、本記述は妥当でない。判例は、憲法22条は外国人の日本国に入国することについては何ら規定していないものというべきであって、このことは、国際慣習法上、外国人の入国の許否は当該国家の自由裁量により決定し得るものであって、特別の条約が存しない限り、国家は外国人の入国を許可する義務を負わないとして外国人の入国の自由を否定している（最大判昭32.6.19）。

以上より、ア―誤、イ―正、ウ―誤であり、肢3が正解となる。

正答 3

第3章 SECTION 3 経済的自由権

居住・移転の自由、国籍離脱の自由

1 居住・移転の自由とは

憲法22条1項は居住・移転の自由を保障しています。この自由の内容は、人が自由に自己の住所を決定し自由に移動することです。

居住・移転の自由は、これが保障されることにより自由な経済活動が可能となり資本主義経済の基本的条件が整うという重要な意義を有します。しかし、この自由は、身体の拘束を解く意義を持っているので、人身の自由と密接に関連し、また、他者との接触を通じて人格を発展させるという意味で、精神的自由の要素も持ち合わせていることにも留意してください。

2 海外渡航の自由

海外渡航の自由は、憲法上の自由として保障されているのでしょうか。通説・判例は、憲法22条2項の外国への移住に類似するものとして同条項で保障されていると考えています。そして、海外渡航の自由は精神的自由の側面を有することから、その規制の合憲性の判断にあたっては、ある程度厳格な基準が用いられるべきであると考えられています。

判例
《帆足計事件》最大判昭33.9.10
【事案】元参議院議員帆足計がモスクワで開催される国際経済会議に参加するために申請した旅券の発給を外務大臣が旅券法13条に基づいて拒否したため、同条の合憲性が争われた事件
【判旨】憲法22条2項の外国に移住する自由には外国旅行の自由も含まれるが、外国旅行の自由も公共の福祉のための合理的制限に服する。そして、旅券法13条は外国旅行の自由に対して「公共の福祉」のための合理的制限を定めたものであるから違憲ではない。

3 国籍離脱の自由

憲法22条2項は国籍離脱の自由を保障しています。日本国民は、自らの意思で日本国籍を離脱することができるのですが、それは無国籍になる自由を保障するものではありません。

memo

経済的自由権
居住・移転の自由、国籍離脱の自由

実践 問題 58 応用レベル

頻出度	地上★	国家一般職★	特別区★
	裁判所職員★	国税·財務·労基★	国家総合職★

問 憲法第22条に関する次のア～エの記述の正誤の組合せとして、最も適当なのはどれか。 (裁事2008)

ア：判例は、憲法第22条第１項は、日本国内における居住・移転の自由を保障する旨を規定するにとどまり、外国人がわが国に入国することについてはなんら規定していないものというべきであるから、憲法上、外国人は、わが国に入国する自由を保障されているものでないことはもちろん、在留の権利ないし引き続き在留することを要求しうる権利を保障されているものでもないとした。

イ：外国へ一時旅行する自由の憲法上の根拠規定については、憲法第22条第１項の移転の自由に含まれるとする見解と憲法第22条第２項の移住の自由に含まれるとする見解があるが、判例は、「旅行」を「移住」に含めるより「移転」に含める方が文言上自然であること、「移住」は国籍離脱とともに日本国の支配を脱する意味を有することから、憲法第22条第１項の移転の自由に含まれるとした。

ウ：我が国に在留する外国人の外国へ一時旅行する自由については、日本国民と同様に憲法第22条により保障されているとする見解があるが、判例は、我が国に在留する外国人は、憲法上、外国へ一時旅行する自由を保障されているものでないことは明らかであるとした。

エ：判例は、憲法第三章の諸規定による基本的人権の保障は、権利の性質上日本国民のみをその対象としていると解されるものを除き、わが国に在留する外国人に対しても等しく及ぶものと解すべきであるが、憲法第22条第２項にいう外国移住の自由は、その権利の性質上日本国民のみをその対象としていると解されるから、外国人には保障されていないとした。

	ア	イ	ウ	エ
1：	正	誤	正	正
2：	正	誤	正	誤
3：	誤	正	正	正
4：	正	正	誤	正
5：	誤	正	誤	誤

チェック欄

1回目	2回目	3回目

実践 問題 58 の解説

〈居住・移転の自由〉

ア○ 最高裁判所は、憲法22条１項は、日本国内における居住・移転の自由を保障する旨を規定するにとどまり、憲法上、外国人は、わが国に入国する自由を保障されているものでないことはもちろん、在留の権利ないし引き続き在留することを要求しうる権利を保障されているものでもないと判断した（マクリーン事件、最大判昭53.10.4）。

イ× 日本人の外国への一時旅行する自由を認めるのが通説・判例であるが、その憲法上の根拠については、憲法22条１項に求める見解、憲法22条２項に求める見解、憲法13条に求める見解などがある。この点につき、判例は、憲法22条２項に根拠を求めている（帆足計事件、最大判昭33.9.10）。すなわち、判例は、憲法22条１項は国内の移動の自由、憲法22条２項は国外への移動の自由というように捉えている。それゆえ、海外旅行は国外への移動であるから、憲法22条１項ではなく、同条２項が根拠となる。

ウ○ 在留外国人の外国へ一時旅行する自由は、再入国の自由ともよばれ、これを否定するのが判例である（森川キャサリーン事件、最判平4.11.16）。

エ× 最高裁判所は、憲法22条２項は何人も、外国に移住し、また国籍を離脱する自由を侵されないと規定しているが、ここにいう外国移住の自由は、その権利の性質上外国人に限って保障しないという理由はないとしている（最大判昭32.12.25）。

以上より、アー正、イー誤、ウー正、エー誤であり、肢２が正解となる。

正答 2

経済的自由権

居住・移転の自由、国籍離脱の自由

実践 問題 59 応用レベル

頻出度	地上★	国家一般職★	特別区★
	裁判所職員★	国税･財務･労基★	国家総合職★

問 居住・移転の自由等に関するア～エの記述のうち、判例に照らし、妥当なもののみを全て挙げているのはどれか。 (国家総合職2013)

ア：憲法第３章の諸規定による基本的人権の保障は、権利の性質上日本国民のみをその対象としていると解されるものを除き、我が国に在留する外国人に対しても等しく及び、居住・移転の自由との関係では、我が国に在留する外国人に居住地に関する登録義務を課すことは、公共の福祉のための制限として許容されるものではない。

イ：国際慣習法上、外国人の入国を認めるか否かは各国の自由裁量に委ねられるとされており、居住・移転の自由を保障する憲法第22条第１項も日本国内における自由を保障する旨を規定したものであって、同項は外国人に日本への入国の自由を保障するものではない。

ウ：憲法第22条第２項は、我が国に在留する外国人の出国の自由を認めているところ、日本国民が外国へ一時旅行することが同項によって保障されているのと同様、出国の自由を認めている以上は、我が国に在留する外国人の再入国の自由も同項によって保障されていると解すべきである。

エ：憲法第22条第２項の外国に移住する自由には外国へ一時旅行する自由も含まれるが、海外渡航に際し旅券所持を義務付ける旅券法が「著しく且つ直接に日本国の利益又は公安を害する行為を行う虞があると認めるに足りる相当の理由がある者」に対して外務大臣が旅券の発給を拒否することができると定めていることは、公共の福祉のための合理的な制限として許容される。

1：ア
2：ア、エ
3：イ、ウ
4：イ、エ
5：ウ、エ

直前復習

チェック欄

1回目	2回目	3回目

実践 問題 59 の解説

〈居住・移転の自由〉

ア× 外国人の人権享有主体性につき、判例は、憲法上の基本的人権の保障は、権利の性質上日本国民のみをその対象としていると解されるものを除き、わが国に在留する外国人に対しても等しく及ぶとした（マクリーン事件、最大判昭53.10.4）。そして、在留外国人の居住地登録を義務付けた外国人登録令の合憲性について、判例は、居所もしくは住所を定めること自体を制限するものでもなく、また居所もしくは住所の移転自体を制限するものでもないから、憲法22条１項に違反しないとした（最大判昭28.5.6）。

イ○ 判例は、憲法22条１項の居住・移転の自由の保障は、日本国内における自由を保障するものであり、同条は外国人が日本国に入国することについては何ら規定しておらず、このことは国際慣習法上、外国人の入国の許否は当該国家の自由裁量により決定しうるものであって、特別の条約が存しない限り、国家は外国人の入国を許可する義務を負わないとすることと、考えを同じくするものであるとした（最大判昭32.6.19）。

ウ× 判例は、憲法22条２項にいう、外国移住の自由は、その権利の性質上外国人に限って保障しないという理由はないとして、出国の自由については外国人にも保障されているとした（最大判昭32.12.25）。しかし、再入国の自由について判例は、在留外国人にとって一面においては「帰国」の性質を有する再入国も、他面においては「入国」としての性質を持つから、入国および在留の権利を保障しないことと同じ趣旨により再入国の自由は認められず、したがって、在留外国人は憲法上、外国へ一時旅行する自由を保障されているものではないとした（森川キャサリーン事件、最判平4.11.16）。

エ○ 判例は、憲法22条２項の外国に移住する自由には外国へ一時旅行する自由を含むが、外国旅行の自由も無制限に許されるものではなく、公共の福祉のために合理的な制限に服するとした。そして、旅券法13条１項５号（現７号）が「著しく且つ直接に日本国の利益又は公安を害する行為を行う虞があると認めるに足りる相当の理由がある者」に対して外務大臣が旅券の発給を拒否することができると定めていることは、公共の福祉のための合理的な制限として許容されるとした（帆足計事件、最大判昭33.9.10）。

以上より、妥当なものはイ、エであり、肢４が正解となる。

正答 4

第3章

経済的自由権

章末 CHECK　? Question

Q1 職業選択の自由（憲法22条１項）には、自己の従事する職業を選択する自由だけでなく、自己の選択した職業を遂行する自由も含まれる。

Q2 主として国民の生命・健康に対する危険の防止を目的とする規制を積極目的規制、社会・経済政策上の目的を達成するための規制を消極目的規制という。

Q3 判例は、薬事法事件において、薬局の偏在、競争激化が不良医薬品の供給の危険などの弊害をもたらすのだから適正配置規制はその必要性と合理性のいずれをも肯定できるとして、適正配置規制を合憲とした。

Q4 積極目的規制については、裁判所は、立法府の裁量的判断を尊重するのを建前とし、立法府が裁量権を逸脱し当該法的措置が著しく不合理であることの明白である場合に限って違憲となる。

Q5 判例は、生糸の輸入制限措置は積極目的規制であるものの、売り渡し方法や価格が規制されており、絹織物生産者の営業の自由に対する著しい制約であることは明白であるとした。

Q6 職業に対する過度な規制は経済の発展を阻害する効果を有するため、酒類販売について許可制を採用することは憲法22条１項に反するというのが判例の立場である。

Q7 憲法29条１項は、個人の具体的な財産権だけではなく、私有財産制度をも保障している。

Q8 憲法29条３項により「正当な補償」が必要とされるのは、一般人に対して受忍限度を超えるような強い制約を加えた場合である。

Q9 農地改革事件において、判例は、被収用者に対して、完全な補償、すなわち、収用の前後を通じて被収用者の財産価値を等しくならしめるような補償を要するとしている。

Q10 憲法上、財産権に対する規制は法律によってのみ可能とされていることから、条例による規制は憲法に反するものであり許されない。

Q11 土地収用法上の収用における損失補償は、完全な補償ではなく、合理的に算出された相当な額で足りるとするのが判例である。

Q12 居住移転の自由は経済的自由としての側面のみを有する。

Q13 判例は、海外渡航の自由が憲法13条の幸福追求権によって保障されるとしている。

Q14 日本国籍を離脱する際には外国籍を取得せず、無国籍になるという自由も憲法上保障されている。

A1 ○ 判例・通説である。

A2 × 前者を消極目的規制、後者を積極目的規制という。

A3 × 薬事法距離制限事件は、薬局の偏在、競争激化が不良医薬品供給の危険などの弊害をもたらすという事由は適正配置の必要性と合理性を肯定する理由とはならないとして、適正配置規制を違憲とした。

A4 ○ 小売市場事件は、本問のように述べて、積極目的規制立法の違憲審査基準としていわゆる「明白性の原則」を採用した。

A5 × 西陣ネクタイ事件において、生糸の輸入制限措置は国内生糸生産者業者の保護という積極目的規制であると判断しているものの、当該規制は著しく不合理であることは明白とはいえないとして合憲であると判断した。

A6 × 判例は、酒類販売免許規制事件において、免許制を導入することは憲法22条1項に反しないとしている。

A7 ○ 森林法事件は、本問のように述べている。

A8 × 憲法29条3項により「正当な補償」が必要とされるのは、「一般人」ではなく「特定人」に対して受忍限度を超えるような強い制約を加えた場合である。

A9 × 農地改革事件において、判例は、憲法29条3項の「正当な補償」とは、その当時の経済状態において成立することを考えられる価格に基づき、合理的に算出された相当な額をいうとしているのであり、完全な補償を要するとしているわけではない。

A10 × 奈良県ため池条例事件において、判例は、条例をもって財産権の行使を禁止、処罰しても憲法および法律に抵触するものではないとしている。

A11 × 土地収用法事件において判例は、完全補償、すなわち収容の前後を通じて被収用者の財産価値を等しくならしめるような補償をなすべきであるとしている。

A12 × 居住・移転の自由は憲法22条1項に規定されているが、経済的自由としての側面のみならず、人身の自由や精神的自由としての側面をも有するとするのが通説である。

A13 × 判例は、海外渡航の自由は憲法22条2項によって保障されるとしている。

A14 × 無国籍になる自由は憲法上保障されていない。国籍法も、外国籍を取得することと引き換えに日本国籍を離脱することを認めるにとどまる。

memo

第4章

人身の自由

SECTION

① 適正手続の保障
② 被疑者・被告人の権利

第4章 人身の自由

出題傾向の分析と対策

試験名	地　上			国家一般職			特別区			裁判所職員			国税・財務・労基			国家総合職		
年　度	16-18	19-21	22-24	16-18	19-21	22-24	16-18	19-21	22-24	16-18	19-21	22-24	16-18	19-21	22-24	16-18	19-21	22-24
出題数 セクション	1	1	1		1	1		1	1					1	1	1		1
適正手続の保障	★	★	★		★			★							★			★
被疑者・被告人の権利						★			★					★		★		

（注）１つの問題において複数の分野が出題されることがあるため、星の数の合計と出題数とが一致しないことがあります。

人身の自由はあまり出題されていません。出題されるとしても条文の内容を問う問題がほとんどです。

地方上級

被疑者・被告人の権利についてたまに出題されることがあります。少し前には、適正手続の保障について問われています。過去問を繰り返し解いて、条文の知識をしっかり身につけてください。

国家一般職

ほとんど出題されていませんでしたが、最近、刑事被告人の権利について出題されました。適正手続の保障に関する判例を中心に勉強しておいてください。

特別区

比較的よく出題されています。問われている内容は基本的なことばかりですので、過去問を繰り返し解くことで、主要な判例の内容と条文に関する知識を身につけるようにしてください。

裁判所職員

ほとんど出題されていません。過去問を解いて基本的な知識を身につけておいてください。

国税専門官・財務専門官・労働基準監督官

人身の自由のみを問う問題はあまり出されません。ただ、人権に関する総合問題の中で肢の１つとして出題されることがあります。人身の自由に関する主要な判例の内容を理解しておいてください。

国家総合職

ほとんど出題されていませんでしたが、最近、被疑者・被告人の権利について出題されています。人身の自由に関する判例の内容を理解しておいてください。

Advice アドバイス 学習と対策

人身の自由については、第三者所有物没収事件、成田新法事件、川崎民商事件が重要ですので、しっかりと勉強しておきましょう。それ以外は条文の内容を問う問題がほとんどです。特に、憲法31条の適正手続の保障の意味、憲法33条の逮捕の令状主義、憲法35条の捜索・押収の令状主義、憲法38条の黙秘権の保障が重要ですので、これらの条文の内容は押さえておきましょう。

第4章 1 SECTION

人身の自由
適正手続の保障

必修問題 セクションテーマを代表する問題に挑戦！

適正手続の保障は、その保障内容のみならず、重要判例の学習が欠かせません。１つひとつ丁寧に学習しましょう。

問 人身の自由に関する次の記述のうち、判例に照らし、最も妥当なのはどれか。 （国税・財務・労基2024）

1：憲法第31条の定める法定手続の保障は、直接には刑事手続に関するものであり、行政手続については同条の保障は及ばない。一方で、行政手続については、行政処分の相手方に事前の告知、弁解、防御の機会を与えることが法定されていなければならない。

2：迅速な裁判を受ける権利を保障する憲法第37条第１項はいわゆるプログラム規定であり、個々の刑事事件について、審理の著しい遅延により被告人の当該権利が害されたと認められる場合でも、これに対処すべき法律上の具体的規定があるときに限り審理を打ち切ることができる。

3：酒気を帯びて車両の運転をするおそれがあるとして警察官が運転者に求める呼気検査は、運転者の供述を得ようとするものであるため、これを拒否した者を処罰する道路交通法上の規定は、自己に不利益な供述を強要されないとする憲法第38条第１項の規定に違反する。

4：憲法第35条は第33条の場合を除外しているが、現行犯の場合に関して、法律が司法官憲によらずまた司法官憲の発した令状によらずにその犯行の現場で捜索・押収等をすることができると規定することは、憲法第35条に違反する。

5：第三者の所有物を没収する場合において、その所有者に対して何ら告知、弁解、防御の機会を与えることなく、その所有権を奪うことは、著しく不合理であって、憲法上認められていない。そのような手続について旧関税法や刑事訴訟法等は何ら定めがないので、旧関税法により第三者の所有物を没収することは、憲法第29条や第31条に違反する。

Guidance ガイダンス

適正手続の保障（憲法31条）

・科刑手続の法定、科刑手続の適正、実体の法定、実体の適正
・刑事手続のみならず、行政手続についても及びうる
・生命・自由に対する人権＋財産権などの人権についても保障あり
・「法律」＝形式的意味の法律

直前復習

頻出度	地上★　国家一般職★　特別区★ 裁判所職員★★　国税·財務·労基★　国家総合職★

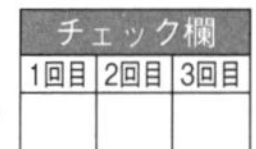

〈人身の自由〉

1 × 行政手続に憲法31条の保障が及ぶかについて、判例は、「行政手続については、それが刑事手続でないとの理由のみで、そのすべてが当然に同条による保障の枠外にあると判断することは相当でない」として、法定手続の保障が及びうることを示唆している。さらに、「行政処分の相手方に事前の告知、弁解、防御の機会を与えるかどうかは、行政処分により制限を受ける権利利益の内容、性質、制限の程度、行政処分により達成しようとする公益の内容、程度、緊急性等を総合較量して決定される」とし、法定されることが必要であるとは解してはいない（成田新法事件、最大判平4.7.1）。

2 × 判例は、憲法37条の迅速な裁判を受ける権利を「憲法の保障する人権の１つ」であるとし、著しい訴訟の遅延の結果、迅速な裁判を受ける被告人の権利が害されたと認められる異常な事態が生じた場合には、これに対処する具体的規定がなくともその審理を打ち切るという非常救済手段がとられるべきことを認める趣旨の規定であると捉えている（高田事件、最大判昭47.12.20）。したがって、本肢は妥当でない。

3 × 判例は、呼気検査は「酒気を帯びて車両等を運転することの防止」を目的としていて、供述を得ようとするものではないことを理由に、呼気検査を拒んだものを処罰する道路交通法の規定は不利益供述強要を禁じた憲法38条１項の規定に反しないとしている（最判平9.1.30）。

4 × 憲法35条の例外である「第33条の場合」とは、「不逮捕の保障の存しない場合」を指す（最大判昭30.4.27）。すなわち、憲法33条の規定により逮捕する場合は、令状逮捕・現行犯逮捕・緊急逮捕のどの場合であっても、35条による令状を必要とせずに逮捕に付随して捜索・押収を行っても許されると解されている。

5 ○ ある被告人が貨物を没収する旨の付加刑を言い渡されたところ、その貨物に被告人以外の第三者の所有物が含まれており、その第三者に反論の機会が与えられなかったことが問題となった第三者所有物没収事件において、判例は本肢のとおりに述べ、財産権を保障した憲法29条や適正手続を保障した同法31条の容認しないところであるとしている（最大判昭37.11.28）。

正答 5

第4章 SECTION 1

人身の自由

適正手続の保障

1 人身の自由の沿革

憲法は、18条と31条以下で「人身の自由」に関する規定を置いています。しかも、その内容は、他の憲法上の人権に関する規定に比べて詳細かつ具体的です。これは沿革的には、「人身の自由」を軽視してきた明治憲法のもとで、国民の自由、あるいは個人の尊厳に対する侵害が甚だしかった経験に基づくものです。

憲法18条は、憲法上直接人身の自由を規定したものであって、前段部分（奴隷的拘束からの自由）は直接私人間にも適用されます。

2 適正手続の保障

(1) 憲法31条の意義

憲法31条は、「何人も、法律の定める手続によらなければ、その生命若しくは自由を奪はれ、又はその他の刑罰を科せられない」と規定しています。これは人身の自由の総則的規定です。

(2) 憲法31条の保障内容

① 手続の法定

刑罰を科す手続を法律で定めなければならない

② 手続の適正

刑罰を科す手続の内容が適正なものでなければならない

例　告知・聴聞権

③ 実体の法定（罪刑法定主義）

犯罪と刑罰を法律で定めなければならない

例　慣習刑法の禁止

④ 実体の適正

犯罪と刑罰を定めた法律が適正なものでなければならない

例　明確性の理論、罪刑の均衡

(3) 告知・聴聞を受ける権利

告知・聴聞を受ける権利とは、国民が公権力によって刑罰その他の不利益を科されるとき、あらかじめその内容を告知され、弁解と防御をなす機会が与えられる権利のことをいいます。

> **判例** 《第三者所有物没収事件》最大判昭37.11.28
> 【事案】貨物の密輸を企てた被告人が、密輸した貨物の没収判決を受けたが、この貨物には被告人以外の第三者の所有物が含まれていた。そこで、被告人が、所有者である第三者に告知・聴聞の機会を与えないで没収することは憲法31条に反し違憲であると主張した
> 【判旨】所有物を没収される第三者についても、告知・弁解・防御の機会を与えることが必要であり、その機会を与えないでなした没収判決は憲法31条、29条に反し違憲である。

(4) 条例による刑罰

憲法31条 何人も、「法律」の定める手続によらなければ、…刑罰を科せられない。

条例で刑罰を科すことを認める法律の授権が存在し、かつその授権内容が相当程度に具体的であり、限定されている場合には、条例で刑罰を定めることができる（最大判昭37.5.30）。

(5) 明確性の理論

明確性の理論とは、刑罰を科す法律の文言は明確でなければならないという理論をいいます。

> **判例** 《徳島市公安条例事件》最大判昭50.9.10
> 【事案】「交通秩序を維持すること」という徳島市の条例の文言が不明確ではないかと問題となった事件
> 【判旨】ある刑罰法規があいまい不明確のゆえに憲法31条に違反するものと認めるべきかどうかは、通常の判断能力を有する一般人の理解において、具体的場合に当該行為がその適用を受けるものかどうかの判断を可能ならしめるような基準が読み取れるかどうかによってこれを決定すべき。

第4章 SECTION 1 人身の自由 適正手続の保障

実践 問題 60 基本レベル

頻出度	地上★	国家一般職★	特別区★
	裁判所職員★★	国税･財務･労基★	国家総合職★

問 **法定手続の保障等に関するア～エの記述のうち、判例に照らし、妥当なもののみをすべて挙げているのはどれか。** (国Ⅱ2009)

ア：刑事裁判において、起訴された犯罪事実のほかに、起訴されていない犯罪事実をいわゆる余罪として認定し、実質上これを処罰する趣旨で量刑の資料に考慮し、そのため被告人を重く処罰することは憲法第31条等に反し許されないが、量刑のための一情状として、いわゆる余罪をも考慮することは、必ずしも禁ぜられるところではない。

イ：憲法第31条の定める法定手続の保障は、直接には刑事手続に関するものであるが、財産や自由の剥奪ないし制限といった不利益は、行政処分によって課されることも十分あり得ることにかんがみると、行政手続にも刑事手続と等しく同条による保障が及び、その相手方に対し、事前の告知、弁解、防御の機会を与える必要がある。

ウ：関税法において、同法所定の犯罪に関係のある船舶、貨物等が被告人以外の第三者の所有に属する場合においてもこれを没収する旨規定しながら、その所有者たる第三者に対し、告知、弁解、防御の機会を与えるべきことを定めておらず、また、刑事訴訟法その他の法令においても何らかかる手続に関する規定を設けていないときに、関税法の規定により第三者の所有物を没収することは、憲法第29条及び第31条に違反する。

エ：刑罰法規があいまい不明確のゆえに憲法第31条に違反するかどうかは、通常の判断能力を有する一般人の理解において、具体的場合に当該行為がその適用を受けるかどうかの判断を可能ならしめるような基準が読み取れるかどうかによって決定され、罰則を伴う条例が、集団行進等について抽象的に「交通秩序を維持すること」とのみ定めているにすぎない場合は、その意味を一般人が理解することは困難であり、同条に違反する。

1：イ
2：エ
3：ア、ウ
4：ア、エ
5：イ、ウ

チェック欄

1回目	2回目	3回目

実践 問題 60 の解説

〈適正手続の保障〉

ア○ 余罪とは、逮捕あるいは起訴の根拠とされている犯罪事実以外の犯罪のことである。A罪が起訴された犯罪事実であり、裁判所がこれを有罪と認定する際に、起訴されていない余罪であるB罪を処罰する趣旨でA罪を重くすることは、B罪についての被告人の告知・聴聞の権利などが侵害されるため憲法31条などに違反する。これに対して、A罪の量刑の資料として余罪であるB罪を考慮することは、あくまでもA罪を処罰しているだけなので、許されるとするのが判例である（最大判昭42.7.5）。

イ× 判例は、憲法31条の定める適正手続の保障は、行政手続についても適用されうることは認めつつも、行政手続が刑事手続とその性質において差異があることなどを根拠に、行政手続に憲法31条の適用があるか否かは行政処分により制限を受ける権利利益の内容、性質、制限の程度、行政処分により達成しようとする公益の内容、程度、緊急性などを総合較量して決すると述べている（成田新法事件、最大判平4.7.1）。

ウ○ 判例は、裁判所が第三者の所有物を没収する場合において、その第三者に対して何ら告知、弁解、防御の機会を与えることなく所有権を剥奪することは憲法29条、31条に違反すると述べている（第三者所有物没収事件、最大判昭37.11.28）。

エ× 判例は、刑罰法規があいまい不明確のゆえに憲法31条に違反するか否かは、通常の判断能力を有する一般人の理解を基準とするとした（徳島市公安条例事件、最大判昭50.9.10）。そして同判例は、徳島市公安条例の「交通秩序を維持すること」という文言は、他の公安条例と比べて立法措置として著しく妥当を欠くとしつつも、通常の判断能力を有する一般人は、蛇行進、渦巻き行進などの行為が条例に違反することは容易に想定できるとして、本条例は憲法31条には違反しないとした。

以上より、妥当なものはア、ウであり、肢3が正解となる。

正答 3

人身の自由
適正手続の保障

実践 問題 61 基本レベル

頻出度	地上★	国家一般職★	特別区★
	裁判所職員★★	国税·財務·労基★	国家総合職★

問 **日本国憲法に規定する人身の自由に関する記述として、最高裁判所の判例に照らして、妥当なのはどれか。** (特別区2013)

1：旧関税法は、犯罪に関係ある船舶、貨物等が被告人以外の第三者の所有に属する場合にもこれを没収する旨を規定しており、この規定によって第三者に対し、告知、弁解、防御の機会を与えることなく、その所有物を没収することは、適正な法律手続によるものであり、法定手続の保障を定めた憲法に違反しない。

2：黙秘権に関する憲法の規定は、何人も自己が刑事上の責任を問われるおそれのある事項について供述を強要されないことを保障したものと解すべきであり、旧道路交通取締法施行令が、交通事故発生の場合において操縦者に事故の内容の報告義務を課しているのは、その報告が自己に不利益な供述の強要に当たるため、憲法に違反する。

3：刑事被告人が迅速な裁判を受ける権利を保障する憲法の規定は、審理の著しい遅延の結果、迅速な裁判を受ける被告人の権利が害せられたと認められる異常な事態が生じた場合には、当該被告人に対する手続の続行を許さず、その審理を打ち切るという非常救済手段がとられるべきことをも認めている趣旨の規定である。

4：憲法の定める法定手続の保障は、直接には刑事手続に関するものであるが、行政手続についても、行政作用に対する人権保障という観点から、当然にこの保障が及ぶため、行政処分を行う場合には、その相手方に事前の告知、弁解、防御の機会を必ず与えなければならない。

5：刑罰法規があいまい不明確のゆえに憲法の定める法定手続の保障に違反するかどうかは、通常の判断能力を有する一般人の理解において、具体的場合にその適用を受けるものかどうかの判断を可能ならしめるような基準が読みとれるかどうかによって決定すべきであり、公安条例の交通秩序を維持することという規定は、犯罪構成要件の内容をなすものとして不明確なため、違憲である。

直前復習

チェック欄

1回目	2回目	3回目

実践 問題 61 の解説

〈適正手続の保障〉

1 × 判例は、旧関税法の規定に基づいて第三者の所有物を没収する場合において、その第三者に対しても告知、弁解、防御の機会を与えることが必要であって、これなくして第三者の所有物を没収することは、適正な法律手続によらないで財産権を侵害するものとして、憲法31条・29条に違反するとした（第三者所有物没収事件、最大判昭37.11.28）。

2 × 判例は、旧道路交通取締法施行令の報告義務は、警察官が交通事故に対する処理をなすにつき必要な限度においてのみ報告義務を課すものであり、それ以上に刑事責任を問われるおそれのある事故の原因その他の事項までも報告義務中に含まれるものではないとして、憲法38条１項にいう自己に不利益な供述の強要にあたらないとした（最大判昭37.5.2）。

3 ○ 判例は、迅速な裁判を受ける権利を保障する憲法37条１項について、個々の刑事事件について、審理の著しい遅延の結果、迅速な裁判を受ける被告人の権利が害されたと認められる異常な事態が生じた場合には、これに対処すべき具体的な規定がなくても、免訴判決により審理を打ち切ることを認める規定であるとした（高田事件、最大判昭47.12.20）。

4 × 判例は、憲法31条の定める適正手続の保障は、直接には刑事事件に関するものであるが、行政手続についても適用されうるとした。しかし、行政手続は、刑事手続とは性質に差異があり、また行政目的に応じて多種多様であるから、行政処分の相手方に事前の告知、弁解、防御の機会を与えるかどうかは、行政処分により制限を受ける権利利益の内容、性質、制限の程度、行政処分により達成しようとする公益の内容、程度、緊急性等を総合較量して決定されるべきで、常に事前にかかる機会を与える必要はないとした（成田新法事件、最大判平4.7.1）。

5 × 判例は、ある刑罰法規があいまい不明確のゆえに憲法31条に違反するものと認めるべきかどうかは、通常の判断能力を有する一般人の理解において判断するとしたうえで、公安条例の「交通秩序を維持すること」という文言からは、蛇行進、渦巻き行進などの行為が条例に違反することが容易に想定できるとして、本条例は憲法31条に違反しないとした（徳島市公安条例事件、最大判昭50.9.10）。

正答 3

実践 問題 62 基本レベル

頻出度			
	地上★	国家一般職★	特別区★
	裁判所職員★★	国税·財務·労基★	国家総合職★

問 **憲法第31条に関するア～オの記述のうち、判例に照らし、妥当もののみをすべて挙げているのはどれか。** (国Ⅰ2007)

ア：刑事事件において被告人以外の第三者の所有物を没収する場合は、その没収に関して所有者に対し、何ら告知、弁解、防御の機会を与えることなく、その所有権を奪ったとしても、そのことをもって著しく不合理であるとはいえず、直ちに憲法第31条に違反するものではない。

イ：憲法第31条の定める法定手続の保障は、直接には刑事手続に関するものであるが、行政手続についても当然に同条による保障の枠内にあると解されることから、行政処分の相手方に対しては、常に、事前の告知、弁解、防御の機会を与えなければならない。

ウ：ある刑罰法規があいまい不明確であるとの理由により憲法第31条に違反するかどうかについては、通常の判断能力を有する一般人の理解において、具体的場合に当該行為がその適用を受けるものかどうかの判断を可能ならしめるような基準が読みとれるかどうかによってこれを決定すべきである。

エ：憲法第31条は、刑罰がすべて法律そのもので定められなければならないとするものでなく、法律の授権によって法律以下の法令によって刑罰を定めることを一概に否定するものではない。

オ：条例は、公選の議員をもって組織される地方公共団体の議会の議決を経て制定される自治立法であるが、国会の議決を経た法律とは根本的に異質なものであるから、憲法第31条は、条例によって刑罰を定めることを認めていないと解される。

1：ア
2：ア、オ
3：イ、オ
4：ウ、エ
5：エ

チェック欄		
1回目	2回目	3回目

実践 問題 62 の解説

〈適正手続の保障〉

ア× 判例は、被告人以外の「第三者の所有物を没収する場合において、その没収に関して当該所有者に対し、何ら告知、弁解、防禦の機会を与えることなく、その所有権を奪うことは、著しく不合理であって」憲法29条1項および31条に違反するとする（第三者所有物没収事件、最大判昭37.11.28）。

イ× 「憲法31条の定める法定手続の保障は、直接には刑事手続に関するものである」とする点は、判例に照らし妥当である（成田新法事件、最大判平4.7.1）。しかし、同判例は、「行政処分の相手方に事前の告知、弁解、防御の機会を与えるかどうかは、……総合較量して決定されるべきものであって、常に必ずそのような機会を与えることを必要とするものではない」とする。

ウ○ 判例は、「ある刑罰法規があいまい不明確のゆえに憲法31条に違反するものと認めるべきかどうかは、通常の判断能力を有する一般人の理解において、具体的場合に当該行為がその適用を受けるものかどうかの判断を可能ならしめるような基準が読み取れるかどうかによってこれを決定すべき」とする（徳島市公安条例事件、最大判昭50.9.10）。

エ○ 判例は、憲法31条は必ずしも刑罰がすべて法律そのもので定められなければならないとするものでなく、法律の授権によってそれ以下の法令によって定めることもできるとする（最大判昭37.5.30）。

オ× 判例は、条例は公選の議員をもって組織する地方公共団体の議会の議決を経て制定される自治立法であることなどを理由に、条例によって刑罰を定めることは、法律の授権が相当程度に具体的であり限定されていれば憲法31条に違反しないとする（上掲最大判昭37.5.30）。

以上より、妥当なものはウ、エであり、肢4が正解となる。

正答 4

人身の自由
適正手続の保障

実践 問題 63 応用レベル

頻出度	地上★	国家一般職★	特別区★
	裁判所職員★★	国税･財務･労基★	国家総合職★

問 人身の自由に関する次の記述ア～オのうちには判例に照らし妥当なものが2つあるが、それらはどれか。 **(地上2010)**

ア：第三者の所有物を没収する場合に、その没収に関して所有者に対し、告知、弁解、防御の機会を与えることなくその所有権を奪うことは、適正手続を保障する憲法の規定に反する。

イ：適正手続の保障は、直接には刑事手続に関するものであるが、行政手続にも及ぶと解されるから、行政処分をする際には、常に処分の相手方に事前の告知、弁解、防御の機会を与えなければならない。

ウ：司法官憲ではない収税官吏が、現行犯のみを理由に令状なしで住居に立ち入り、捜索・押収することは、不法な捜索・押収からの自由を保障する憲法の規定に反する。

エ：捜索・押収についての令状主義は、刑事事件における手続を保障したものなので、手続が刑事責任追及を目的とするものでないときには一切適用されない。

オ：国税犯則取締法が供述拒否権告知の規定を欠き、また、収税官吏が犯則嫌疑者に対し供述拒否権の告知をしなかったからといって、不利益供述強要を禁止する憲法の規定に反しない。

1：ア、エ
2：ア、オ
3：イ、ウ
4：イ、オ
5：ウ、エ

実践 問題 63 の解説

〈適正手続の保障〉

ア○ 判例は、所有者たる第三者に告知、弁解、防御の機会を与えていない点で関税法の旧規定は憲法29条・31条に反するとした（第三者所有物没収事件、最大判昭37.11.28）。

イ× 行政手続についても、国民の権利義務にかかわることから、憲法31条の適正手続の保障が及ぶべきである。もっとも、行政手続は多様であるから、処分の性質、目的、不利益を受ける程度、態様などを総合較量して処分の相手方に事前の告知、弁解、防御の機会の付与をするべきかどうかが決せられ、常に必ずそのような機会を与えることを必要とするものではないとするのが判例である（成田新法事件、最大判平4.7.1）。

ウ× 判例は、条文上、憲法33条の不逮捕の保障が及ばない場合には、憲法35条の住居等の不可侵の保障も及ばないから、憲法35条に反しないとした（最大判昭30.4.27）。

エ× 刑事責任追及を目的とする行政作用には、令状主義が及ぶ。令状主義は、行政手続については直接定めてはいない。しかし、行政手続は多様であり、国民に対する制約の程度もさまざまである。そこで、判例も、一定の場合には、行政手続にも令状主義を定めた憲法35条の保障が及びうることを認める（川崎民商事件、最大判昭47.11.22）。

オ○ 判例は、憲法38条１項の供述拒否権の保障は、純然たる刑事手続以外の手続においても、実質上刑事責任追及のための資料の取得収集に直接結びつく作用を一般的に有する手続にはひとしく及ぶが、国税犯則取締法上の質問調査手続はそのような作用を有するから、同条の保障が及ぶとしつつ、憲法38条１項自身が供述拒否権の告知を義務付けているわけではなく、告知するか否かは手続の趣旨・目的によって決せられるべき立法政策の問題であるので、国税犯則取締法に供述拒否権告知の規定がなかったとしても、憲法38条１項に反しないし、収税官吏が犯則嫌疑者に対して質問するにあたり、供述拒否権を告知しなかったとしても憲法38条１項に反しない、としている（最判昭59.3.27）。

以上より、妥当なものはア、オであり、肢２が正解となる。

正答 2

第4章 SECTION 1 人身の自由

適正手続の保障

実践 問題 64 応用レベル

頻出度	地上★ 国家一般職★ 特別区★ 裁判所職員★ 国税･財務･労基★ 国家総合職★

問 基本的人権の保障に関する次の記述のうち、判例に照らし、妥当なのはどれか。

(国税・労基2001)

1：ある犯罪事実について起訴されている場合において、本人の供述のみによって判明した起訴されていない犯罪事実をいわゆる余罪として考慮し、起訴された犯罪事実に対する量刑のための一情状とすることは、実質的にはこの余罪も処罰の理由とすることと異ならないから、憲法第31条に違反する。

2：憲法第31条の定める法定手続の保障は、直接には刑事手続に関するものであるが、行政手続については、それが刑事手続ではないとの理由のみでそのすべてが当然に同条の保障の枠外にあるとするのは相当ではなく、特に行政庁の行う不利益処分については、弁明、聴聞等の適正な事前手続の規定を置くことが要請され、このような手続を欠く処分は、同条に違反する。

3：憲法第38条第１項の規定によるいわゆる供述拒否権の保障は、純然たる刑事手続のみではなく、実質上刑事責任追及のための資料の取得・収集に直接結び付く作用を一般的に有する手続には等しく及ぶが、このような保障の及ぶ手続について供述拒否権の告知を要するものとすべきかどうかは立法政策の問題であり、ある手続が告知の規定を欠くからといって違憲となるものではない。

4：憲法第38条第２項の趣旨は、不当に長く抑留又は拘禁された後の自白が任意性ひいては真実性の面で疑わしいことが推定されることに加え、捜査機関などによる違法・不当な圧迫を抑止することにあるから、不当に長い抑留又は拘禁の後の自白については、当該抑留又は拘禁と自白との間に明らかに因果関係がない場合であっても、証拠能力が否定される。

5：憲法第40条は、犯罪の嫌疑を受け、抑留又は拘禁されたことに伴う被害に対し、衡平の観点から金銭によって事後的に救済する趣旨に出たものであるから、同条にいう無罪の裁判には、刑事訴訟法上の裁判による無罪の確定判決のみならず、少年審判手続における非行事実のないことを理由とした不処分決定も含まれる。

チェック欄

1回目	2回目	3回目

実践 問題 64 の解説

〈適正手続の保障〉

1 × 余罪を量刑の資料として考慮することの合憲性につき、判例は、実質上余罪を処罰する趣旨で量刑の資料に考慮し重く処罰することは、不告不理の原則に反し憲法31条に違反するが、量刑のための一情状として余罪を考慮することは、必ずしも禁止されないとしている（最大判昭41.7.13）。

2 × 行政処分にも適正手続の保障が及ぶかについて、判例は、一般的には肯定しつつ、行政手続と刑事手続とは性質に差異があるから、常に事前の告知、弁解、防御の機会を与える必要はないとしている（成田新法事件、最大判平4.7.1）。

3 ○ 行政手続にも自己負罪拒否特権の保障が及ぶかについて、判例は、実質上、刑事責任追及のための資料の取得収集に直接結びつく作用を一般的に有する手続には等しく及ぶとして、これを肯定している（川崎民商事件、最大判昭47.11.22）。また、供述拒否権の保障が及ぶ場合に、供述拒否権の告知を要するかについては、立法政策の問題であり、告知の規定を欠くからといって、憲法38条に違反するものではないとしている（最判昭59.3.27）。

4 × 憲法38条２項後段を受けた刑事訴訟法319条１項の「不当に長く抑留又は拘禁された後の自白」について、判例は、不当に長い抑留・拘禁と自白との間に因果関係がないことが明らかである場合の自白は含まれないとしている（最大判昭23.6.23）。

5 × 判例は、「無罪の裁判」とは、刑事訴訟法上の手続における無罪の確定裁判をいうとし、本肢のような不処分決定は、刑事訴訟法上の手続とは性質を異にする少年審判の手続における決定であり、「無罪の裁判」にあたらないと解すべきであり、このように解しても憲法40条に反しないとしている（最決平3.3.29）。

正答 3

第4章 2 SECTION

人身の自由
被疑者・被告人の権利

必修問題 セクションテーマを代表する問題に挑戦！

刑事被告人の権利に関する問題は、条文が重要です!!
判例だけでなく、条文をきっちり見ておこう。

問 刑事被告人の権利に関する次の記述のうち、判例に照らし、妥当なのはどれか。　(国Ⅱ1999)

1：憲法第37条第２項により、被告人はすべての証人に対して審問する機会を十分に与えられることが保障されているから、裁判所は被告人申請の証人をすべて喚問しなければならない。

2：憲法第37条第２項の趣旨により被告人は、公費で自己のために強制的手続きにより証人を求める権利を有しており、有罪判決を受けた場合においても証人喚問に要した費用を被告人に負担させてはならない。

3：憲法第38条第１項の趣旨は、何人も自己が刑事上の責任を問われるおそれのある事項について供述を強要されないことを保障したものであるから、自己の氏名は、原則として不利益な事項に該当しない。

4：道路交通法による呼気検査（アルコール保有度の調査）は刑事責任を問われるおそれのある事項について供述を得ようとするものであるから、当該検査を拒んだ者を処罰する道路交通法の規定は憲法第38条第１項に違反する。

5：共犯のうち一部の者に刑事免責を付与することによって、自己負罪拒否特権を失わせて供述を強要し、その供述を他の者の有罪を立証する証拠とする制度は、憲法上認められる余地はない。

直前復習

Guidance ガイダンス

証人審問権・証人喚問権
・必要な証人のみ喚問すればよい
・有罪判決を受けた被告人に証人喚問費用を負担させてもよい

自己負罪拒否特権
・不利益な供述…刑事責任を問われるおそれのある事項についての供述
　※氏名は原則として含まれない
・交通事故報告義務、呼気検査は憲法38条１項に違反しない

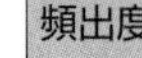
頻出度 地上★　国家一般職★★　特別区★★
裁判所職員★★　国税・財務・労基★★　国家総合職★

必修問題の解説

チェック欄

1回目	2回目	3回目

〈刑事被告人の権利〉

1 × 憲法37条2項の規定する**証人喚問権**について、判例は、証人喚問の申請があっても、健全な合理性に反しない限り、裁判所は一般に自由裁量の範囲で適当に証人申請を取捨選択できるとしている（最大判昭23.6.23）。

2 × 憲法37条2項は、強制手続により公費で証人を喚問できると規定するが、判例は、判決において有罪の判決を受けた場合には被告人に費用の負担を命ずることもありうるとしている（最大判昭23.12.27）。

3 ○ 判例は、憲法38条1項にいう**「自己に不利益な供述」を自己が刑事上の責任を問われるおそれのある事項**としたうえで、**氏名は原則としてこれにあたらない**としている（最大判昭32.2.20）。

4 × 判例は、**呼気検査**は、酒気を帯びて車両などを運転することを防止する目的で運転者らから呼気を採取してアルコール保有の程度を調べるもので、その**供述を得ようとするものではない**として、検査を拒んだ者を処罰する道路交通法の規定は、憲法38条1項に違反しないとしている（最判平9.1.30）。

5 × 判例は、証人に刑事免責を付与することによって、自己負罪拒否特権を失わせて供述を強制し、その供述をほかの者の有罪の立証に証拠として用いる制度について、憲法上認められる余地があるとしている（最大判平7.2.22）。なお、現在、刑事訴訟法では司法取引（協議・合意制度）の制度が導入されている（同法350条の2以下）。司法取引とは、被疑者や被告人が共犯者や首謀者の犯罪について供述したり証拠を提出したりして捜査に協力すると、その見返りとして検察官が起訴を見送ったり求刑を軽くしたりする制度である。適用対象は、特定の経済犯罪や薬物犯罪などに限られているが、企業の不正や組織犯罪などの解明につながるものと期待されている。

正答 3

第4章 SECTION ②

人身の自由

被疑者・被告人の権利

1 被疑者と被告人

・被疑者

犯罪の嫌疑を受け、捜査の対象とされているが、まだ**公訴を提起されていない者**

・被告人

犯罪を犯したとして**訴追されている者**

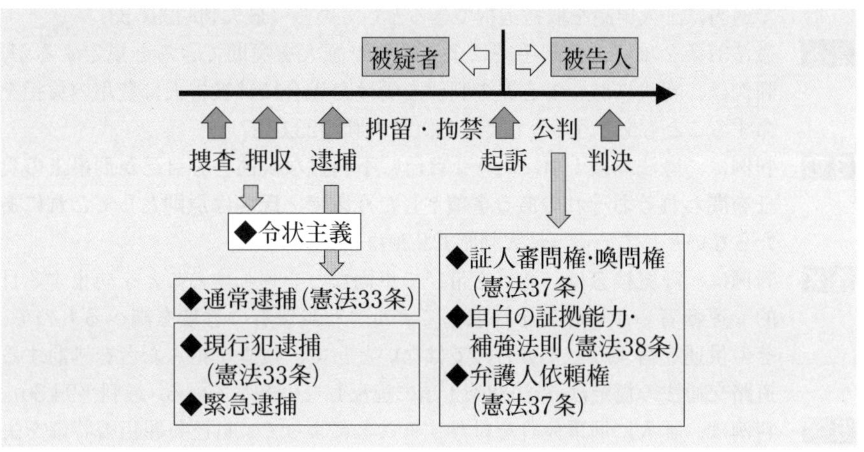

2 不当な逮捕・抑留・拘禁からの自由

(1) 逮捕の令状主義

① 意味

逮捕(身柄の拘束)は、原則として司法官憲の発する令状によらなければならないという建前のことを**「逮捕の令状主義」**といいます。

② 緊急逮捕の合憲性

緊急逮捕とは、一定の重大犯罪について、罪を犯したことを疑うに足りるだけの十分な理由が存在し、裁判所の逮捕状を求めることができないほど状況が切迫している場合に、令状なしで被疑者を逮捕することです。判例は、このような**厳格な制約のもとで認められている緊急逮捕は、憲法33条に反しない**としています。

(2) 不当に抑留・拘禁されない権利

①抑留・拘禁の理由の告知を受ける権利

②弁護人依頼権

③拘禁理由を公開法廷で示すように要求する権利

ミニ知識　身体拘束のうち、一時的なものを抑留、より継続的なものを拘禁といいます。

3 住居などの不可侵

何人も、令状がなければ、住居や所持品について、捜索や押収を受けることはありません（捜索・押収の令状主義。憲法35条１項）。

ただし、憲法33条による適法な逮捕の場合（現行犯逮捕・緊急逮捕を含む）には、逮捕に伴う合理的な範囲内で令状なくして捜索・押収を行うことができます。

4 迅速な裁判を受ける権利

判例チェック　判例は、迅速な裁判を受ける被告人の権利が害されたと認められる異常な事態が生じた場合には、これに対処すべき具体的規定がなくとも免訴判決により審理を打ち切ることができるとしています（高田事件、最大判昭47.12.20）。

5 証人審問権・証人喚問権

判例チェック　判例は、その裁判をするのに必要適切な証人を喚問すればよく、被告人の申請した証人全員の証人喚問を行うことを要しないとしています（最大判昭23.7.29）。

6 弁護人依頼権

憲法37条３項は、被疑者に関する憲法34条と異なり、身柄拘束の有無を問わず、刑事被告人の弁護人依頼権を保障したものです。

判例チェック　判例は、憲法は弁護人依頼権を被告人に告知する義務を裁判所に負わせたものではないとしています（最大判昭24.11.30）。

7 自己負罪拒否特権（黙秘権）

憲法38条１項は、「何人も、自己に不利益な供述を強要されない」と規定しています。ここに「不利益な供述」とは、自己が刑事責任を問われるおそれのある事項についての供述に限られると解されています。

判例チェック　判例は、氏名の供述につき、原則として「自己に不利益な供述」にあたらないとしています（最大判昭32.2.20）。

判例チェック　判例は、道路交通法上の呼気検査は、供述を得ようとするものではないから憲法38条１項に違反しないとしています（最判平9.1.30）。

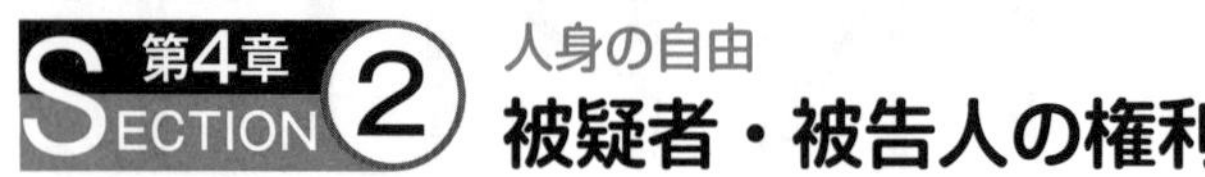

実践 問題 65 基本レベル

頻出度	地上★ 国家一般職★★ 特別区★★ 裁判所職員★★ 国税·財務·労基★★ 国家総合職★

問 手続的権利に関するア～オの記述のうち、判例に照らし、妥当なもののみを全て挙げているのはどれか。 （国家一般職2021）

ア：審理の著しい遅延の結果、迅速な裁判を受ける被告人の権利が害されたと認められる異常な事態が生じた場合であっても、その救済のためには法律で具体的方法が定められている必要があるから、迅速な裁判を受ける権利を保障した憲法第37条１項に違反する審理に対して、その審理を打ち切るために、判決で免訴の言渡しをすることはできない。

イ：黙秘権を規定した憲法第38条１項の法意は、何人も自己が刑事上の責任を問われるおそれのある事項について供述を強要されないことを保障したものと解されるから、交通事故を起こした者に事故の内容の警察官への報告を法令で義務付けていることは、同条項に違反する。

ウ：憲法第34条前段が規定する弁護人依頼権は、単に身体の拘束を受けている被疑者が弁護人を選任することを官憲が妨害してはならないとするだけではなく、被疑者に対し、弁護人を選任した上で、弁護人に相談し、その助言を受けるなど弁護人から援助を受ける機会を持つことを実質的に保障しているものと解すべきである。

エ：下級審における無罪又は有罪判決に対し、検察官が上訴し、有罪又はより重い刑の判決を求めることは、被告人を二重の危険にさらすものではなく、また、憲法第39条に違反して重ねて刑事上の責任を問うものでもない。

オ：詐欺その他不正な方法で法人税を免れた行為に対して、法人税法上のほ脱犯として刑罰を科すとともに追徴税を科すことは、追徴税は名目上は税金であるが実質的には刑罰であり、刑罰としての罰金と同一の性質であるから、二重処罰を禁止する憲法第39条に違反する。

1：ア、イ
2：ア、オ
3：イ、ウ
4：ウ、エ
5：エ、オ

チェック欄

1回目	2回目	3回目

実践 問題 65 の解説

〈被疑者・被告人の権利〉

ア× 高田事件において判例は、憲法（以下、法令指定がなければ憲法である）37条1項の迅速な裁判を受ける権利は具体的権利であると認め、それを侵害する異常な事態が生じた場合には、免訴により審理を打ち切るという非常手段をとることを認めている（最大判昭47.12.20）。

イ× 判例は、道路交通法が自動車運転者に報告義務を課す「事故の内容」は、警察官が交通事故の処理をなすにつき必要な限度においてのみ要求されているのであって、刑事責任を問われるおそれのある事故の原因その他の事項までも含まれると解することはできないため38条1項に違反しない（合憲限定解釈）、としている（最大判昭37.5.2）。

ウ○ 判例は、34条前段が規定する弁護人依頼権は、身体の拘束を受けている被疑者が、拘束の原因となっている嫌疑を晴らしたり、人身の自由を回復するための手段を講じたりするなど自己の自由と権利を守るため弁護人から援助を受けられるようにすることを目的とするものであるから、34条前段の規定は、単に被疑者が弁護人を選任することを官憲が妨害してはならないとするだけではなく、被疑者に対し、弁護人を選任したうえで弁護人に相談し、その助言を受けるなど弁護人から援助を受ける機会を持つことを実質的に保障しているものと解すべきであるとした（最大判平11.3.24）。

エ○ 判例は、二重の危険の禁止における「危険」とは、同一の事件においては、訴訟手続の開始から終末に至るまでの継続的状態のことをいうとし、一審の手続も、控訴審の手続も上告審のそれも同じ事件については、継続した1つの危険の各部分にすぎないため、下級審における無罪または有罪判決に対し、検察官が上訴をなし有罪またはより重い刑の判決を求めることは、被告人を二重の危険にさらすものではなく、また憲法39条に違反して重ねて刑事上の責任を問うものでもないとしている（最大判昭25.9.27）。

オ× 判例は、法人税法上のほ脱犯に対する刑罰（同法159条）は、脱税者の不正行為の反社会性・反道徳性に対する制裁であるのに対して、追徴税（国税通則法68条の「重加算税」の前身）は、納税義務違反を防止するための行政上の措置であるから、両者はそれぞれ根拠および目的を異にし、両者を併科しても39条に反しないとしている（最大判昭33.4.30）。

以上より、妥当なものはウ、エであり、肢4が正解となる。

正答 4

第4章 SECTION 2 人身の自由

被疑者・被告人の権利

実践 問題 66 基本レベル

頻出度	地上★　国家一般職★★　特別区★★ 裁判所職員★★　国税·財務·労基★★　国家総合職★

問 日本国憲法に規定する人身の自由に関する記述として、判例、通説に照らして、妥当なのはどれか。 （特別区2019）

1：憲法の定める法定手続の保障は、手続が法律で定められることだけでなく、その法律で定められた手続が適正でなければならないこと、実体もまた法律で定められなければならないことを意味するが、法律で定められた実体規定も適正でなければならないことまで要求するものではない。

2：何人も、理由を直ちに告げられ、かつ、直ちに弁護人に依頼する権利を与えられなければ、抑留又は拘禁されず、また、何人も、正当な理由がなければ、抑留されず、要求があれば、その理由は、直ちに本人及びその弁護人の出席する公開の法廷で示されなければならない。

3：何人も、その住居、書類及び所持品について、侵入、捜索及び押収を受けることのない権利が保障されており、住居の捜索や所持品の押収については裁判官が発した令状によりこれを行う必要があるので、令状逮捕の場合以外に住居の捜索や所持品の押収を行うことは許されない。

4：最高裁判所の判例では、憲法の迅速な裁判の保障条項は、迅速な裁判を保障するために必要な措置をとるべきことを要請するにとどまらず、審理の著しい遅延の結果、迅速な裁判を受ける被告人の権利が害せられたと認められる異常な事態が生じた場合、これに対処すべき具体的規定がある場合に限りその審理を打ち切る非常救済手段がとられるべきことを認める趣旨の規定であるとした。

5：最高裁判所の判例では、憲法の定める法定手続の保障が、行政手続に及ぶと解すべき場合であっても、一般に行政手続は刑事手続とその性質においておのずから差異があり、また、行政目的に応じて多種多様であるから、行政処分の相手方に事前の告知、弁解、防御の機会を常に必ず与えることを必要とするものではないとした。

チェック欄

1回目	2回目	3回目

実践 問題 66 の解説

〈人身の自由〉

1 × 憲法31条の定める適正手続の保障は、法律で定められた実体規定も適正でなければならないことも要求しているため、妥当でない。憲法31条の内容について、通説は、①手続が法律で定められることのほかに、②法律で定められた手続が適正であること、③実体も法律で定められるべきこと、④法律で定められた実体規定も適正であることの４つを要求している。

2 × 本肢後半の「抑留されず」という部分が憲法34条後段の文言と異なるため、妥当でない。本肢前段部分は憲法34条前段のとおりであり、妥当である。しかし、本肢後段の「抑留されず」との部分は、正しくは「拘禁されず」であり、憲法34条後段の文言と異なるため妥当でない。

3 × 令状逮捕の場合以外でも、無令状で住居の捜索や所持品の押収を行うことが許される場合があるので、妥当でない。憲法35条は住居の不可侵を保障しており、捜索や押収については裁判官が発した令状を要する旨規定する。しかし、同条は憲法33条の場合、すなわち、現行犯逮捕と緊急逮捕（刑事訴訟法210条・213条）といった令状が不要な逮捕の場合も、無令状で捜索や押収を行うことを許容している。

4 × 判例は、憲法37条１項は、具体的規定がない場合でも審理を打ち切る非常救済手段がとられるべきことを認めうる趣旨の規定であるとしているため、妥当でない。すなわち、判例は、憲法37条１項は、迅速な裁判を一般的に保障するのみならず、さらに個々の事件について、審理の著しい遅延の結果、迅速な裁判を受ける被告人の権利が害されたと認められる異常な事態が生じた場合には、これに対処する具体的規定がなくてもその審理を打ち切る非常救済手段をとるべきことをも認めている（高田事件、最大判昭47.12.20）。

5 ○ 判例は、憲法31条の定める適正手続の保障は行政手続にも及ぶと解すべき場合があることを認めるが、一般に行政手続は刑事手続とその性質においておのずから差異があり、また、それは目的に応じて多種多様であるから、行政処分の相手方に事前の告知、弁解、防御の機会を与えるかどうかは、行政処分により制限を受ける権利利益の内容、性質、制限の程度、行政処分によって達成しようとする公益の内容、性質、程度、緊急性などを総合考量して決定されるべきで、必ずしもそのような機会を与えることは必要ではないとしている（成田新法事件、最大判平4.7.1）。

正答 5

被疑者・被告人の権利

実践 問題 67 基本レベル

頻出度	地上★	国家一般職★★	特別区★★
	裁判所職員★★	国税·財務·労基★★	国家総合職★

問 人身の自由に関する次の記述のうち、判例に照らし、最も妥当なのはどれか。
(国家総合職2023)

1：憲法第35条は、「住居、書類及び所持品について、侵入、捜索及び押収を受けることのない権利」を規定しているところ、この規定の保障対象には、「住居、書類及び所持品」に限らずこれらに準ずる私的領域に「侵入」されることのない権利が含まれる。

2：憲法第35条第1項は、刑事責任追及の手続における強制について、それが司法権による事前の抑制の下に置かれるべきことを保障した趣旨であるため、対象となる手続が刑事責任追及を目的とするものでなければ、この規定の保障は及ばない。

3：憲法第37条第1項は、個々の刑事事件について、審理の著しい遅延の結果、迅速な裁判を受ける被告人の権利が害されたと認められる異常な事態が生じた場合であっても、これに対処する具体的規定がない限り、審理を打ち切るという非常救済手段をとることを認めない趣旨の規定である。

4：交通事故の際に事故の内容等を警察官に報告するよう命ずることは、刑事責任を問われるおそれのある事故の原因その他の事項についても報告義務のある「事故の内容」に含まれると解されるため、憲法第38条第1項にいう自己に不利益な供述の強要に該当する。

5：憲法第39条は、「同一の犯罪について、重ねて刑事上の責任を問はれない」と規定しているところ、下級審における有罪判決に対し、検察官が上訴をなし、より重い刑の判決を求めることは、被告人を二重の危険にさらすものであり、したがって、同条に違反するものである。

実践 問題 67 の解説

〈人身の自由〉

1 ○ 本肢と同様の事案において判例は、「住居、書類、及び所持品」に準ずる私的領域に侵入されることのない権利が憲法35条の規定の保障対象に含まれるとしている（最大判平29.3.15）。

2 × 川崎民商事件において判例は、憲法35条１項の規定は、本来は、主として刑事責任追及の手続における強制が司法権による事前の抑制の下に置かれるべきことを保障した趣旨であるが、当該手続が刑事責任追及を目的とするものでないとの理由のみで、その手続における一切の強制が当然に本条項による保障の枠外にあると判断することはできないとしている（最大判昭47.11.22）。すなわち、刑事責任追及を目的としない行政手続の場合でも、検査の相手方の自由な意思を著しく拘束して、実質上、直接的物理的な強制と同視すべき程度にまで達している場合には、憲法35条１項の保障が及ぶ場合がありうるのである。

3 × 15年間審理が中断したことが憲法37条１項の保障する迅速な裁判を受ける権利を侵害したかが問題となった事案において判例は、現実にこの保障に明らかに反し、迅速な裁判を受ける被告人の権利が害されたと認められる異常な事態が生じた場合は、これに対処する具体的規定がなくとも、審理を打ち切るという非常救済手段がとられるべきことを認めている（高田事件、最大判昭47.12.20）。

4 × 本肢と同様の事案において判例は、交通事故の際に事故の内容等を警察官に報告するよう命ずることに関し、操縦者・乗務員その他の従業者は、警察官が交通事故に対する前述の処理をなすについて必要な限度においてのみ報告義務を負担するのであり、それ以上に刑事責任を問われるおそれのある事故の原因その他の事項までもが報告義務のある事項中に含まれるものではないとしている（最大判昭37.5.2）。

5 × 検察官の上訴が被告人を二重の危険にさらすことになるかが問題となった事案において判例は、二重の危険の禁止における危険とは、同一の事件では訴訟手続の開始から終末に至るまでの１つの継続的状態とみるべきであるから、同じ事件においては、いかなる段階においても唯一の危険があるのみであって、二重の危険というものは存在せず、下級審の判決に対し、検察官が上訴をなし有罪またはより重い刑を求めることは、被告人を二重の危険にさらすものではないとしている（最大判昭25.9.27）。

正答 1

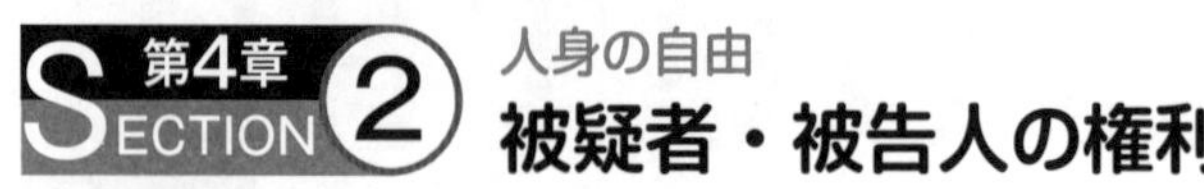

実践 問題 68 基本レベル

頻出度			
	地上★	国家一般職★★	特別区★★
	裁判所職員★★	国税·財務·労基★★	国家総合職★

問 人身の自由に関する次の記述のうち、判例に照らし、妥当なのはどれか。

(国税・財務・労基2013)

1：憲法第31条の法定手続の保障は、直接には刑事手続に関するものであるが、行政手続についても同条の保障の枠内にあることから、相手方に不利益を与える行政処分に関しては、刑事手続と同様に、当該処分により達成しようとする公益の内容、程度を問わず、当該処分の相手方に事前の告知、弁解、防御の機会を与えなければならない。

2：憲法第33条は、現行犯の場合を除き、犯罪による逮捕には司法官憲の発する令状を必要とする旨を定めており、一定の重大な犯罪の嫌疑に充分な理由があり緊急やむを得ない場合に、逮捕後直ちに裁判官の審査を受けて逮捕状の発行を求めることを条件として被疑者の逮捕を認めるいわゆる緊急逮捕は、同条の趣旨に反する。

3：憲法第37条第１項は、迅速な裁判を一般的に保障するために必要な立法上及び司法行政上の措置を採るべきことを要請しているにすぎず、審理の遅延に関する具体的な規定がない場合に、迅速な裁判を受ける権利の侵害を理由に被告人が訴訟上の救済措置を求めることはできない。

4：憲法第38条第３項は、自白に対して補強証拠を必要としているところ、公判廷における被告人の自白は、身体の拘束を受けず、また不当な干渉を受けることなく、任意になされるものであるといっても、常に真実に合致するとは限らないことから、それのみを根拠として裁判所は犯罪事実を認定することはできず、同項の「本人の自白」に含まれる。

5：下級審における無罪又は有罪判決に対し、検察官が上訴をして有罪又はより重い刑の判決を求めることは、被告人を二重の危険にさらすものではなく、憲法第39条に違反して重ねて刑事上の責任を問うものでもない。

チェック欄		
1回目	2回目	3回目

実践 問題 68 の解説

〈人身の自由〉

1 × 判例は、行政手続を当然に憲法31条の保障の枠外にあると判断すべきではないとしたうえで、行政手続は、刑事手続とその性質において差異があり、また、行政目的に応じて多種多様であるから、行政処分により制限を受ける権利利益の内容、性質、制限の程度、行政処分により達成しようとする公益の内容、程度、緊急性等を総合較量して、行政処分の相手方に事前の告知、弁解、防御の機会を与えるかどうかを決すべきとしている（成田新法事件、最大判平4.7.1）。

2 × 判例は、緊急逮捕について、厳格な制約のもとに、罪状の重い一定の犯罪のみについて、緊急やむをえない場合に限り、逮捕後直ちに裁判官の審査を受けて逮捕状の発行を求めることを条件として被疑者の逮捕を認めることは、憲法33条の規定の趣旨に反しないとした（最大判昭30.12.14）。

3 × 迅速な裁判を受ける権利を保障する憲法37条１項について、判例は、単に迅速な裁判を一般的に保障するために必要な立法上および司法行政上の措置をとるべきことを要請するにとどまらず、さらに、個々の刑事事件について、現実に当該保障に明らかに反し、審理の著しい遅延の結果、迅速な裁判を受ける被告人の権利が害せられたと認められる異常な事態が生じた場合には、これに対処すべき具体的規定がなくても、その審理を打ち切るという非常救済手段をとることも認めているとした（高田事件、最大判昭47.12.20）。

4 × 判例は、公判廷における被告人の自白は、任意性がありその真実性を裁判所がほかの証拠を待つまでもなく自ら直接に判断できるので、憲法38条３項の「本人の自白」にあたらないとした（最大判昭23.7.29）。

5 ○ 判例は、「二重の危険の禁止」における「危険」とは、同一の事件において、訴訟手続の開始から終末に至るまでの１つの継続的状態をいうのであるから、一審の手続も、それに続く控訴審、上告審の手続も、同じ事件においては継続する１つの危険の各部分にすぎないので、検察官の上訴は、被告人を二重の危険にさらすものではなく、憲法39条に違反して重ねて刑事上の責任を問うものではないとした（最大判昭25.9.27）。

正答 5

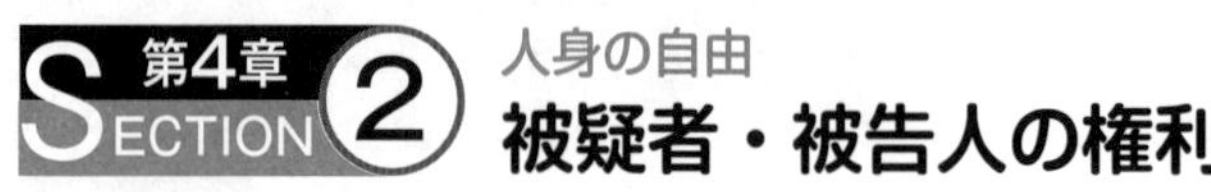

実践 問題 69 基本レベル

頻出度	地上★	国家一般職★★	特別区★★★
	裁判所職員★★	国税·財務·労基★★	国家総合職★

問 **日本国憲法に規定する人身の自由に関する記述として、通説に照らして、妥当なのはどれか。** **(特別区2015)**

1：人を抑留又は拘禁する場合には、その理由を告げ、弁護人に依頼する権利を与えなければならず、また、正当な理由がなければ、抑留又は拘禁されず、要求があれば、その理由は、直ちに本人及びその弁護人の出席する公開の法廷で示されなければならない。

2：憲法は、住居、書類及び所持品について侵入、捜索及び押収を受けることのない権利を保障しており、住居の捜索や所持品の押収については裁判官が発した令状によりこれを行う必要があるが、令状がなくても住居の捜索や所持品の押収が許されるのは、現行犯逮捕の場合に限られる。

3：憲法は、強制、拷問若しくは脅迫による自白又は不当に長く抑留若しくは拘禁された後の自白は、これを証拠とすることができないと定め、任意性のない自白の証拠能力を否定しているが、任意性のある自白であれば、これを補強する証拠が別になくても、有罪とすることができる。

4：憲法で定める刑罰法規の不遡及は、犯罪実行時に適法であった行為のみならず、実行時に刑罰が法定されていなかった違法行為についても、事後法によって刑罰を科すことを禁止しているが、実行時に刑罰が法定化されている場合であれば、事後法によって実行時の法定刑より重い刑罰を適用することができる。

5：憲法の定める法定手続の保障は、手続が法定されることのみならず、その法定手続が適正でなければならないこと、実体もまた法律で定められなければならないこと、及び法律で定められた実体規定も適正でなければならないことが必要である。

チェック欄

1回目	2回目	3回目

実践 問題 69 の解説

〈人身の自由〉

1 × 本肢は、正当な理由がなければ、抑留されずという点が、妥当でない。憲法34条前段は、「何人も、理由を直ちに告げられ、且つ、直ちに弁護人に依頼する権利を与へられなければ、抑留又は拘禁されない」と規定する。ここでの「理由」とは、犯罪の嫌疑と抑留・拘禁の必要性をいう。また、同条後段は、「何人も、正当な理由がなければ、拘禁されず、要求があれば、その理由は、直ちに本人及びその弁護人の出席する公開の法廷で示されなければならない」と規定する。なお、憲法が、拘禁についてさらに「正当な理由」が必要とされ、要求があれば「その理由」は弁護人の出席する公開の法廷で示されなければならないとしたのは、拘禁は、抑留に比べて一層継続的な身体の拘束であるから、より強度の正当化事由が必要であると考えられたからである。

2 × 本肢は、令状がなくても住居の捜索や所持品の押収が許されるのは、現行犯逮捕の場合に限られるとする点で、妥当でない。憲法35条は、「住居、書類及び所持品について」「33条の場合を除いては」令状がなければ捜索・押収をすることができないと定めている。ここに、「33条の場合」とは、逮捕状を明示して行う通常逮捕や現行犯逮捕のほか、緊急逮捕（刑事訴訟法210条）も含むものであり、これら3つの逮捕を行う場合も令状なくして住居の捜索や所持品の押収が許されるのである。

3 × 本肢は、任意性のある自白であれば、補強する証拠が別になくても有罪とすることができるとする点で、妥当でない。憲法38条2項は、任意性のない自白の証拠能力を否定するが（自白法則）、加えて、同条3項は、「何人も、自己に不利益な唯一の証拠が本人の自白である場合には、有罪とされ、又は刑罰を科せられない」と規定し、任意性のある自白でも、これを補強する証拠がない限り、有罪の証拠とできないとしている（補強法則）。したがって、任意性のある自白でも、これを補強する証拠が別になければ有罪とすることはできないのである。補強法則の趣旨は、「真に罪なき者が処罰せられる危険を排除し、自白偏重と自白強要の弊を防止し、基本的人権の保護を期せんとした」ものである（最大判昭23.7.29）。

4 × 憲法39条は、いわゆる、事後法（遡及処罰）の禁止、一事不再理ないし二重の危険の禁止を定めており、刑法6条もまた、「犯罪後の法律によって刑の変更があったときは、その軽いものによる」と規定する。これにより、実行時の法定刑より重い刑罰を適用することはできない。

5 ○ 本肢は、憲法31条の内容について述べたものであり、妥当である。判例は、**第三者所有物没収事件**（最大判昭37.11.28）において手続の適正を、**徳島市公安条例事件**（最大判昭50.9.10）において明確性の原則に言及し、実体規定の法定・適正を要求している。

正答 5

memo

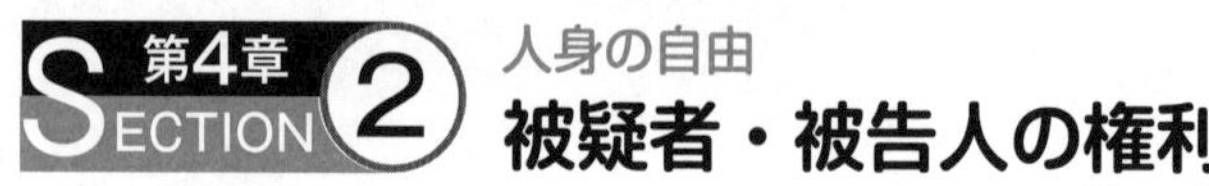

実践 問題 70 応用レベル

頻出度	地上★　国家一般職★　特別区★ 裁判所職員★　国税·財務·労基★　国家総合職★

問 刑事被告人の権利に関するア～オの記述のうち、妥当なもののみを全て挙げているのはどれか。　(国家一般職2012)

ア：憲法第37条第1項にいう「迅速な」裁判とは、適正な裁判を確保するのに必要な期間を超えて不当に遅延した裁判でない裁判をいうと解されている。平成15年に制定された裁判の迅速化に関する法律では、裁判の迅速化の具体的な目標として、第一審の訴訟手続については2年以内のできるだけ短い期間内に終局させることが規定された。

イ：憲法第37条第1項にいう「公開裁判を受ける権利」とは、対審及び判決が公開法廷で行われる裁判を受ける権利をいうが、裁判の対審及び判決を公開の法廷で行うことは、刑事被告人の人権を擁護するために必要不可欠であることから、刑事手続上、いかなる例外も認められていない。

ウ：刑事裁判における証人尋問において、刑事訴訟法の規定に基づいて、被告人から証人の状態を認識できなくする遮へい措置が採られ、あるいは、同一構内の別の場所に証人を在席させ、映像と音声の送受信により相手の状態を相互に認識しながら通話する方法で尋問を行うビデオリンク方式によることとされ、さらにはビデオリンク方式によった上で遮へい措置が採られても、憲法第37条第2項前段に違反するものではないとするのが判例である。

エ：憲法第37条第2項の趣旨は、刑事被告人の防禦権を訴訟の当事者たる地位にある限度において十分に行使せしめようとするものだけではなく、有罪の判決を受けた場合にも、刑事被告人に対して証人尋問に要する費用を含めて訴訟費用を負担させてはならないという趣旨であるとするのが判例である。

オ：憲法第37条第3項は、刑事被告人の弁護人依頼権を保障し、これを実質的に担保するものとして国選弁護人の制度を設けているから、裁判所は、被告人から国選弁護人の選任請求があった場合には、被告人が国選弁護人を通じて権利擁護のため正当な防禦活動を行う意思がないことを自らの行動によって表明し、その後も同様の状況を維持存続させたときであっても、当該請求に応じなければならないとするのが判例である。

1：ア、イ
2：ア、ウ
3：イ、オ
4：ウ、エ
5：エ、オ

チェック欄		
1回目	2回目	3回目

実践 問題 70 の解説

〈刑事被告人の権利〉

ア○ 憲法37条1項にいう「迅速な」裁判とは、適正な裁判を確保するのに必要な期間を超えて不当に遅延した裁判でない裁判をいう。

また、平成15年に制定された裁判の迅速化に関する法律2条1項は、「裁判の迅速化は、第一審の訴訟手続については2年以内のできるだけ短い期間内にこれを終局させ、その他の裁判所における手続についてもそれぞれの手続に応じてできるだけ短い期間内にこれを終局させることを目標として、充実した手続を実施すること並びにこれを支える制度及び体制の整備を図ることにより行われるものとする」と規定している。

イ× 憲法37条1項にいう公開裁判を受ける権利とは、対審および判決が公開法廷で行われる裁判を受ける権利をいう。しかし、憲法82条2項本文は、「裁判所が、裁判官の全員一致で、公の秩序又は善良の風俗を害する虞があると決した場合には、対審は、公開しないでこれを行ふことができる」として、対審について公開原則の例外を認める。これは、民事事件のみならず、刑事事件においても適用がある。

ウ○ 判例は、遮へい措置方式およびビデオリンク方式による証人尋問は、被告人が供述を聞き、自ら尋問することができることなどから、憲法37条2項に反しないとした（最判平17.4.14）。

エ× 判例は、憲法37条2項は被告人が無資産などの事情のために、十分に証人の喚問を請求する自由が妨げられてはならないという趣旨であるところ、判決において有罪の言渡しを受けた場合において被告人に訴訟費用の負担を命じてはならないという趣旨の規定ではないとした（最大判昭23.12.27）。

オ× 判例は、被告人が正当な防禦活動を行う意思がないことを表明し、その後も同様の状況を維持存続させた場合には、被告人から形式的な国選弁護人選任請求があったとしても、裁判所としてはこれに応ずる義務を負わないとした（最判昭54.7.24）。当該被告人の国選弁護人選任請求は誠実な権利の行使とはほど遠いものであるからである。

以上より、妥当なものはア、ウであり、肢2が正解となる。

正答 2

第4章 人身の自由

章末 CHECK

? Question

Q1 憲法31条では文言上、手続の法定だけが要求されているようにも読めるが、このほかにも、手続の適正、実体の法定、実体の適正が要求されていると解されている。

Q2 所有物を没収される第三者についても、告知・弁解・防御の機会を与えることが必要であり、その機会を与えないでなした没収判決は憲法31条、29条に反し違憲である。

Q3 憲法31条は直接には刑事手続について定めた規定であって、行政手続に準用されることはない。

Q4 行政手続は刑事手続と性質が異なり多種多様であるから、常に必ず事前の告知・弁解・防御の機会を与えることを必要とするものではない。

Q5 条例が罰則を定めうるのは地方自治の原則から憲法上保障されているためであるから、条例による罰則は憲法31条に反しないと解するのが判例である。

Q6 判例は、刑罰法規の明確性について、国民の行動の自由をより徹底するために、具体的な行動をする者にとって理解可能な程度でなければならないと解する。

Q7 憲法33条の定める令状主義の例外として、現行犯逮捕があるが、緊急逮捕は令状主義の例外ではない。

Q8 憲法37条3項は被告人の弁護人依頼権を保障しているが、被疑者について弁護人依頼権を保障した規定はない。

Q9 憲法は、被告人が弁護人依頼権を行使する機会を充分に保障するため、弁護人依頼権を被告人に告知する義務を裁判所に負わせている。

Q10 憲法38条1項は、何人も自己が刑事上の責任を問われるおそれがある事項について供述を強要されないことを保障したのであって、氏名は原則として「不利益な供述」に該当しない。

Q11 憲法35条・38条の保障は、実質上、刑事責任追及のための資料の取得収集に直接・間接的に結びつく作用を一般的に有する手続にはひとしく及ぶ。

Q12 三権分立の原則の観点から裁判所は立法権を有していないことから、審理の著しい遅延により迅速な裁判を受ける権利が害せられたといえる場合であったとしても、手続の打ち切りを認めていない刑事訴訟法に従い、審理を継続しなければならない。

Q13 憲法18条（奴隷的拘束からの自由）は私人間においても直接適用される。

A1 ○ 憲法31条は手続の法定以外にどのような内容を含むかにつき学説は分かれているが、本問のように解するのが通説である。

A2 ○ 第三者所有物没収事件の判示である（最大判昭37.11.28）。

A3 × 判例は、刑事手続でないという理由だけで行政手続が当然に憲法31条の保障の範囲外にあると判断すべきではないとしている（最大判平4.7.1）。

A4 ○ 成田新法事件の判示である（最大判平4.7.1）。

A5 × 判例は、条例による罰則についても法律の授権は必要であるとしており（最大判昭37.5.30）、地方自治の原則から直接憲法上保障されているとは解していない。それゆえ、法律の授権を越えて定められた罰則は、憲法31条違反の問題を生じうる。

A6 × 判例は、徳島市公安条例事件において、刑罰法規があいまい不明確ゆえに憲法31条に反するか否かは、通常の判断能力を有する一般人の理解を基準とするとした（最大判昭50.9.10）。

A7 × 緊急逮捕も令状主義の例外である。緊急逮捕に関する刑事訴訟法の規定に従う限り、人権侵害のおそれは少ないからである。

A8 × 抑留または拘禁された被疑者に対しては、憲法34条により弁護人依頼権が保障されている。

A9 × 憲法は弁護人依頼権の告知義務を裁判所に負わせていないとするのが判例である（最大判昭24.11.30）。

A10 ○ 判例は、憲法38条１項の「自己に不利益な供述」には自己の氏名は含まれないとしている（最大判昭32.2.20）。

A11 × 憲法35条・38条の保障は、実質上、刑事責任追及のための資料の取得収集に「直接」結びつく作用を一般的に有する手続には等しく及ぶとするのが判例である（最大判昭47.11.22）。

A12 × 判例は、高田事件において、審理の著しい遅延の結果、迅速な裁判を受ける被告人の権利が害されたと認められる異常な事態が生じた場合には、これに対処すべき具体的な規定がなくとも、手続の続行を許さず、審理を打ち切るという非常救済手段をとることも許されるとした（最大判昭47.12.20）。

A13 ○ 憲法の人権規定の多くは私人間に直接適用されないが、憲法18条は直接適用が認められる。

memo

第5章

社会権

SECTION

① 生存権
② 教育を受ける権利
③ 労働基本権

第5章 社会権

出題傾向の分析と対策

試験名	地　上			国家一般職			特別区			裁判所職員			国税・財務・労基			国家総合職		
年　度	16-18	19-21	22-24	16-18	19-21	22-24	16-18	19-21	22-24	16-18	19-21	22-24	16-18	19-21	22-24	16-18	19-21	22-24
出題数 セクション		2	3		1	2		2	2	2		2	1	1	1		1	1
生存権		★	★						★	★		★			★			★
教育を受ける権利		★	★			★		★		★		★	★				★	
労働基本権			★		★	★		★	★					★				

（注）１つの問題において複数の分野が出題されることがあるため、星の数の合計と出題数とが一致しないことがあります。

社会権については生存権がよく出題されます。生存権については、判例だけでなくその法的性質をめぐる学説問題がよく出題されています。

地方上級

たまに出題されます。問われている知識は基本的なものです。過去問を解いて、生存権の法的性質に関する学説と判例を理解するようにしてください。

国家一般職

たまに出題されます。問われている知識は基本的なものです。判例の内容をしっかり理解しておきましょう。

特別区

たまに出題されます。最近では、教育を受ける権利、労働基本権、生存権について出題されています。いずれも基本的な知識を問う問題ばかりです。過去問を解いて基本的な知識を身につけておいてください。

裁判所職員

生存権について出題されています。かつては、生存権の法的性質に関する学説問題が出題されていましたので、各学説の特徴をしっかり理解しておいてください。

国税専門官・財務専門官・労働基準監督官

人権の総合問題において、肢の１つとして出題されることがあります。朝日訴訟や旭川学力テスト事件など、社会権に関する重要な判例の内容をしっかり理解しておいてください。

国家総合職

たまに出題されます。社会権に関する判例の内容をしっかり理解しておいてください。

Advice アドバイス 学習と対策

生存権については、その法的性質に関する学説を理解することが重要です。プログラム規定説、抽象的権利説、具体的権利説の内容、他の学説との違いを正しく理解するようにしてください。朝日訴訟判決は重要ですので、しっかり理解しておきましょう。

教育を受ける権利については、旭川学力テスト事件判決が重要です。教育権の所在についてしっかりと理解するようにしてください。

労働基本権については、まず労働三権の意味を理解することが重要です。またその複合的性格も理解しておきましょう。さらに労働三権の限界に関する判例も理解しましょう。なお、公務員の労働基本権の制限についてもしばしば社会権の中で問われますので、あわせて理解しておいてください。

第5章 1 SECTION

社会権
生存権

必修問題 セクションテーマを代表する問題に挑戦！

生存権に関する判例で重要なものは多くないです。

1つひとつ丁寧に学習していきましょう。

問 日本国憲法に規定する生存権に関する記述として、妥当なのはどれか。 （特別区2022）

1：生存権には、国民各自が自らの手で健康で文化的な最低限度の生活を維持する自由を有し、国家はそれを阻害してはならないという社会権的側面と、国家に対してそのような営みの実現を求める自由権的側面がある。

2：プログラム規定説によれば、生存権実現のための法律の不存在そのものが、生存権という個別具体的な国民の権利を侵害していると主張することが可能であり、立法の不作為自体を訴訟で争うことが可能である。

3：最高裁判所の判例は、一貫して具体的権利説を採用し、すべての国民が健康で文化的な最低限度の生活を営み得るよう国政を運営すべきことを国家の責務とする生存権の規定により直接に、個々の国民は、国家に対して具体的、現実的な権利を有するものであるとしている。

4：最高裁判所の判例では、限られた財源の下で福祉的給付を行う場合であっても、自国民を在留外国人より優先的に扱うことは、許されるべきことではないと解され、障害福祉年金の支給対象者から在留外国人を除外することは、憲法に違反するとした。

5：最高裁判所の判例では、健康で文化的な最低限度の生活の内容について、どのような立法措置を講ずるかの選択決定は、立法府の広い裁量にゆだねられており、それが著しく合理性を欠き明らかに裁量の逸脱濫用と見ざるをえないような場合を除き、裁判所が審査判断するのに適しない事柄であるとした。

直前復習

Guidance ガイダンス

- 朝日訴訟…生活保護基準の決定は厚生大臣の裁量
- 堀木訴訟…年金併給禁止規定は合憲
- 塩見訴訟…公的年金制度において自国民を外国人より優遇することも許される

頻出度	地上★	国家一般職★	特別区★
	裁判所職員★★	国税·財務·労基★	国家総合職★★

チェック欄		
1回目	2回目	3回目

必修問題の解説

〈生存権〉

1 × 社会権的側面と自由権的側面の説明が逆になっているので、本肢は妥当でない。生存権（憲法25条）は、国民が誰でも、人間的な生活を送ることができることを権利として宣言するものである。国家に対して人間的な生活の実現を要求する権利である点で、社会権的側面を有する。また、公権力による不当な侵害があった場合には、その排除を請求できる点で自由権的側面も認められる。

2 × プログラム規定説とは、憲法25条１項の法的性格を、国家が国民の生存を確保するよう努力すべき政治的・道徳的義務を定めたものにすぎず、国民に対する憲法上の権利を定めたものではないとの立場である。この立場からは、国家は生存権を保障する憲法上の義務を負わないため、生存権を実現するための立法の不作為は違憲とならないことになる。したがって、プログラム規定説からは、立法不作為自体を訴訟で争うことはできないので、本肢は妥当でない。

3 × 具体的権利説とは、憲法25条１項は国家を拘束する法的権利であり、生存権を具体化する法律が制定されていない場合、同条同項を根拠として、立法不作為の違憲確認訴訟を提起できるとする立場である。しかし、判例は、「憲法25条１項は、……すべての国民が健康で文化的な最低限度の生活を営み得るように国政を運営すべきことを国の責務として宣言したにとどまり、直接個々の国民に対して具体的権利を賦与したものではな」く、「具体的権利としては、憲法の規定の趣旨を実現するために制定された生活保護法によって、はじめて与えられているというべきである」とし（朝日訴訟、最大判昭42.5.24）、一貫して具体的権利説を採用していない。したがって、本肢は妥当でない。

4 × 塩見訴訟（最判平元.3.2）において判例は、限られた財源のもとで福祉的給付を行う場合、自国民を在留外国人より優先的に扱うことも許されるとしている。したがって、本肢は妥当でない。

5 ○ 本肢は、堀木訴訟（最大判昭57.7.7）で判示された立法裁量論とそれに対する違法判断基準を正確に述べており、妥当である。

正答 5

第5章 SECTION 1 社会権 生存権

1 社会権とは

日本国憲法は、社会権として、生存権（憲法25条）、教育を受ける権利（憲法26条）、勤労の権利（憲法27条）、労働基本権（憲法28条）を規定しています。

本来、人権とは、自由権すなわち国家からの自由を意味していました。しかし、経済活動に対して内在的制約に基づく必要最小限度の制約しか加えなかった場合、経済的・社会的な勝者と敗者が生まれてしまいます。そこで、福祉国家のもとで社会的・経済的弱者を保護し実質的平等を実現するために保障されたのが社会権です。

補足　自由権が国家からの干渉の排除を目的とする権利であるのに対して、社会権は国家に対し一定の行為を請求することを内容とする権利である点に特徴があります。

2 生存権

(1) 意味

憲法25条の定める「**健康で文化的な最低限度の生活を営む権利**」のことを生存権といいます。

(2) 法的性質

① プログラム規定説

憲法25条は、**国に対する政治的な目標・プログラム（綱領）を定めたものにすぎず、何ら法的拘束力を持つものではない。**

② 抽象的権利説

憲法25条は、**それを具体化する法律がない限り国家に対して生活の扶助を請求する具体的権利を国民に与えるものではないが、国家に対して立法・予算を通じて生存権を実現すべき法的義務を課している。**

③ 具体的権利説

憲法25条を具体化する法律が制定されていない場合、**憲法25条を直接の根拠として立法不作為の違憲確認訴訟を提起することができる。**

判例

《朝日訴訟》最大判昭42.5.24
【事案】1956年当時の生活扶助費月額600円が健康で文化的な最低限度の生活を維持するに足りるかどうかが争われた事件
【判旨】最高裁は、原告死亡により訴訟は終了したとした。そのうえで傍論として、憲法25条１項は、すべての国民が健康で文化的な最低限度の生活を営みうるように国政を運営すべきことを国の責務として宣言したにとどまり、直接個々の国民に具体的権利を賦与したものではなく、何が「健康で文化的な最低限度の生活」であるかの判断は厚生大臣の裁量に委ねられている。

判例

《堀木訴訟》最大判昭57.7.7
【事案】障害福祉年金と児童扶養手当の併給禁止規定が憲法25条等に違反するか否かが争われた事件
【判旨】憲法25条にいう「健康で文化的な最低限度の生活」なるものは、きわめて抽象的・相対的な概念であって、具体的にどのような立法措置を講ずるかの選択決定は、立法府の広い裁量に委ねられており、それが著しく合理性を欠き明らかに裁量権の逸脱・濫用とみざるをえないような場合を除いて、裁判所が審理判断するのに適しない事柄である。

社会権
生存権

実践 問題 71 基本レベル

頻出度	地上★	国家一般職★	特別区★
	裁判所職員★★	国税·財務·労基★	国家総合職★★

問 **生存権に関する次のＡ説～Ｃ説についてのア～エの記述の正誤の組合せとして、最も適当なのはどれか。** **(裁事2009)**

Ａ説：憲法第25条第１項は、国民の生存を確保すべき政治的・道義的義務を国に課したにとどまり、個々の国民に対して具体的権利を保障したものではない。

Ｂ説：憲法第25条第１項は、国に立法・予算を通じて生存権を実現すべき法的義務を課している。

Ｃ説：憲法第25条第１項は、国に対する具体的な権利を定めたものである。

ア：Ａ説を前提にしても、健康で文化的な最低限度の生活を積極的に侵害するような国の具体的措置については違憲無効を主張しうる。

イ：Ｂ説を前提にすれば、憲法第25条第１項が法律により具体化されていない場合であっても、生存権侵害を理由として憲法違反を主張できる。

ウ：Ｃ説を前提にすれば、生存権を具体化する立法がなされていない場合に、立法不作為の違憲確認訴訟を提起することが可能である。

エ：Ｃ説を前提にしても、直接、国に対し、憲法第25条第１項に基づいて具体的な生活扶助の請求をすることはできないと解することは可能である。

	ア	イ	ウ	エ
1：	正	誤	正	正
2：	正	誤	正	誤
3：	正	正	誤	誤
4：	誤	正	正	正
5：	誤	正	誤	正

チェック欄

1回目	2回目	3回目

実践 問題 71 の解説

〈生存権〉

A説はプログラム規定説、B説は抽象的権利説（あるいは法的権利説）、C説は具体的権利説と考えてよいであろう。

ア○ プログラム規定説、抽象的権利説、具体的権利説という学説の争いは、生活困窮者などの弱者に対して国家が何ら救済措置をとらない場合に（弱者救済立法を作らない、あるいは作ってもそれを適切に執行しないなど生存権の社会権的側面が問題となる場面）、当該弱者が国家に対して積極的な作為を求める場面を想定して議論されている。これに対して、健康で文化的な最低限度の生活を積極的に侵害するような作為がなされた場合には、いずれの説からも裁判所に対してかかる作為が生存権（自由権的側面）を侵害し違憲であるとの主張が可能である。

イ× B説（抽象的権利説）は、憲法25条1項の生存権規定を直接の根拠として生活扶助を請求する権利を導き出すことはできないが、生存権を具体化する立法が存在すればそうした権利を国民は主張できるとする考え方である。その意味で、B説は、憲法25条は国家に対して生存権を実現する法律を制定する義務を課していると考える立場である。そうすると、B説によって生存権侵害を理由として憲法違反を主張できるのは生存権を具体化する立法が存在する場合に限られ、憲法25条1項が法律により具体化されていない場合に生存権侵害を理由として憲法違反を主張することはできない。

ウ○ C説（具体的権利説）は、憲法25条1項の権利内容は、憲法上行政権を拘束するほどには明確ではない（したがって、生存権を具体化する立法が存在しない場合に憲法25条1項を根拠に直接裁判所に具体的な生活扶助の請求をすることまでは認められない）が、立法府を拘束するほどには明確であるとして、生存権を具体化する法律を国が制定しない場合（立法不作為）、国民は、裁判所に対して立法不作為の違憲確認訴訟を提起できると主張する立場である。

エ○ 記述ウの解説の中で述べたように、具体的権利説によっても、直接憲法25条1項に基づいて具体的な生活扶助の請求をすることはできない。

以上より、ア―正、イ―誤、ウ―正、エ―正であり、肢1が正解となる。

正答 1

社会権
生存権

実践 問題 72 基本レベル

頻出度	地上★ 国家一般職★ 特別区★ 裁判所職員★★ 国税・財務・労基★ 国家総合職★★

問 生存権に関する次のア〜ウの記述の正誤の組合せとして最も適当なものはどれか（争いのあるときは、判例の見解による。）。（裁判所職員2016）

ア：具体的権利としては、憲法の規定の趣旨を実現するために制定された生活保護法によって、はじめて与えられているというべきであって、憲法25条１項の規定の趣旨を実現するために制定された生活保護法が、生活に困窮する要保護者又は被保護者に対し具体的な権利として賦与した保護受給権も、時の政府の施政方針によって左右されることのない客観的な最低限度の生活水準に基づく適正な保護基準による保護を受け得る権利である。

イ：憲法25条の規定の趣旨にこたえて具体的にどのような立法措置を講ずるかの選択決定は、立法府の広い裁量にゆだねられており、それが著しく合理性を欠き明らかに裁量の逸脱・濫用に該当するか否かの点についても、裁判所が審査判断するのに適しない。

ウ：社会保障上の施策において在留外国人をどのように処遇するかについては、国は、特別の条約の存しない限り、当該外国人の属する国との外交関係、変動する国際情勢、国内の政治・経済・社会的諸事情等に照らしながら、その政治的判断によりこれを決定することができるのであり、その限られた財源の下で福祉的給付を行うに当たり、自国民を在留外国人より優先的に扱うことも、許される。

	ア	イ	ウ
1：	正	正	誤
2：	正	誤	正
3：	正	誤	誤
4：	誤	正	誤
5：	誤	誤	正

チェック欄		
1回目	2回目	3回目

実践 問題 72 の解説

〈生存権〉

ア× 朝日訴訟において判例は、憲法25条1項について、具体的権利としては、憲法の規定の趣旨を実現するために制定された生活保護法によって初めて与えられているとし、生活保護法による具体的権利（保護受給権）は、厚生大臣が最低限度の生活水準を維持するに足りると認めて設定した保護基準による保護を受け得る権利であるが、何が健康で文化的な最低限度の生活であるかの認定判断は、厚生大臣の合目的的な裁量に委ねられているとして、時の政府の施政方針に左右されうる旨を示唆している（最大判昭42.5.24）。したがって、本記述は、保護受給権の内容について、時の政府の施政方針に左右されないとしている点が誤りである。

イ× 堀木訴訟において判例は、憲法25条の規定の趣旨にこたえて具体的にどのような立法措置を講ずるかの選択決定は、立法府の広い裁量に委ねられるが、それが著しく合理性を欠き明らかに裁量の逸脱・濫用とみざるをえないような場合を除き、裁判所が審査判断するのに適しないとしている（最大判昭57.7.7）。したがって、裁量の逸脱・濫用に該当するか否かについては審査判断できることになるから、裁量の逸脱・濫用に該当するかについても裁判所の審査判断に適しないとする本記述は誤りである。

ウ○ 本記述は、塩見訴訟の判旨のとおりであり、正しい。本判例は、「社会保障上の施策において在留外国人をどのように処遇するかについては、国は特別の条約の存しない限り……その政治的判断によりこれを決定することができるのであり、その限られた財源の下で福祉的給付を行うに当たり、自国民を在留外国人より優先的に取り扱うことも、許される」とした（最判平元.3.2）。

以上より、ア―誤、イ―誤、ウ―正であり、肢5が正解となる。

正答 5

第5章 SECTION 1 社会権

生存権

実践 問題 73 基本レベル

頻出度	地上★	国家一般職★	特別区★
	裁判所職員★★	国税·財務·労基★	国家総合職★★

問 憲法第25条に関するア～オの記述のうち、妥当なもののみを全て挙げているのはどれか。 (国家一般職2012)

ア：生存権の法的性格については、学説上複数の見解が存在する。このうち、いわゆるプログラム規定説は、憲法第25条は、国民の生存を確保するための立法を行う法的義務を国に課しているが、国民の具体的権利を認めたものではないとする見解であり、同説によれば、立法府がその義務を履行しない場合であっても、個々の国民が裁判所に対して国の不作為の違憲訴訟を提起することはできない。

イ：平成元年改正前の国民年金法が、20歳以上の学生を、国民年金の強制加入被保険者として一律に保険料納付義務を課すのではなく、任意加入を認めて国民年金に加入するかどうかを20歳以上の学生の意思にゆだねることとした措置は、著しく合理性を欠くものとして憲法第25条に違反するとするのが判例である。

ウ：憲法第25条の定める健康で文化的な最低限度の生活を維持するために必要な生活費は経済学等の学問的知見によって容易に計量化が可能であり、所得税法における課税最低限を定めるに当たっては立法府の裁量を認める余地はないから、同法の定める課税最低限が健康で文化的な最低限度の生活を維持するための生計費を下回ることを立証すれば、当該課税最低限に基づく課税の憲法第25条違反を主張することができるとするのが判例である。

エ：社会保障上の施策における在留外国人の処遇については、国は、特別の条約の存しない限り、当該外国人の属する国との外交関係、変動する国際情勢、国内の政治・経済・社会的諸事情等に照らしながら、その政治的判断により決定でき、限られた財源下での福祉的給付に当たり自国民を在留外国人より優先的に扱うことも許され、障害福祉年金の支給対象者から在留外国人を除外することは、立法府の裁量の範囲に属する事柄であって、憲法第25条に違反するものではないとするのが判例である。

オ：社会保障法制上、同一人に同一の性格を有する2以上の公的年金が支給されることとなるべき場合において、社会保障給付の全般的公平を図るため公的年金相互間における併給調整を行うかどうかは、立法府の裁量の範囲に属する事柄と見るべきであり、また、この種の立法における給付額の決定も、立法政策上の裁量事項であり、その給付額が低額であるからといって当然に憲法第25条に違反するものではないとするのが判例である。

1：ア、イ
2：ア、ウ
3：イ、オ
4：ウ、エ
5：エ、オ

直前復習

チェック欄

1回目	2回目	3回目

実践 問題 73 の解説

〈生存権〉

ア× プログラム規定説とは、憲法25条は裁判上請求できる権利を国民に与えたわけではなく、国に対して生存権を立法によって具体化する政治的・道徳的義務を課したにすぎないと解する見解である。それゆえ、プログラム規定説は、国民の生存を確保するための立法を行う法的義務を国に課しているという見解ではない。なお、プログラム規定説によると、立法府が上記義務を履行しないことは、政治的・道徳的義務に違反したにすぎないため、個々の国民が裁判所に対して国の不作為の違憲訴訟を提起することも認められないことになる。

イ× 判例は、平成元年改正前の国民年金法における20歳以上の学生の任意加入制は、20歳以上の学生の保険料負担能力、国民年金に加入する必要性ないし実益の程度、世帯の世帯主などが負うこととなる経済的な負担の程度などを考慮したものであり、著しく合理性を欠くとはいえないとした（最判平19.9.28）。

ウ× 判例は、所得税法における課税最低限について、それが著しく合理性を欠き明らかに裁量の逸脱・濫用とみざるをえないような場合にのみ、裁判所が審査判断しうるとする。また、同法の定める課税最低限が健康で文化的な最低限度の生活を維持するための生活費を下回ることを立証したとしても、憲法25条違反を主張できるとはしていない（総評サラリーマン税金訴訟、最判平元.2.7）。

エ○ 判例は、社会保障上の施策において在留外国人をどのように処遇するかについて、国は、その政治的判断により決定することができるので、自国民を在留外国人より優先的に扱うことも許されるとしたうえで、障害福祉年金の支給対象者から在留外国人を除外することは、立法府の裁量に属する事柄であって、憲法25条に違反しないとした（塩見訴訟、最判平元.3.2）。

オ○ 判例は、公的年金相互間における併給調整を行うかどうかは、立法府の裁量の範囲に属する事柄であり、また、この種の立法における給付額の決定も、立法政策上の裁量事項であり、それが低額であるからといって当然に憲法25条違反には結びつかないとした（堀木訴訟、最大判昭57.7.7）。

以上より、妥当なものはエ、オであり、肢５が正解となる。

正答 5

社会権
生存権

実践 問題 74 応用レベル

頻出度	地上★	国家一般職★	特別区★
	裁判所職員★	国税·財務·労基★	国家総合職★

問 生存権に関する次のア～エの記述のうち、妥当なもののみを全て挙げているものはどれか（争いのあるときは、判例の見解による。）。

（裁判所事務官2023）

ア：憲法第25条は、政治的・道義的な責任を国に課したにとどまらず、法的拘束力を有するため、法令が憲法第25条に反して違憲となることがある。

イ：個々の国民は、国に対し、法令上の根拠がなくとも、憲法第25条に基づき具体的な給付を求める権利を有する。

ウ：憲法第25条第１項と第２項との関係について、同条第２項は国の事前の積極的防貧施策をなすべき努力義務のあることを規定したものであり、同条第１項が第２項の防貧施策の実施にもかかわらず、なお保護が必要な者に対し、事後的・補足的かつ個別的な救貧施策をなすべき義務のあることを宣言したものと解するのが最高裁判所の判例の立場である。

エ：何が「健康で文化的な最低限度の生活」であるかの判断権は、第一次的には立法府にある。

１：ア、イ
２：ア、エ
３：イ、ウ
４：イ、エ
５：ウ、エ

直前復習

チェック欄

1回目	2回目	3回目

実践 問題 74 の解説

〈生存権〉

ア○ 判例は、憲法25条の法的性質が問題となった朝日訴訟（最大判昭42.5.24）において、「憲法25条１項は……すべての国民が健康で文化的な最低限の生活を営み国政に運営すべきことを国の責務として宣言したにとどまり……具体的権利としては、憲法の規定の趣旨を実現するために制定された生活保護法によって、はじめて与えられている」と述べている。これに対し、児童扶養手当法の併給禁止規定の合憲性が問題となった堀木訴訟（最大判昭 57.7.7）では、「憲法25条の規定の趣旨にこたえて具体的にどのような立法措置を講ずるかの選択決定は、立法府の広い裁量にゆだねられており、それが著しく合理性を欠き明らかに裁量の逸脱・濫用と見ざるをえないような場合を除き、裁判所が審査判断するのに適しない事柄である」と述べ、憲法25条の裁判規範性を肯定している。したがって、法令が憲法25条に反して違憲となることがありうる。

イ× 上掲朝日訴訟で判例は、25条１項の規定は直接個々の国民に対して具体的権利を賦与したものではなく、具体的権利としては生活保護法によってはじめて与えられているとして、25条の具体的権利性を否定している。

ウ× 憲法25条１項と２項の関係を述べる本記述は、判例の見解と異なるので妥当でない。本記述で展開された25条１項と２項の役割を峻別する解釈は、上掲堀木訴訟の控訴審判決（大阪高判昭50.11.10）である。しかし、この解釈を採用した最高裁判例は存在しない。

エ○ 上掲堀木訴訟において判例は、「憲法25条の規定の趣旨にこたえて具体的にどのような立法措置を講ずるかの選択決定は、立法府の広い裁量にゆだねられており、それが著しく合理性を欠き明らかに裁量の逸脱・濫用と見ざるをえないような場合を除き、裁判所が審査判断するに適しない事柄である」と述べている（解説ア参照）。したがって、何が「健康で文化的な最低限度の生活」であるかの判断権は、第一次的には立法府にあると考えることができる。

以上より、妥当なものはア、エであり、肢２が正解となる。

正答 2

社会権

教育を受ける権利

必修問題 セクションテーマを代表する問題に挑戦！

教育の自由は、学習権、教育権の所在および義務教育の無償の範囲が重要です。

問 教育を受ける権利に関する次の記述のうち妥当なのはどれか。ただし、争いがある場合は判例による。　（地上2020）

1：子どもの教育内容の決定については親、私立学校、教師、国が関わり、教師の教授の自由が一定範囲において肯定されると同時に、国にも必要かつ相当な範囲において教育内容決定権が認められる。

2：学習指導要領は、教育のあるべき姿を示すものとして綱領的・助言的性格をもつものと位置付けられる。したがって、教師はこれに従わなくとも、懲戒処分等の法的制裁を科されることはない。

3：教科書検定は表現物の行政権による事前チェックであり検閲に当たるとされるが、教育を受ける権利を全国的に一定の水準で実現する必要があるため、公共の福祉の見地により許容される。

4：憲法は義務教育を定めているので、子どもは教育を受ける義務を負う。これは、子どもの自律権を一定程度制約するが、人としての人格的成長のためにやむを得ない制約とされる。

5：義務教育の無償が憲法上定められている。これは、教育の対価である授業料、及び教育において必須の位置付けを受ける教科書について無償とすべきことの要請である。

直前復習

Guidance ガイダンス

- 憲法26条１項…学習権の保障が背景にある
- 教育権…親・教師・私学・国それぞれが持つ（折衷説）
- 義務教育の無償…授業料の不徴収

必修問題の解説

チェック欄 1回目 2回目 3回目

〈教育を受ける権利〉

1 ○ 判例は、子どもの教育内容の決定について、親、私立学校、教師、国が関わり、教師の教授の自由が一定範囲において肯定されるとしたうえで、国について「必要かつ相当と認められる範囲において、教育内容についてもこれを決定する権能を有する」としている（旭川学テ事件、最大判昭51.5.21）。

2 × 判例は、学習指導要領について、法規としての性質を有するとしたうえで、学習指導要領に従わない教師に対し懲戒処分等の法的制裁を科すことができるとしている（伝習館高校事件、最判平2.1.18）。

3 × 判例は、憲法21条２項にいう検閲とは、「行政権が主体となって、思想内容等の表現物を対象とし、その全部又は一部の発表の禁止を目的として、対象とされる一定の表現物につき網羅的一般的に、発表前にその内容を審査した上、不適当と認めるものの発表を禁止することを、その特質して備えるものを指す」（税関検査事件、最大判昭59.12.12）としたうえで、教科書検定は一般図書としての発行を何ら妨げるものではなく、発表禁止目的や発表前の審査などの特質がないから、検閲にあたらないとしている（第１次家永教科書事件、最判平5.3.16）。

4 × すべて国民は、法律の定めるところにより、その保護する子女に普通教育を受けさせる義務を負う（憲法26条２項前段）。この義務は、同条１項が保障する子どもの教育を受ける権利に対応するものであり、第１次的には子女の保護者に負わせるものである。したがって、この義務は子ども自身に教育を受ける義務を負わせるものではない。

5 × 判例は、「憲法26条２項後段の『義務教育は、これを無償とする。』という意義は、国が義務教育を提供するにつき有償としないこと、換言すれば、子女の保護者に対しその子女に普通教育を受けさせるにつき、その対価を徴収しないことを定めたものであり、教育提供に対する対価とは授業料を意味するものと認められるから、同条項の無償とは授業料不徴収の意味と解するのが相当である」としている（最大判昭39.2.26）。したがって、無償の範囲を教科書まで広げる本肢は妥当でない。

正答 1

第5章 SECTION 2 社会権

教育を受ける権利

1 学習権

憲法26条1項は、「すべて国民は、法律の定めるところにより、その能力に応じて、ひとしく教育を受ける権利を有する」と規定して、教育を受ける権利を保障しています。

教育を受ける権利は、その性質上、特に子どもに対して保障され、その権利内容は子どもの**学習権を保障したもの**であると解されています。**学習権とは、「国民各自が、一個の人間として、また、一市民として成長、発達し、自己の人格を完成、実現するために必要な学習をする権利」**をいいます。これを子どもの側から見れば、自らの「学習要求を充足するための教育を自己に施すことを大人一般に対して要求する権利」（**旭川学テ事件**、最大判昭51.5.21）であると言い換えることができます。

2 教育権の所在

子どもの学習権に対応して、子どもに教育を受けさせる責務を負うのは、第一義的には親です。また、国も、教育を受ける権利を保障すべく、教育制度を維持し教育条件を整備すべき義務を負います。では、教育内容については誰が決定権を有するのでしょうか。

判例は、教育内容を決定する権限は役割に応じて国と国民に分担されているという折衷的な見解を採っています（**旭川学テ事件**、最大判昭51.5.21）。

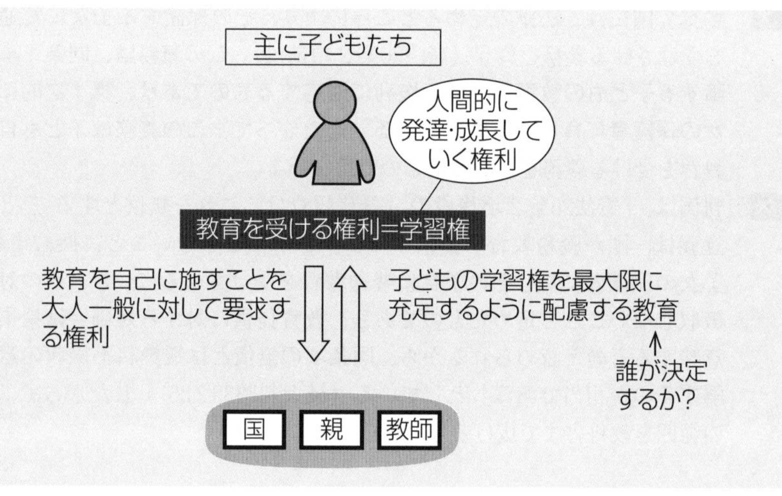

3 義務教育の無償

憲法26条２項後段は、「義務教育は、これを無償とする」と規定しています。

ここでいう「無償」について、判例・通説は、**授業料を徴収しない**という意味と解しており、これによると授業料以外の教科書代、給食費や修学旅行費などについて、徴収するか否かは、国の判断に委ねられていることになります。

判例

《旭川学テ事件》最大判昭51.5.21
【事案】文部省（当時）の指示に基づいて行われた全国学力テストが違法ではないかが争われた事件
【判旨】国だけが教育内容の決定権（教育権）を有するという見解（国家教育権説）も国民だけが決定権を有するという見解（国民教育権説）も極端かつ一方的である。親は主として家庭教育など学校外における教育や学校選択の自由を有し、教師も一定の範囲で教授の自由を有する。それ以外の領域においては、国は必要かつ相当と認められる範囲において教育内容について決定する権能を有する。しかし、子どもが独立の人格として成長するのを妨げるような国家的介入は許されない。そして、学力テストはそれにあたらず適法である。

教育を受ける権利

実践 問題 75 基本レベル

頻出度	地上★　国家一般職★　特別区★★ 裁判所職員★　国税·財務·労基★　国家総合職★

問 日本国憲法に規定する教育を受ける権利又は学問の自由に関するA～Dの記述のうち、最高裁判所の判例に照らして、妥当なものを選んだ組合せはどれか。

（特別区2008）

A：普通教育の場において、教育内容が地域、学校のいかんにかかわらず全国的に一定の水準である必要はなく、検定を経た教科書を使用しなければならないことは、教育内容への国家的介入であり、教師の授業等における裁量の余地を奪うものであるとした。

B：親のその子女の教育の自由や私学教育における自由及び教師の教授の自由は一定の範囲で認められるが、それ以外の領域では、国は、子ども自身の利益の擁護又は子どもの成長に対する社会公共の利益と関心に応えるため、必要かつ相当と認められる範囲において、子どもの教育内容を決定する権能を有するとした。

C：学生の集会が、大学が許可したものであっても、真に学問的な研究又はその結果の発表のためのものでなく、実社会の政治的社会活動に当たる行為をする場合には、大学の有する特別の学問の自由と自治は享有しないとした。

D：学習指導要領に定められた内容を逸脱した授業等をし、所定の教科書を使用しなかった教師が懲戒処分を受けたことについて、学習指導要領の法的拘束力を認めず、教師の行為は裁量の範囲内であるとして、当該懲戒処分は妥当ではないとした。

1：A、B
2：A、C
3：A、D
4：B、C
5：B、D

直前復習

チェック欄

1回目	2回目	3回目

実践 問題 75 の解説

〈教育を受ける権利〉

A × 判例は、普通教育の場において、教育内容が全国的に一定の水準であることが要請され、また、検定を経た教科書を使用しなければならないことは、教師の授業等における裁量を奪うものではないとして、平成元年改正の教科書検定制度は憲法26条、13条の規定に違反しないとした（最判平17.12.1）。

B ○ 判例は、親のその子女の教育の自由や私学教育における自由および教師の教授の自由は一定の範囲で認められるが、それ以外の領域では、国は、子ども自身の利益の擁護または子どもの成長に対する社会公共の利益と関心にこたえるため、必要かつ相当と認められる範囲において、子どもの教育内容を決定する権能（教育権）を有するとした（旭川学テ事件、最大判昭51.5.21）。

C ○ 判例は、大学における学生の集会は、大学の公認した学生団体であるとか、大学の許可した学内集会であることのみによって、特別な自由と自治を有するものではなく、学生の集会が真に学問的な研究またはその結果の発表のためのものではなく、実社会の政治的社会的活動にあたる行為をする場合には、大学の有する特別の学問の自由と自治を享有しないとした（東大ポポロ事件、最大判昭38.5.22）。

D × 判例は、高等学校学習指導要領に違反する教師の教育活動を理由とした懲戒処分の適法性が問題となった事案につき、国が、教育の一定水準を維持しつつ、高等学校教育の目的達成に資するために、高等学校教育の内容および方法について遵守すべき基準を定立する必要があり、特に法規によってそのような基準が定立されている事柄については、教育の具体的内容および方法につき高等学校の教師に認められるべき裁量にもおのずから制約が存するとし、学習指導要領に法的拘束力を認めたうえで、当該懲戒処分は適法であるとした（伝習館高校事件、最判平2.1.18）。

以上より、妥当なものはB、Cであり、肢4が正解となる。

正答 4

社会権

教育を受ける権利

実践 問題 76 基本レベル

頻出度	地上★	国家一般職★	特別区★★
	裁判所職員★	国税･財務･労基★	国家総合職★

問 日本国憲法に規定する教育を受ける権利又は学問の自由に関する記述として、判例、通説に照らして、妥当なのはどれか。（特別区2004）

1：教育を受ける権利を実質化するための義務教育の無償について、その範囲には、授業料を徴収しないことだけでなく、教科書の無償配布も含まれる。

2：最高裁判所の判例では、普通教育における国の教育内容の決定権を必要かつ相当と認められる範囲内で肯定する一方、学問の自由に含まれる教授の自由について、普通教育の場においても教師に一定の範囲内で保障されるとした。

3：最高裁判所の判例では、高等学校の学習指導要領は法的拘束力を持つが、教科書の決定は教師の教育の自由に属するので、高等学校の教師は所定の教科書を使用する義務がないとした。

4：最高裁判所の判例では、教育を受ける権利の背後に、子どもがその学習要求を充足するための教育を自己に施すことを大人一般に要求する権利を有するとの概念が存在するとまでは認められないとした。

5：教育を受ける権利は、教育の機会均等を意味し、各人の適性や能力の違いによって異なった内容の教育をすることは一切許されない。

チェック欄

1回目	2回目	3回目

実践 問題 76 の解説

〈教育を受ける権利〉

1 × 判例は、義務教育の無償とは、教育の対価たる授業料の無償をいうものとしている（最大判昭39.2.26）。現在教科書の無償配布が行われているが、これは教科書無償法に基づくものであり、憲法上の要請ではない。

2 ○ 教育権の所在について、判例は、国は必要かつ相当と認められる範囲において、教育内容についても決定する権能を有するとする。他方、現場の教師にも、教授の具体的内容および方法につきある程度自由な裁量が認められなければならないという意味においては、一定の範囲における教授の自由が保障されうるとしている（旭川学テ事件、最大判昭51.5.21）。

3 × 判例は、高等学校における学習指導要領に法的拘束力を認めている（伝習館高校事件、最判平2.1.18）。そして、同判例は、高等学校の教師には所定の教科書を使用する義務があるとし、授業で使用する教科書の自由な決定権を認めていない。

4 × 判例は、憲法26条は教育を受ける権利を保障するが、その背後には、子どもはその学習要求を充足するための教育を自己に施すことを大人一般に対して要求する権利（学習権）を有するとの観念が存在する、としている（旭川学テ事件、最大判昭51.5.21）。

5 × 憲法26条１項は教育の機会均等を保障している。この教育の機会均等は、形式的に教育を受ける機会を平等に保障するだけにとどまらず、子どもの心身の発達機能に応じた教育の保障を意味すると考えられている。したがって、各人の適性や能力の違いによって異なる内容の教育をすることも許される。

正答 2

社会権

教育を受ける権利

実践 問題 77 基本レベル

頻出度	地上★	国家一般職★	特別区★★
	裁判所職員★	国税·財務·労基★	国家総合職★

問 子供に対する教育内容の決定権能の帰属等について論じた最高裁判所昭和51年5月21日大法廷判決（刑集第30巻5号615頁）に関するア～オの記述のうち、当該判決に照らし、妥当なもののみを全て挙げているのはどれか。

（国家一般職2014）

ア：憲法第26条の規定の背後には、国民各自が、一個の人間として、また、一市民として、成長、発達し、自己の人格を完成、実現するために必要な学習をする固有の権利を有すること、特に、自ら学習することのできない子供は、その学習要求を充足するための教育を自己に施すことを大人一般に対して要求する権利を有するとの観念が存在している。

イ：憲法第23条の保障する学問の自由には、学問研究の結果を教授する自由は含まれるものではないが、普通教育の場においては、子供の教育が教師と子供との間の直接の人格的接触を通じ、その個性に応じて行われなければならないという本質的要請に照らし、憲法第26条により一定の範囲における教師の自由な裁量が認められる。

ウ：普通教育においては、児童生徒に教授内容を批判する能力がなく、教師が児童生徒に対して強い影響力、支配力を有すること、また、子供の側に学校や教師を選択する余地が乏しく、教育の機会均等を図る上からも全国的に一定の水準を確保すべき強い要請があることなどからすれば、普通教育における教師に完全な教授の自由を認めることは、許されない。

エ：親は、子供に対する自然的関係により、子供の将来に対して最も深い関心を持ち、かつ、配慮をすべき立場にある者として、子供の教育に対する一定の支配権、すなわち子女の教育の自由を有すると認められるが、このような親の教育の自由は、主として家庭教育等学校外における教育や学校選択の自由にあらわれる。

オ：憲法の採用する議会制民主主義の下においては、国は、法律で、当然に、公教育における教育の内容及び方法についても包括的にこれを定めることができ、また、教育行政機関も、法律の授権に基づく限り、広くこれらの事項について決定権限を有する。

1：ア、エ
2：イ、オ
3：ウ、オ
4：ア、ウ、エ
5：イ、エ、オ

チェック欄		
1回目	2回目	3回目

実践 問題 77 の解説

〈教育内容決定権能〉

本問は、旭川学テ事件（最大判昭51.5.21）で示された学問の自由（憲法23条）および教育を受ける権利（憲法26条）に関する主要論点の知識を問うものである。以下、各肢を検討する。

ア○ 本記述は、子どもの学習権を述べるものであり、判例の見解と一致するので妥当である。

上記判例は、本記述のとおりに述べ、子どもの学習権の観念の存在を認めている。

イ× 本記述は、学問の自由には学問研究の結果を教授する自由は含まれないと述べる点が判例の見解と異なるので妥当でない。

上記判例は、「憲法の保障する学問の自由は、単に学問研究の自由ばかりでなく、その結果を教授する自由をも含む」とし、さらに、「学問の自由を保障した憲法23条により、学校において現実に子どもの任にあたる教師は教授の自由を有し、公権力による支配・介入を受けないで自由に子どもの教育内容を決定することができるとする見解も採用することができない」としている。

ウ○ 本記述は、普通教育における教師に完全な教授の自由を認めることは許されないとの結論、それに至る理由と根拠を述べるものであり、それらが上記判例の見解と一致しているので妥当である。

上記判例は、「普通教育の場においても、たとえば教師が公権力によって特定の意見のみを教授することを強制されないという意味において、また、子どもの教育が教師と子どもとの間の直接の人格的接触を通じ、その個性に応じて行われなければならないという本質的要請に照らし、教授の具体的内容および方法につきある程度自由な裁量が認められなければならないという意味においては、一定の範囲における教授の自由が保障されるべきことを肯定できないではない」としつつも、本記述のとおり、普通教育における教師の完全な教授の自由を否定した。

エ○ 本記述は、教育権の所在につき、親または教師を中心とする国民にあるとの見解に配慮を示すものであり、上記判例と見解が一致するので妥当である。

教育権の所在（教育の内容を決定する権能が誰にあるか）について、①主権者である国民の政治的信託に基づいて国家が有するとする国家教育権説と、②親もしくは教師を中心とする国民が有し、国が教育内容に介入することは許されないとする国民教育権説が対立してきたが、上記判例は、両者とも極端かつ一方的であり、そのいずれをも全面的に採用することはできないとした（折衷説）。そのうえで、「まず親は、子女の教育の自由を有すると認められるが、それは主として家庭教育等学校外における教育や学校選択の自由に現れるものと考えられるし、また私学教育における自由や教師の教育の自由も、それぞれ限られた一定の範囲においてこれを肯定すべきである」として、国民も教育権を有することを判示した。

オ × 本記述は、国に包括的な公教育における教育内容・方法の決定権を認め、また、教育行政機関にも、法律の授権に基づく限り、同様の権限を認める旨を述べているところ、これらの権限は、判例の見解からは導きえないので妥当でない。

肢エの解説のとおり、上記判例は、教育権の所在につき折衷説に立つ。すなわち、「それ以外の領域においては、国は、国政の一部として広く適切な教育政策を樹立、実施すべく、また、しうる者として、憲法上、子ども自身の利益の擁護のため、あるいは子どもの成長に対する社会公共の利益と関心にこたえるため、必要かつ相当と認められる範囲において、教育内容についてもこれを決定する権能を有する」「もっとも、教育に政治的影響が深く入り込む危険を考えれば、教育内容に対する国家的介入についてはできるだけ抑制的であることが要請されるし、子どもが自由かつ独立の人格として成長することを妨げるような国家的介入、たとえば、誤った知識や一方的な観念を子どもに植えつけるような内容の教育を施すことを強制することは、憲法26条・13条の規定上からも許されない」としているところ、公教育における教育内容の決定につき、国ないし教育行政機関に包括的な権限を認めることはできないのである。

以上より、妥当なものはア、ウ、エであり、肢4が正解となる。

正答 4

memo

第5章 SECTION 2 社会権

教育を受ける権利

実践 問題 78 応用レベル

頻出度	地上★　国家一般職★　特別区★　裁判所職員★　国税·財務·労基★　国家総合職★

問 教育を受ける権利に関する次の記述のうち、妥当なのはどれか。（国Ⅰ1999）

1：明治憲法は教育に関する規定を持たなかったが、現憲法は、教育を受けることは国民の権利であるとするとともに、教育に関する基本的事項は国会の制定する法律形式によるべきものとした。

2：義務教育は無償とするとの憲法の規定は、授業料のほかに、教科書、学用品その他教育に必要な費用まで無償としなければならないことを定めたものとするのが判例である。

3：わが国の法制上、子どもの教育内容を決定する権能は、親を中心とする国民の側にあり、国家は教育内容について決定する権能を有しないとするのが判例である。

4：教育を受ける権利は、国民がその保護する子女に教育を施す権利を内包しているが、国家に対し適切な教育の場を提供することを要求する社会権としての性格を有しないと解するのが通説である。

5：高等学校学習指導要領は法規としての性質を有するものではないから、憲法上教育の自由が保障されている教師は、それに法的に拘束されることはないとするのが判例である。

チェック欄

1回目	2回目	3回目

実践 問題 78 の解説

〈教育を受ける権利〉

1 ○ まず、明治憲法には教育に関する規定は存在しなかったという点は正しい。そして、憲法26条は、すべての国民が人権としての「教育を受ける権利」を有すること、また教育の基本は法律によらねばならないこと（教育基本法などの法律がある）、さらに就学年齢にある子どもを持つ国民は子どもに普通教育を受けさせる義務を負い、その義務教育は無償でなければならないことを定めている。

2 × 義務教育の無償とは、国公立での義務教育における授業料不徴収の意味であるとするのが判例（最大判昭39.2.26）・通説である。

3 × 判例は、国家の側にも教育権を認めている（旭川学テ事件、最大判昭51.5.21）。

4 × 教育を受ける権利を人権体系上の社会権の１つと解することは、ほとんど争いがない。すなわち、教育を受ける権利とは、国家に対して合理的な教育制度と適切な教育の場を提供することを要求する権利である。ただし、教育を受ける権利保障の背景にある理念ないし根拠として何を重視するかという点をめぐっては見解の対立がある。

5 × 伝習館高校事件において、判例は、高等学校学習指導要領は法規としての性質を有するから、教師はそれに法的に拘束されるとした（最判平2.1.18）。

正答 1

社会権
労働基本権

必修問題 セクションテーマを代表する問題に挑戦！

労働基本権の内容と判例が重要です。特に公務員の労働基本権の制限に関する判例は重要です。

問 日本国憲法に規定する労働基本権に関する記述として、判例、通説に照らして、妥当なのはどれか。 (特別区2014)

1：勤労者の団結する権利は、労働者の団体を組織する権利であるとともに、労働者を団結させて使用者の地位と対等に立たせるための権利であり、警察職員、消防職員、自衛隊員にも保障されている。

2：勤労者の団体交渉をする権利とは、労働者の団体が、労働条件について使用者と対等の立場で交渉する権利であり、非現業国家公務員や地方公営企業職員以外の地方公務員が組織する職員団体が、当局との交渉の結果、労働協約を締結することも含まれる。

3：勤労者の団体行動をする権利は、労働者の団体が労働条件の実現を図るために団体行動をする権利であり、その中心は争議権であるが、現業の国家公務員や地方公営企業職員にもこの争議権が認められている。

4：最高裁判所の判例では、私企業の労働者であると、公務員を含むその他の勤労者であるとを問わず、使用者に対する経済的地位の向上の要請とは直接関係のない警察官職務執行法の改正に対する反対のような政治的目的のために争議行為を行うことは、憲法28条とは無関係なものであるとした。

5：最高裁判所の判例では、全逓信労働組合の役員が、職場大会に参加するよう職員を説得した上、数時間職場を離脱させた事件において、労働基本権は、すべての労働者に保障するところであり、業務の停廃が国民生活に重大な障害をもたらすおそれがある場合であっても、争議行為を禁止してはならないとした。

Guidance ガイダンス

・労働基本法の複合的性格
　社会権、自由権（刑事免責）、私人間効（民事免責）
・ユニオン・ショップ協定…一定の条件で有効
・争議権の限界…政治スト、生産管理は違法
・非現業公務員の争議行為の一律禁止は合憲

頻出度　地上★　国家一般職★　特別区★　裁判所職員★　国税・財務・労基★　国家総合職★

必修問題の解説

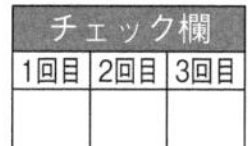

〈労働基本権〉

1 × 本肢は、勤労者の団結する権利が警察職員、消防職員、自衛隊員にも保障されている、としているので妥当でない。公務員も憲法28条の「勤労者」に含まれる（最大判昭40.7.14）が、公務員の労働基本権は広範に制限されている。具体的には3つのグループに分けられる。第1は、労働三権すべてを否定されているグループで、警察官、消防職員、自衛官などがこれにあたる。第2は、団結権は認められているが、団体交渉権が制限され、争議権が否定されているグループで、非現業の国家・地方公務員がこれにあたる。第3は、団結権と団体交渉権は認められているが、争議権が否定されているグループで、現業の公務員（「行政執行法人の労働関係に関する法律」の適用される職員および地方公営企業職員等）がこれにあたる。すなわち、警察職員、消防職員、自衛隊員には団結権の保障が及ばないのである。

2 × 本肢は、非現業国家公務員や地方公営企業職員以外の地方公務員が団体交渉権を行使しうる趣旨が述べられており、妥当でない。肢1の解説で述べたとおり非現業国家公務員や地方公務員は第2のグループであり、団体交渉権が制限されている。それゆえ、当局と団体交渉の結果として労働協約を締結することは認められない。

3 × 本肢は、現業の国家公務員や地方公営企業職員にも争議権が認められている、としているので妥当でない。肢1の解説のとおり現業の国家公務員や地方公営企業職員は第3のグループであり、団体行動権（主として争議権）が否定されている。

4 ○ 政治目的のために争議行為を行うことは、憲法28条とは無関係なものであると述べる本肢は妥当である。全農林警職法事件において判例（最大判昭48.4.25）は、「使用者に対する経済的地位の向上と直接関係があるとはいえない政治的目的のために争議行為を行うことは、私企業の労働者であると公務員であるとを問わず、憲法28条の保障を受けない」としている。

5 × 本肢は、業務の停廃が国民生活に重大な障害をもたらすおそれがある場合であっても、争議行為を禁止してはならない、としているので妥当でない。全逓東京中郵事件において判例（最大判昭41.10.26）は、「公務員の労働基本権の制限は、合理性の認められる必要最小限度のものにとどめられなければならず、国民生活に及ぼす障害を避けるために必要やむを得ない場合について考慮されるべきである」として、公務員の労働基本権の制限を、国民生活に及ぼす障害を避けるための必要最小限度にとどめるべき趣旨を述べている。

正答 4

社会権

労働基本権

1 労働基本権とは

> 憲法第28条
> 勤労者の団結する権利及び団体交渉その他の団体行動をする権利は、これを保障する。

※ **勤労者**

職業の種類を問わず、**労働力を提供して対価を得て生活する者**をいい、公務員もこれに含まれます。

2 労働基本権の内容

① **団結権**

労働組合の結成・運営など、労働者が労働条件の維持、改善を図ることを主な目的として団体を結成し、それを運営する権利

② **団体交渉権**

労働者団体が、労働条件の維持、改善のため使用者と交渉する権利

③ **団体行動権**

労働者団体が、労働条件の維持、改善を実現するため、団体として行動する権利

3 労働基本権の限界

(1) 労働組合への加入強制

判例は、ユニオン・ショップ協定のうち、特定の労働組合加入への強制は、労働者の組合選択の自由を侵害するから違法としています（**三井倉庫港運事件**、最判平元.12.14）。

※ ユニオン・ショップ協定

労働者はいったん雇われた以上、一定の期間内に組合に加入しなければならず、使用者は労働者が組合に加入しないか、または、脱退ないし除名されたときは、これを解雇しなければならないという内容の労使間の協定のことをいいます。

(2) 組合統制権の限界

判例
《三井美唄労組事件》 最大判昭43.12.4
【事案】労働組合がその決定に反して選挙に立候補した組合員に対して処分することが許されるか
【判旨】①統一候補以外の組合員であえて立候補しようとするものに対し、組合の所期の目的を達成するため、立候補を思いとどまるよう勧告または説得することも、それが単に勧告または説得にとどまる限り、組合の組合員に対する妥当な範囲の統制権の行使である。②しかし、当該組合員に対し、勧告または説得の域を超え、立候補を取りやめることを要求し、これに従わないことを理由に当該組合員を統制違反者として処分するがごときは、組合の統制権の限界を超えるものとして違法である。

(3) 純粋政治スト

判例は、労働者の経済的地位の向上と直接に関係があるとはいえないことから、正当な争議行為にはあたらず、憲法28条の保障を受けないとしています（全農林警職法事件、最大判昭48.4.25）。

(4) 生産管理

判例チェック
判例は、使用者の所有権を侵害するものであり、正当な争議行為とはいえず、憲法28条の保障を受けないとしています（山田鋼業事件、最大判昭25.11.15）。

※ 生産管理

労働者が工場や事業所などの生産手段を接収し、使用者の指揮命令を排除して、自らの意思に基づき企業経営を行う争議手段のことをいいます。

社会権
労働基本権

実践 問題 79 基本レベル

頻出度	地上★　国家一般職★　特別区★　裁判所職員★　国税·財務·労基★　国家総合職★

問 **労働基本権に関する次の記述のうち、妥当なのはどれか。ただし、争いのあるものは判例の見解による。** **（国家一般職2019）**

1：労働基本権の権利主体は勤労者であり、勤労者とは、労働組合法上の労働者、すなわち職業の種類を問わず、賃金、給料その他これに準ずる収入によって生活する者を指す。したがって、公務員は勤労者に含まれるが、現に職を持たない失業者は勤労者に含まれない。

2：労働基本権は、社会権として、国に対して労働者の労働基本権を保障する立法その他の措置を要求する権利であると同時に、自由権として、団結や争議行為を制限する立法その他の措置を国に対して禁止するという意味を持つ。また、労働基本権は私人間の関係にも直接適用される。

3：労働協約により、労働組合に加入しない労働者又は組合員でなくなった労働者の解雇を使用者に義務付けるユニオン・ショップ協定は、労働者の団結しない自由を侵害するものであるから、有効なものとはなり得ない。

4：憲法第28条による労働者の団結権保障の効果として、労働組合は、その目的を達成するために、組合員に対する統制権を有しているが、この統制権が及ぶのは、労働組合の経済的活動の範囲内に限られており、労働組合の政治的・社会的活動には及ばない。

5：憲法第28条は団体行動をする権利を保障しており、団体行動とはストライキその他の争議行為をいう。労働組合が同条によって保障される正当な争議行為を行った場合、刑事責任は免責されるが、民事上の債務不履行責任や不法行為責任は免責されない。

チェック欄

1回目	2回目	3回目

実践 問題 79 の解説

〈労働基本権〉

1 × 労働基本権（憲法28条）の主体である「勤労者」とは、労働組合法３条の「労働者」、すなわち、職業の種類を問わず、賃金、給料その他これに準ずる収入によって生活する者をいう。この定義からすると、公務員も「勤労者」に含まれるし、現に職を持たない失業者も過去または将来において賃金等で生活しているため「勤労者」に含まれる。したがって、現に職を持たない失業者は勤労者に含まれないと述べる本肢は妥当でない。

2 ○ 本肢は、労働基本権の社会権的側面、自由権的側面、私人間における直接適用といった当該権利の複合的性格を正しく述べており、妥当である。

3 × ユニオン・ショップ協定とは、労働組合に加入しない労働者または組合員でなくなった労働者の解雇を使用者に義務付ける労働協約における協定をいう。判例は、ユニオン・ショップ協定は、「間接的に労働組合の組織の拡大強化を図ろうとする制度であり、このような制度としての正当な機能を果たすものと認められるかぎりにおいてのみその効力を承認することができる」として、その有効性を一定限度で認めている（最判昭50.4.25）。したがって、有効なものとはなり得ないと述べる本肢は妥当でない。

4 × 判例は、労働組合の組合員に対する統制権は政治的・社会的活動にも及ぶとしているので、本肢は妥当でない。三井美唄労組事件において判例は、労働組合は、弱者である個々の労働者を強者である使用者との交渉において対等の立場に立たせることにより、労働者の地位を向上させるという目的を達成するために、必要な政治活動や社会活動を行うことができるとしたうえで、地方議会議員選挙にあたり、労働組合が統一候補以外の組合員であえて立候補しようとする者に対し、立候補を思いとどまるよう勧告または説得することも、それが単に勧告または説得にとどまる限り、法の禁ずるところではないとしている（最大判昭43.12.4）。

5 × 労働組合が正当な争議行為を行った場合は、憲法28条ならびに労働組合法１条２項、８条によって刑事責任のみならず、民事上の債務不履行責任や不法行為責任も免責されるため、本肢は妥当でない。

正答 2

社会権
労働基本権

実践 問題 80 基本レベル

頻出度	地上★	国家一般職★	特別区★
	裁判所職員★	国税·財務·労基★	国家総合職★

問 日本国憲法に規定する勤労の権利又は労働基本権に関する記述として、通説に照らして、妥当なのはどれか。 （特別区2007）

1：日本国憲法における勤労の権利とは、労働機会の提供について国に政治的な義務を課すとともに、国に対して完全な就労の保障を要求する具体的な権利を国民に認めたものである。

2：賃金、就業時間、休息その他の勤労条件に関する最低限の基準は、法律で定めるものとされているが、個々の労働契約でその基準を下回った勤労条件を定めた場合でも、契約自由の原則により当該労働契約はすべて有効である。

3：勤労者の団結する権利とは、労働条件の維持及び改善のために使用者と対等の交渉ができる団体を結成し、又はこれに加入する権利である。

4：勤労者の団体交渉をする権利とは、労働者の団体が労働条件の実現を図るために団体で交渉を行う権利であり、その中心は争議権である。

5：勤労者の団体行動をする権利とは、労働者の団体が労働条件について使用者側と労働協約を締結するために行動する権利であるが、締結された労働協約は規範的効力を一切もたない。

チェック欄

1回目	2回目	3回目

実践 問題 80 の解説

〈勤労の権利・労働基本権〉

1 × 憲法27条1項によって保障される勤労の権利の積極的意義は、その社会権的側面にあるが、その法的性格については学説上争いがある。この点につき、従来からの通説は、同条項は、国家に対して国民に労働の機会を保障する政治的義務を課したもので、国民に具体的権利を認めたものではないと解している。

2 × 賃金、就業時間、休息その他の勤労条件に関する基準は、法律で定めることとなっている（憲法27条2項）。これは、国が経済的弱者たる労働者の保護のために、立法（労働基準法）により、労使間の契約に介入し、労働条件の最低基準を定めることによって契約自由の原則を修正することを意味する。かかる趣旨から、法定された基準を下回る勤労条件を定めた労働契約は無効である（労働基準法13条参照）。

3 ○ 憲法28条は、労働基本権として、団結権、団体交渉権、団体行動権（争議権）を定めている。このうち、団結権とは、労働条件の維持・改善のために使用者と対等の交渉ができる団体を結成したり、それに参加したりする権利をいうと解される。なお、ここにいう団体とは、主として永続的な団体である労働組合を意味する。

4 × 団体交渉権とは、労働者の団体がその代表を通じて、労働条件について使用者と交渉する権利である。他方、憲法は「団体行動をする権利」について定めているが、一般に団体行動とは、ストライキその他の争議行為をいうことから、これにより争議権が保障されていると解されている。

5 × 団体交渉権とは、労働者の団体がその代表を通じて、労働条件について使用者と交渉する権利であり、これによって、労働条件の自主的決定が確保される。そして、団体交渉権は、団体交渉により労使間で合意に達した事項について労働協約を締結すること、およびそれが規範的効力を持つことまでをその内容とする。労働組合法は、労働協約が規範的効力を持ち、それに反する労働契約の部分は無効となると定めている（労働組合法16条）。

正答 3

第5章 SECTION ③ 社会権 労働基本権

実践 問題 81 基本レベル

頻出度	地上★	国家一般職★	特別区★
	裁判所職員★	国税·財務·労基★	国家総合職★

問 **日本国憲法に規定する労働基本権に関する記述として、最高裁判所の判例に照らして、妥当なのはどれか。** （特別区2020）

1：憲法は、労働者の争議権が平等権、自由権、財産権等の基本的人権に対して絶対的優位を有することを認めているので、使用者側の自由権や財産権が労働者の団体行動権のため制限を受けるのは当然であり、労働者が使用者側の自由意思を抑圧し、財産に対する支配を阻止することは許されるとした。

2：地方公務員法の規定は、全ての地方公務員の一切の争議行為を禁止し、これらの争議行為の遂行を共謀し、唆し、あおる等の行為を全て処罰する趣旨であり、それは、公務員の労働基本権を保障した憲法の趣旨に反し、必要やむを得ない限度を越えて争議行為を禁止し、かつ、必要最小限度を越えて刑罰の対象としているので、違憲無効であるとした。

3：裁判事務に従事する裁判所職員が新安保条約に対する反対運動のような政治的目的のために争議を行うことは、争議行為の正当な範囲を逸脱するものであるが、短時間のものであり、また、暴力を伴わないものであれば、職務の停廃を来し、国民生活に重大な障害をもたらすおそれはなく、違法性はないとした。

4：岩手県教組学力テスト事件において、地方公務員法の規定は、地方公務員の争議行為に違法性の強いものと弱いものとを区別して前者のみが同法にいう争議行為に当たるものとし、また、当該争議行為の遂行を共謀し、唆し、又はあおる等の行為のうちいわゆる争議行為に通常随伴する行為を刑事制裁の対象から除外する趣旨と解すべきであるとした。

5：全逓名古屋中郵事件において、公共企業体等労働関係法の適用を受ける五現業及び三公社の職員について、その勤務条件は、憲法上、国会において法律、予算の形で決定すべきものとされており、労使による勤務条件の共同決定を内容とする団体交渉権の保障はなく、当該共同決定のための団体交渉過程の一環として予定されている争議権もまた、憲法上、当然に保障されていないとした。

チェック欄		
1回目	2回目	3回目

実践 問題 81 の解説

〈労働基本権〉

1 × 労働者の争議権について定める憲法28条は、平等権、自由権、財産権等の基本的人権に対する絶対的優位を認めているとは解されていない。それゆえ、労働者が使用者の自由意思を抑圧することや財産に対する支配を阻止することまで許容するものではない。なお、労働者の争議権と財産権との関係につき、労働組合による生産管理は、使用者の所有権侵害にあたり違法であるとした判例がある（山田鋼業事件、最大判昭25.11.15）。

2 × 本肢は、判例の見解と異なるので、妥当でない。判例は、「地方公務員法は地方公務員の争議行為を一般的に禁止し、かつ、あおり行為等を一律的に処罰すべきものと定めているが、これらの規定の表現にかかわらず、禁止されるべき争議行為の種類や態様についても、それにまた、処罰の対象とされるべきあおり行為等の態様や範囲についても、おのずから合理的な限界の存することが承認されるはずである」として、合理的解釈によって規制の限界が認められる以上、規定の表現のみをみて、直ちにこれを違憲無効とすべきではないとした（都教組事件、最大判昭44.4.2）。

3 × 新安保条約の反対運動に関して裁判所職員の争議行為が問題となった事案につき、判例は、「このような政治的目的のための争議行為は、正当な範囲を逸脱するものとして許されるべきではなく、かつ、それが短時間のものであり、また、かりに暴力等を伴わないものとしても、裁判事務に従事する裁判所職員の職務の停廃をきたし、国民生活に重大な障害をもたらすおそれのあるものであって、かような争議行為は、違法性の強いものといわなければならない」とした（全司法仙台事件、最大判昭44.4.2）。

4 × 本肢は、岩手県教組学力テスト事件の判旨と異なるので、妥当でない。岩手県教組学力テスト事件は、都教組事件判決（肢２解説参照）を変更したものである。すなわち、争議行為に違法性の強いものと弱いものとを区別して、前者のみが地方公務員法上禁止される争議行為にあたるとの解釈は是認することができないとし、旧来の考えを否定した（最大判昭51.5.21）。

5 ○ 本肢は、全逓名古屋中郵事件の判旨に照らして正しく、妥当である。全逓名古屋中郵事件（最大判昭52.5.4）は、全農林警職法事件判決（最大判昭48.4.25）で示された基本的見解を現業国家公務員・公共企業体職員にも及ぼしたものであり、本肢のように判示した。

正答 5

第5章 社会権

章末 CHECK

? Question

Q1 憲法25条１項の規定は直接個々の国民に具体的権利を賦与したものであるとするのが判例である。

Q2 生存権は、社会権的側面しか有しない権利であって、自由権的側面は認められないと解するのが通説である。

Q3 プログラム規定説の立場からすれば、生存権を具体化する立法がなされていない場合に立法不作為の違憲確認訴訟を提起することが可能である。

Q4 具体的権利説からすると、憲法25条１項に基づき具体的な生活扶助請求をしうる。

Q5 判例は、憲法25条１項を救貧施策に関して規定し、同条２項は防貧施策に関して規定したものであると解する。

Q6 憲法25条の規定の要請にこたえて制定された法令について、国の広い立法裁量が認められるため、個々人の状況により支給の有無、支給額などにつき差異を認めても憲法14条の問題が生ずる余地はない。

Q7 公害問題が生じたことに対する対処の一環として、最高裁判所は、環境権が憲法上の人権であることを認めている。

Q8 判例は、教育内容の決定について親や教師が関与することを否定している。

Q9 憲法26条２項が保障している義務教育の無償とは、授業料を徴収しないことを意味する。

Q10 判例は、学習指導要領に法的拘束力を認める。

Q11 正当な争議行為を行った場合、その行為に対して刑事責任や民事責任が問われることはない。

Q12 労働基本権の内容は、団結権、団体交渉権、団体行動権であり、いずれも憲法上保障されている。

Q13 生産管理をすることは、労働基本権の行使の一態様といえるから、違法性が阻却され、適法であると考えるのが判例である。

Q14 労働組合が推す統一候補に対抗し対立候補として選挙に立候補した組合員を処分することは、労働組合の統制権の適切な行使であり、適法である。

Q15 非現業公務員は、憲法28条により労働基本権が保障されていないため、政府に対して争議行為を行うことはできないとするのが判例である。

A1 × 判例は、憲法25条1項の法的性質につき、少なくとも具体的権利性は認めていない。

A2 × 通説は、生存権においても自由権的側面を認める。

A3 × プログラム規定説の立場からでは、生存権を具体化する立法がなされていない場合に、立法不作為の違憲確認訴訟を提起することはできない。かかる訴訟の提起を認めるのは、具体的権利説の立場からである。

A4 × 具体的権利説の立場からでも、直接憲法25条1項を根拠に具体的な生活扶助請求をすることはできないとされている。

A5 × 判例は、本問のような1項・2項峻別論を採用していない（堀木訴訟）。

A6 × 判例は、たとえ本問のような法令を制定したとしても、合理的理由のない差別に対しては、憲法14条違反の問題が生ずる余地があるとしている（堀木訴訟、最大判昭57.7.7）。

A7 × これまでに環境権という名の権利を正面から認めた最高裁判例はない。なお、判例は、国立マンション訴訟において、景観利益を民法709条上保護される利益であると認めているものの、景観利益を超えた景観権という権利性を有するものとまでは認めていない（最判平18.3.30）。

A8 × 旭川学テ事件は、親や教師も一定の範囲で教育権を有するとしている（最大判昭51.5.21）。

A9 ○ 判例・通説である（最大判昭39.2.26）。

A10 ○ 伝習館高校事件において、判例は学習指導要領に法的拘束力を認めた（最判平2.1.18）。

A11 ○ 正当な争議行為は、憲法ならびに労働組合法で保障された権利の行使である。

A12 ○ 労働基本権の内容は、団結権、団体交渉権、団体行動権であり、いずれも憲法28条により保障されている。

A13 × 判例は、生産管理については使用者の所有権侵害にあたり、違法な行為となるとする（山田鋼業事件、最大判昭25.11.15）。

A14 × 判例は、労働組合が推す統一候補に対抗し対立候補として選挙に立候補した組合員を処分することは組合の統制権を超えるものであり、違法であるとする（三井美唄労組事件、最大判昭43.12.4）。

A15 × 非現業公務員は憲法28条により労働基本権が保障されているものの、政府に対して争議行為を行うことは的外れであって正常なものとはいいがたいとし、一律全面禁止とするのが判例である（全農林警職法事件、最大判昭48.4.25）。

memo

第6章

参政権・国務請求権

SECTION

① 参政権
② 国務請求権

第6章 参政権・国務請求権

出題傾向の分析と対策

試験名	地　上			国家一般職			特別区			裁判所職員			国税・財務・労基			国家総合職		
年　度	16-18	19-21	22-24	16-18	19-21	22-24	16-18	19-21	22-24	16-18	19-21	22-24	16-18	19-21	22-24	16-18	19-21	22-24
出題数／セクション				1	1				1						1		1	2
参政権					★				★						★		★	★
国務請求権				★														★

（注） 1つの問題において複数の分野が出題されることがあるため、星の数の合計と出題数とが一致しないことがあります。

参政権・国務請求権はあまり出題されません。出題されるとしても基本的な知識を問うものです。

地方上級

近年は出題されていませんが、過去問を繰り返し解くことで、参政権・国務請求権に関する基本的な知識を身につけておいてください。

国家一般職

たまに出題されます。過去問を繰り返し解くことで、これらに関する基本的な知識を身につけておいてください。

特別区

たまに出題されます。過去問を繰り返し解くことで、参政権・国務請求権に関する基本的な知識を身につけておいてください。

裁判所職員

ほとんど出題されていません。過去問を一通り確認しておきましょう。

国税専門官・財務専門官・労働基準監督官

人権の総合問題において、肢の1つとして出題されることがあります。過去問を繰り返し解くことで、参政権に関する基本的な知識を身につけておいてください。また、国家賠償請求に関する判例の内容も理解しておきましょう。

国家総合職

参政権についてたまに出題されます。参政権に関する判例を勉強しておいてください。

参政権・国務請求権

参政権

必修問題　セクションテーマを代表する問題に挑戦！

選挙の基本原則を理解したうえで、判例を学習することが重要です。

問 参政権に関する次の記述のうち、妥当なのはどれか。（地上2014）

1：参政権は、近代立憲主義の憲法においてきわめて重要な権利であるが、国によって設けられた選挙制度を前提とするため、社会権に分類される。

2：参政権は等しく国民に保障されなければならず、成年被後見人や選挙犯罪その他の犯罪による受刑者にも、選挙権は認められなければならない。

3：被選挙権、とりわけ立候補をする権利については、憲法上明文の規定がないものの、自由な選挙権の行使と表裏の関係にあることから、憲法15条1項で保障されるとする。

4：国民投票権は、主権者である国民が直接自らの意思を表明することができるものであるから、国政上の重要な案件であればいつでも行使することができる。

5：いわゆる公務就任権は、公務員となる権利のことであるが、これは公務員という職業を選択し従事できるか否かに関わる権利であるから、参政権に含まれる余地はない。

直前復習

Guidance ガイダンス

憲法15条1項→選挙権のみならず、立候補の自由も含まれる
選挙の基本原則：普通選挙、平等選挙、自由選挙、秘密選挙、直接選挙
選挙違反者の選挙権・被選挙権の停止、連座制は合憲

頻出度　地上★　国家一般職★★　特別区★　裁判所職員★★　国税·財務·労基★　国家総合職★

必修問題の解説

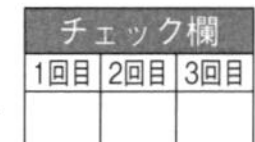

チェック欄　1回目　2回目　3回目

〈参政権〉

1 × 参政権は社会権に分類されるという点で本肢は妥当でない。参政権は、国民の国政に参加する権利をいう。「**国家への自由**」ともいわれ、自由権の確保に仕えるもので、社会的・経済的弱者を守るために保障されるに至った社会権と異なる内実を持つ。

2 × 選挙犯罪人にも選挙権は認められなければならないとする点で本肢は妥当でない。選挙犯罪者の選挙権等を停止することを定めた公職選挙法252条が憲法14条・44条に反しないかが争われた事案で、判例は「**選挙の公正はあくまでも厳粛に保持されねばならないのであって、一旦この公正を阻害し、選挙に関与せしめることが不適当と認められるものは、しばらく、被選挙権、選挙権の行使から遠ざけて選挙の公正を確保すると共に、本人の反省を促すことは相当である**」(最大判昭30.2.9)と判示し、選挙犯罪人の選挙権を停止する法令を合憲とした。なお、従来は公職選挙法11条により成年被後見人について選挙権が制限されていたが、平成25年の改正により成年被後見人にも選挙権が認められることとなった。

3 ○ 本肢は、**三井美唄労組事件**における最高裁の判示を述べており、妥当である。すなわち、判例は、「**立候補の自由は、選挙権の行使と表裏の関係にあり、自由かつ公正な選挙を維持するうえで、きわめて重要である**。憲法15条1項には、被選挙権者、特にその立候補の自由について、直接には規定していないが、これもまた、同条同項の保障する重要な基本的人権の一つと解すべきである」と判示した(最大判昭43.12.4)。

4 × 本肢は、国民投票権をいつでも行使できるとしている点で妥当でない。国民主権の意義を正当性の契機であると捉え、国家権力の正当性の根拠は国民にあるとする通説的見解によると、「国民」は抽象的な存在となり、授権によってのみその権力を行使しうることになる。よって、権力的契機が加味される国民投票制度(憲法96条)など以外では、国民は国民投票権をいつでも行使することはできないと解される。

5 × 本肢は、公務就任権が参政権に入る余地はないとする点で妥当でない。国民は主権者として国の政治に参加する権利を有するが、この政治参加は基本的に選挙権・被選挙権を通じて達成される(**狭義の参政権**)。また、政治参加を達成する手段としては国民投票制がある場合にはその投票を通じて参加することや公務員となる権利もまた、参政権に含めて考えることができる(**広義の参政権**)。よって、公務就任権も参政権の一部となりうる。

正答 3

第6章 SECTION 1 参政権・国務請求権

参政権

1 参政権とは

参政権とは、国民が主権者として国の政治に参加する権利をいいます。具体的には、①議会の議員の選挙権・被選挙権、②国民投票権がこれにあたります。

憲法15条1項は、選挙権を保障しています。本条は、国民主権原理を国民の側から言い換えたものであって、すべての公務員の選定・罷免が終局的には国民の意思を反映してなされることを求めたものにすぎません。したがって、すべての公務員が国民によって直接選定されることを定めたものではないと解されています。国民が有する公務員の選定・罷免権をどのような形で具体化するかは国の立法政策の問題とされ、国会が公務員の種類や性質に配慮しつつ決定すべきこととされています。

2 選挙権の法的性格

選挙権は、国民の最も重要な基本的権利の1つですが、通常の権利とは異なった特殊性を有していると考えられています。

選挙権の法的性質（二元説）

・公務という側面
　有権者という機関の一員として公務を遂行する

・権利という側面
　国政に関する自己の政治的意思を表明する

候補者と一定の関係にある者が悪質な選挙違反をした場合に、候補者の当選を無効とする制度（連座制）が公職選挙法に設けられています。

3 選挙の基本原則

選挙の自由と公正を確保するための基本原理として、以下の5つがあります。混同しやすい概念ですので、注意しましょう。

判例は、戸別訪問の一律禁止は、意見表明そのものの制約を目的とするものではなく、かつ、単に手段方法の禁止に伴う限度での間接的、付随的な制約にすぎないから、憲法21条に違反するものではないとしています（最判昭56.6.15）。

		意義	反対概念	問題となるもの
普通選挙	広義	人種・言語・職業・身分・財産・納税・教育・宗教・政治的信条・性別などを選挙権の要件としない選挙	制限選挙	在宅投票制の廃止
	狭義	納税額・財産といった財力の有無を選挙権取得の要件としない選挙		
平等選挙		選挙人の選挙権に平等の価値を認める選挙	等級選挙・複数選挙	議員定数不均衡
自由選挙		選挙人が自らの意思に基づいてその適当と認める候補者や政党等に投票する選挙(自由投票)	強制投票制	棄権の自由
秘密選挙		選挙人がどの候補者または政党等に投票したかを第三者が知りえない方法で行われる選挙	公開投票制	不正投票の調査の可否
直接選挙		選挙人が公務員を直接に選挙する制度	間接選挙	間接選挙制、複選制の採用の可否

参政権・国務請求権

参政権

実践 問題 82 基本レベル

頻出度	地上★ 国家一般職★★ 特別区★ 裁判所職員★★ 国税·財務·労基★ 国家総合職★

問 参政権に関する記述として、最高裁判所の判例に照らして、妥当なのはどれか。

(特別区2013)

1：憲法は、国会議員の選挙制度の仕組みについての具体的な決定を国会の裁量にゆだねていると解され、国外に居住していて国内の市町村の区域内に住所を有していない日本国民に国政選挙における選挙権の行使を認める制度の対象となる選挙を比例代表選出議員の選挙に限定することは、違憲とはいえない。

2：戸別訪問が不正行為を助長するおそれがあるというのは、抽象的な可能性にとどまり、被訪問者の生活の平穏を害するという点は、制限を置くことによってその弊害を除くことができるので、戸別訪問を一律に禁止している公職選挙法の規定は、合理的で必要やむを得ない限度を超えており、憲法に違反する。

3：憲法は立候補の自由について直接には規定していないが、立候補の自由も憲法の保障する基本的な人権の一つと解すべきであり、労働組合が、組合の方針に反して立候補しようとする組合員に対し、立候補を取りやめることを要求し、これに従わないことを理由に当該組合員を統制違反者として処分するのは、組合の統制権の限界を超えるものであり、違法である。

4：選挙に関する犯罪により一定以上の刑に処せられた者に対して、選挙権を所定の期間停止することは、選挙権が主権者としての市民の主権行使の権利であるので、憲法に違反するが、被選挙権を所定の期間停止することは、被選挙権は選挙されうる資格ないし地位であるので、憲法に違反しない。

5：選挙運動の総括主宰者だけでなく、組織的選挙運動管理者等が、買収等の悪質な選挙犯罪を犯し（当時）禁錮以上の刑に処せられたときに、候補者であった者の当選無効や立候補の禁止という連座の効果を生じさせる公職選挙法の規定は、投票者の選挙権を侵害し、候補者の立候補の自由と被選挙権を侵害するものであり、憲法に違反する。

チェック欄

1回目	2回目	3回目

実践 問題 82 の解説

〈参政権〉

1 × 判例は、選挙権の行使の制限は原則として許されず、そのような制限をすることがやむをえないと認められる事由がなければならないとした。そして、本件当時には、通信手段の発展から、在外国民に候補者個人に関する情報を適正に伝達することが著しく困難であるとはいえなくなったことなどからすると、在外日本国民に選挙権を認めないことにやむをえない事由があるとはいえず、在外選挙制度の対象となる選挙を比例代表選出議員の選挙に限定することは、違憲であるとした（最大判平17.9.14）。

2 × 判例は、戸別訪問を一律に禁止する公職選挙法の規定は、合理的で必要やむをえない限度を超えず、憲法21条に違反しないとした（最判昭56.6.15）。

3 ○ 判例は、立候補の自由（被選挙権）について、憲法上明文はないものの、選挙権の自由な行使と表裏の関係にあり自由かつ公正な選挙を維持するうえできわめて重要なものとして、憲法15条1項により保障されるとした。そのうえで、判例は、組合員に対し、勧告または説得の域を超え、立候補を取りやめることを要求し、これに従わないことを理由に当該組合員を統制違反者として処分することは、組合の統制権の限界を超えるものとして違法となる、とした（三井美唄労組事件、最大判昭43.12.4）。

4 × 判例は、国民主権のもと、公職の選挙権が国民の最も重要な基本的権利ではあるが、選挙の公正を阻害し、選挙に関与させることが不適当と認められる者は、しばらく被選挙権、選挙権の行使から遠ざけて、選挙の公正を確保するとともに、本人の反省を促すことは相当であるとして、これをもって不当に国民の参政権を奪うものとはいえないとした（最大判昭30.2.9）。

5 × 判例は、拡大連座制を定める公職選挙法の規定は、公職選挙の公明、適正を厳粛に保持するというきわめて重要な法益を実現するためのものであってその立法目的は合理的であるとした。そして、その手段についても、連座制の適用範囲に相応の限定を加え、立候補禁止の期間や選挙の範囲も限定し、また当該候補者等が相当の注意を尽くすことにより連座を免れる道もあることなどから、このような規制は、立法目的を達成するための手段として必要かつ合理的なものであって合憲であるとした（最判平9.3.13）。

正答 3

参政権・国務請求権

参政権

実践 問題 83 基本レベル

頻出度	地上★ 国家一般職★★ 特別区★ 裁判所職員★★ 国税･財務･労基★ 国家総合職★

問 わが国における選挙制度に関する次の記述のうち、妥当なのはどれか。

（国Ⅱ1998）

1：有権者の自由な意思に基づく投票を確保するため、憲法はすべての選挙における投票の秘密を保障していることから、選挙権のない者またはいわゆる代理投票をした者の投票についても、その投票が何人に対してなされたかは、議員の当選の効力を定める手続において取り調べてはならないとするのが判例である。

2：戸別訪問の禁止は選挙の自由と公正を確保するため意見表明そのものを制約するものであるが、選挙に関する事項は立法府の広い裁量に委ねられており、戸別訪問の一律禁止はその裁量の限度を超えるものとは認められないから、違憲とはいえないとするのが判例である。

3：公職選挙法上、選挙運動の総括主宰者が買収および利害誘導などの罪を犯し刑に処せられた場合には、その当選人の当選は無効となるが、これらの罪を犯し刑に処せられた者が候補者の秘書にすぎない場合には、その当選人の当選は無効とはならない。

4：わが国に在留する外国人のうち、永住者などであってその居住する区域の地方公共団体と特段に緊密な関係を持つに至ったと認められる者について、法律をもって、地方公共団体の長、その議会の議員などに対する選挙権を付与することは、国民主権の原理から許されないとするのが判例である。

5：有権者が選挙に際し必要かつ十分な判断資料に接するためには、選挙に関する報道および評論の自由が不可欠であるから、新聞紙および雑誌における当該自由の規制については、選挙運動の期間中であっても、新聞紙または雑誌の発行頻度などに着目して異なる取扱いをすることは許されない。

チェック欄

1回目	2回目	3回目

実践 問題 83 の解説

〈参政権〉

1 ○ 判例は、議員の当選の効力を定める手続において、選挙権のない者またはいわゆる代理投票をした者の投票についても、その投票が何人に対してなされたかは取り調べてはならないとしている（最判昭25.11.9）。

2 × 判例は、戸別訪問の禁止は、意見表明そのものの制約を目的とするものではなく、意見表明の手段方法のもたらす買収などの弊害を防止し、もって選挙の自由と公正を確保することを目的としているとしている。そして、この目的は正当であり、戸別訪問の一律禁止によって意見表明の自由が制約されることになるが、これは戸別訪問以外の手段方法による意見表明の自由を制約するものではなく、単に手段方法の禁止に伴う限度での間接的、付随的な制約にすぎない反面、戸別訪問の禁止により得られる利益は、失われる利益に比してはるかに大きいので、戸別訪問を一律に禁止している公職選挙法の規定は、合理的で必要やむをえない限度を超えず、憲法21条に違反するものではないとしている（最判昭56.6.15）。

3 × 連座制とは、候補者と一定の関係にある者が、買収・利害誘導などの悪質な選挙違反をした場合に、候補者本人がかかわっていなくても、候補者の当選を無効とする制度であり、平成6年11月の公職選挙法の改正により、連座制の対象に秘書が加えられた（公職選挙法251条の2第1項5号）。

4 × 判例は、国民主権の原理、憲法15条1項、地方公共団体がわが国の統治機構の不可欠の要素などを根拠に、憲法93条2項の「住民」とは、地方公共団体の区域内の住所を有する日本国民であると解している（最判平7.2.28）。つまり、国民主権の原理は、地方自治にも及ぶのである。ただ、地方自治は、住民の意思に基づきその区域の地方公共団体が処理する（住民自治）という政治形態の性質を有し、そのことについて憲法も保障している。そこで、同判例は、法律をもって、地方公共団体の長、その議会の議員などに対する選挙権を付与する措置を講じることは憲法上許されるとしており、国民主権の原理からは許されないとはしていない。

5 × 判例は、本肢のような別扱いは、選挙目当ての新聞紙・雑誌が選挙の公正を害し、特定の候補者と結びつく弊害を除去するためにやむをえないものとして、合憲とした（最判昭54.12.20）。

正答 1

参政権・国務請求権

参政権

実践 問題 84 応用レベル

頻出度	地上★	国家一般職★	特別区★
	裁判所職員★	国税·財務·労基★	国家総合職★

問 参政権に関する次の記述のうち、判例に照らし、妥当なのはどれか。

（国Ⅱ2011）

1：個々の国民に比べ豊富な資金力を有する会社が、自由に政治資金の寄付をなし得るとすると、その影響力により国民個々の参政権を侵害するおそれがあるため、会社による政治資金の寄付は、自然人たる国民による寄付と別異に扱うべき憲法上の要請があり、会社による政治資金の寄付を法律をもって規制しても憲法に違反しない。

2：憲法第15条第１項により保障される立候補の自由には、政見の自由な表明等の選挙活動の自由が含まれるところ、テレビジョン放送のために録画した政見の内容にいわゆる差別用語が含まれていたとしても、当該政見の一部を削除し、そのまま放送しないことは、選挙活動の自由の侵害に当たり、憲法に違反する。

3：公務員の選定罷免権を保障する憲法第15条第１項は、権利の性質上、日本国民のみをその対象としており、我が国に在留する外国人のうち、永住者等であってその居住する区域の地方公共団体と特段に緊密な関係を持つと認められるものについてであっても、法律をもって、地方公共団体の長、その議会の議員等に対する選挙権を付与することは、憲法に違反する。

4：公職の選挙につき、常時選挙運動を許容することは、不当、無用な競争を招き、不正行為の発生等により選挙の公正を害するなどのおそれがあり、このような弊害を防止し、選挙の公正を確保するため、選挙運動をすることができる期間を規制し、事前運動を禁止することは、表現の自由に対し許された必要かつ合理的な制限であり、憲法に違反しない。

5：公職選挙法に違反した者は、現に選挙の公正を害したものとして選挙に関与させることが不適当なものと認めるべきであるから、一定の期間について、被選挙権の行使を制限することは憲法に違反しないが、選挙権の行使をも制限することは、国民の参政権を不当に奪うものであり、憲法に違反する。

チェック欄		
1回目	2回目	3回目

実践 問題 84 の解説

〈参政権〉

1 × 判例は、会社は自然人たる国民と同様、国や政党の特定の政策を支持、推進しまたは反対するなどの政治的行為をなす自由を有するのであり、政治資金の寄付もまさにその自由の一環であり、会社によってそれがなされた場合、政治の動向に影響を与えることがあったとしても参政権への直接の侵害になるものではなく、これを自然人たる国民による寄付と別意に扱うべき憲法上の要請があるものではないとしている（八幡製鉄政治献金事件、最大判昭45.6.24）。

2 × 判例は、公職選挙法150条の２の規定は、テレビジョン放送による政見放送が直接かつ即時に全国の視聴者に到達して強い影響力を有していることにかんがみ、そのような言動が放送されることによる弊害を防止する目的で政見放送の品位を損なう言動を禁止したものであり、このような言動がそのまま放送される利益は法的に保護されないし、その言動がそのまま放送されなかったとしても不法行為法上、法的利益の侵害があったとはいえないとした（政見放送削除事件、最判平2.4.17）。

3 × 判例は、憲法15条１項は国民主権の原理から権利の性質上、日本国民のみをその対象としたものであり在留外国人には及ばないとする。もっとも、定住外国人については、その意思を日常生活に密接な関連を有する地方公共団体の公共的事務の処理に反映させるべく、法律をもって、地方公共団体の長、その議会の議員等に対する選挙権を付与する措置を講ずることは、憲法上禁止されているものではないとしている（最判平7.2.28）。

4 ○ 判例は、事前運動の弊害として、不当、無用な競争を招き不正行為の発生等により選挙の公正を害するおそれがあることなどを挙げ、このような弊害を防止して選挙の公正を確保するために公職選挙法129条が定める事前運動の禁止は、表現の自由に対し許された必要かつ合理的な制限であるとし憲法21条に反しないとしている（最判昭44.4.23）。

5 × 判例は、公職の選挙権は国民の最も重要な基本的権利の１つであるから、選挙の公正は厳粛に保持されなければならず、いったんこの公正を阻害し、選挙に関与せしめることが不適当と認められる者は、しばらく被選挙権・選挙権の行使から遠ざけて選挙の公正を確保するとともに本人の反省を促すことは相当であるから、これをもって不当に国民の参政権を奪うものというべきではないとしている（最大判昭30.2.9）。

正答 4

参政権・国務請求権

参政権

実践 問題 85 基本レベル

頻出度	地上★★　国家一般職★　特別区★ 裁判所職員★　国税･財務･労基★　国家総合職★

問 参政権に関するア～オの記述のうち、判例に照らし、妥当なもののみを全て挙げているのはどれか。（国家総合職2019）

ア： 立候補の自由は、選挙権の自由な行使と表裏の関係にあり、自由かつ公正な選挙を維持する上で、極めて重要である。このような見地からいえば、憲法第15条第１項は、被選挙権者の立候補の自由について、直接には規定していないが、これもまた、同条同項の保障する重要な基本的人権の一つと解すべきである。したがって、地方議会議員の選挙に当たり、労働組合が、労働組合の統一候補以外の組合員で立候補しようとする組合員に対し、立候補を思いとどまるように勧告又は説得することは許されない。

イ： 国民主権を宣言する憲法の下において、公職の選挙権は国民の最も重要な基本的権利の一つであるが、それだけに選挙の公正はあくまでも厳粛に保持されなければならないのであって、一旦この公正を阻害し、選挙に関与せしめることが不適当と認められる者は、しばらく、被選挙権、選挙権の行使から遠ざけて選挙の公正を確保するとともに、本人の反省を促すことが相当であるから、これをもって不当に国民の参政権を奪うものというべきではない。

ウ： 国民の選挙権の行使を制限することは原則として許されず、そのような制限をするためには、やむを得ないと認められる事由がなければならない。もっとも、国会には選挙制度の仕組みの具体的決定に関して広い立法裁量が認められることから、国会が国民の選挙権の行使を可能にするための所要の措置を採らないという不作為によって国民が選挙権を行使することができない場合においては、選挙の公正を確保しつつそのような措置を採ることが事実上不能ないし著しく困難であるとまではいえなくとも、そのような措置を採らないことに合理的な理由があるときは、上記のやむを得ない事由があるということができる。

エ： 重複立候補制を採用し、同時に行われる二つの選挙に同一の候補者が重複して立候補することを認めるか否かは、国会が裁量により決定することができる事項である。また、重複して立候補することを認める制度においては、一の選挙において当選人とされなかった者が他の選挙において当選人とされることがあることは当然の帰結であるため、重複立候補制を採用したこと自体が憲法に違反するとはいえない。

オ： 投票の秘密に関する保障は、正当な選挙権者の正当な投票に対する保障であっ

直前復習

て、選挙権のない者又は不正投票者を保護するものではない。しかも、選挙権のない者又は不正投票者の投じた投票は、選挙の結果に影響を及ぼすのであるから、議員の当選の効力を定める手続において、選挙権のない者又は不正投票者の投票について、その投票が何人に対しなされたかを取り調べることは許される。

1：ア、ウ
2：イ、エ
3：イ、オ
4：ウ、エ
5：エ、オ

参政権

チェック欄 1回目 2回目 3回目

実践 問題 85 の解説

〈参政権〉

ア× 労働組合の統一候補以外の組合員で立候補しようとする組合員に対し、立候補を思いとどまるように勧告または説得することは許されないと述べる本記述は、判例の見解と異なり、妥当でない。**三井美唄労組事件**において判例（最大判昭43.12.4）は、「憲法15条1項には、被選挙権者、特にその立候補の自由について、直接には規定していないが、これもまた、同条同項の保障する重要な基本的人権の1つと解すべきである」としているので、本記述前段は妥当である。しかし、労働組合の統制権は、労働組合の団結権を確保するために必要であり、憲法28条の精神に由来するものと評価したうえで、「立候補の自由に対する制約は特に慎重でなければならず、統一候補以外の組合員で立候補しようとする者に対し、組合が所期の目的を達成するために、**立候補を思いとどまるよう、『勧告または説得』することは『妥当な範囲の統制権の行使』といえるが、それを超えて、立候補を取りやめることを要求し、これに従わないことを理由に当該組合員を統制違反者として処分することは許されない**」とした。すなわち、立候補を思いとどまるように勧告または説得すること自体は許されるのである。

イ○ 本記述は、公民権の停止を規定する公職選挙法252条の合憲性が問題となった事案をもとにしたものである。この点につき判例は、本記述のとおり、公職選挙法上の公民権停止規定が不当に国民の参政権を奪うものということはできないと判示した（最大判昭30.2.9）。したがって、本記述は判例の見解と合致するので妥当である。

ウ× 本記述は、判例の見解と異なり、妥当でない。判例（最大判平17.9.14）は、「**国民の選挙権又はその行使を制限することは原則として許されず、国民の選挙権又はその行使を制限するためには、そのような制限をすることがやむを得ないと認められる事由がなければならない**」としているので、本記述前段は妥当である。しかし、同判例は、「憲法15条1項および3項は在外国民の選挙権を保障しているところ、通信手段が地球規模で目覚しい発達を遂げたことにより在外国民に候補者個人に関する情報を適正に伝達することが困難であるとはいえなくなったこと等からすると、**遅くとも、本判決言渡し後に初めて行われる国政選挙においては、選挙区選出議員の選挙について在外国民に投票をすることを認めないことは『やむを得ない事由』には当たらない**」として、在外国民の国政選挙への参加を比例代表選出議員の選挙に限定する措置を違憲であるとしている。すなわち、本記述の「選挙の公正を確保しつつそのような措置をとることが事実上不能ないし著しく困難であるとまではいえな」いとの条件のもとでは、選挙権の行使を可能にするための措置をとらないことに合理的な理由は認められず、「やむを得ない事由」があるとはいえないことになるのである。

エ○ 本記述は、重複立候補の合憲性についての判例の見解と合致しており、妥当である。衆議院議員小選挙区比例代表並立制の導入後最初に実施された1996年（平成８年）の総選挙につき、これを違憲として選挙の無効を求めた事案において判例は、「**憲法は、両議院の議員の各選挙制度の仕組みの具体的決定を原則として国会の広い裁量に委ねている**」との見地から、並立制において採用された重複立候補について、「**国会の裁量権の限界を超えるものではない**」としている（最大判平11.11.10）。

オ× 選挙権のない者または不正投票者の投票について、その投票が何人に対しなされたかを取り調べることは許されると述べる本記述は、判例の見解と異なり、妥当でない。**選挙人が自己の自由な判断に基づいて投票できるようにするには、投票の秘密が確保されなければならない**（憲法15条４項）。この秘密投票制は、選挙人が誰に投票したか明らかにする公開投票制のもとでは、社会的に弱い立場にある者が他からの脅威を受け自由な意思の表明ができなくなるという苦い経験に基づくものである。そこで、この秘密投票制との関連で問題となるのは選挙権のない者または不正投票者の投票用紙の検索が許されるかである。この点につき、判例は、「**選挙権のない者又はいわゆる代理投票をした者の投票についても、その投票が何人に対しなされたかは、議員の当選の効力を定める手続において、取り調べてはならない**」としている（最判昭25.11.9）。

以上より、妥当なものはイ、エであり、肢２が正解となる。

正答 2

参政権・国務請求権

国務請求権

必修問題 セクションテーマを代表する問題に挑戦！

条文の理解は必須!!

さらに判例を学習しておけばOKです!!

問 国務請求権に関する次の記述のうち、妥当なのはどれか。

（地上2007）

1：国務請求権は、国家に対して一定の請求を行う権利であり、人権保障をより確実なものとするために認められている。その意味では、国家に対する作為請求権として性格づけられる社会権の一つをなす。

2：請願権は、絶対君主制の時代においては民意を国政に反映させる有力な手段となっていた。しかし、国民主権原理の確立とともにその重要性は失われ、参政権に取って代わられた結果、この人権の存在意義は完全に失われた。

3：国家賠償請求権は、国家の不法な公権力行使によって被った損害に対して損害賠償を請求する権利である。しかし、この規定はいわゆるプログラム規定であり、権利の具体化については立法府に無制限の裁量権を付与しているといえる。

4：裁判を受ける権利は、すべての人が裁判所において公正な裁判を受けることを保障するものである。その趣旨からすれば、政治権力から独立した公平な裁判所以外の機関によって裁判されても、この権利が保障されたことにはならない。

5：刑事補償請求権は、刑事手続において抑留・拘禁されたものの無罪となった者が、この間に被った不利益や精神的・肉体的損失について金銭補償を受ける権利である。この補償は、その抑留・拘禁が違法であることを理由にして行われる。

Guidance ガイダンス

裁判を受ける権利

公平な裁判所で裁判を受ける権利

国家賠償請求権

抽象的な権利

刑事補償請求権

不当な身柄の拘束という結果に対する補償

直前復習

頻出度　地上★　国家一般職★　特別区★　裁判所職員★★　国税・財務・労基★　国家総合職★

必修問題の解説

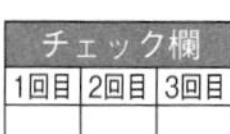

〈国務請求権〉

1 × 国務請求権は、受益権ともよばれ、人権保障をより確実なものとするための権利として、古くから自由権とともに保障されてきたものであり、自由国家の思想の延長線上に位置づけられる。社会権とは、社会的・経済的弱者が人間に値する生活を営むことができるように国家の積極的な配慮を求めることのできる権利であり、社会国家の思想に基づくものである点で、国務請求権とは異なる。

2 × 憲法16条は請願権を規定しているが、絶対君主制の時代とは異なり、今日の立憲国家においては、国民は選挙権を行使することでその意思を国政に反映させることができるから、請願権の重要性が相対的に低下していることは事実である。しかしながら、選挙を通じて国民全体の意思が十分に国政に反映されているとまでは必ずしもいうことができない。現代においても、国民の多元的な意思や要望を直接に議会や行政機関に伝え、間接的ながら国家意思の形成に参加する手段として、請願権はなお意義を有している、と捉える見解が有力である。

3 × 判例は、憲法17条は国または公共団体が公務員の行為による不法行為責任を負うことを原則としたうえ、公務員のどのような行為によりいかなる要件で損害賠償責任を負うかを立法府の政策判断に委ねたものであって、立法府に無制限の裁量権を付与するといった法律に対する白紙委任を認めているものではない、とする（郵便法違憲判決、最大判平14.9.11）。

4 ○ 憲法32条にいう裁判所とは、政治権力から独立した公平な裁判所をいう。裁判を受ける権利は、恣意的な裁判を排除して公正な裁判を保障し、それによって人権保障を実現するための権利だからである。

5 × 抑留・拘禁されながら結果として無罪となった者は、本来は必要のなかった人権制限を受けたといえるので、憲法40条は、公平の観点から補償をすべきものとしたのである。したがって刑事補償は、抑留・拘禁が違法であることを理由として行われるものではない。

正答 4

第6章 SECTION ②　参政権・国務請求権

国務請求権

1 国務請求権（受益権）の種類

国家に対して一定の国務を請求する権利を国務請求権ないし受益権といいます。

国務請求権には、請願権（憲法16条）、裁判を受ける権利（同32条）、国家賠償請求権（同17条）、刑事補償請求権（同40条）があります。

2 請願権

憲法16条は、請願権を保障しています。請願権は、請願を受理するという国務を請求する権利（受益権の一種）であって、参政権そのものではありませんが、請願の受理を通じて民意を国政に反映する方法として参政権的な機能を有しています。

公の機関は、請願の受理と誠実な処理をする義務を負います（請願法５条）。しかし、これは請願内容に応じた措置をとることまでも義務付けるものではありません。また、外国人にも請願権は保障されると解されています。

3 裁判を受ける権利

憲法32条は、「**裁判を受ける権利**」を保障しています。「裁判を受ける権利」とは、政治権力から独立した公平な裁判所に対して権利自由の救済を求め、かつ、そのような公平な裁判所以外の機関によって裁判をされることのない権利をいいます。

4 国家賠償請求権

憲法17条を受けて、国家賠償法が制定されています。国家賠償法１条１項の責任は、公務員の故意または過失による責任を前提として、当該公務員に代位して国または地方公共団体が賠償責任を負うものであるとする**代位責任説**が通説です。

ところで、国会議員の立法行為が国家賠償法上違法の評価を受けるのはどのような場合であるかについては議論があります。判例は、**立法の内容が憲法の一義的な文言に違反しているにもかかわらず国会があえて当該立法行為を行うような場合に限られるとして**、違法とされる場合を限定的に捉えており（**在宅投票制度廃止事件**、最判昭60.11.21）、これに対しては学説から強い批判が向けられています。

平成17年に、在外選挙制度に関する立法不作為を国家賠償法上違法と認め、国家賠償請求を認めた判決が出されました（最大判平17.9.14）。この判決自身は、昭和60年判決と「異なる趣旨をいうものではない」としていますが、昭和60年判決の掲げる違法判断の要件を実質的に緩和したのではないかとの評価もなされています。

5 刑事補償請求権

(1) 意味

刑事補償請求権とは、刑事事件において抑留・拘禁された被告人に無罪判決があった場合、被告人は自己の被った損失について、国に対して補償を求めることができることをいいます。

(2) 法的性質

刑事補償請求権は、行為の違法性、および公務員の故意・過失を問わず、結果に対する補償として行われるものです。

(3) 補償請求が認められるための要件

① 「抑留又は拘禁された」＝身柄が拘束された
※ 身柄が拘束されなかった者は、無罪となっても補償請求は認められない
② 「無罪の裁判」を受けたとき
これは無罪判決が確定したときを意味します

※ 免訴判決や公訴棄却がなされなかったならば、無罪の裁判を受けるべきものと認められる十分な理由がある場合には、刑事補償請求は認められます（刑事補償法25条１項）。

判例チェック　判例は、少年審判手続における不処分決定は、無罪の裁判とはいえないので、刑事補償請求できないとしています（最判平3.3.29）。

判例チェック　判例は、不起訴となった事実に基づく抑留または拘禁であっても、そのうちに実質上は無罪となった事実についての抑留または拘禁であると認められるものがあるときは、その部分は憲法40条にいう抑留・拘禁に含まれるとしています（最大決昭31.12.24）。

実践 問題 86 基本レベル

頻出度			
	地上★	国家一般職★	特別区★
	裁判所職員★★	国税·財務·労基★	国家総合職★

問 日本国憲法に規定する請願権に関する記述として、妥当なのはどれか。

（特別区2011）

1：請願権は、日本国憲法で保障されたものであるから、日本国憲法の改廃は請願の対象とはならない。

2：選挙権を有する日本国民は、請願権を有するが、選挙権を有しない外国人や未成年者は、請願権を有しない。

3：請願は、国の機関に対して行うことができるが、天皇は国政に関する権能を有しないため、天皇に関する請願は認められない。

4：請願権の保障は、請願を受けた国や地方自治体の機関にそれを誠実に処理する義務を課し、請願の内容を審理及び判定する法的拘束力を生ぜしめる。

5：請願は、請願者の利害に関するものである必要はなく、国や地方自治体の機関に対して、その職務権限に属する事項について要望を述べる行為である。

チェック欄		
1回目	2回目	3回目

実践 問題 86 の解説

〈請願権〉

1 × 請願権に基づいて、国民は各国家機関に対して、その職務権限に属するあらゆる事項について要望を述べることができる。このため、国会に対して日本国憲法の改廃についても請願することも可能である。

2 × 憲法は請願権の主体について「何人も」と規定しているが（憲法16条）、請願権は、国または地方公共団体の機関に対し、その職務に関する事項について希望ないし意見を表明し、これを誠実に処理すべき旨を要求する権利であり、直接的・実質的に国民の意思を政治に反映する選挙権とは異なるものであるから、参政権を有していない外国人や未成年者にも請願権は認められると解されている。

3 × 請願はあらゆる国家機関に対して行うことができる。このため天皇に対して請願を行うことも認められる。ただし、天皇に対する請願は、内閣に対して行わなければならない（請願法３条１項）。

4 × 請願権の保障は、請願を受けた国や地方自治体の機関にそれを誠実に処理する義務を課すが（請願法５条）、これを受理した主体に対し請願の内容を審理・判定しなければならないというような、特別の法律上の拘束を課すものではない。

5 ○ 請願とは、国または地方公共団体の機関に対して、その職務に関連する事項について希望、要望、苦情を述べることと一般的に定義されるが、請願権の目的が国民の意思の反映にある以上、請願権は請願者の利益の有無にかかわるものである必要はないとされる。

正答 5

実践 問題 87 基本レベル

頻出度	地上★	国家一般職★	特別区★
	裁判所職員★★	国税·財務·労基★	国家総合職★

問 裁判を受ける権利に関する次の記述のうち、最も妥当なのはどれか。ただし、争いのあるものは判例の見解による。（国家総合職2024）

1：裁判を受ける権利を実質的に保障するため、憲法は、刑事裁判に関して、国選弁護人について規定している。また、憲法は、民事裁判に関しても、国が法律扶助を行うことを義務付けており、具体的には、総合法律支援法に基づき設立された独立行政法人「日本司法支援センター（法テラス）」が民事法律扶助業務を担っている。

2：憲法は、民事法規については、法律がその効果を遡及せしめることを禁じていないが、裁判を受ける権利の中核である出訴の権利について、出訴期間を新法によって遡及して短縮することは、その期間が著しく不合理で実質上裁判の拒否と認められるような場合でなくとも、憲法第32条に違反する。

3：いかなる事由を理由に上告をすることを許容するかは審級制度の問題であって、憲法第81条に定める場合を除いて立法政策に委ねられているところ、判決に影響を及ぼすことが明らかな法令の違反があることを理由として最高裁判所に上告をすることを許容しない民事訴訟法の規定は、憲法第32条に違反する。

4：憲法第32条は、「何人も、裁判所において裁判を受ける権利を奪はれない。」と規定しているが、その趣旨は、国民は、憲法又は法律に定められた裁判所においてのみ裁判を受ける権利を有し、裁判所以外の機関によって裁判をされることはないことを保障したものであって、訴訟法で定める管轄権を有する具体的裁判所において裁判を受ける権利を保障したものではない。

5：婚姻費用の分担に関する処分の審判は本質的には非訟事件であるが、当該審判に関しては、憲法第32条の趣旨に照らし、即時抗告により不利益な変更を受ける当事者が即時抗告の抗告状等の送付を受けるなどして反論の機会を与えられるべき相当の理由があるから、当該審判に対する抗告審が、抗告の相手方に対し抗告状及び抗告理由書の副本を送達せず、反論の機会を与えることなく不利益な判断をした場合には、同条に違反する。

直前復習

チェック欄

1回目	2回目	3回目

実践 問題 87 の解説

〈裁判を受ける権利〉

1 × 憲法上、刑事裁判に関して国選弁護人については規定があるが（同法37条3項後段）、民事裁判に関して国が法律扶助を行うことを義務付ける規定はない。この点で本肢は妥当でない。なお、「日本司法支援センター（法テラス）」による民事法律扶助業務は、総合法律支援法に基づくものである。

2 × 判例は、出訴期間を新法で遡及して短縮することも、その期間が著しく不合理で実質上裁判の拒否と認められるものでない限り、憲法32条に違反しないとしている（最大判昭24.5.18）。したがって、本肢は妥当でない。

3 × 判例は、いかなる事由を理由に上告をすることを許容するかは審級制度の問題であって、憲法が81条の規定するところを除いてはこれをすべて立法の定めるところに委ねているため、判決に影響を及ぼすことが明らかな法令の違反があることを理由として最高裁判所に上告をすることができないと規定する民事訴訟法312条および318条は、憲法32条に反しないとしている（最判平13.2.13）。

4 ○ まず、管轄とは、どの事件をどの裁判所が担当するかという分担のことである。たとえば、A裁判所に提起すべき裁判をB裁判所に提起した場合は管轄違反となる。これが、憲法32条の裁判を受ける権利を害するとまでいえるかという問題について、判例は、憲法32条の保障内容につき本肢のように判示し、管轄違いの裁判は違法とはなっても違憲とはならないとしている（最大判昭24.3.23）。

5 × 判例（最決平20.5.8）は、まず、憲法32条の「裁判を受ける権利」とは、性質上固有の司法作用の対象となるべき純然たる訴訟事件につき裁判所の判断を求めることができる権利をいうとしたうえで、本質的に非訟事件である婚姻費用の分担に関する処分の審判に対する抗告審において、手続にかかわる機会を失う不利益は、同条所定の「裁判を受ける権利」とは直接の関係はないとし、本肢のように抗告の相手方に対し、反論の機会を与えることなく不利益な判断をしたことは「裁判を受ける権利」を侵害したものではないとしている。したがって、抗告審が抗告の相手方に対し抗告状および抗告理由書の副本を送達せず、反論の機会を与えることなく不利益な判断をしたことは憲法32条に違反すると述べる本肢は妥当でない。

正答 4

第6章 SECTION 2 参政権・国務請求権 国務請求権

実践 問題 88 基本レベル

頻出度	地上★ 国家一般職★ 特別区★ 裁判所職員★★ 国税·財務·労基★ 国家総合職★

問 裁判を受ける権利に関するア～エの記述のうち、妥当なもののみをすべて挙げているのはどれか。ただし、争いのあるものは判例の見解による。

（国Ⅰ2008）

ア：日本国憲法は、法の下の平等を実現するために、日本国民のみならず外国人に対しても、政治権力から独立した公正な裁判を受ける権利を保障しており、その公正な裁判を実現するために、裁判における判決の公開を保障するとともに、裁判の審級制度として三審制を採用する旨を規定している。

イ：憲法第32条は、何人も裁判所において裁判を受ける権利を奪われないと規定しているが、その趣旨は、憲法又は法律に定められた裁判所においてのみ裁判を受ける権利を有し、裁判所以外の機関によって裁判をされることはないことを保障しているにとどまり、訴訟法で定める管轄権を有する具体的裁判所において裁判を受ける権利を保障したものとまではいえない。

ウ：憲法第37条の保障する迅速な裁判を受ける権利は、単に迅速な裁判を一般的に保障するために必要な司法行政上の措置等をとるべきことを要請するにとどまり、個々の刑事事件について現実にその保障に反し、審理の著しい遅延の結果、被告人が迅速な裁判を受けられなかったとしても、これに対処すべき法令上の具体的規定が存しなければ、当該被告人に対する審理を打ち切ることはできない。

エ：憲法第32条に定める「裁判を受ける権利」の「裁判」は、紛争を公正に解決するにふさわしい手続によってなされる民事事件及び刑事事件の裁判を指すものであり、行政事件の裁判については、その法的判断により公共政策の形成又は評価に影響を与えることが少なくなく、民事事件や刑事事件とは異なる弾力的な対応が要請されるから、ここでいう「裁判」には当たらない。

1：ア、イ
2：ア、エ
3：イ
4：ウ
5：ウ、エ

チェック欄

1回目	2回目	3回目

実践 問題 88 の解説

〈裁判を受ける権利〉

ア× 日本国憲法は、法の下の平等を実現するために、日本国民のみならず外国人に対しても、政治権力から独立した公正な裁判を受ける権利を保障しているとするのが通説である。しかし、憲法82条は裁判の「対審および」判決の公開を定めている。また、現行の法律は裁判の審級制度として三審制を採用しているが、憲法76条1項は「最高裁判所及び法律の定めるところにより設置する下級裁判所」のみを要請しており、法律の改正により二審制を採用することも可能である。

イ○ 憲法32条の趣旨は、憲法または法律に定められた裁判所においてのみ裁判を受ける権利を有し、裁判所以外の機関によって裁判をされることはないことを保障しているにとどまり、訴訟法で定める管轄権を有する具体的裁判所において裁判を受ける権利を保障したものとまではいえないとして、管轄違いの裁判は違法だが違憲ではないとするのが判例である（最大判昭24.3.23）。

ウ× 憲法37条の保障する迅速な裁判を受ける権利は、単に迅速な裁判を一般的に保障するために必要な司法行政上の措置等をとるべきことを要請するにとどまらず、**個々の刑事事件について現実にその保障に明らかに反し、審理の著しい遅延の結果、迅速な裁判を受ける被告人の権利が害せられたと認められるに足りる異常な事態が生じた場合には、これに対処すべき法令上の具体的な規定がなくても、その審理を打ち切るという非常救済手段がとられるべきことをも認めている趣旨**であるとするのが判例である（高田事件、最大判昭47.12.20）。

エ× 明治憲法においては、司法の概念が民事・刑事の裁判に限定され、行政事件については通常裁判所で裁判を受ける権利が保障されていなかったが、**日本国憲法においては、刑事・民事の裁判のほか、行政事件の裁判もまた憲法32条の「裁判」に含まれる。**

以上より、妥当なものはイであり、肢3が正解となる。

正答 3

実践 問題 89 基本レベル

頻出度	地上★　国家一般職★　特別区★　裁判所職員★★　国税·財務·労基★　国家総合職★

問 国務請求権に関するア～オの記述のうち、妥当なもののみを全て挙げているのはどれか。 （国家一般職2018）

ア：憲法は、歴史的に確立された近代的裁判制度を前提とした裁判を受ける権利を人権として保障し、裁判制度として、裁判の公開や三審制の審級制度を明文で規定している。

イ：裁判を受ける権利については、その性質上外国人にもその保障が及ぶと一般に解されており、裁判所法は、被告人が外国人である刑事裁判においては、裁判所は、検察官の同意を得た上で、日本語以外の言語を用いて裁判を行うことを決定することができる旨規定している。

ウ：憲法第32条は、訴訟法で定める管轄権を有する具体的裁判所において裁判を受ける権利を保障したものであるが、管轄違いの裁判所がした裁判であっても、それが恣意的な管轄の間違いでない限り、同条に違反しないとするのが判例である。

エ：裁判員制度は、公平な「裁判所」における法と証拠に基づく適正な裁判が行われることが制度的に十分保障されている上、裁判官は刑事裁判の基本的な担い手とされているものと認められ、憲法が定める刑事裁判の諸原則を確保する上での支障はなく、憲法第32条に違反しないとするのが判例である。

オ：憲法第40条は、何人も、抑留又は拘禁された後、無罪の裁判を受けたときは、法律の定めるところにより、国にその補償を求めることができると定めているが、同条にいう「抑留又は拘禁」には、たとえ不起訴となった事実に基づく抑留又は拘禁であっても、そのうちに実質上は、無罪となった事実についての抑留又は拘禁であると認められるものがあるときは、その部分の抑留及び拘禁も含まれるとするのが判例である。

1：ア、イ
2：ア、オ
3：イ、ウ
4：ウ、エ
5：エ、オ

チェック欄

1回目	2回目	3回目

実践 問題 89 の解説

〈国務請求権〉

ア× 憲法32条は、すべての個人に裁判を受ける権利を保障している。そして、憲法82条は、裁判制度として裁判の公開を定めている。他方、現行の法律は裁判の審級制度として三審制を採用しているが、憲法76条1項は「最高裁判所及び法律の定めるところにより設置する下級裁判所」のみを要請しており、三審制は憲法の明文に規定されているわけではない。したがって、本記述は妥当でない。

イ× 日本国民のみならず外国人に対しても、裁判所による公正な裁判を受ける権利が保障されている（通説）。しかし、裁判所法上、裁判における言語につき、裁判所では日本語を用いる（同法74条）との規定があるのみであり、本記述のように被告人が外国人である刑事事件において、検察官の同意を条件に、日本語以外の言語を用いて裁判できる旨の規定は存在しない。したがって、本記述は妥当でない。

ウ× 判例は、憲法32条の趣旨は、憲法または法律に定められた裁判所においてのみ裁判を受ける権利を有し、裁判所以外の機関によって裁判をされることはないことを保障しているにとどまり、訴訟法で定める管轄権を有する具体的裁判所において裁判を受ける権利を保障したものではないとしている（最大判昭24.3.23）。したがって、本記述は妥当でない。

エ○ 裁判員制度の合憲性が争われた事案において判例は、公平性・中立的が確保された手続により選ばれた裁判員が裁判官との協議を通じて良識ある結論に達することは十分期待できるところ、裁判員制度は、公平な裁判所における法と証拠に基づく適正な裁判が行われることが制度的に十分保障されているうえ、憲法が定める刑事裁判の諸原則の確保に支障はなく、憲法32条に反しないとしている（最大判平23.11.16）。

オ○ 本記述と同様の事案において判例は、憲法40条の「抑留又は拘禁」には、無罪となった公訴事実に基づく抑留または拘禁はもとより、たとえ不起訴となった事実に基づく抑留または拘禁であっても、そのうちに実質上は、無罪となった事実についての抑留または拘禁であると認められるものがあるときは、その部分の抑留および拘禁も含まれるとしている（最大決昭31.12.24）。

以上より、妥当なものはエ、オであり、肢5が正解となる。

正答 5

実践 問題 90 基本レベル

頻出度	地上★ 国家一般職★ 特別区★ 裁判所職員★★ 国税·財務·労基★ 国家総合職★

問 日本国憲法に規定する国家賠償請求権に関する記述として、判例、通説に照らして、妥当なのはどれか。 **(特別区2002)**

1：国又は公共団体は、公権力の行使にあたる公務員の職務行為に基づく損害について、公務員の故意又は過失による責任を前提に、当該公務員に代位して賠償責任を負う。

2：国又は公共団体は、公権力の行使にあたる公務員の職務行為に基づく損害について、国際主義の精神から、すべての外国人に対して賠償責任を負う。

3：国又は公共団体は、憲法に基づき公の賠償責任を負うが、この規定はプログラム規定であり、具体的な賠償請求権は、個別の法律により初めて確立される。

4：国又は公共団体は、国会又は議会の立法行為に関して、立法の内容が憲法の一義的な文言に違反しているにもかかわらず国会又は議会があえて当該立法を行ったとしても、賠償責任を負わない。

5：国又は公共団体は、公務員が他人に損害を加えた場合、形式上は職務行為であっても職務行為に直接かかわりない行為であるときには、賠償責任を負わない。

チェック欄

1回目	2回目	3回目

実践 問題 90 の解説

〈国家賠償請求権〉

憲法17条は、公務員の不法行為により損害を受けた者は、法律の定めるところにより、国または公共団体にその賠償を求めることができるとし、この規定を受けて、国家賠償法が制定されている。

1○ 国家賠償法1条1項は、公権力の行使にあたる公務員の職務行為に基づく国または公共団体の賠償責任を定めている。この賠償責任の性質に関し、通説は、公務員の故意または過失による責任を前提として、当該公務員に代位して賠償責任を負うものであるとする代位責任説の立場に立つ。

2× 国家賠償法6条は、外国人が被害者である場合には、相互の保証がある場合に限って賠償請求権を認めるとして、相互保証主義を採っており、すべての外国人に賠償請求を認めるわけではない。

3× 憲法17条の性格に関し、かつての通説は、単なるプログラム規定であるとし、この規定を具体化する法律が制定されることによって初めて具体的権利が認められると解していた。しかし、現在では、憲法17条により保障される権利が具体的権利であるか、抽象的権利にとどまるかについて争いはあるものの、通説は同条は単なるプログラム規定ではないと解している。

4× 判例は、国会議員の立法行為に関し、立法の内容が憲法の一義的な文言に違反しているにもかかわらず国会があえて当該立法行為を行うような場合でない限り、国家賠償法上、違法の評価を受けないとしている（在宅投票制度廃止事件、最判昭60.11.21）。したがって、このような場合に該当するのであれば、国または公共団体に賠償責任が発生することになる。

5× 国家賠償法1条1項によれば、国または公共団体に国家賠償請求をするには、公務員の行為が「職務を行うについて」行われたことが必要である。そして、判例は、「職務を行うについて」に該当するか否かの判断に際し、客観的にみて職務執行の外形を備える行為であれば足り、職務執行に直接かかわる行為である必要はないとしている（最判昭31.11.30）。

正答 1

第6章 SECTION 2 参政権・国務請求権
国務請求権

実践 問題 91 基本レベル

頻出度	地上★ 国家一般職★ 特別区★ 裁判所職員★★ 国税·財務·労基★ 国家総合職★

問 刑事補償について、次のうち正しいのはどれか。 (地上1981)

1：外国人は、刑事補償を求めることができない。

2：不起訴となった事実に基づく抑留または拘禁であっても、そのうちに実質上は無罪となった事実についての抑留または拘禁であると認められるものがあるときは、その部分は刑事補償の対象となる。

3：本人が裁判を誤らせる目的で虚偽の自白をなしたために、抑留または拘禁されるに至った場合であっても、必ず補償をしなければならない。

4：補償の原因たる抑留または拘禁は、刑事訴訟法による逮捕および勾留に限られる。

5：補償の原因たる抑留または拘禁は、違法になされる必要がある。

チェック欄

1回目	2回目	3回目

実践 問題 91 の解説

〈刑事補償請求権〉

憲法40条は、刑事手続において抑留・拘禁された被告人に対して、無罪の裁判がなされた場合に、被告人の被った損失を補償するために、刑事補償請求権を定めている。具体的には、刑事補償法が補償の要件と額について定めている。

1 × 外国人であっても、抑留・拘禁され、それによって財産的・精神的損失を受けることはあり、その性質上外国人と日本国民との間に差を設ける合理的な理由はないから、外国人にも刑事補償請求権が認められる。

2 ○ 憲法40条は、抑留・拘禁後、「無罪の裁判を受けたとき」としているため、不起訴とされた場合に、刑事補償を請求できるか問題となる。この点、判例は、憲法40条にいう『抑留又は拘禁』中には、無罪となった公訴事実に基づく抑留または拘禁はもとより、たとえ不起訴となった事実に基づく抑留または拘禁であっても、実質上は、無罪となった事実についての抑留または拘禁であると認められるものがあるときは、その部分の抑留および拘禁も含まれるとしている（最大決昭31.12.24）。

3 × 刑事補償法３条１号は、本肢のような場合には、裁判所の裁量によって補償の一部または全部をしないとすることができる旨を規定している。

4 × 憲法40条の抑留・拘禁とは、国家権力による自然人の身体の自由の刑事上の拘束をいい、刑事訴訟法による抑留・拘禁のほか、少年法などによる未決の抑留・拘禁、死刑の執行のための拘置などの場合や、犯罪者予防更生法などによる抑留・留置も補償の原因となりうる（刑事補償法１条）。

5 × 刑事裁判が本来、有罪・無罪を判断するプロセスである以上、抑留・拘禁された者が結果として無罪となることは、制度上予想されており、これを国家の違法行為ということはできない。しかし、結果として無罪とされた者は、本来必要でなかった人権制限措置を受けたことになるから、これに対して相応の補償をし、公平の要請を充たそうとしたのが憲法40条の趣旨である。それゆえ、抑留・拘禁は違法になされる必要はなく、適法になされた場合であっても補償しなければならない。

正答 2

参政権・国務請求権

国務請求権

実践 問題 92 応用レベル

頻出度	地上★　国家一般職★　特別区★ 裁判所職員★　国税·財務·労基★　国家総合職★

問 裁判を受ける権利に関するア～オの記述のうち、妥当なもののみを全て挙げているのはどれか。　(国家一般職2013)

ア：裁判を受ける権利は、現行憲法においては、憲法上保障された権利として明文で規定されているが、明治憲法においては、裁判を受ける権利を保障する規定は存在せず、とりわけ行政事件の裁判は、通常裁判所の系列に属さない行政裁判所の権限に属し、出訴できる場合も限定されるなど、国民の権利保障という点では不十分なものであった。

イ：憲法第32条の趣旨は、全ての国民に、憲法又は法律で定められた裁判所においてのみ裁判を受ける権利を保障するとともに、訴訟法で定める管轄権を有する具体的裁判所において裁判を受ける権利を保障したものと解されるから、管轄違いの裁判所による裁判は同条に違反するとするのが判例である。

ウ：憲法第32条は、訴訟の当事者が訴訟の目的たる権利関係につき裁判所の判断を求める法律上の利益を有することを前提として、かかる訴訟につき本案の裁判を受ける権利を保障したものであって、当該利益の有無にかかわらず常に本案につき裁判を受ける権利を保障したものではないとするのが判例である。

エ：いかなる事由を理由に上告をすることを許容するかは審級制度の問題であって、憲法が第81条の規定するところを除いてはこれを全て立法の適宜に定めるところに委ねている趣旨からすると、判決に影響を及ぼすことが明らかな法令の違反があることを最高裁判所への上告理由としていない民事訴訟法の規定は、憲法第32条に違反しないとするのが判例である。

オ：裁判を受ける権利を実質的なものにするためには、資力の乏しい者に対する法律扶助の制度が必要であるが、平成16年に制定された総合法律支援法では、資力の乏しい者にも民事裁判等手続の利用をより容易にする民事法律扶助事業の適切な整備及び発展が図られなければならないこととされ、新たに設立された日本司法支援センター（法テラス）が民事法律扶助等の業務を行うこととなった。

1：ア、イ
2：ア、オ
3：イ、ウ、エ
4：イ、エ、オ
5：ウ、エ、オ

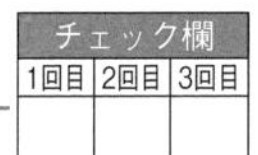

実践 問題 92 の解説

〈裁判を受ける権利〉

ア× 裁判を受ける権利は、現行憲法では32条で保障されているが、明治憲法においても24条で「日本臣民ハ法律ニ定メタル裁判官ノ裁判ヲ受クルノ権ヲ奪ハルヽコトナシ」として保障されていた。ただし、明治憲法では、司法裁判所が扱える事件は、民事・刑事事件に限られており、行政事件は含まれておらず、行政事件は通常裁判所の系列とは別の行政裁判所において裁判されることになっていた（明治憲法61条）。

イ× 判例は、憲法32条は、すべての国民は憲法または法律に定められた裁判所においてのみ裁判を受ける権利を有し、裁判所以外の機関によって裁判されることはないことを保障したものであって、訴訟法で定める管轄権を有する具体的裁判所において裁判を受ける権利を保障したものではないとして、管轄違いの裁判所による裁判は、違法とはなっても違憲とはならないとした（最大判昭24.3.23）。

ウ○ 判例は、憲法32条は、訴訟の当事者が訴訟の目的たる権利関係につき裁判所の判断を求める法律上の利益を有することを前提として、かかる訴訟につき本案の裁判を受ける権利を保障したものであって、当該利益の有無にかかわらず常に本案につき裁判を受ける権利を保障したものではないとした（最大判昭35.12.7）。

エ○ 民事訴訟法の改正により、判決に影響を及ぼすことが明らかな法令違反を理由に上告するためには、最高裁判所の受理決定が必要となった（同法318条）。これが憲法32条に違反するかが問題となった事案において判例は、いかなる事由を理由に上告をすることを許容するかは審級制度の問題であって、憲法が81条の規定するところを除いてはこれをすべて立法の適宜に定めるところに委ねていると解すべきであり、その趣旨に徴すると、当該民事訴訟法の規定は憲法32条に違反しないとした（最判平13.2.13）。

オ○ 平成16年に制定された総合法律支援法に基づいて、新たに設立された日本司法支援センター（法テラス）が資力の乏しい国民に対して、弁護士や司法書士に支払う裁判代理費用や書類作成費用の立て替えを行う「民事法律扶助業務」を行うことになっている（同法30条1項2号）。

以上より、妥当なものはウ、エ、オであり、肢5が正解となる。

正答 5

参政権・国務請求権
国務請求権

実践 問題 93 応用レベル

頻出度 地上★ 国家一般職★ 特別区★ 裁判所職員★ 国税·財務·労基★ 国家総合職★

問 国務請求権に関する次の記述のうち、最も適当なのはどれか（争いのあるときは、判例の見解による。）。 （裁判所職員2013）

1：国務請求権とは、国家による行為を請求する権利であり、受益権や人権を確保するための基本権などと呼ばれるものであるが、伝統的には社会権に分類される権利である。

2：請願権（憲法16条）とは、国又は地方公共団体の機関に対して、その職務に関する希望を述べる権利であり、請願を受けた国又は地方公共団体の機関は、これを受理し、採択をする義務を負うが、何らかの施策を行う義務までを負うものではない。

3：裁判を受ける権利（憲法32条）の「裁判」とは、憲法82条が定める公開·対審·判決という原則が保障される訴訟事件の裁判に限らず、家庭裁判所で行われる家事審判のような非訟事件の裁判も含まれると解されている。

4：国家賠償請求権（憲法17条）は、「法律の定めるところにより」賠償を求めることができる権利であるが、判例は、郵便物の亡失等につき損害賠償責任を過剰に制限・免除していた郵便法の規定について、立法裁量の範囲を逸脱するものとして、違憲であるとした。

5：刑事補償請求権（憲法40条）は、抑留又は拘禁された被告人について、無罪の裁判があった場合に、国に対し、補償を求めることができるとする権利であるが、この刑事補償請求権を具体化した刑事補償法は、官憲の故意・過失を要件としている。

直前復習

チェック欄		
1回目	2回目	3回目

実践 問題 93 の解説

〈国務請求権〉

1 × 社会権とは、社会国家の理想に基づき、特に社会的・経済的弱者を保護し実質的平等を実現するために保障されるに至った20世紀的人権である。これに対し国務請求権は、受益権や人権を確保するための基本権とよばれ、人権保障をより確実なものにするという点に本質がある。つまり、社会権は社会的・経済的弱者に保障されるものであるのに対して、国務請求権は社会的・経済的弱者だけでなく強者にも保障されるものであるという点で大きく異なる。

2 × 請願権の性質および請願を受けた機関がこれを受理する義務を負うと述べた部分は正しい。しかし、官公署は請願を受理し誠実に処理する義務を負うにとどまり（請願法５条）、請願の採択については各機関の判断に任されており、採択する義務はない。

3 × 判例は、憲法32条の「裁判」とは、「純然たる訴訟事件の裁判」に限られるとし、非訟手続による審判と峻別している（最大判昭40.6.30）。非訟事件とは、たとえば旧家事審判法９条１項乙類１号（現家事事件手続法150条１号）の定める夫婦の同居義務に関する審判などである。

4 ○ 判例は、郵便物の滅失等について故意や重過失の場合にまで損害賠償責任を制限・免除していた郵便法の規定につき、郵便の役務をなるべく安い料金であまねく公平に提供するという目的は正当であるが、書留郵便物について郵便業務従事者に故意または重過失、特別送達郵便物について郵便業務従事者に軽過失がある場合に責任を免除しなければこの目的が達成できないとは到底考えられないとして、立法裁量の範囲を逸脱するものであり違憲であるとした（郵便法違憲判決、最大判平14.9.11）。

5 × 憲法40条は、憲法31条以下の刑事手続に関する諸権利の保障によっても、なお生じる国民の不利益に対する補償を定めたものであり、官憲の違法行為や故意・過失にかかわりなく、結果に対する補償請求を認めるところにその特徴がある。

正答 4

第6章

参政権・国務請求権

章末 CHECK ? Question

Q1 参政権とは、国民が主権者として国の政治に参加する権利をいい、具体的には、議会の議員の選挙権、国民投票権がこれにあたるが、被選挙権はこれにあたらない。

Q2 選挙権の法的性格については、国民が国政に関する自己の意見を表明する権利という側面とともに、公務を遂行するという側面を有する。

Q3 公職選挙法における戸別訪問の禁止は、意見表明そのものの制約といえるので、憲法21条に反するというのが判例である。

Q4 普通選挙とは、等級選挙に対する概念である。憲法は15条3項で「成年者による普通選挙を保障する」と規定し普通選挙を採用している。

Q5 平等選挙とは、制限選挙に対する概念であり、一人一票の原則を意味するが、投票価値の平等も要請される。

Q6 自由選挙とは、選挙人が、自らの意思に基づいてその適当と認める候補者や政党に投票する自由をいうが、これには棄権の自由も含まれる。

Q7 外国人が請願をすることは許されない。

Q8 公の機関は、請願の受理と誠実な処理をする義務を負うだけでなく、請願内容に応じた措置をとることまで義務付けられている。

Q9 国務請求権は、受益権であるが、参政権的な側面も有する。

Q10 国家賠償責任の法的性格については、国または地方公共団体が公務員に代位して賠償責任を負うとする代位責任説が通説である。

Q11 国会議員の立法行為が国家賠償法上違法とされるのは、立法の内容が憲法の一義的な文言に違反しているにもかかわらず、国会があえて当該立法を行うがごとき、容易に想定しがたい例外的な場合のみである。

Q12 憲法40条は、刑事補償請求権が認められる要件として、「無罪の裁判」を受けたときと規定しているので、免訴判決や公訴棄却がなされた場合には、一切認められない。

A1 × 判例は、被選挙権は憲法15条１項の保障する重要な基本的人権の１つと解するべき（最大判昭43.12.4）、としている。

A2 ○ 参政権は、権利的側面とともに、国民が有権者団という機関の一員として公務を遂行するという側面を有していると解されている（二元説）。

A3 × 判例は、戸別訪問の禁止は意見表明そのものの制約を目的とするものではなく、単に手段方法の禁止に伴う限度での間接的・付随的な制約にすぎず、憲法21条に反しないとしている（最判昭56.6.15）。

A4 × 普通選挙の反対概念は、等級選挙ではなく、制限選挙である。

A5 × 平等選挙の反対概念は、制限選挙ではなく、複数選挙・等級選挙である。

A6 ○ わが国は自由選挙制を採用しており、このように解されている。自由選挙の反対概念は強制選挙制である。

A7 × 請願権は外国人にも保障されると解されている。

A8 × 公の機関は、請願の受理と誠実な処理をする義務を負うのみであって、請願内容に応じた措置をとることを義務付けられているわけではない。

A9 ○ 請願の受理を通じて民意を国政に反映するという参政権的機能も有すると解されている。

A10 ○ この立場によると、公務員個人の故意･過失が責任を認める前提となる。これに対し、反対説として、公務員の過誤を国または地方公共団体の過誤として捉える自己責任説がある。

A11 ○ 判例は、在宅投票制度廃止事件（最判昭60.11.21）において、このように非常に限定的に解している。

A12 × 免訴判決または公訴棄却がなされなかったならば、無罪の裁判を受けるべきものと認められる十分な理由がある場合には、刑事補償請求は認められる（刑事補償法25条１項）。

memo

第7章

幸福追求権

SECTION

① 幸福追求権

第7章 幸福追求権

出題傾向の分析と対策

試験名	地上			国家一般職			特別区			裁判所職員			国税・財務・労基			国家総合職		
年度	16-18	19-21	22-24	16-18	19-21	22-24	16-18	19-21	22-24	16-18	19-21	22-24	16-18	19-21	22-24	16-18	19-21	22-24
出題数 セクション			1		1				1		1		1	1		1		1
幸福追求権			★		★				★		★		★	★		★		★

（注）１つの問題において複数の分野が出題されることがあるため、星の数の合計と出題数とが一致しないことがあります。

幸福追求権は、試験種によってはよく出題されます。判例の内容をしっかり理解しておきましょう。

地方上級

たまに出題されます。問われている内容は基本的な事項ですので、過去問を繰り返し解くことで、幸福追求権に関する基本的な知識を身につけておいてください。

国家一般職

たまに出題されます。しかし、出題される場合、かなり判例の細かい知識も問われますので、判例の内容をしっかり理解しておきましょう。

特別区

たまに出題されます。幸福追求権に関する基本的な知識を身につけておいてください。

裁判所職員

たまに出題されます。また、人権の総合問題において、肢の１つとして出題されることがあります。幸福追求権に関する判例の内容をしっかり理解しておいてください。

国税専門官・財務専門官・労働基準監督官

たまに出題されます。問われている内容は基本的な事項ですので、過去問を繰り返し解くことで、幸福追求権に関する基本的な知識を身につけておいてください。

国家総合職

たまに出題されます。出題される場合、幸福追求権に関する判例の細かい知識が問われますので、判例集などで判例の内容を詳しく勉強しておいてください。

Advice アドバイス 学習と対策

幸福追求権については、とにかく判例が問われます。京都府学連事件判決、指紋押捺拒否事件判決、どぶろく裁判判決、前科照会事件判決、ノンフィクション『逆転』事件判決など、重要な判例が多いですので、これらの判決の結論とそれに至る理由づけをしっかり理解してください。

幸福追求権

必修問題 セクションテーマを代表する問題に挑戦！

憲法に明記されていない人権も憲法上保障されます。重要判例を丁寧に学習しましょう。

問 憲法第13条に関する次の記述のうち、判例に照らし、正しいのはどれか。
(国Ⅰ1990)

1：個人の私生活上の自由の１つとして、何人もその許諾なしにみだりにその容貌、姿態を撮影されない自由を有するものであり、少なくとも警察官が正当な理由もないのに個人の容貌などを撮影することは憲法第13条の趣旨に反し、許されない。

2：前科および犯罪経歴は、人の名誉、信用に直接かかわる事項であるが、市長が弁護士会の照会に応じ、犯罪の種類、軽重を問わず、前科などすべてを報告したとしても、そのことは弁護士会の公的性格にかんがみ、公権力の違法な行使にあたるものではない。

3：氏名は人が個人として尊重される基礎であり、その個人の人格の象徴であって人格権の一内容を構成するものというべきであるが、氏名を他人から正確に呼称されることについては、不法行為法上の保障を受ける人格的な利益を有するものではない。

4：自動速度監視装置による運転者の容貌の写真撮影は、憲法第13条に違反するものではないが、その際、同乗者の容貌を撮影することは、速度違反の証拠を保全するうえで必要性がないから、同条の趣旨に反し許されない。

5：喫煙の自由は、憲法第13条の保障する基本的人権に含まれ、その喫煙の自由は被拘禁者に対しても、特段の事情のない限り合理的な条件の下で認められなければならない。

Guidance ガイダンス

- **みだりに容ぼう等を撮影されない自由**
  憲法13条により保障
- **前科の不公表、氏名の正確な呼称**
  法律上保護される

頻出度 地上★ 国家一般職★ 特別区★ 裁判所職員★★ 国税·財務·労基★★ 国家総合職★★★

チェック欄		
1回目	2回目	3回目

必修問題の解説

〈幸福追求権〉

1 ○ 判例は、個人の私生活上の自由の１つとして、何人も、その承諾なしに、みだりにその容ぼう・姿態を撮影されない自由を有するとし、これを、肖像権と称するかどうかは別として、少なくとも、警察官が、正当な理由もないのに、個人の容ぼう等を撮影することは、憲法13条の趣旨に反し、許されないとした（京都府学連事件、最大判昭44.12.24）。

2 × 判例は、前科および犯罪経歴は人の名誉、信用にかかわる事項であり、前科等のある者もこれをみだりに公開されないという法律上の保護に値する利益を有するとし、市区町村長が漫然と弁護士会の照会に応じ、犯罪の種類、軽重を問わず、前科等のすべてを報告することは、公権力の違法な行使にあたるとした（前科照会事件、最判昭56.4.14）。

3 × 判例は、氏名は、人が個人として尊重される基礎であり、その個人の人格の象徴であって、人格権の一内容を構成するものというべきであるから、人は、氏名の正確な呼称について、不法行為法上の保護を受けるとした（最判昭63.2.16）。

4 × 判例は、自動速度監視装置による運転者の容ぼうの写真撮影は、現に犯罪が行われている場合になされ、犯罪の性質、態様からいって緊急に証拠保全をする必要があり、その方法も一般的に許容される限度を超えない相当なものであるから、憲法13条に違反せず、また、その写真撮影の際、同乗者の容ぼうを撮影することになっても、憲法13条・21条に違反しないとした（最判昭61.2.14）。

5 × 判例は、喫煙の自由が本条の保障する基本的人権に含まれるとしても、その禁止という程度の自由の制限は、必要かつ合理的なものであり、未決拘禁者を含めた在監者に対して一律に喫煙を禁止する旧監獄法施行規則96条が憲法13条に違反するとはいえないとした（在監者喫煙訴訟、最大判昭45.9.16）。

正答 1

幸福追求権

幸福追求権

 個人の尊重と幸福追求権

憲法13条
　すべて国民は、個人として尊重される。生命、自由及び幸福追求に対する国民の権利については、公共の福祉に反しない限り、立法その他の国政の上で、最大の尊重を必要とする。

⇓

①個人の尊厳原理
　国政のあらゆる局面における国家権力の行使に関しては、個人に対して最大限の尊重が払われなければならない

②幸福追求権
　個人が自らの選択によって決定した「幸福」を自らの手で実現することを国家権力が侵害してはならない

2 新しい人権

憲法は14条以下に詳細な人権規定
→憲法制定時に人権として認識されていたものを列挙したもの
⇓
憲法制定後に新たに人権として認識されるようになったもの
→新しい人権　例　プライバシー権
⇓
憲法13条の幸福追求権より保障

判例 《前科照会事件》最判昭56.4.14
【事案】市区町村長が、弁護士法に基づく前科照会に漫然と応じたことが個人のプライバシーを侵害しないかが争われた事件
【判旨】前科などのある者もこれをみだりに公開されないという法律上の保護に値する利益を有しており、市区町村長が前科照会に漫然と応じ、前科などのすべてを報告することは、公権力の違法な行使にあたる。

判例 《京都府学連事件》最大判昭44.12.24
【事案】公安条例に違反するデモ行進を行っていた被告人を写真撮影した警察官の行為が適法か否かが争われた事件
【判旨】個人の私生活上の自由の１つとして、何人も、その承諾なしにみだりにその容ぼう、姿態を撮影されない自由を有する。これを肖像権と称するかどうかは別として、少なくとも、警察官が正当な理由もないのに、個人の容ぼうなどを撮影することは憲法13条の趣旨に反し許されない。

判例

《ノンフィクション『逆転』事件》最判平6.2.8
【事案】本において他人の前科を無断で公表することはプライバシーの侵害となるかが問題になった事件
【判旨】前科等は、その者の名誉あるいは信用に直接にかかわる事項であるから、みだりに前科等にかかわる事実を公表されないことにつき、法的保護に値する利益を有する。ただし、事件それ自体を公表することに歴史的・社会的意義が認められるような場合、その者の社会的活動の性質あるいはこれを通じて社会に及ぼす影響力が強い場合、公職者・その候補者など社会一般の正当な関心の対象となる公的立場にある人物である場合には、前科の公表が許される場合がある。

第7章 SECTION 1 幸福追求権

幸福追求権

実践 問題 94 基本レベル

頻出度 地上★　国家一般職★　特別区★　裁判所職員★★　国税·財務·労基★★　国家総合職★★★

問 **幸福追求権に関するア～オの記述のうち、判例に照らし、妥当なもののみをすべて挙げているのはどれか。** （国Ⅱ2009）

ア：個人の私生活の自由の一つとして、何人も、承諾なしに、みだりに容ぼう・姿態を撮影されない自由を有し、警察官が、正当な理由なく個人の容ぼう等を撮影することは、憲法第13条の趣旨に反し許されず、速度違反車両の自動撮影を行う自動速度監視装置による運転者の容ぼうの写真撮影は、現に犯罪が行われている場合になされ、犯罪の性質、態様からいって緊急に証拠保全をする必要があるものの、同乗者の容ぼうを撮影することとなり、その方法が一般的に許容される限度を超えるものであるから、憲法第13条に違反する。

イ：ある者の前科等にかかわる事実が著作物で実名を使用して公表された場合に、その者のその後の生活状況、当該刑事事件それ自体の歴史的又は社会的な意義、その者の当事者としての重要性、その者の社会的活動及びその影響力について、その著作物の目的、性格等に照らした実名使用の意義及び必要性を併せて判断し、当該前科等にかかわる事実を公表されない法的利益がこれを公表する理由に優越するときは、その者はその公表によって被った精神的苦痛の賠償を求めることができる。

ウ：前科及び犯罪経歴は、人の名誉、信用に直接かかわる事項であり、前科等のある者もこれをみだりに公開されないという法律上の保護に値する利益を有するのであって、市区町村長が、本来選挙資格の調査のために作成、保管する犯罪人名簿に記載されている前科等をみだりに漏えいしてはならない。

エ：憲法第13条は、国民の私生活上の自由が公権力の行使に対しても保護されるべきことを規定しており、個人の私生活上の自由の一つとして、何人も、個人に関する情報をみだりに第三者に開示又は公表されない自由を有することから、行政機関が住民基本台帳ネットワークシステムにより住民の本人確認情報を収集、管理又は利用する行為は、当該住民がこれに同意していない場合には、憲法第13条に違反する。

オ：外国国賓による講演会の主催者として、大学が学生から参加者を募る際に収集した、参加申込者の学籍番号、氏名、住所及び電話番号に係る情報は、他者に対して完全に秘匿されるべき性質のものではなく、単純な個人識別情報であって、その性質上他者に知られたくないと感じる程度が低く、その一方、当該講演会の警備の必要性は高いことから、大学が当該情報を本人に無断で警察に開示した行為は、社会通念上許容される限度を逸脱した違法な行為とまではいえず、不法行為を構成しない。

1：ア、エ
2：イ、ウ
3：イ、オ
4：ウ、エ
5：ウ、オ

第7章 SECTION 1 幸福追求権

幸福追求権

チェック欄

1回目	2回目	3回目

実践 問題 94 の解説

〈幸福追求権〉

ア× 判例は、自動速度監視装置による運転者の容ぼうの写真撮影は、現に速度違反が行われている場合に、犯罪の性質、態様からいって緊急に証拠保全をする必要があり、その方法も一般的に許容される限度を超えない相当なものであることを根拠に、たとえ同乗者の容ぼうを撮影することになっても憲法13条・21条に反しないとした（最判昭61.2.14）。

イ○ 判例は、ある者の前科などにかかわる事実が著作物で実名を使用して公表された場合に、その者のその後の生活状況、当該刑事事件の歴史的・社会的な意義、その者の当事者としての重要性、その者の社会的活動およびその影響力について、その著作物の目的、性格などに照らした実名使用の意義および必要性を併せて判断し、前科などにかかわる事実を公表されない法的利益がこれを公表する理由に優越する場合には、その公表によって被った精神的苦痛の賠償を求めることができるとした（ノンフィクション『逆転』事件、最判平6.2.8）。

ウ○ 判例は、前科などは、人の名誉、信用に直接かかわる事項であり、前科などのある者もこれをみだりに公開されないという法律上の保護に値する利益を有しており、市長が弁護士会の照会に漫然と応じ、ある者の前科などのすべてを報告することは、公権力の違法な行使にあたるとした（前科照会事件、最判昭56.4.14）。

エ× 判例は、住民基本台帳ネットワークによって管理、利用などされる本人確認情報は個人の内面にかかわるような秘匿性の高い情報ではないこと、それが法令などの根拠に基づかずにまたは正当な行政目的の範囲を逸脱して開示または公表される具体的危険がないことを根拠に、行政機関が住基ネットにより住民の本人確認を管理、利用する行為は、当該個人がこれに同意していなくとも憲法13条に違反しないとした（住基ネット訴訟、最判平20.3.6）。

オ× 判例は、無断で個人情報を警察に開示した大学の行為は、プライバシーを侵害するものとして不法行為を構成するとした（江沢民早大講演会訴訟、最判平15.9.12）。

以上より、妥当なものはイ、ウであり、肢2が正解となる。

正答 2

memo

実践 問題 95 基本レベル

頻出度	地上★　国家一般職★　特別区★ 裁判所職員★★　国税·財務·労基★★　国家総合職★★★

問 憲法第13条に関する次の記述のうち、判例に照らし、妥当なのはどれか。

（国家一般職2020）

1：学籍番号及び氏名は、大学が個人識別等を行うための単純な情報であって、秘匿されるべき必要性が必ずしも高いものではなく、自己が欲しない他者にはみだりにこれらの個人情報を開示されないことへの期待は、尊重に値するものではあるものの、法的に保護されるとまではいえないから、学籍番号及び氏名はプライバシーに係る情報として法的保護の対象とはならない。

2：人の氏名、肖像等（以下、併せて「肖像等」という。）は、個人の人格の象徴であるから、当該個人は、人格権に由来するものとして、これをみだりに利用されない権利を有するところ、肖像等は、商品の販売等を促進する顧客吸引力を有する場合があり、このような顧客吸引力を排他的に利用する権利は、肖像等それ自体の商業的価値に基づくものであるから、当該人格権に由来する権利の一内容を構成するものということができる。

3：聞きたくない音を聞かない自由は、人格的利益として現代社会において重要なものであり、憲法第13条により保障され、かつ、精神的自由権の一つとして憲法上優越的地位を有するものであるから、商業宣伝放送を行うという経済的自由権によって当該自由が制約されている場合は、厳格な基準によってその合憲性を判断しなければならない。

4：患者が、輸血を受けることは自己の宗教上の信念に反するとして、輸血を伴う医療行為を拒否するとの明確な意思を有している場合であっても、このような意思決定をする権利は、患者自身の生命に危険をもたらすおそれがある以上、人格権の一内容として尊重されるということはできない。

5：人格権の内容を成す利益は人間として生存する以上当然に認められるべき本質的なものであって、これを権利として構成するのに何らの妨げはなく、さらには、環境汚染が法によってその抑止、軽減を図るべき害悪であることは、公害対策基本法等の実定法上も承認されていると解されることから、良い環境を享受し得る権利としての環境権は、憲法第13条によって保障されていると解すべきである。

チェック欄		
1回目	2回目	3回目

実践 問題 95 の解説

〈幸福追求権〉

1 × 本肢は、判例の見解と異なるので、妥当でない。判例は、氏名、学籍番号、住所、電話番号等の本件個人情報は、秘匿されるべき必要性が必ずしも高いものではないが、このような個人情報についても、本人が、自己が欲しない他者にはみだりにこれを開示されたくないと考えることは自然なことであり、そのことへの期待は保護されるべきものであるから、本件個人情報は、学生らのプライバシーにかかる情報として法的保護の対象となるとした（江沢民早大講演会訴訟、最判平15.9.12）。

2 ○ 雑誌記事にピンク・レディーを被写体とする写真が無断で掲載されたことが、いわゆるパブリシティ権（商品の販売等を促進する顧客吸引力を排他的に利用する権利）を侵害するとして争われたピンク・レディー事件（最判平24.2.2）において、最高裁は、本肢のとおり判示した。

3 × 本肢は、車内広告放送に関する判例の見解と異なるので、妥当でない。列車内での商業宣伝放送が、乗客に聞きたくない音の聴取を強制し、人格権を侵害するかが争われた事件において判例は、単に、「本件商業宣伝放送を違法ということはできない」とするのみで、聞きたくない音を聞かない自由の性質には言及していない（とらわれの聴衆事件、最判昭63.12.20）。

4 × 本肢は、判例の見解と異なるので、妥当でない。判例は、患者が、輸血を受けることは自己の宗教上の信念に反するとして、輸血を伴う医療行為を拒否するとの明確な意思を有している場合、このような意思決定をする権利は、人格権の一内容として尊重されなければならないとしている（エホバの証人輸血拒否事件、最判平12.2.29）。

5 × 環境権を正面から認めた最高裁判例はないので、本肢は妥当でない。学説上、憲法13条や25条が環境権の根拠となると解されているが、環境権を明確に承認した最高裁判例はいまだ存在しない。ちなみに、大阪空港公害訴訟の控訴審判決（大阪高判昭50.11.27）は、本肢前半のように「人格権の内容をなす利益は人間として存在する以上当然に認められる本質的なものであって、これを権利として構成するのに何らの妨げはなく、実定法の規定をまたなくとも当然に承認されるべき基本的権利である」と述べつつも、環境権については、「人格権に基づく差止請求を認容するので、環境権理論の当否については判断しない」とし、評価を回避した。

正答 2

幸福追求権

実践 問題 96 基本レベル

頻出度	地上★	国家一般職★	特別区★
	裁判所職員★	国税･財務･労基★	国家総合職★★

問 **憲法第13条に関するア～オの記述のうち、判例に照らし、妥当なもののみをすべて挙げているのはどれか。** （国Ⅰ2011）

ア：個人は他者から自己の欲しない刺激によって心の静穏を乱されない利益を有しているところ、この利益は、人格的利益として現代社会において重要なものであるから、憲法第13条によって保障される包括的な人権としての幸福追求権に含まれ、精神的自由権の一つとして憲法上優越的な地位を有する。

イ：医師が、医療水準に従った相当な手術をしようとすることは、人の生命及び健康を管理すべき業務に従事する者として当然のことであるということができる。したがって、患者が、輸血を受けることは自己の宗教上の信念に反するとして、輸血を伴う医療行為を拒否するとの明確な意思を有している場合であっても、このような意思決定をする権利は、人格権の一内容として尊重されなければならないものではない。

ウ：バイクに乗る自由は、社会通念上合理的なものである限り、憲法第13条によって保障される幸福追求権の一部をなす自己決定権として尊重されるが、バイクについてのいわゆる「三ない原則（免許を取らない、乗らない、買わない）」を定める私立高校の校則は、校紀を保つためにやむを得ないものであるから、同条に違反するものではない。

エ：国の重要な財政収入である酒税の徴収を確保するため、製造目的のいかんを問わず、酒類製造を一律に免許の対象とした上、免許を受けないで酒類を製造した者を処罰することにより、自己消費目的の酒類製造の自由が制約されるとしても、そのような規制は、立法府の裁量権を逸脱し、著しく不合理であることが明白であるとはいえず、憲法第13条に違反するものではない。

オ：憲法第13条によって保障される個人の私生活上の自由には、みだりに指紋の押なつを強制されない自由も含まれるが、この自由は、権利の性質上、我が国の国民のみに認められるものであり、我が国に在留する外国人に指紋の押なつを義務付けることは同条に違反しない。

1：ア
2：エ
3：ア、オ
4：イ、ウ
5：エ、オ

直前復習

チェック欄

1回目	2回目	3回目

実践 問題 96 の解説

〈幸福追求権〉

ア× 判例は、個人は他者から自己の欲しない刺激によって心の静穏を乱されない利益を憲法上の人権としてはおらず、列車内の商業宣伝放送は違法ということはできないとしている（とらわれの聴衆事件、最判昭63.12.20）。

イ× 判例は、医師が、医療水準に従った相当な手術をしようとすることは、人の生命および健康を管理すべき業務に従事するものとして当然のことであるということができるとしている（エホバの証人輸血拒否事件、最判平12.2.29）。しかし、同判決は、患者が、輸血を受けることは自己の宗教上の信念に反するとして、輸血を伴う医療行為を拒否するとの明瞭な意思を有している場合、このような意思決定をする権利は、人格権の一内容として尊重されなければならないとしている。

ウ× 判例は、憲法上の自由権的基本権の保障規定は、国または公共団体の統治行動に対して個人の基本的な自由と平等を保障することを目的とした規定であって、もっぱら国または公共団体と個人との関係を規律するものであり、私人相互間の関係について当然に適用ないし類推適用されるものではないから、本件自主退学勧告について、それが直接憲法の基本権保障規定に違反するかどうかを論ずる余地はないとしている（最判平3.9.3）。

エ○ 判例は、自己消費を目的とする酒類製造であっても、これを放任するときは酒税収入の減少など酒税の徴収確保に支障を生じる事態が予想されるところから、国の重要な財政収入である酒税の徴収を確保するため、製造目的のいかんを問わず、酒類製造を一律に免許の対象としたうえ、免許を受けないで酒類を製造した者を処罰することは、立法府の裁量権を逸脱し、著しく不合理であることが明白であるとはいえず、憲法31条・13条に違反するものではないとしている（どぶろく裁判、最判平元.12.14）。

オ× 本記述は、みだりに指紋の押なつを強制されない自由は、権利の性質上、わが国の国民のみに認められるとしている点において妥当でない。指紋押捺拒否事件において判例は、憲法13条によって保障される個人の私生活上の自由の1つとして、何人もみだりに指紋の押なつを強制されない自由を有し、かかる自由の保障はわが国に在留する外国人にも等しく及ぶとしている（最判平7.12.15）。

以上より、妥当なものはエであり、肢2が正解となる。

正答 2

第7章 幸福追求権

第7章 SECTION 1 幸福追求権

幸福追求権

実践 問題 97 応用レベル

頻出度	地上★	国家一般職★	特別区★
	裁判所職員★	国税·財務·労基★	国家総合職★★

問 憲法第13条が定める幸福追求権から導き出される具体的権利として主張されているものの一つにプライバシーの権利がある。これに関するア～オの記述のうち、判例に照らし、妥当なもののみを全て挙げているのはどれか。

(国家総合職2012)

ア：憲法第13条は、国民の私生活上の自由が、警察権等の国家権力の行使に対しても保護されるべきことを規定しているものということができるが、本人の承諾なしにみだりにその容貌・姿態を撮影されない自由は、この私生活上の自由とまではいうことができず、犯罪捜査の必要上警察官が行う写真撮影は、その対象の中に、犯人の近くにいたためこれを除外できない状況にある第三者の容貌·姿態が本人の同意なく含まれることになっても、憲法第13条に違反しない。

イ：前科及び犯罪経歴は人の名誉、信用に直接に関わる事項であり、前科及び犯罪経歴のある者もこれをみだりに公開されないという法律上の保護に値する利益を有しているのであって、市区町村長は、選挙資格の調査のために作成保管する犯罪人名簿に記載されている前科及び犯罪経歴をみだりに漏えいしてはならない。

ウ：速度違反車両の自動撮影を行う自動速度監視装置により速度違反車両の運転者の容貌を写真撮影することは、犯罪の証拠保全という目的は正当であるものの、運転者の近くにいる同乗者の容貌をも撮影することにつながりかねないため、その方法は、一般的に許容される限度を超えない相当なものということはできず、憲法第13条の趣旨に反し、許されない。

エ：大学が外国国賓による講演会の主催者として学生から参加者を募る際に収集した参加申込者の学籍番号、氏名、住所及び電話番号に係る情報は、思想信条の自由等とは無関係であって、他者に対して完全に秘匿されるべき情報ではなく、プライバシーに係る情報として法的保護の対象となるものではなく、大学がこれらの情報を本人に無断で警察に開示した行為は、国賓による講演会の警備の必要性が極めて高いものであったということに鑑みても、プライバシーを侵害するものとして不法行為を構成するとはいえない。

オ：住民基本台帳ネットワークシステムによって管理・利用等される本人確認情報は個人の内面に関わるような秘匿性の高い情報とはいえず、また、同システムのシステム技術上の不備や法制度上の不備によって本人確認情報が法令等の根拠に基づかずに又は正当な行政目的の範囲を逸脱して第三者に開示又は公表される具体的な危険が生じているともいえず、行政機関が同システムにより住民の本人確認情報を管理・利用等する行為は、当該住民がこれに同意していないとしても、憲法第13条の保障する個人に関する情報をみだりに第三者に開示又は公表されない自由を侵害するものではない。

1：ア、エ
2：ア、オ
3：イ、ウ
4：イ、エ
5：イ、オ

第7章 SECTION 1 幸福追求権

幸福追求権

チェック欄		
1回目	2回目	3回目

実践 問題 97 の解説

〈幸福追求権〉

ア× 判例は、憲法13条は、国民の私生活上の自由が、警察権等の国家権力の行使に対しても保護されるべきことを規定し、この個人の私生活上の自由の１つとして、何人も、その承諾なしに、みだりにその容ぼう・姿態を撮影されない自由を有するとして、いわゆる肖像権の具体的権利性を認めた。しかし、このような権利も絶対無制限に認められるわけではなく、公共の福祉のために必要がある場合は相当の制限を受けるのであり、現に犯罪が行われて間がなく、しかも証拠保全の必要性かつ緊急性があり、かつその撮影が一般的に許容される限度を超えない相当な方法をもって行われる場合は、犯人の容ぼう等のほか、その写真撮影の対象の中に、犯人の身辺または被写体とされた物件の近くにいたため除外できない状況にある第三者の容ぼう等が本人の同意なく含まれていたとしても、憲法13条に違反しないとしている（京都府学連事件、最大判昭44.12.24）。

イ○ 判例は、前科等は人の名誉、信用に直接にかかわる事項であり、前科等のある者もこれをみだりに公開されないという法律上の保護に値する利益を有するのであって、市区町村長が、本来選挙資格の調査のために作成保管する犯罪人名簿に記載されている前科等をみだりに漏えいしてはならないとし、前科をみだりに公開されない自由（本判例ではプライバシー権という用語は使用していない）を認めた。そして、本件においては、市区町村長が漫然と弁護士会の照会に応じ、犯罪の種類、軽重を問わず、前科等のすべてを報告することは、公権力の違法な行使にあたるとしている（前科照会事件、最判昭56.4.14）。

ウ× 判例は、現に犯罪が行われている場合になされ、犯罪の性質、態様からいって緊急に証拠保全をする必要性があり、その方法も一般的に許容される限度を超えない相当なものであるから、憲法13条に違反しないとし、また、写真撮影の際に、同乗者の容ぼうを撮影することになっても、最大判昭44.12.24の趣旨（記述ア解説参照）からも憲法13条に違反しないとしている（最判昭61.2.14）。

エ× 判例は、本件個人情報について、本人が、自己が欲しない他者にはみだりに開示されたくないと考えることは自然なことであり、そのことへの期待は保護されるべきものであるとして、本件個人情報はプライバシーにかかわる情報として法的保護の対象となるとしている。そして、このようなプライバシーにかかわる情報は人格的な権利利益を損なうおそれがあるものであり慎重に取り扱われる必要がある。そこで、本件講演会の主催者として参加者を募る際に参加者らの個人情報を収集した大学は、その参加者らの意思に基づかずにみだりに本件個人情報を他者に開示することは許されないところ、大学は本件個人情報を警察に開示することを明示し、参加希望者に開示についての承諾を求めることも容易であったのにそれを行っていないので、大学による警察への本件個人情報の開示行為は講演会参加者のプライバシーを侵害する不法行為となるとした（**江沢民早大講演会訴訟**、最判平15.9.12）。

オ○ 判例は、憲法13条が、個人の私生活上の自由の１つとして、何人も、個人に関する情報をみだりに第三者に開示または公表されない自由を有することを確認した。そのうえで、住基ネットによって管理、利用等される本人確認情報は、いずれも個人の内面にかかわるような秘匿性の高い情報とはいえないこと、懲戒処分または刑罰など情報を適切に扱うための制度的な担保が講じられているため、本人確認情報が法令等の根拠に基づかずにまたは正当な行政目的の範囲を逸脱して第三者に開示または公表される具体的な危険が生じているとはいえないことから、行政機関が住基ネットにより本人確認情報を管理、利用等する行為は、個人に関する情報をみだりに第三者に開示または公表するものということはできず、当該個人がこれに同意していないとしても、憲法13条が保障する上記の自由を侵害するものではないとした（**住基ネット訴訟**、最判平20.3.6）

以上より、妥当なものはイ、オであり、肢５が正解となる。

正答 5

第7章

幸福追求権

章末 CHECK

? Question

Q1 幸福追求権は、憲法に列挙されていない新しい人権の根拠となる一般的・包括的規定である。

Q2 新しい人権として認められるためには、それが人格的生存に不可欠な利益に限るべきとするのが通説である。

Q3 幸福追求権と個別の人権条項とは、一般法と特別法の関係にあるので、個別の人権が妥当しない場合に限って憲法13条が適用される。

Q4 幸福追求権から導き出される権利としては、さまざまなものがあるが、判例が正面から認めたものに、プライバシーの権利・肖像権・環境権がある。

Q5 判例は、憲法第13条を根拠とし、何人も、その承諾なしに、みだりにその容ぼう・姿態を撮影されない自由を有するとしている。

Q6 プライバシーの権利とは、「ひとりで放っておいてもらえる権利」として、自由権的側面のみを有する。

Q7 判例は、市区町村長が弁護士会の前科照会に応ずることは、それが弁護士法に基づく限り、プライバシーを侵害しないとしている。

Q8 何人も、みだりに前科等にかかわる事実を公表されないことにつき、法的保護に値する利益を有するから、本において、他人の前科を無断で公表することは、常にプライバシーの侵害にあたる。

Q9 わが国では、自己決定権を正面から認めた判例は存在しないが、宗教上の理由から、輸血を伴う医療行為を拒否する意思決定をする権利は人格権の一内容として尊重されなければならないと判示したものがある。

A1 ○ 通説は本問のように考えている。

A2 ○ 人格的利益説である。これに対し、反対説は、あらゆる生活領域に関する行動の自由（一般的行為の自由）に及ぶとする。ただし、人格的利益説をとっても、一般的行為の自由が保護されないわけではない。

A3 ○ 補充的機能とよばれる。

A4 × 判例は、環境権を正面から認めていない。

A5 ○ 京都府学連事件（最大判昭44.12.24）の判示である。

A6 × かつては、そのように解されていたが、現代では情報化社会の進展に伴い「情報コントロール権」として、プライバシーの保護を公権力に請求するという側面も重視されている。

A7 × 判例は、弁護士法に基づく前科照会であっても、市区町村長がそれに「漫然と」応じ、前科などのすべてを報告することは、違法な公権力の行使にあたるとしている（最判昭56.4.14）。

A8 × 判例は、事件自体を公表することに歴史的・社会的意義を有する場合、公職者・候補者など社会一般の正当な関心の対象となる公的立場にある人物の場合には、前科の公表が許されるとする（最判平6.2.8）。

A9 ○ 判例は、エホバの証人輸血拒否事件（最判平12.2.29）において、本問のように述べている。

memo

第8章

人権総論(2)

SECTION

① 人権享有主体性
② 特別な法律関係における人権
③ 人権規定等の私人間効力

第8章 人権総論(2)

出題傾向の分析と対策

試験名	地　上			国家一般職			特別区			裁判所職員			国税・財務・労基			国家総合職		
年　度	16-18	19-21	22-24	16-18	19-21	22-24	16-18	19-21	22-24	16-18	19-21	22-24	16-18	19-21	22-24	16-18	19-21	22-24
出題数 セクション	1		1				1		1		1	1		1	1	1	1	3
人権享有主体性							★		★		★	★		★	★		★	★
特別な法律関係における人権	★															★		★★
人権規定等の私人間効力			★															

（注）１つの問題において複数の分野が出題されることがあるため、星の数の合計と出題数とが一致しないことがあります。

人権総論については、よく出題される試験種とあまり出題されない試験種とがはっきり分かれます。

地方上級

たまに出題されます。過去問を繰り返し解くことで、基本的な知識を身につけておいてください。

国家一般職

ほとんど出題されていません。しかし、今後出題される可能性はありますので過去問を一通り確認しておきましょう。

特別区

たまに出題されます。過去問を繰り返し解くことで、基本的な知識を身につけておいてください。

裁判所職員

かつては、外国人の人権、公務員の人権、人権享有主体性、人権規定の私人間効力について出題されています。私人間効力については、学説問題が出題されることがありますので、間接適用説・直接適用説の内容をしっかりと理解するようにしてください。また、基本的な判例の内容を理解しておきましょう。

国税専門官・財務専門官・労働基準監督官

2～3年に1回の頻度で出題されています。今後も出題される可能性がありますので、基本的な知識を身につけておいてください。

国家総合職

2～3年に1回の頻度で出題されています。最近では、外国人の人権、人権享有主体性、特別な法律関係における人権について問われています。私人間効力については、学説問題が出題されることがありますので、間接適用説・直接適用説の内容をしっかりと理解するようにしてください。判例については細かい知識まで問われることがありますので、判例集などで判例の内容をしっかり理解しておきましょう。

Advice アドバイス 学習と対策

この分野も重要な判例が多いですので、その内容をしっかり理解することが重要です。

具体的には、人権享有主体性については、マクリーン事件判決、八幡製鉄政治献金事件判決、南九州税理士会事件判決が重要です。

特別な法律関係における人権については、在監者喫煙訴訟判決、よど号ハイジャック新聞記事抹消事件判決、全農林警職法事件判決、猿払事件判決が重要です。

私人間効力については、三菱樹脂事件判決、日産自動車事件判決、昭和女子大事件判決が重要です。

なお、私人間効力については直接適用説と間接適用説の内容と違いを理解するようにしてください。

人権総論(2)
人権享有主体性

必修問題 **セクションテーマを代表する問題に挑戦！**

人権享有主体性は、主に、法人、外国人について問題となります。

問 基本的人権の享有主体に関する次の記述のうち、最も妥当なのはどれか。ただし、争いのあるものは判例の見解による。

（財務2024）

1：憲法の各人権規定は、国又は地方公共団体と私人との関係を規律するのみならず、私人相互の関係をも直接規律するから、企業が特定の思想や信条を有する労働者をそれを理由として雇い入れることを拒めば、当然に違法となる。

2：憲法の基本的人権の保障は、権利の性質上日本国民のみをその対象としていると解されるものを除き、我が国に在留する外国人に対しても等しく及ぶと解すべきであるから、外国人の政治活動の自由については、日本国民と等しくその保障が及ぶ。

3：法人の概念は、財産権の主体となることにその意味を持つものであるから、法人には、経済的自由権の保障は及ぶが、精神的自由権の保障は及ばない。

4：未成年者も日本国民であり、当然に人権享有の主体であるが、憲法が明文で未成年者の人権を制限しているのは、「公務員の選挙については、成年者による普通選挙を保障する。」と定める選挙権のみである。

5：公務員の労働基本権については、勤労者を含めた国民全体の共同利益の見地からの制約を免れないものの、個々の公務員の争議行為に対して刑事制裁を科すことは許されない。

直前復習

頻出度	地上★	国家一般職★★	特別区★
	裁判所職員★	国税·財務·労基★	国家総合職★★

必修問題の解説

チェック欄		
1回目	2回目	3回目

〈人権享有主体性〉

1 × 憲法の人権規定が私人間に適用されるかにつき、非適用説・直接適用説・間接適用説の諸説があるが、判例・通説ともに本肢で述べられた直接適用説を採用していない。さらに、思想を理由とする雇用拒否については、企業は経済活動の一環として契約締結の自由を有しており、いかなるものを雇い入れるか、いかなる条件でこれを雇うかについて、原則として自由にこれを決定することができるので、企業が特定の思想、信条を有する者をそのゆえをもって雇い入れることを拒んでもそれを当然に違法とすることはできないとしている（三菱樹脂事件、最大判昭48.12.12）。

2 × 外国人の政治活動の自由に日本国民と等しくその保障が及ぶと述べる本肢は、判例の見解と異なるので妥当でない。外国人の政治活動の自由が憲法に保障されるかについて、判例は、「基本的人権の保障は、権利の性質上日本国民のみをその対象としていると解されるものを除き、わが国に在留する外国人に対しても等しく及ぶ」としつつも、同判例は続けて、政治活動の自由について、「わが国の政治的意思決定又はその実施に影響を及ぼす活動等外国人の地位にかんがみこれを認めることが相当でないと解されるものを除き」その保障が及ぶとしている（マクリーン事件、最大判昭53.10.4）。

3 × 判例は、憲法の人権規定は「性質上可能な限り、内国の法人にも適用される」としたうえで、精神的自由権の１つである政治活動の自由につき、「会社は、自然人たる国民と同様、国や政党の特定の政策を支持、推進し、または反対するなどの政治的行為をなす自由を有する」として法人である株式会社の政治資金の寄付の自由を認めている（八幡製鉄政治献金事件、最大判昭45.6.24）。

4 ○ 未成年者にも成年者と同様に憲法の人権規定の保障が及ぶが、心身の発達途上の段階にある未成年者に対しては参政権が制限される（憲法15条３項）。すなわち、未成年者の人権を制限しているのは15条３項のみである。

5 × 判例は、労働基本権の保障は公務員に対しても及ぶとする一方、公務員の労働基本権は国民全体の共同利益の見地からする制約を免れないとする。そのうえで、公務員の争議行為を禁止する規定はやむをえない制約というべきであって、憲法28条に違反するものではなく、違法な争議行為に対して罰則を設けることについても十分に合理性があり、憲法28条に違反しないとしている（全農林警職法事件、最大判昭48.4.25）。

正答 4

人権総論(2)

人権享有主体性

憲法第3章の標題は、「国民の権利及び義務」と表記されています。そして、憲法10条は、「日本国民たる要件は、法律でこれを定める」としています。そしてここにいう、「国民」とは、日本国籍を有する者を指しています。

とすると、国民に該当しない「外国人」や「法人」には、憲法が保障する人権の効力が及ばないことになるのでしょうか。これが、人権享有主体性の問題です。

未成年者も日本国民である以上当然に人権の享有主体となりますが、その心身の未成熟性ゆえ、成年者とまったく同じ程度に人権保障が認められるわけではないと解するのが通説です。

1 外国人

外国人とは、日本国籍を有しない自然人のことをいいます。判例は、**権利の性質上日本国民のみをその対象としているものを除き**、外国人にも人権保障が及ぶとしており（マクリーン事件、最大判昭53.10.4）、通説もこの考え方に従っています。

（理由）

①そもそも人権は国家によって認められるものではなく、人が人であることによって当然認められるもの（人権の前国家的性格）

②憲法が国際協調主義を採用している（98条2項）

(1) 保障されない人権

① 参政権（選挙権）

判例チェック

判例は、定住外国人について、法律で地方公共団体の長、その議会の議員などに対する選挙権を付与しても憲法に違反するものではないとも判断しています（最判平7.2.28）。

判例チェック

外国人の出国の自由について、判例は、憲法22条2項を根拠に外国人にも保障されるとしています（最大判昭32.12.25）。

② 社会権

社会権については、外国人に対して保障されないと解するのが通説です。

判例チェック

判例は、たとえ、年金の支給対象者から外国籍の人を除いたとしても、憲法に違反するものではないとしています（塩見訴訟、最判平元.3.2）。

③ 再入国の自由

判例チェック

判例は、入国の自由が保障されていないことなどを理由に、外国人には再入国の自由は保障されていないとしています（森川キャサリーン事件、最判平4.11.16）。

(2) 保障される人権

以上に挙げたもの以外の自由権、平等権、受益権は外国人にも保障されますが、保障の程度は日本国民よりも制限される場合があります。

マクリーン事件判決は、政治活動の自由は、わが国の政治的意思決定またはその実施に影響を及ぼすようなものを除いて、外国人にも保障されるとしています。

2 法人

(1) 人権享有主体性

判例チェック

判例は、法人にも、性質上可能な限り人権が保障されるとしています（八幡製鉄政治献金事件、最大判昭45.6.24）。

(2) 法人の人権と法人の構成員の人権との関係

判例

《八幡製鉄政治献金事件》最大判昭45.6.24
【事案】会社が政党に対する寄付などの政治活動をすることが、憲法上許されるかが争われた事件
【判旨】基本的人権の保障は、性質上可能な限り、内国法人にも及ぶので、会社は国民と同様、公共の福祉に反しない限り、政治資金の寄付も含めて政治的行為をなす自由を有する。

判例

《南九州税理士会事件》最判平8.3.19
【事案】公益法人である税理士会が、会員から政治献金の目的で特別会費を強制的に徴収することが許されるかが争われた事件
【判旨】税理士会は強制加入団体であり、さまざまの思想信条を有する会員の存在が予定されているところ、政治団体に寄付をするか否かは、選挙における投票の自由と表裏をなすものとして、会員の自主的な判断に任せるべきであることから、特別会費徴収の決議は無効である。

判例

《群馬司法書士会事件》最判平14.4.25
【事案】強制加入団体である司法書士会による阪神大震災支援特別負担金特別決議の効力が争われた事件
【判旨】司法書士会の活動範囲には、その目的を遂行する範囲内で、他の司法書士会との間で業務その他について提携、協力、援助することも含まれるので、自然災害によって被災した地域の司法書士会に復興支援拠出金を寄付するために特別の負担金を徴収することは、権利能力の範囲内であり、同会が強制加入団体であることを考慮しても、公序良俗に反する場合を除き、多数決原理に基づき自ら決定することができる。

人権総論(2)

人権享有主体性

実践 問題 98 基本レベル

頻出度	地上★ 国家一般職★★ 特別区★ 裁判所職員★ 国税·財務·労基★ 国家総合職★★

問 **基本的人権の享有主体に関するア～オの記述のうち、妥当なもののみを全て挙げているのはどれか。ただし、争いのあるものは判例の見解による。**

(国税・財務・労基2014)

ア：未成年者も日本国民であり、当然に基本的人権の享有主体であるが、社会の成員として必要な成熟した判断能力を有することを期待することができないことから、憲法は、職業選択の自由、婚姻の自由及び選挙権について未成年者の人権を制限する規定を置いている。

イ：憲法第３章の諸規定による基本的人権の保障は、権利の性質上日本国民のみを対象としていると解されるものを除き、我が国に在留する外国人に対しても等しく及ぶが、公務員を選定罷免する権利を保障した憲法第15条第１項の規定は、権利の性質上日本国民のみをその対象とする。

ウ：法人の概念は、財産権の主体となることにその意味を持つものであるから、財産権や営業の自由のような経済的自由権については法人にもその保障が及ぶが、表現の自由や信教の自由のような精神的自由権については法人にはその保障が及ばない。

エ：国民は、憲法上、表現の自由としての政治活動の自由を保障されており、この精神的自由は立憲民主政の政治過程にとって不可欠の基本的人権であって、民主主義社会を基礎付ける重要な権利であることに鑑みると、法令による公務員に対する政治的行為の禁止は、国民としての政治活動の自由に対する必要やむを得ない限度にその範囲が画されるべきである。

オ：未決勾留は、逃亡又は罪証隠滅の防止を目的として、被疑者又は被告人の居住を刑事施設内に限定するものであって、未決勾留により刑事施設に拘束されている者が拘禁関係に伴う制約を受けることはやむを得ないものといわなければならないことから、新聞紙、図書等の閲読の自由についても、閲読を許すことにより刑事施設内の規律及び秩序が害される一般的・抽象的なおそれがあれば、これを制限することができる。

1：ア、イ
2：ア、ウ
3：イ、エ
4：ウ、オ
5：エ、オ

チェック欄

1回目	2回目	3回目

実践 問題 98 の解説

〈人権享有主体性〉

ア× 本記述は、憲法は、職業選択の自由、婚姻の自由について未成年者の人権を制限する規定を置いているとする点が妥当でない。

未成年者も日本国民であり、当然に基本的人権の享有主体である。しかし、未成年者は、成熟した判断能力を常に有するとは限らないことから、本人の利益を保護するために必要な場合、または、未熟な判断による行為が社会にとって好ましくない場合には、一定の制限が許されると解されている。もっとも、憲法で未成年者の人権を制限しているのは、選挙権（憲法15条3項）のみであり、婚姻の年齢制限（民法731条）や職業選択の制限（公証人・弁護士・公認会計士・税理士・医師・薬剤師など）は、法律による制限である。

イ○ 本記述は判例のとおりであり、妥当である。

憲法第3章の標題は「国民の権利及び義務」となっているが、同章の諸規定による基本的人権の保障は、権利の性質上日本国民のみをその対象としていると解されるものを除き、わが国に在留する外国人に対しても等しく及ぶ（マクリーン事件、最大判昭53.10.4）。しかし、公務員を選定罷免する権利を保障した憲法15条1項について、判例は、同条項は、国民主権の原理に基づき、公務員の終局的任免権が国民に存することを表明したものにほかならないところ、主権が「日本国民」に存するものとする憲法前文・1条に照らせば、憲法の国民主権の原理における国民とは、日本国民すなわちわが国の国籍を有する者を意味することは明らかであるから、憲法15条1項は、権利の性質上日本国民のみをその対象とし、同条項による権利の保障は、わが国に在留する外国人には及ばないとしている（最判平7.2.28）。

ウ× 本記述は、表現の自由や信教の自由のような精神的自由権については法人にはその保障が及ばないとする点が妥当でない。

法人の概念は、主として、財産権の主体となることにその意味を持つものであるから、財産権（憲法29条）や営業の自由（憲法22条）のような経済的自由権については、法人にもその保障が及ぶ。しかし、精神的自由権についても、たとえば、宗教法人が信教の自由（憲法20条）、学校法人が学問の自由（憲法23条）を享有することができ、表現の自由（憲法21条）も法人にその保障が及ぶと解されている。判例も、博多駅事件において、法人たる報道機関の報道の自由を認めている（最大決昭44.11.26）。

エ○ 本記述は判例のとおりであり、妥当である。

政党機関紙配布事件において、判例は、「国民は、憲法上、表現の自由（21条１項）としての政治活動の自由を保障されており、この精神的自由は立憲民主政の政治過程にとって不可欠の基本的人権であって、民主主義社会を基礎付ける重要な権利であることに鑑みると」、法令（国家公務員法、人事院規則）による公務員に対する政治的行為の禁止は、「国民としての政治活動の自由に対する必要やむをえない限度にその範囲が画されるべき」であるとしている（最判平24.12.7）。

オ× 本記述は、閲読を許すことにより刑事施設内の規律および秩序が害される一般的・抽象的なおそれがあれば、未決拘禁者の閲読の自由を制限できるとする点が妥当でない。

よど号ハイジャック新聞記事抹消事件において、判例は、未決勾留は、逃亡・罪証隠滅の防止を目的として、被疑者・被告人の居住を刑事施設内に限定するものであって、未決拘禁者について、身体的自由およびその他の行為の自由に一定の制限が加えられることはやむをえないことを前提とする。しかし、新聞紙、図書等の閲読の自由の制限が許されるためには、閲読を許すことにより刑事施設内の規律・秩序が害される一般的・抽象的なおそれがあるというだけでは足りず、閲読を許すことにより監獄内の規律・秩序の維持上放置できない程度の障害が生ずる「相当の蓋然性」があると認められることが必要で、かつ、その場合も制限の程度は、「必要かつ合理的な範囲にとどまるべき」であるとしている（最大判昭58.6.22）。

以上より、妥当なものはイ、エであり、肢３が正解となる。

正答 3

memo

人権総論(2)
人権享有主体性

実践 問題 99 基本レベル

頻出度	地上★	国家一般職★★	特別区★
	裁判所職員★	国税･財務･労基★	国家総合職★★

問 外国人の人権に関するア～オの記述のうち、判例に照らし、妥当なもののみをすべて挙げているのはどれか。（国Ⅰ2011）

ア：社会保障上の施策において在留外国人をどのように処遇するかについては、国は、特別の条約の存しない限り、その政治的判断によりこれを決定することができ、その限られた財源の下で福祉的給付を行うに当たり、自国民を在留外国人より優先的に扱うことも許されるべきことと解され、障害福祉年金（当時）の支給対象者から在留外国人を除外することは、憲法第25条に違反するものではない。

イ：我が国に在留する外国人は、憲法上、外国へ一時旅行する自由を保障されているものではなく、外国人の再入国の自由は、憲法第22条により保障されない。

ウ：各人に存する種々の事実関係上の差異を理由とする法的取扱いの区別は、合理性を有する限り憲法第14条に違反せず、台湾住民である旧軍人軍属が戦傷病者戦没者遺族等援護法及び恩給法に定める国籍条項等の規定によりそれらの適用から除外され、日本の国籍を有する旧軍人軍属と台湾住民である旧軍人軍属との間に差別が生じているとしても、それが十分な合理的根拠に基づくものである以上、当該規定は憲法第14条に違反するものではない。

エ：憲法第22条第２項は、外国人の外国移住の自由を保障した規定とは解せられないが、我が国内に居住する外国人がその本国への帰国のための出国はもちろん、その他の外国へ移住することの自由が尊重せらるべきであることは、同項の精神に照らして明らかであるから、結局憲法の精神は外国人に対しても国民に対すると同様の保障を与えているものと解すべきである。

オ：憲法第３章の諸規定による基本的人権の保障は、権利の性質上日本国民のみをその対象としていると解されるものを除き、我が国に在留する外国人に対しても等しく及ぶもの、と解すべきであり、政治活動の自由についても、我が国の政治的意思決定又はその実施に影響を及ぼす活動等外国人の地位にかんがみこれを認めることが相当でないと解されるものを除き､その保障が及ぶ。したがって、法務大臣が、外国人の在留期間の更新の際に、在留期間中の憲法の基本的人権の保障を受ける行為を消極的な事情として斟酌することは許されない。

1：ア、イ
2：ア、エ
3：ア、イ、ウ
4：イ、エ、オ
5：ウ、エ、オ

チェック欄		
1回目	2回目	3回目

実践 問題 99 の解説

〈人権享有主体性〉

ア○ 判例は、社会保障上の施策において在留外国人をどのように処遇するかについては、国は、特別の条約の存しない限り、その政治的判断によりこれを決定できるのであり、その限られた財源のもとで福祉的給付を行うにあたり、自国民を在留外国人より優先的に扱うことも許され、障害福祉年金の支給対象者から在留外国人を除外することは、立法府の裁量の範囲に属するとした（塩見訴訟、最判平元.3.2）。

イ○ 判例は、わが国に在留する外国人は、憲法上、外国へ一時旅行する自由を保障されているものではなく、したがって、外国人の再入国の自由は、憲法22条により保障されないとした（森川キャサリーン事件、最判平4.11.16）。

ウ○ 判例は、台湾住民である旧軍人軍属が戦傷病者戦没者遺族等援護法および恩給法の適用から除外されたのは、台湾住民の請求権の処理は条約により日本国政府と中華民国政府との特別取極の主題とされ、台湾住民である軍人軍属に対する補償問題も両国政府の外交交渉による解決が予定されていることによるから、十分な合理的根拠があり、憲法14条に反するものではないとした（最判平4.4.28）。

エ× 判例は、憲法22条２項にいう外国移住の自由は、その権利の性質上外国人に限って保障しないという理由はないとしている（最大判昭32.12.25）。

オ× 判例は、憲法第３章の諸規定による基本的人権の保障は、権利の性質上日本国民のみをその対象としているものを除き、わが国に在留する外国人に対しても等しく及ぶものであり、政治活動の自由についても、わが国の政治的意思決定またはその実施に影響を及ぼす活動等外国人の地位にかんがみ認めることが相当でないものを除きその保障が及ぶとしている。しかし、同判決はまた、外国人に対する憲法の基本的人権の保障は、外国人在留制度の枠内で与えられているにすぎないから、在留期間中の憲法の基本的人権の保障を受ける行為を在留期間の更新の際に消極的事実として斟酌されないことまでの保障が与えられているものではないとしている（マクリーン事件、最大判昭53.10.4）。

以上より、妥当なものはア、イ、ウであり、肢３が正解となる。

正答 3

人権総論(2)
人権享有主体性

実践 問題 100 基本レベル

頻出度	地上★ 国家一般職★★ 特別区★ 裁判所職員★ 国税·財務·労基★ 国家総合職★★

問 **法人及び外国人の人権に関するア〜オの記述のうち、判例に照らし、妥当なもののみを全て挙げているのはどれか。 (国家一般職2013)**

ア：憲法第３章に定める国民の権利及び義務の各条項は、性質上可能な限り、内国の法人にも適用され、また、同章の諸規定による基本的人権の保障は、権利の性質上日本国民のみをその対象としていると解されるものを除き、我が国に在留する外国人に対しても等しく及ぶ。

イ：法人は、自然人たる国民と同様、国や政党の特定の政策を支持、推進し、又は反対するなどの政治的行為をなす自由を有し、公益法人であり強制加入団体である税理士会が、政党など政治資金規正法上の政治団体に金員を寄付するために会員から特別会費を徴収することを多数決原理によって団体の意思として決定し、構成員にその協力を義務付けた上、当該寄付を行うことも、当該寄付が税理士に係る法令の制定改廃に関する政治的要求を実現するためのものである場合は、税理士会の目的の範囲内の行為として認められる。

ウ：会社が、納税の義務を有し自然人たる国民と等しく国税等の負担に任ずるものである以上、納税者たる立場において、国や地方公共団体の施策に対し、意見の表明その他の行動に出たとしても、これを禁圧すべき理由はないが、会社による政治資金の寄付は、その巨大な経済的・社会的影響力に鑑みると、政治の動向に不当に影響を与えるおそれがあることから、自然人たる国民による寄付と別異に扱うべき憲法上の要請があるといえる。

エ：政治活動の自由に関する憲法の保障は、我が国の政治的意思決定又はその実施に影響を及ぼす活動など外国人の地位に鑑みこれを認めることが相当でないと解されるものを除き、我が国に在留する外国人に対しても及ぶことから、法務大臣が、憲法の保障を受ける外国人の政治的行為を、在留期間の更新の際に消極的な事情としてしんしゃくすることは許されない。

オ：地方公務員のうち、住民の権利義務を直接形成し、その範囲を確定するなどの公権力の行使に当たる行為を行い、若しくは普通地方公共団体の重要な施策に関する決定を行い、又はこれらに参画することを職務とするものについては、原則として日本国籍を有する者が就任することが想定されているとみるべきであり、外国人が就任することは、本来我が国の法体系の想定するところではない。

1：ア、イ
2：ア、オ
3：イ、エ
4：ウ、エ
5：ウ、オ

直前復習

チェック欄

1回目	2回目	3回目

実践 問題 100 の解説

〈人権享有主体性〉

ア○ 判例は、憲法第３章に定める国民の権利および義務の各条項は、性質上可能な限り、内国の法人にも適用されるとした（八幡製鉄政治献金事件、最大判昭45.6.24）。また、判例は、憲法第３章の諸規定による基本的人権の保障は、権利の性質上、日本国民のみをその対象としていると解されるものを除き、わが国に在留する外国人に対しても等しく及ぶとした（マクリーン事件、最大判昭53.10.4）。

イ× 判例は、税理士会は強制加入の法人であるから、その会員には、さまざまの思想・信条および主義・主張を有する者が存在することが当然に予定されているので、税理士会の活動にもおのずから限界があるとしたうえで、税理士会が政治資金規正法上の政治団体に対して金員の寄付をすることは、たとい税理士にかかる法令の制定改廃に関する要求を実現するためであっても、税理士会の目的の範囲外の行為であるとした（南九州税理士会事件、最判平8.3.19）。

ウ× 判例は、会社は自然人たる国民と同様に政治的行為をなす自由を有し、政治資金の寄付もその自由の一環であるから、これを自然人たる国民による寄付と別異に扱うべき憲法上の要請はないとした（八幡製鉄政治献金事件、最大判昭45.6.24）。

エ× 判例は、外国人の基本的人権の保障は、外国人在留制度の枠内で与えられているにすぎないから、在留期間中の憲法の基本的人権の保障を受ける行為を在留期間の更新の際の消極的な事実として斟酌しないことまでの保障が与えられているものではないとした（マクリーン事件、最大判昭53.10.4）。

オ○ 判例は、地方公務員のうち、住民の権利義務を直接形成し、その範囲を確定するなどの公権力の行使にあたる行為を行い、もしくは普通地方公共団体の重要な施策に関する決定を行い、またはこれらに参画することを職務とするものについては、国民主権の原理に基づき、原則として日本国籍を有する者が就任することが想定されているとみるべきであり、外国人が就任することは、本来わが国の法体系の想定するところではないとした（東京都管理職試験事件、最大判平17.1.26）。

以上より、妥当なものはア、オであり、肢２が正解となる。

正答 2

第8章 SECTION 1 人権総論(2)

人権享有主体性

実践 問題 101 基本レベル

頻出度	
地上★ 国家一般職★★ 特別区★	
裁判所職員★ 国税·財務·労基★ 国家総合職★★	

問 外国人の基本的人権に係る判例に関する記述として妥当なのはどれか。

（国税・労基2002）

1：憲法第22条第２項により保障される出国の自由には帰国の自由も含まれると解されるから、一時出国した在留資格を有する外国人がその在留期間満了の日以前に我が国に再び入国する、いわゆる再入国の自由についても、原則として保障される。

2：外国人が政治活動を行うことは、参政権を行使する場合と異なり、国民の主権的意思決定に影響を与えることはないから、その自由は日本国民と同様に保障され、法務大臣が、外国人の在留期間の更新の際に、外国人が在留期間中に行った政治活動を消極的な事情として斟酌することは許されない。

3：社会保障上の施策において在留外国人をどのように処遇するかについては、国は、特別の条約の存しない限り、その政治的判断により決定することができるから、自国民を在留外国人より優先的に扱うことも許される。

4：個人の私生活上の自由の一つとして、何人もみだりに指紋の押なつを強制されない自由を有するものというべきであり、この自由の保障は我が国に在留する外国人にも等しく及ぶと解されるから、在留外国人のみを対象とする指紋押なつ制度は、憲法第13条及び第14条に違反し許されない。

5：国民主権の原理にかんがみ、また、地方公共団体が我が国の統治機構の不可欠の要素を成すものであることをも併せ考えると、憲法第93条第２項にいう「住民」とは、地方公共団体の区域内に住所を有する日本国民を意味すると解されるから、法律によって、地方公共団体の長、その議会の議員等の選挙について外国人に選挙権を付与することは許されない。

チェック欄

1回目	2回目	3回目

実践 問題 101 の解説

〈人権享有主体性〉

1 × 判例は、わが国に在留する外国人は、憲法上、外国へ一時旅行する自由を保障されているものではないから、外国人の再入国の自由は憲法22条により保障されないとしている（森川キャサリーン事件、最判平4.11.16）。

2 × 判例は、外国人の政治活動の自由についても、わが国の政治的意思決定またはその実施に影響を及ぼす活動など外国人の地位にかんがみ、これを認めることが相当でないと解されるものを除き、その保障が及ぶが、在留期間の更新の際に、外国人の行った政治活動を消極的な事情として斟酌することもできるとしている（マクリーン事件、最大判昭53.10.4）。

3 ○ 判例は、本肢と同様に、社会保障上の施策において在留外国人をどのように処遇するかについては、国は特別の条約の存しない限り、その政治的判断により決定することができ、限られた財源のもとで福祉的給付を行うにあたり、自国民を在留外国人より優先的に扱うことも許されるとしている（塩見訴訟、最判平元.3.2）。

4 × 判例は、憲法13条により何人も指紋押捺を強制されない自由が保障されるが、指紋押捺制度は外国人の居住・身分関係を明確にするための最も確実な制度であり、立法目的には合理性･必要性があり、方法も相当であるから、憲法13条に反しないとしている。また、在留外国人は戸籍制度がない点で日本人とは社会的事実関係上の差異があるので、その取扱いの差異についても合理的根拠があり､憲法14条に反しないとしている（指紋押捺拒否事件、最判平7.12.15）。

5 × 判例は、憲法第93条２項にいう「住民」とは、地方公共団体の区域内に住所を有する日本国民を意味し、同条が在留外国人に対し地方参政権を保障したということはできないとしながら、地方自治の制度趣旨にかんがみれば、在留外国人であっても、永住者などでありその居住する地方公共団体と特段に緊密な関係を持った者については、法律をもって地方参政権を付与することは憲法上禁止されてはいないとしている（最判平7.2.28）。

正答 3

人権総論(2)

人権享有主体性

実践 問題 102 基本レベル

頻出度	地上★	国家一般職★★	特別区★
	裁判所職員★	国税･財務･労基★	国家総合職★★

問 基本的人権の享有主体性に関する次の記述のうち、判例に照らし、妥当なのはどれか。 （国税・労基2000）

1：在留外国人のうちでも永住者等であって居住する区域の地方公共団体と特段に緊密な関係を持つに至ったと認められる者について、法律をもって、地方公共団体の長、地方議会の議員等に対する選挙権を付与する措置を講ずることは、憲法上禁止されていないと解される。

2：基本的人権の保障は、性質上可能な限り内国法人にも及ぶが、会社は、国民の参政権保障の観点から、原則として政治資金の寄附の自由を有しない。

3：私立学校の学則には直接憲法の基本権の保障は及ぶので、私立学校が学則に学生の学外における政治的活動等につき届出制ないし許可制を定め、それに違反した学生を退学処分に付する旨の内部規定は、憲法に違反し無効である。

4：未決拘禁者の人権については、在監目的を維持するために必要かつ合理的な範囲内でのみ制限が許されるので、喫煙を禁止する監獄法の規定は、憲法第13条に違反する。

5：公務員の政治的行為を禁止する国家公務員法及び人事院規則の規定は、職種・職務権限、勤務時間の内外、国の施設の利用の有無等にかかわりなく一律に禁止していることから、憲法に直接違反する。

チェック欄

1回目	2回目	3回目

実践 問題 102 の解説

〈人権享有主体性〉

1 ○ 判例は、在留外国人のうち、永住者などであって、居住する区域の地方公共団体と特段に緊密な関係を持つに至ったと認められる者について、その意思を日常生活に密接な関連を有する地方公共団体の公共的事務の処理に反映させるべく法律をもって、選挙権を付与することは、憲法上、禁止されていないとしている（最判平7.2.28）。

2 × 判例は、憲法第３章に定める基本的人権の保障は、性質上可能な限り内国法人にも及び、政治資金の寄付の自由も、政治的行為をなす自由の一環として自然人たる国民同様、会社にも保障されるとしている（八幡製鉄政治献金事件、最大判昭45.6.24）。

3 × 判例は、憲法の人権規定は私人相互の関係を直接規律するものではないので、私立学校の学則について憲法の基本権保障規定違反の問題は生じないとしたうえで、私立大学が、学生の政治活動に対して広範な規律を及ぼしたとしても、それが直ちに社会通念上不合理な制限にあたるわけではなく、実社会の政治活動を理由として退学処分を行うことも公序良俗に反するものではないとしている（昭和女子大事件、最判昭49.7.19）。

4 × 判例は、未決拘禁者の人権については、在監目的を維持するために必要かつ合理的な範囲内でのみ制限が許されるとしたうえで、旧監獄法（施行規則）の規定により喫煙を禁止することは、総合考察すると必要かつ合理的な制限であるから、憲法13条に違反しないとしている（最大判昭45.9.16）。

5 × 判例は、国家公務員法で禁止されている「政治的行為」とは、公務員の職務の遂行の政治的中立性を損なうおそれが、観念的なものにとどまらず、現実的に起こりうるものとして実質的に認められるものを指すとした。そのうえで、公務員の職務の遂行の政治的中立性を損なうおそれが実質的に認められるかどうかは、当該公務員の地位、その職務の内容や権限等、当該公務員がした行為の性質、態様、目的、内容等の諸般の事情を総合して判断するのが相当であるとした。このように「政治的行為」の意味について限定解釈したうえで、公務員の政治的行為を禁止する国家公務員法を合憲とした（政党機関紙配布事件、最判平24.12.7）。

正答 1

第8章 SECTION ① 人権総論(2) 人権享有主体性

実践 問題 103 基本レベル

頻出度	地上★	国家一般職★	特別区★
	裁判所職員★	国税·財務·労基★	国家総合職★

問 日本国憲法における外国人の人権に関するA～Dの記述のうち、最高裁判所の判例に照らして、妥当なものを選んだ組合せはどれか。　(特別区2024)

A：外国人に対する憲法の基本的人権の保障は、外国人在留制度の枠内で与えられているにすぎないものと解するのが相当であるが、在留期間中の憲法の基本的人権の保障を受ける行為を在留期間の更新の際に消極的な事情として斟酌(しんしゃく)されないことについては、保障が与えられているとした。

B：社会保障上の施策において在留外国人をどのように処遇するかについては、国は、特別の条約の存しない限り、その政治的判断によりこれを決定することができるのであり、その限られた財源の下で福祉的給付を行うにあたり、自国民を在留外国人より優先的に扱うことも許されるとした。

C：我が国に在留する外国人のうちでも永住者等であってその居住する区域の地方公共団体と特段に緊密な関係を持つに至ったと認められる者について、その意思を日常生活に密接な関連を有する地方公共団体の公共的事務の処理に反映させるべく、法律をもって、地方公共団体の長、その議会の議員等に対する選挙権を付与する措置を講ずることは、憲法上禁止されているものではないとした。

D：地方公務員のうち、住民の権利義務を直接形成し、その範囲を確定するなどの公権力の行使に当たる行為を行う公権力行使等地方公務員には、外国籍を有する者が就任することが想定されていると見るべきであり、外国人が公権力行使等地方公務員に就任することは、我が国の法体系として想定しておかなければならないとした。

1：A、B
2：A、C
3：A、D
4：B、C
5：B、D

チェック欄

1回目	2回目	3回目

実践 問題 103 の解説

〈外国人の人権〉

A × 判例は、外国人に対する憲法の基本的人権の保障は、外国人在留制度の枠内で与えられているものにすぎないとし、また、在留期間中の憲法の基本的人権の保障を受ける行為を在留期間の更新の際に消極的な事情として斟酌されないことについては保障が与えられていると解することはできないとしている（マクリーン事件、最大判昭53.10.4）。したがって、消極的な事情として斟酌されないことについて保障が与えられていると述べる点が妥当でない。

B ○ 福祉的給付を行うにあたり、自国民を在留外国人より優先的に扱うことが、憲法25条に反しないかが争われた事件において、判例は本記述のように述べて、自国民を在留外国人より優先的に扱うことも許されるとしている（塩見訴訟、最判平元.3.2）

C ○ 外国人の地方参政権に関して、判例は本記述のように述べて、地方レベルにおいて外国人に選挙権を付与する措置を講ずることは禁止されていない、としている（最判平7.2.28）。

D × 外国人が公権力行使等地方公務員に就任できないことが憲法14条に反しないかが争われた事件において、判例は、国民主権の原理に基づき、国および地方公共団体による統治のあり方については日本国の統治者としての国民が最終的な責任を負うべきものであることに照らし、原則として日本の国籍を有する者が公権力行使等地方公務員に就任することが想定されているとして、外国人が公権力行使等地方公務員に就任することは、本来わが国の法体系の想定するところではないとしている（東京都管理職試験事件、最大判平17.1.26）。

以上より、妥当なものはB、Cであり、肢4が正解となる。

正答 4

人権総論(2)
特別な法律関係における人権

必修問題 セクションテーマを代表する問題に挑戦！

この分野で問われる判例は多くありません。しかし、油断せず、1つひとつきっちり学習しましょう。

問 特別の公法上の法関係に関する次の記述のうち、妥当なのはどれか。 （国家総合職2022）

1：裁判官に対し積極的に政治運動をすることを禁止することは、合理的で必要やむを得ない限度にとどまるものである限り憲法の許容するところであって、禁止の目的が正当で、その目的と禁止との間に合理的関連性があり、禁止により得られる利益と失われる利益との均衡を失するものでなければ、憲法第21条第１項に違反しないとするのが判例である。

2：被拘禁者の新聞紙等の閲読の自由については、逃亡及び罪証隠滅の防止という勾留の目的のほか、監獄内の規律及び秩序の維持のために一定の制限を受けることはやむを得ず、その制限が許されるためには、被拘禁者の性向、監獄内の保安状況、新聞紙等の内容等の具体的事情の下において、その閲読を許すことにより監獄内の規律及び秩序が害される一般的、抽象的なおそれがあれば足りるとするのが判例である。

3：受刑者とその親族でない者との信書の発受を制限する旧監獄法の規定について、このような信書の発受は、信書の相手方が親族である場合に比べてその保護の必要性は高くないことから、受刑者の身柄の確保、受刑者の更生等の点において障害が生ずる可能性があると認められる場合にはその制限が許され、同法の規定は、憲法第21条及び第14条第１項に違反しないとするのが判例である。

4：一般職国家公務員で、管理職的地位になく、職務の内容や権限に裁量の余地のない者が、休日に、その職務と全く無関係に支持政党の機関紙等を配布した行為につき、国家公務員の政治的行為を禁止する国家公務員法の罰則規定を適用することは、表現の自由という基本的人権に対し必要やむを得ない限度を超えた制約を加え、これを処罰の対象とするものであるから、憲法第21条及び第31条に違反するとするのが判例である。

5：公務員の労働基本権に関し、最高裁判所は、抽象的な公共の福祉論や全体の奉仕者論により労働基本権の制限を容易に認めていたが、その後、二重の絞り論という合憲限定解釈を行って、正当化される争議行為の制限の範囲を限定するようになり、現在でもこの考え方が維持されている。

直前復習

頻出度　地上★　国家一般職★　特別区★　裁判所職員★　国税·財務·労基★　国家総合職★

チェック欄 1回目 2回目 3回目

必修問題の解説

〈特別な法律関係における人権〉

1 ○ 寺西判事補事件において判例は、裁判官に保障される表現の自由の重要性を認めながらも一定の制約を免れないとし、積極的に政治運動をすることを禁止することは、裁判官の表現の自由を一定範囲で制約することにはなるが、その制約が合理的で必要やむをえない限度にとどまるものである限り、憲法21条1項に違反しないとした（最大決平10.12.1）。

2 × よど号ハイジャック新聞記事抹消事件において判例は、新聞・図書の閲読の自由が制限される場合につき、当該閲読を許すことにより、その規律・秩序が害される一般的・抽象的おそれがあるというだけでは足りず、監獄内の規律・秩序の維持上放置することのできない程度の障害が生ずる相当の蓋然性があることを要するとした（最大判昭58.6.22）。

3 × 判例は、受刑者とその親族でない者との信書の発受の必要性は広く認められるため、監獄内の規律・秩序の維持等の点で放置することのできない程度の障害が生ずる相当の蓋然性があると認められる場合に限って制限が許されるとした（最判平18.3.23）。すなわち、信書の相手方を受刑者の親族と親族でない者とに区別し、受刑者の親族でない者は親族の場合に比べて保護の必要性は高くないとは述べていない。

4 × 政党機関紙配布事件において判例は、国家公務員法の罰則規定につき、禁止の対象となるのは、公務員の職務の遂行の政治的中立性を損なうおそれが実質的に認められる政治的行為に限られ、このようなおそれがない政治的行為が禁止されるものではないから、その制限は必要やむをえない限度にとどまり、立法目的を達成するために必要かつ合理的な範囲のものといえ、憲法21条、31条に違反しないとした（最判平24.12.7）。

5 × 公務員の労働基本権に関し、初期の判例は、本肢のようにその制限を容易に認めていたが（最大判昭28.4.8）、その後、労働基本権の制約は必要最小限度にとどめなければならないとして、二重の絞り論を展開した（都教組事件、最大判昭44.4.2）。しかし、後に判例は全農林警職法事件（最大判昭48.4.25）で、二重の絞り論は罪刑法定主義に違反する疑いのある不明確な基準だと否定し、従来の判例を変更した。したがって、現在、最高裁は、二重の絞り論の考え方を維持していないので妥当でない。

正答 1

人権総論(2)

特別な法律関係における人権

1 公務員の人権

公務員も国民である以上、人権が保障されることは当然です。しかし、公務員の仕事は、基本的に国民生活への影響が大きいものを含んでいます。この公務員の仕事が、一般企業の労働組合のようにストライキで遂行できなくなったりすると、国民生活への影響は計り知れないものになります。そこで、公務員に人権が保障されることを認めつつも、その職務の特殊性から、一般国民に比べて人権が制約される場合を広く認めなければなりません。

問題となるのは、公務員の政治活動の自由と労働基本権の制約ですが、判例は、いずれについても、これらの制約は憲法に違反するものではないと判断しています。

判例

《政党機関紙配布事件》最判平24.12.7

【事案】国家公務員が、休日に政党の機関紙を配布したことが、国家公務員法の政治的行為の禁止に違反するとして処罰された事件

【判旨】公務員の職務の遂行の政治的中立性を保持することによって行政の中立的運営を確保し、これに対する国民の信頼を維持するという規制の目的は合理的で正当である。また、禁止の対象とされるものは、公務員の職務の遂行の政治的中立性を損なうおそれが実質的に認められる政治的行為に限られるので、その制限は必要やむをえない限度にとどまり、前記の目的を達成するために必要かつ合理的な範囲のものというべきである。よって、国家公務員法の政治的行為の禁止は合憲である。

判例

《全農林警職法事件》最大判昭48.4.25

【事案】公務員の争議行為の全面禁止が許されるかが問われた事件

【判旨】公務員にも労働基本権は保障される。しかし、その地位の特殊性と職務の公共性により公務員の労働基本権に対し必要やむをえない限度の制限を加えることは、十分合理的な理由がある。そして、公務員の争議行為を一律に禁止することは勤労者をも含めた国民全体の共同利益の見地からするやむをえない制約であり合憲である。

2 在監者の人権

在監者に対しては、居住・移転の自由の制限に代表されるように、一般国民とは異なる広範な人権制限が認められています。そして、在監者の人権制限も、憲法自体が在監関係の存在と自律性を認めている以上（18条・31条・34条など参照）、これを根拠にして一般国民と異なった必要最小限の人権の制約が認められると解されています。

判例

《在監者喫煙訴訟》最大判昭45.9.16

【事案】監獄内における喫煙の全面一律禁止が、憲法13条に違反するかが問題となった事件

【判旨】監獄内の秩序を維持するため、被拘禁者の自由に対して必要な限度で合理的制限を加えることができる。在監者の人権制限が許されるかは、比較衡量で決定される。喫煙禁止の目的は、罪証隠滅・火災発生の防止であるのに対して、煙草は生活必需品といえず、喫煙禁止は人体に直接障害を与えるものではないから、喫煙の自由が幸福追求権に含まれるとしても、あらゆる場合に保障されなければならないものではないので、喫煙の全面一律禁止は必要かつ合理的な制限であり合憲である。

判例

《よど号ハイジャック新聞記事抹消事件》最大判昭58.6.22

【事案】勾留者が購読していた新聞記事を拘置所長が抹消したことが、勾留者の知る権利の侵害となるかが問題となった事件

【判旨】閲読の自由は、憲法19条・21条の趣旨・目的から、その派生原理として当然に導かれる。しかし、罪証隠滅の防止、監獄内の規律・秩序の維持のため一定の合理的制限を受ける。ただし、閲読の自由の制限は、拘禁目的を達成するために真に必要とされる限度にとどめられる。したがって、閲読を許すことにより監獄内の規律・秩序が害される一般的、抽象的なおそれがあるというだけでは足りず、被拘禁者の性向、行状、監獄内の管理、保安の状況、当該新聞紙、図書等の内容その他の具体的事情のもとにおいて、その閲読を許すことにより監獄内の規律および秩序の維持上放置することのできない程度の障害が生ずる相当の蓋然性があると認められることが必要であり、制限の程度は、その障害発生の防止のために必要かつ合理的な範囲にとどまるべきである。本件は相当の蓋然性があるので、処分は適法である。

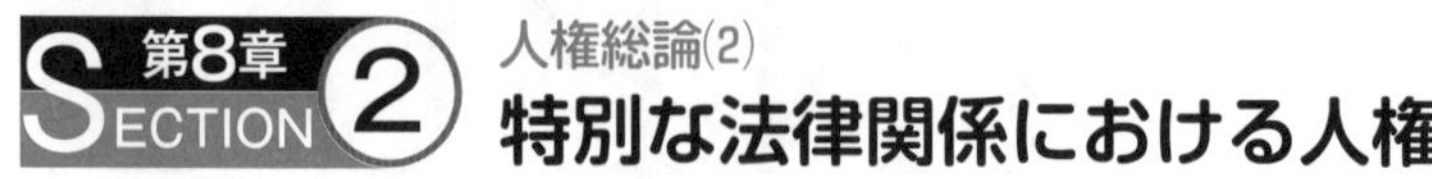

第8章 SECTION 2 人権総論(2) 特別な法律関係における人権

実践 問題 104 基本レベル

頻出度	地上★	国家一般職★	特別区★
	裁判所職員★	国税·財務·労基★	国家総合職★

問 公務員の人権に関する次の記述のうち、妥当なのはどれか。ただし、争いのある場合は判例による。　　(地上2012改題)

1：公務員は政治活動を制限されているが、その制限の範囲は、当該公務員の職種、職務権限、勤務時間の内外などを個別的・具体的に検討することなく判断される。

2：公務員の労働基本権の制限は、公務員関係という、特別な公法上の原因によって成立する公権力と国民との関係においては、法治主義や司法審査は当然に排除されるという理論を根拠として、認められる。

3：公務員の争議行為は、その地位の特殊性や職務の公共性にかんがみ、個々の公務員の職務上の権限や職務の内容に即して必要最小限度の制限を受ける。

4：憲法は公務員の憲法尊重擁護義務を明記しているが、これはすべての国民に課されている一般的な憲法尊重擁護義務の確認規定である。

5：地方公務員法は、(当時) 禁錮以上の刑に処せられた職員は失職する旨を規定しているが、この規定は、法律上このような規定が定められていない私企業労働者に比べて、地方公務員を不当に差別するものではない。

チェック欄

1回目	2回目	3回目

実践 問題 104 の解説

〈公務員の人権〉

1 × 判例は、国家公務員法で禁止されている「政治的行為」とは、公務員の職務の遂行の政治的中立性を損なうおそれが、観念的なものにとどまらず、現実的に起こりうるものとして実質的に認められるものを指すとした。そのうえで、公務員の職務の遂行の政治的中立性を損なうおそれが実質的に認められるかどうかは、当該公務員の地位、その職務の内容や権限等、当該公務員がした行為の性質、態様、目的、内容等の諸般の事情を総合して判断するのが相当であるとした（政党機関紙配布事件、最判平24.12.7）。

2 × 本肢は特別権力関係論を述べている。すなわち、特別権力関係においては、①法治主義が排除され、②公権力は法律の根拠なく国民の人権を制限でき、③特別権力関係内部における公権力の行為には司法審査が排除されるとする理論である。しかし、日本国憲法は「法の支配」の原理を採用し、基本的人権の尊重を基本原理としているので、特別権力関係論を採用することはできない。

3 × 判例は、公務員が争議行為に及ぶことは、その地位の特殊性および職務の公共性と相容れないばかりでなく、多かれ少なかれ公務の停廃をもたらし、その停廃は勤労者を含めた国民全体の共同利益に重大な影響を及ぼすか、またはそのおそれがあるので、公務員の労働基本権に対し必要やむをえない限度の制限を加えることは、十分合理的な理由があるとしている（全農林警職法事件、最大判昭48.4.25）。

4 × 憲法99条は、「天皇又は摂政及び国務大臣、国会議員、裁判官その他の公務員は、この憲法を尊重し擁護する義務を負ふ」とし、憲法99条の憲法尊重擁護義務の主体には、国民は挙げられていない。

5 ○ 判例は、（当時）禁錮以上の刑に処せられた者が地方公務員として公務に従事する場合には、その者の公務に対する住民の信頼が損なわれるのみならず、当該地方公共団体の公務一般に対する住民の信頼も損なわれるおそれがあるため、かかる者を公務の執行から排除することにより公務に対する住民の信頼を確保することを目的としているところ、かかる失職規定の目的には合理性があり、地方公務員を法律上このような制度が設けられていない私企業労働者に比べて不当に差別したものとはいえないとする（最判平元.1.17）。

正答 5

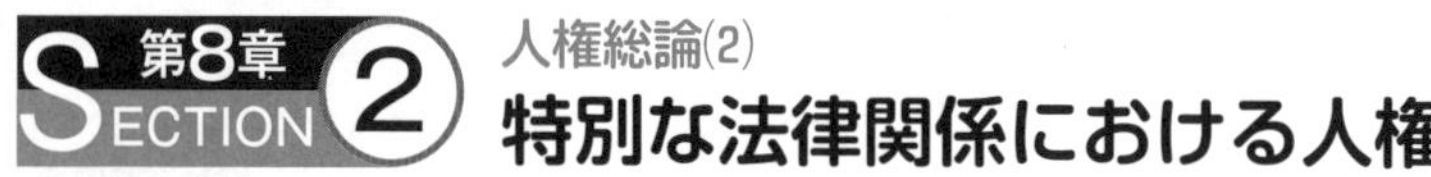

実践 問題 105 基本レベル

頻出度	地上★　国家一般職★　特別区★　裁判所職員★　国税·財務·労基★　国家総合職★

問 公務員の基本的人権に関する次の記述のうち、妥当なのはどれか。

（国Ⅱ1998改題）

1：思想・良心の自由の保障は、国家権力が、国民に対して、その内心の意思にかかわりなく一定内容の発言を強制することをも禁止するものであるが、公務員に対して、憲法の尊重・擁護を宣誓させることを義務付けたとしても、そのような制度が憲法に違反するものとは解されない。

2：公務員が（当時）禁錮以上の刑事罰を受けた場合には、それが公務員の職務内容にかかわるか否か、または執行猶予が付されたか否かを問わず、直ちに公務員の地位を失うとするような制度は、民間労働者との均衡を著しく失し、法の下の平等に反するものとして許されないとするのが判例である。

3：公務員の職務上の義務として、職務上知りえた秘密を漏らすことを禁ずるだけではなく、公務員を退職した後も、公務員当時に知りえた秘密を漏らすことを禁じ、これに違反した場合には刑事罰を科すような制度は、表現の自由を著しく制約するものとして許されない。

4：行政の中立的運営およびこれに対する国民の信頼を確保するために、公務員の政治的行為には一定の制約があるというべきであるが、その地位や職務内容のいかんを問わずに、一定の政治的行為を一律に禁止することも許されるとするのが判例である。

5：公務員に対しては、争議行為を一律に禁止することも許容されるとするのが判例の立場であるが、これは、公務員が憲法上「全体の奉仕者」と位置づけられている以上、憲法第28条の労働基本権の保障は公務員に及ばないことを論拠としている。

解答かくしシート

LEC 東京リーガルマインド

チェック欄

1回目	2回目	3回目

実践 問題 105 の解説

〈公務員の人権〉

1 ○ 憲法19条の思想・良心の自由の一内容として、思想・良心の告白を強制されないという沈黙の自由も保障されると解されているが、憲法自体が公務員に憲法尊重擁護義務を課し（憲法99条）、その限度で公務員の自由を制限している以上、憲法の尊重・擁護を宣誓する義務を課しても違憲とはいえないと解されている。

2 × 現行法上、公務員が（当時）禁錮以上の刑事罰を受けた場合は当然に失職することになる（国家公務員法76条・38条１号、地方公務員法28条４項・16条１号）。そして、判例は、この地方公務員法の規定は目的に合理性があり、私企業の労働者との関係でも、不当・不合理な差別とはいえないとしている（最判平元.1.17）。

3 × 国家公務員法は、国家公務員は職務上知ることのできた秘密を漏らしてはならず、その職を退いた後も同様と規定しており、その違反に対して刑事罰を科している（国家公務員法100条１項・109条12号。地方公務員法34条１項・60条２号も同様）。守秘義務を課すことは公務員の表現の自由の制約となるが、退職の前後を問わず職務上の秘密を守ることは、行政活動の円滑な運営や国民のプライバシー保護のために必要である。そして、守秘義務の実効性確保のためには刑事罰を科すこともやむをえないと一般に解されている。

4 × 判例は、国家公務員法で禁止されている「政治的行為」とは、公務員の職務の遂行の政治的中立性を損なうおそれが、観念的なものにとどまらず、現実的に起こりうるものとして実質的に認められるものを指すとした。そのうえで、公務員の職務の遂行の政治的中立性を損なうおそれが実質的に認められるかどうかは、当該公務員の地位、その職務の内容や権限等、当該公務員がした行為の性質、態様、目的、内容等の諸般の事情を総合して判断するのが相当であるとした（政党機関紙配布事件、最判平24.12.7）。

5 × 判例は、憲法28条の労働基本権の保障は公務員にも及ぶとしている（国家公務員について全農林警職法事件、最大判昭48.4.25。地方公務員について和歌山市教組事件、最大判昭40.7.14）。

正答 1

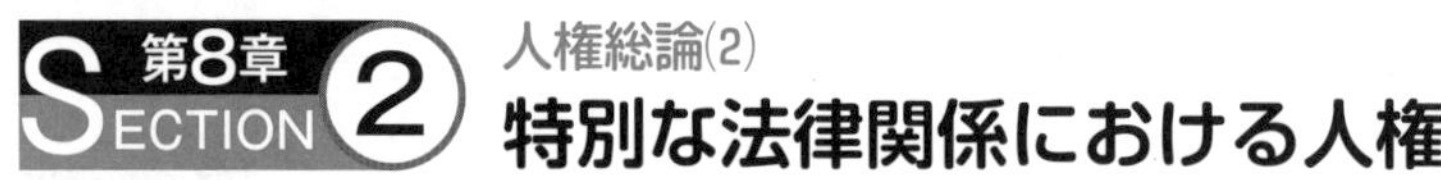

第8章 SECTION 2 人権総論(2)

特別な法律関係における人権

実践 問題 106 基本レベル

頻出度	地上★ 国家一般職★ 特別区★ 裁判所職員★ 国税·財務·労基★★ 国家総合職★

問 基本的人権の限界に関する次の記述のうち、判例に照らし、妥当なのはどれか。

(国税・財務・労基2015)

1：公務員も憲法第28条にいう勤労者に当たり、原則として労働基本権の保障を受け、ただその担当する職務の内容に応じて、私企業における労働者とは異なる制限を受けるにすぎないから、その制限は合理性の認められる必要最小限度のものにとどめられなければならず、その制限違反に対して刑事罰を科すことは許されない。

2：公務員の政治活動の自由の制限は、公務員の職務上の地位やその職務内容、行為の具体的態様を個別的に検討し、その行為によってもたらされる弊害を除去するための必要最小限度の制限が許されるにすぎず、その制限違反に対して刑事罰を科すことは許されない。

3：未決勾留により拘禁されている者にも意見、知識、情報の伝達の媒体である新聞、図書等の閲読の自由が憲法上認められるが、閲読を許すことにより刑事施設内の規律及び秩序が害される一般的、抽象的なおそれがある場合には、当該閲読の自由を制限することができる。

4：企業者が特定の思想、信条を有する者をそのことを理由として雇い入れることを拒んでも、それを当然に違法としたり、直ちに民法上の不法行為とすることはできない。

5：国公立大学においては、その設置目的を達成するために学則等を一方的に制定し、学生を規律する包括的権能が認められるが、私立大学においては、そのような包括的権能は認められず、同様の行為を行うことは、社会通念に照らして合理的と認められる範囲を超え許されない。

チェック欄		
1回目	2回目	3回目

実践 問題 106 の解説

〈基本的人権の限界〉

1 × 公務員の労働基本権の制限違反に対して刑事罰を科すことが許されるか否かにつき判例は、公務員の労働基本権に対し必要やむをえない限度の制限を加えることは、十分合理的な理由があるというべきであり、公務員の争議行為の禁止は憲法に違反しないのであるから、この禁止を侵す違法な争議行為をあおるなどの行為に罰則を設けることは十分に合理性があると判示した（全農林警職法事件、最大判昭48.4.25）。したがって、判例は、公務員の労働基本権の制限違反に対して刑事罰を科すことは許されないとは判示していない。

2 × 公務員の政治活動の自由の制限違反に対して刑事罰を科すことが許されるか否かにつき判例は、政治活動の自由に対する必要やむをえない限度にある限りで許されるのであり、公務員の地位、職務の内容、公務員の行為の態様等の諸般の事情を総合して、公務員の職務の遂行の政治的中立性を損なうおそれが実質的に認められる政治的行為に対して刑事罰を科すことは、必要やむをえない限度の制限として許されると判示した（政党機関紙配布事件、最判平24.12.7）。したがって、判例は、公務員の政治活動の自由の制限違反に対して刑事罰を科すことは許されないとは判示していない。

3 × 判例は、刑事施設内の規律・秩序が害される一般的・抽象的なおそれがある場合に、閲読の自由を制限することができるとは判示していないので、本肢は妥当でない。判例は、未決勾留により拘禁されている者にも、憲法19条・21条の派生原理として、閲読の自由が保障される。かかる自由に対する制限が許されるためには、閲読を許すことにより刑事施設内の規律・秩序が害される一般的・抽象的なおそれがあるというだけでは足りず、規律・秩序の維持上放置することのできない程度の障害が生ずる相当の蓋然性があると認められることが必要であるとした（よど号ハイジャック新聞記事抹消事件、最大判昭58.6.22）。

4 ○ 本肢は、三菱樹脂事件において判例が判示するとおりなので、妥当である。すなわち、憲法22条・29条により、企業者は、いかなる者を労働者として採用するか原則として自由に決定できるのであり、企業者が特定の思想、信条を有する者をそのことを理由として雇い入れることを拒んでも、それを当然に違法とし、直ちに民法上の不法行為とすることはできないと判示した（最大判昭48.12.12）。

特別な法律関係における人権

5 × 昭和女子大事件において判例は、国公立大学と私立大学とのそれぞれの有する権能を区別していないので、それを区別して述べる本肢は妥当でない。すなわち、大学は、設置目的を達成するために学則等を一方的に制定し、学生を規律する包括的権能を有するとしたうえで、特に私立大学においては、建学の精神に基づく独自の伝統ないし校風と教育方針とによる社会的存在意義が認められることから、かかる権能を肯定した（最判昭49.7.19）。

正答 4

memo

人権総論(2)

人権規定等の私人間効力

必修問題 セクションテーマを代表する問題に挑戦！

私人間効力に関する判例は多いですが、複雑な分野ではないですので、しっかり学習しましょう。

問 私人相互間における基本的人権の保障に関する次の記述のうち、判例に照らし、妥当なのはどれか。 (地上1990)

1：基本的人権の保障は、すべての社会生活に共通する基本原理であるから、憲法の人権保障規定は、国または公共団体と個人との関係を規律するのみならず、私人相互間の関係についても当然に適用される。

2：自由権的基本権の保障規定は、国または公共団体の統治行動に対して個人の基本的な自由と平等を保障することを目的とした規定であって、もっぱら国または公共団体と個人との関係を規律するものであり、私人相互間の関係について当然に適用されるものではない。

3：基本的人権の保障は、私人間における法律関係に当然に及ぶものではないが、当事者の一方が情報の収集、管理、処理について強い影響力をもつ日刊新聞社である場合には、憲法の規定が直接適用される。

4：もっぱら女子であることのみを理由として女子の定年年齢を男子より低く定める就業規則は、性別のみによる不合理な差別を行うものであり、基本的人権の保障は、私人間にも当然に及ぶものであることから、法の下の平等を定めた憲法第14条第1項の規定に反し、無効である。

5：思想、信条の自由に関する憲法上の保障は、私人相互間にも当然に及び、これを制限するのは合理的理由のある場合に限られるから、企業者が特定の思想、信条を有する者をそのゆえをもって雇い入れることを拒むことができるのは、客観的に合理的な理由が存在し、社会通念上相当と是認される場合に限られる。

Guidance ガイダンス

・憲法の私人間効力
　間接適用
・思想・信条を理由とする本採用拒否…有効
・女子若年定年制…無効

直前復習

頻出度	地上★	国家一般職★	特別区★
	裁判所職員★	国税・財務・労基★	国家総合職★★

必修問題の解説

〈私人間効力〉

1 × 判例は、憲法の人権保障規定は、国または公共団体の統治行動に対して個人の基本的な自由と平等を保障する目的に出たもので、もっぱら国または公共団体と個人との関係を規律するものであり、私人相互の関係を直接規律することを予定するものではないから、**私人相互の関係には**、社会的事実としての力の優劣関係がある場合であっても、**人権規定は直接適用ないし類推適用されるものではないとしている**（**三菱樹脂事件**、最大判昭48.12.12）。

2 ○ 上記の**三菱樹脂事件**で判例は、本肢のように解している。

3 × 判例は、上記の**三菱樹脂事件**などを援用して、私人相互間に、一方が他方に服従せざるをえないような力関係の相違があっても、憲法は適用ないし類推適用されないとしたうえで、私人間において、当事者の一方が情報の収集、管理、処理につき強い影響力を持つ日刊新聞紙を全国的に発行・販売する者である場合でも、憲法21条の規定から直接に反論文掲載請求権（反論権）が他方の当事者に生ずるものではないとしている（**サンケイ新聞事件**、最判昭62.4.24）。

4 × 判例は、本肢の場合に、憲法14条１項を直接適用して女子若年定年制を無効としたのではなく、間接適用説を前提に**民法90条の規定により無効**であるとしている（**女子若年定年制事件**、最判昭56.3.24）。

5 × 判例は、思想・信条の自由のような精神的自由権の保障についても、私人間に直接適用されるものではないと解している（**三菱樹脂事件**、最大判昭48.12.12）。なお、三菱樹脂事件判決は、企業は経済活動の一環として契約締結の自由を有するから、企業者が特定の思想、信条を有する者をそのゆえをもって雇い入れることを拒んでも当然には違法とはいえないとしている。

正答 2

人権総論(2)

人権規定等の私人間効力

1 憲法の私人間効力

(1) 問題の所在

基本的人権の諸規定（特に自由権）は、本来は国家と個人の間を規律するもの（人権の対国家性）

↓しかし

資本主義の発展に伴い、企業、労働組合、マスコミなどといった「社会的権力」による人権侵害からも、個人の人権保障を図る必要が生じる

↓そこで

私人間にも憲法の保障が及ばないか？

(2) 学説

① **直接適用説**

憲法の人権規定は、**私人間に直接適用**され、私人に対して直接憲法上の権利を主張できる

② **間接適用説**（判例・通説）

憲法の人権規定は、原則として私人間において直接適用されない

↓

社会的に許容しうる限度を超える権利侵害があった場合は、民法90条や709条などの**私法の一般条項に憲法の趣旨を取り込んで解釈・適用**することによって、間接的に人権規定の価値を私人間にも及ぼす

※　民法90条（公序良俗規定）

公の秩序又は善良の風俗に反する事項を目的とする法律行為は、無効とする

※　民法709条（不法行為に基づく損害賠償責任）

故意又は過失によって他人の権利又は法律上保護される利益を侵害した者は、これによって生じた損害を賠償する責任を負う

間接適用説に立っても、憲法15条４項（投票の自由）、18条（奴隷的拘束からの自由）、24条（家族生活における個人の尊厳と両性の平等）、27条３項（児童の酷使の禁止）、28条（労働基本権）などの人権は、私人間にも直接適用されると考えられています。

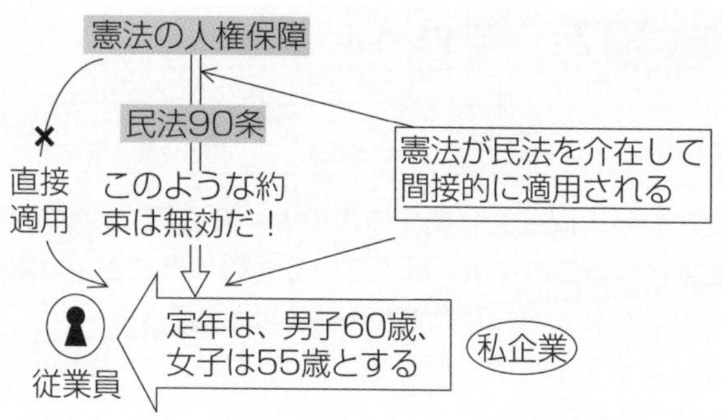

2 具体例

判例 《三菱樹脂事件》最大判昭48.12.12

【事案】私企業が労働者を雇い入れる際、思想・信条に関する事項の申告を求め、それを理由に雇用を拒否することが許されるかが争われた事件

【判旨】憲法は22条、29条等において、財産権の行使、その他広く経済活動の自由を保障しており、企業がどのような条件で労働者を雇うかは原則として自由であるから、企業者が特定の思想、信条を有する者の雇い入れを拒んでも、それを当然に違法とすることはできないし、労働者の思想・信条に関する事項についての申告を求めることも違法ではない。

判例 《昭和女子大事件》最判昭49.7.19

【事案】大学の許可なくして政治活動を行ったことを理由として退学処分になった学生が、政治活動に大学の許可が必要とする学則の適否を争った事件

【判旨】大学は、国公立・私立を問わず、教育と研究のための公共的な施設であり、特に私立大学は、その独自性により合理的とみられる範囲で、学生の政治活動に対して広範な規律を及ぼすとしても直ちに社会通念上、不合理な制限であるということはできない。よって、政治活動を理由として退学処分を行うことが、直ちに学生の学問の自由および教育を受ける権利を侵害し、公序良俗に違反するものではない。

判例 《女子若年定年制事件》最判昭56.3.24

【事案】男子60歳、女子55歳を定年とする就業規則が14条、民法90条に違反しないかが争われた事件

【判旨】少なくとも60歳前後までは、男女とも通常の職務であれば企業経営上要求される職務遂行能力に欠けるところはなく、一律に従業員として不適格とみて企業外へ排除するまでの理由はないことから、本件就業規則は性別のみによる不合理な差別を定めたものとして民法90条の規定により無効である。

補足

女子若年定年制事件は、憲法14条を民法90条を通して間接適用しています。

第8章 人権総論(2)

第8章 SECTION ③ 人権総論(2)

人権規定等の私人間効力

実践 問題 107 基本レベル

頻出度	地上★	国家一般職★	特別区★
	裁判所職員★	国税·財務·労基★	国家総合職★

問 **人権保障規定の私人間効力に関する次のA、B各説についてのア～オの記述のうち、適当なもののみを全て挙げているものはどれか。（裁判所職員2014）**

A説 人権保障規定が私人間においても直接適用される。

B説 民法90条のような私法の一般条項を媒介として、人権保障規定を私人間において間接的に適用する。

ア：A説は、人権保障規定を私人間に直接適用することで、私的自治の原則や契約自由の原則がより保障されることになると考えている。

イ：A説は、私人間における人権保障規定の相対化を認めた場合には、B説と実際上異ならない結果になると批判される。

ウ：B説は、私人間に直接適用される人権保障規定はないと考えている。

エ：B説は、人権が、本来、「国家からの自由」として、国家権力に対抗する防御権であったという本質を無視していると批判される。

オ：判例は、思想・良心の自由を規定する憲法19条について、私人間を直接規律することを予定するものではないとして、A説を否定している。

1：ア、エ
2：イ、オ
3：ア、ウ、オ
4：イ、ウ、エ
5：イ、エ、オ

チェック欄

1回目	2回目	3回目

実践 問題 107 の解説

〈私人間効力〉

ア× 本記述はA説の説明として妥当でない。
A説（直接適用説）に対しては、憲法の人権規定を私人間に直接適用することを認めると私的自治の原則や契約自由の原則を害し、私人間の行為が憲法によって大幅に制限されてしまうおそれがあると批判される。

イ○ 本記述はA説に対する批判として妥当である。
B説（間接適用説）によれば、人権規定の効力は私人間相互の関係における性質の違いに応じて当然に相対化されることになるが、A説についても無制限に直接適用を認めるのではなく人権規定の効力を相対化し、対象となる状況を限定すると考えることができる。この場合には、B説とほとんど異ならない結果になると批判される。

ウ× 本記述はB説の説明として妥当でない。
B説によっても、憲法の条文上または解釈上、秘密投票の原則（15条4項）や労働基本権（28条）などが私人間に直接適用される。

エ× 本記述はB説に対する批判として妥当でない。
本記述はA説に対する批判である。A説は、人権が本来「国家からの自由」という対国家的なものであったという本質は、現代においても同様であるのにそれを無視していると批判される。

オ○ 本記述は判例のとおりであり、妥当である。
判例は、企業が入社試験の際に応募者の思想に関する事項を尋ねたことが憲法19条の思想の自由に反しないか問題となった事件で、「憲法第3章の規定は、もっぱら国または公共団体と個人との関係を規律するものであり、私人相互の関係を直接規律することを予定するものではない」とし、A説を否定したうえで、私人間において社会的に許容しうる限度を超える人権侵害があった場合は「私的自治に対する一般的制限規定である民法1条、90条や不法行為に関する諸規定等の適切な運用によって解決しうる」とした（最大判昭48.12.12）。

以上より、妥当なものはイ、オであり、肢2が正解となる。

正答 2

第8章

人権総論(2)

章末 CHECK

? Question

Q1 外国人には社会権、受益権が保障されない。

Q2 憲法上、地方レベルの選挙権については外国人にも保障されているから、法律で定住外国人に地方自治体の選挙権を付与しても憲法に違反しない。

Q3 入国の自由、再入国の自由はともに外国人には保障されていないが、出国の自由は外国人にも憲法22条2項で保障されている。

Q4 政治活動の自由については、外国人にも原則として保障されるが、わが国の政治的意思決定またはその実施に影響を及ぼすようなものについては認めることができない。

Q5 判例は、社会保障については、国は、特別な条約の存しない限り、自国民を在留外国人より優先的に扱うことも許されるとする。

Q6 法人には、人身の自由、選挙権、生存権が認められない。

Q7 法人である税理士会が政治献金の目的で会員から特別会費を強制的に徴収することも許される。

Q8 公務員の政治活動の自由に対する制約は、常に憲法に違反するというのが判例である。

Q9 判例は、監獄内の規律および秩序が害される明白かつ現在の危険がある場合に限り、未決拘禁者の閲読の自由を制限することができるとする。

Q10 憲法の規定を私人間に直接適用するのが判例である。

Q11 企業者が特定の思想、信条を有する者の雇い入れを拒んでも、それを当然に違法とすることはできないとするのが判例である。

Q12 判例は、女子若年定年制を定める就業規則は、性別による不合理な差別を定めたものとして、民法90条の規定により無効とする。

Q13 私立大学が政治活動を理由として退学処分を行うことは、直ちに公序良俗に違反するものではないとするのが判例である。

A1 × 外国人に社会権は保障されないが、受益権は保障されると考えられている。

A2 × 判例は、地方レベルの選挙権については憲法上外国人には保障されていないとする（最判平7.2.28）。

A3 ○ 判例のとおりである（最判平4.11.16）。もっとも、再入国の自由（実質的には海外旅行の自由）が外国人に保障されないとする点については学説からの批判が強い。

A4 ○ マクリーン事件は本問のように述べている（最大判昭53.10.4）。

A5 ○ 判例は、本問のように判示している（最判平元.3.2）。

A6 ○ 生命や身体に関する自由や生存権などは自然人にのみ認められる人権であって、法人には認められない。

A7 × 判例によれば、政治団体に寄付をするか否かは選挙における投票の自由と表裏をなすものであるから、会員の自主的な判断に任せるべきであるとされる（南九州税理士会事件、最判平8.3.19）。

A8 × 猿払事件によれば、合理的理由があれば公務員の政治活動の自由に対する制約も憲法に反しないとされる。

A9 × 判例は、未決拘禁者の閲読の自由について、監獄内の規律および秩序の維持上放置することのできない程度の障害があると認められ、かつ、障害発生の防止のために必要かつ合理的な範囲にとどまる限りで、一定の制限を受けるとする（よど号ハイジャック新聞記事抹消事件、最大判昭58.6.22）。

A10 × 判例は、間接適用説に立つ。

A11 ○ 三菱樹脂事件（最大判昭48.12.12）の判示である。

A12 ○ 判例は、本問のとおり判示している（女子若年定年制事件、最判昭56.3.24）。

A13 ○ 昭和女子大事件（最判昭49.7.19）の判示である。

memo

第9章

人権総合問題

SECTION

① 人権総合

第9章 人権総合問題

出題傾向の分析と対策

試験名	地上			国家一般職			特別区			裁判所職員			国税・財務・労基			国家総合職		
年度	16-18	19-21	22-24	16-18	19-21	22-24	16-18	19-21	22-24	16-18	19-21	22-24	16-18	19-21	22-24	16-18	19-21	22-24
出題数 / セクション															1	1		
人権総合															★	★		

（注） 1つの問題において複数の分野が出題されることがあるため、星の数の合計と出題数とが一致しないことがあります。

人権全体について問うような問題が、国税・財務・労基や国家総合職において見られます。そのような問題が出題される試験種を受験する予定の人は注意してください。

地方上級

最近はまったく出題されていません。

国家一般職

最近はまったく出題されていません。

特別区

最近はまったく出題されていません。

裁判所職員

最近はまったく出題されていません。

国税専門官・財務専門官・労働基準監督官

たまに出題されることがあります。ほとんどが判例の内容を問う問題ですので、各分野の主要な判例の内容をしっかり勉強しておく必要があります。

国家総合職

たまに出題されることがあります。ほとんどが判例の内容を問う問題ですので、各分野の主要な判例の内容をしっかり勉強しておく必要があります。

Advice アドバイス 学習と対策

人権の総合問題は人権全体が網羅的に出題されます。このため精神的自由権のような頻出事項ばかりでなく、参政権・国務請求権のようなあまり出題されない分野からも、肢の１つとして出題されることがあります。

ほとんどが判例の内容を問う問題です。したがって特に国税専門官・労働基準監督官試験を受験する人は、頻出分野以外の重要判例をしっかり勉強しておきましょう。

人権総合問題
人権総合

必修問題 セクションテーマを代表する問題に挑戦！

これまでに学習したことが身についているか確認しましょう!!
誤った場合には要復習!!

問 基本的人権の保障に関するア～オの記述のうち、判例に照らし、妥当なもののみをすべて挙げているのはどれか。　（国税・労基2011）

ア：喫煙の自由は、憲法第13条の保障する基本的人権の一つに含まれるとしても、あらゆる時、所において保障されなければならないものではなく、未決勾留により拘禁された者に対し喫煙を禁止する旧監獄法施行規則の規定は、同条に違反しない。

イ：憲法第47条は、選挙区、投票の方法その他両議院の議員の選挙に関する事項は法律でこれを定めると規定しており、その具体化は立法府の裁量に広く委ねられている。したがって、国民の選挙権又はその行使に対する制限は、当該制限が著しく合理性を欠き明らかに裁量の逸脱・濫用と見ざるを得ない場合を除き、憲法第15条に違反しない。

ウ：外国人に対する憲法の基本的人権の保障は、在留の許否を決する国の裁量を拘束するまでの保障、すなわち、在留期間中の憲法の基本的人権の保障を受ける行為を在留期間の更新の際に消極的な事情として斟酌されないことまでの保障を含むものではない。

エ：憲法第21条第２項にいう検閲は、行政権が主体となって、思想内容等の表現物を対象とし、その全部又は一部の発表の禁止を目的として、対象とされる一定の表現物につき網羅的一般的に、発表前にその内容を審査した上、不適当と認めるものの発表を禁止することをその特質としてそなえるものを指し、公共の福祉を理由とする例外を除き、原則として禁止される。

オ：憲法第31条の定める法定手続の保障は、刑事手続に関するものにとどまらず、原則として行政手続に関するものについても等しく及ぶものと解すべきであり、また、同条による保障が及ばないと解すべき例外的な場合であっても、同条の法意に照らし、行政処分により制限を受ける権利の内容、性質、制限の程度、行政処分により達成しようとする公益の内容、程度、緊急性等を総合較量した上で、行政処分の相手方に事前の告知、弁解、防御の機会を与えるかどうかを決定すべきである。

1：ア、イ
2：ア、ウ
3：イ、オ
4：ウ、エ
5：エ、オ

直前復習

頻出度	地上★　国家一般職★　特別区★ 裁判所職員★　国税・財務・労基★★★　国家総合職★

チェック欄

1回目	2回目	3回目

必修問題の解説

〈基本的人権の保障〉

ア○ 判例は、喫煙の自由は、憲法13条の保障する基本的人権の１つに含まれるとしても、あらゆる時、所において保障されなければならないものではないとした。それゆえ、拘禁の目的と制限される基本的人権の内容、制限の必要性などの関係を総合考察すると、未決拘禁者に対する喫煙の自由の制限は、必要かつ合理的なものとして許され、憲法13条に反するものではないと述べた（在監者喫煙訴訟、最大判昭45.9.16）。

イ× 判例は、国民の選挙権またはその行使を制限することは原則として許されず、国民の選挙権またはその行使を制限するためには、制限をすることがやむをえないと認められる事由がなければならないとし、やむをえない事由による制限とはいえない場合には憲法15条等に反するとした（最大判平17.9.14）。

ウ○ 判例は、基本的人権の保障は、権利の性質上日本国民のみをその対象としていると解されるものを除き、わが国に在留する外国人に対しても等しく及ぶべきであるとした。そのうえで、外国人に対する憲法の基本的人権の保障は、在留制度の枠内で与えられているにすぎないため、在留期間中の憲法の基本的人権の保障を受ける行為を在留期間の更新の際に消極的な事情として斟酌されないことまでの保障が与えられていると解することはできないとした（マクリーン事件、最大判昭53.10.4）。

エ× 判例は、検閲とは行政権が主体となって、思想内容等の表現物を対象とし、その全部または一部の発表の禁止を目的として、対象とされる一定の表現物につき網羅的・一般的に、発表前にその内容を審査したうえ、不適当と認めるものの発表を禁止することを、その特質として備えるものをいうと示したうえで、検閲の禁止は公共の福祉を理由とする例外を許容しない絶対的禁止と解した（税関検査事件、最大判昭59.12.12）。

オ× 判例は、行政手続については、それが刑事手続でないとの理由のみで、そのすべてが当然に本条による保障の枠外にあるわけではないと述べた。そのうえで、憲法31条による保障が及ぶと解すべき場合であっても、行政手続の多種多様性を理由として、行政処分の相手方に事前の告知、弁解、防御の機会を与えるかどうかは、行政処分により制限を受ける権利利益の内容、性質、制限の程度、行政処分により達成しようとする公益の内容、程度、緊急性等を総合較量して決定されるべきであるとした（成田新法事件、最大判平4.7.1）。

以上より、妥当なものはア、ウであり、肢２が正解となる。

正答 2

第9章 SECTION 1 人権総合問題

人権総合

1 行政手続と適正手続の保障

憲法31条以下の規定は、刑事事件を想定して、捜査機関による人権侵害を防止する趣旨で定められた規定です。しかし、現在の私たちの日常生活においては、行政機関によって国民の人権が侵害されるおそれが生じています。たとえば、税務署による税務調査は、国民の住居や書類に関するプライバシーを侵害することになりますし、伝染病患者に対する強制入院も国民の身体の自由を侵害します。

そこで、こうした行政機関による人権への制約についても、制約を正当化する根拠法のほかに、制約を実行するにあたって、事前の手続を必要とするのではないかが問題とされるようになります。

2 憲法31条と行政手続

判例は、刑事手続でないという理由だけで行政手続が当然に憲法31条の保障の範囲外にあると判断すべきではないとして、**一定の場合に憲法31条の行政手続への準用を認めています。**

判例

《成田新法事件》最大判平4.7.1

【事案】成田空港に反対するグループの活動を抑えるために制定されたいわゆる成田新法が、告知・聴聞の機会を与えることなく工作物の使用禁止を定めたことから、同法が憲法31条に反しないか争われた事件

【判旨】刑事手続でないという理由だけで行政手続が当然に憲法31条の保障の範囲外にあると判断すべきではない。もっとも、行政手続は刑事手続と性質が異なり多種多様であるから、事前の告知、弁解、防御の機会を与えるかどうかは、行政処分により制限を受ける権利利益の内容、性質、制限の程度、行政処分によって達成しようとする公益の内容、程度、緊急性などを総合較量して決定すべきであり、常にそのような機会を与えることを必要とするものではない。そして、成田新法は空港の安全性確保という強い要請があるので、事前の告知、弁解、防御の機会を与えなくても、憲法31条に反しない。

3 憲法35条・38条と行政手続

判例チェック

判例は、憲法35条・38条の保障は「実質上、刑事責任追及のための資料の取得収集に直接結びつく作用を一般的に有する手続にはひとしく及ぶ」として、憲法35条・38条に関する限り一般論として行政手続にも適用されることを認めています（川崎民商事件、最大判昭47.11.22）。

4 国民の義務

(1) 一般的義務（憲法12条）

憲法は、精神的指針として、人権擁護のために、国民の不断の努力により人権を

保持すること、人権を濫用してはならないことを要請しています。
もっとも、本条は国民の義務を公権的に強制しうるという法的意味を持つものではありません。

(2) 具体的義務

① 納税の義務（憲法30条）

国民主権のもとでは、主権者たる国民が自律的に国家を構成すべきであり、国家を自ら運営し、維持する義務を負います。このため、国民は財政を支える義務としての納税の義務を負います。

② 教育の義務（憲法26条２項前段）

教育は個人が人格を形成し、社会生活を有意義に送るために不可欠です。そこで、憲法は、教育を受ける権利（同条１項）を保障するとともに、子女に対し教育を受けさせるのが保護者の義務であることを定めています。

③ 勤労の義務（憲法27条１項）

勤労能力ある者は自らの勤労により生活を維持すべきであるという精神的意義を持つにすぎず、強制労働の可能性を認めるものではありません。

憲法27条１項を根拠として、働く能力がありながら働かない者に対しては、生存権（憲法25条）の保障は及ばないと解されています（通説）。

5 憲法尊重擁護義務

天皇または摂政および国務大臣、国会議員、裁判官その他の公務員は、憲法を尊重し擁護する義務を負うものとされています（憲法99条）。
これは、特に憲法の運用に直接関与する者に対して憲法を尊重し擁護する義務を課したものであり、後述の憲法保障の一環をなしています。

ここでいう公務員には、国家公務員のみならず、地方公務員も含まれます。

第9章 SECTION 1 人権総合問題 人権総合

実践 問題 108 基本レベル

頻出度	
	地上★ 国家一般職★ 特別区★
	裁判所職員★ 国税·財務·労基★★★ 国家総合職★

問 基本的人権の保障に関するア～オの記述のうち、判例に照らし、妥当なもののみをすべて挙げているのはどれか。 (国税・労基2004)

ア：謝罪広告を新聞紙等に掲載すべきことを加害者に命ずることは、それが単に事態の真相を告白し陳謝の意を表明するにとどまる程度のものであっても、加害者に屈辱的若しくは苦役的労苦を科すことになるので、良心の自由を侵害する。

イ：憲法に定める国民の権利及び義務の各条項は、性質上可能な限り、内国の法人にも適用されるものであるから、会社は、公共の福祉に反しない限り、政治的行為の自由の一環として、政党に対する政治資金の寄附の自由を有する。

ウ：賭博行為は、互いに自己の財物を自己の好むところに投じるだけであって、各人に任された自由行為に属するものであり、また、副次的犯罪を誘発し又は国民経済の機能に重大な障害を与えるおそれはないので、公共の福祉に反するということはない。

エ：喫煙の自由は、憲法第13条の保障する基本的人権に含まれるとしても、あらゆる時、所において保障されなければならないものではないので、未決勾留により拘禁された者に対し喫煙を禁止する規定が憲法第13条に違反するものとはいえない。

オ：報道機関の報道は、国民の知る権利に直接奉仕する極めて重要なものであることから、報道のための取材の自由は、公正な裁判の実現という憲法上の要請がある場合であっても、制約を受けることがあってはならない。

1：ア、ウ
2：イ、エ
3：エ、オ
4：ア、ウ、オ
5：イ、エ、オ

チェック欄

1回目	2回目	3回目

実践 問題 108 の解説

〈人権総合〉

ア× 判例は、民法723条にいう名誉の回復に適当な処分として謝罪広告を新聞紙等に掲載すべきことを加害者に命じることは、それが単に事態の真相を告白し、陳謝の意を表明するにとどまる程度であれば、思想・良心の自由を侵害しないとしている（謝罪広告事件、最大判昭31.7.4）。

イ○ 法人の人権享有主体性について、判例は、憲法第３章に定める国民の権利および義務の各条項は、性質上可能な限り、内国の法人にも適用されるとしている。また、法人は自然人たる国民と同様に、国や政党の特定の政策を支持、推進しまたは反対するなどの政治活動をなす自由を有し、政治資金の寄付もまさにその自由の一環であるとしている（八幡製鉄政治献金事件、最大判昭45.6.24）。

ウ× 判例は、賭博行為につき、一見各人に任された自由行為に属するように見えるが、怠惰浪費の弊風を生じ、勤労の美風を害し、副次的犯罪を誘発し、または国民経済の機能に重大な障害を与えるおそれすらあるので、公共の福祉に反するとしている（最大判昭25.11.22）。

エ○ 喫煙の自由について、判例は、憲法13条により喫煙の自由が保障されるとしても、あらゆる時、所において保障されなければならないものではないとしている。そして、監獄内においては被拘禁者に対し拘禁目的に照らし必要かつ合理的な制限を加えることが許され、未決拘留により拘禁された者に対し喫煙禁止という程度の制限を加えることは、必要かつ合理的なものであり、憲法13条に違反しないとしている（在監者喫煙訴訟、最大判昭45.9.16）。

オ× 判例は、報道の自由は知る権利に奉仕するものであり、憲法21条により保障されるとしている。しかし、取材の自由については、憲法21条の精神に照らし十分尊重するに値するというにとどまっている。そして、公正な裁判の実現のために取材の自由も制限を受けることがあり、取材活動によって得られた物を証拠として提出しなければならない場合もあるとしている（博多駅事件、最大決昭44.11.26）。

以上より、妥当なものはイ、エであり、肢２が正解となる。

正答 2

実践 問題 109 基本レベル

頻出度	地上★ 国家一般職★ 特別区★ 裁判所職員★ 国税·財務·労基★★★ 国家総合職★

問 基本的人権の保障について、判例に照らし、妥当なのはどれか。

（国税・労基1997）

1：報道機関の取材結果を犯罪捜査の証拠として押収したとしても、適正迅速な捜査を遂行するうえでの必要性と、押収により報道の自由が妨げられる程度および将来の取材の自由が受ける影響とを比較衡量したうえでやむをえないと認められる場合には、憲法に違反しない。

2：憲法の基本的人権は、権利の性質上可能である限り日本国に在留する外国人に対しても保障されるから、法務大臣が外国人の在留更新の許否を判断するにあたって、その外国人が在留期間中に行った憲法の基本的人権の保障を受ける行為を斟酌して不許可処分を行うことは許されない。

3：憲法の保障する平等原則は合理的な根拠に基づく差別的な取扱いまでも禁止する趣旨ではないが、旧尊属殺人罪は尊属・卑属という身分関係のみに基づいて普通殺人罪よりも刑を加重する差別的取扱いをしており、その立法目的自体に合理性が認められないから、尊属殺人罪を定めた刑法の規定は憲法に違反する。

4：輸入される表現物に対する税関検査は、検査の結果、その表現物が輸入禁制品にあたると認められた場合には、輸入を適法に行うことができず発表そのものが事前に一切禁止されることとなるから、憲法の禁止する検閲にあたる。

5：政教分離規定はいわゆる制度的保障であり、信教の自由そのものを直接保障するものではないが、公権力を直接拘束する効果を持つので、国家が宗教とのかかわり合いを持つことは、その行為の目的や効果にかかわらず許されない。

チェック欄		
1回目	2回目	3回目

実践 問題 109 の解説

〈人権総合〉

1 ○ ＴＢＳビデオテープ差押事件において判例は、差押えの可否を決するにあたり、適正迅速な捜査を遂げるための必要性と、報道機関の報道の自由が妨げられる程度および将来の取材の自由が受ける影響その他諸般の事情を比較衡量すべきであるとしている（最決平2.7.9）。

2 × マクリーン事件において判例は、基本的人権の保障は権利の性質上日本国民のみをその対象としていると解されるものを除いてわが国に在留する外国人に対しても等しく及ぶものと解し、わが国の政治的意思決定またはその実施に影響を及ぼす活動等外国人の地位にかんがみこれを認めることが相当でないと解されるものを除き政治的活動の自由の保障が及ぶとしつつ、在留期間更新の審査については法務大臣に外国人在留の許否を決定する広範な裁量権があるので、在留中の憲法の基本的人権の保障を受ける外国人の行為を更新の際に消極的な事情として斟酌されないことまでの保障は与えられていないとしている（最大判昭53.10.4）。

3 × 尊属殺重罰規定事件において判例は、同規定の立法目的に関して、尊属に対する尊重報恩のような自然的情愛ないし普遍的倫理の維持自体は合理的根拠を有するとしつつ、その目的を達成する手段たる尊属殺の法定刑が死刑または（当時）無期懲役刑に限られている点であまりにも厳しく、合理的根拠に基づく差別的取扱いとして正当化することは到底できないとしている（最大判昭48.4.4）。

4 × 税関検査が検閲（憲法21条２項）にあたるかどうかにつき判例は、表現物が国外では発表済みであること、輸入が禁止されても発表の機会が全面的に奪われるわけではないことなどを理由に、税関検査は検閲に該当しないとしている（税関検査事件、最大判昭59.12.12）。

5 × 津地鎮祭事件において判例は、政教分離原則といえども、国家と宗教のかかわり合いをまったく許さないものではなく、宗教とのかかわり合いをもたらす行為の目的および効果にかんがみ、わが国の社会的・文化的諸条件に照らし、相当とされる限度を超えるものでない限り許されるとしている（最大判昭52.7.13）。

正答 1

人権総合問題
人権総合

実践 問題 110 基本レベル

頻出度	地上★	国家一般職★	特別区★
	裁判所職員★	国税·財務·労基★★★	国家総合職★

問 基本的人権に係る判例に関する記述として妥当なのはどれか。

（国税・労基2002）

1：市の条例で、集団行進及び集団示威運動の秩序を保ち、公共の安寧を保持するための遵守事項の一つとして、「交通秩序を維持すること」を定め、これに違反して行われた集団行進の主催者等を処罰する旨の規定は、いかなる作為又は不作為を命じているのか義務内容が具体的に明らかにされておらず、構成要件が不明確であるゆえに、憲法第31条に違反し、無効であると解するのが相当である。

2：国家公務員の政治活動の制約の程度は必要最小限度のものとし、また、違反行為に加えられるべき制裁も、法目的を達成するに必要最小限度のものでなければならず、法の定める制裁方法よりも、より狭い範囲の制裁方法があり、これによってもひとしく法目的を達成できる場合には、法の定める広い制裁方法は目的の限度を超えたものとして違憲となる。

3：刑法第230条の２の規定は個人の名誉の保護と正当な言論の保障との調和をはかったものというべきであり、たとい同条第１項にいう事実が真実であることの証明がない場合でも、行為者がその事実を真実であると誤信し、その誤信したことについて、確実な資料、根拠に照らし相当の理由があるときは、犯罪の故意がなく、名誉毀損罪は成立しないものと解するのが相当である。

4：憲法第21条第２項の「検閲」とは、行政権が主体となって、思想内容等の表現物を対象とし、その全部又は一部の発表の禁止を目的として、対象とされる表現物につき網羅的一般的に発表前にその内容を審査した上、不適当と認めるものの発表を禁止することをその特質として備えるものを指すと解すべきであり、関税定率法に基づく税関検査は、これに該当する。

5：市が市民の文化・教養の向上を図り、併せて集会等の用に供する目的で設置した市民会館について、条例でその使用を許可しない事由の一つとして「公の秩序をみだすおそれがある場合」を規定する場合、当該規定は、内容が曖昧かつ漠然としており、許可権者の主観により、集会の自由を制限するおそれがあることから、憲法第21条第１項に違反するものと解するのが相当である。

チェック欄

1回目	2回目	3回目

実践 問題 110 の解説

〈人権総合〉

1 × 判例は、刑罰法規の定める犯罪構成要件があいまい不明確ゆえに憲法31条に反し無効とされるのは、その規定が通常の判断能力を有する一般人の理解において、具体的場合に当該行為がその適用を受けるものかどうかの判断を可能ならしめるような基準が読み取れるかどうかによってこれを決定すべきとし、「交通秩序を維持すること」という規定は、通常の判断能力を有する一般人の理解において基準を読み取ることが可能であるから、明確性を欠き憲法31条に違反するものとはいえないとしている（徳島市公安条例事件、最大判昭50.9.10）。

2 × 判例は、国家公務員の政治的行為に対する規制が必要かつ合理的なものとして是認されるかどうかは、規制目的のために規制が必要とされる程度と、規制される自由の内容および性質、具体的な規制の態様および程度等を較量して決せられるとした（政党機関紙配布事件、最判平24.12.7）。

3 ○ 刑法230条の２の規定は、名誉毀損的表現につき、それが公共の利害に関する事実であり、公益を図る目的であり、真実性の証明があれば、罰しないとしている。この真実性の証明について判例は、事実が真実であることの証明がなくても、行為者がその事実を真実であると誤信し、その誤信したことについて確実な資料、根拠に照らし相当の理由があるときは、犯罪の故意がなく、名誉毀損罪は成立しないとした（夕刊和歌山時事事件、最大判昭44.6.25）。

4 × 判例は、検閲の意義について本肢の基準を採りつつ、税関検査に関しては、①表現物は国外で発表済みで、発表の機会が全面的に奪われるものではない、②関税徴収手続の一環としてなすもので、思想内容等の網羅的審査・規制を目的としない、③司法審査の機会が与えられているなどとして、検閲にあたらないとしている（税関検査事件、最大判昭59.12.12）。

5 × 判例は、「公共の秩序をみだすおそれがある場合」という規定に合憲限定解釈を加え、単に危険な事態を生じる蓋然性があるというだけでは足りず明らかな差し迫った危険の発生が具体的に予見されることが必要であるとし、そう解する限り、当該規定は憲法21条に違反しないとしている（泉佐野市民会館事件、最判平7.3.7）。

正答 3

人権総合問題
人権総合

実践 問題 111 基本レベル

頻出度	地上★　国家一般職★　特別区★　裁判所職員★　国税·財務·労基★★★　国家総合職★

問 基本的人権の保障に関する次の記述のうち、判例に照らし、妥当なのはどれか。

（国税・労基2000）

1：個人は他者から自己の欲しない刺激によって心の静穏を乱されない利益を有しており、地下鉄の車内放送は乗客に対し聴取を一方的に強制するものであることから、地下鉄の車内において商業宣伝放送を行うことはできない。

2：民法第723条の「他人の名誉を毀損した者に対して被害者の名誉を回復する適当な処分」として、謝罪広告を新聞紙等に掲載すべきことを命ずる判決は、その内容が単に事態の真相を告白し謝罪の意を表明するにとどまる程度のものである場合には、良心の自由を保障した憲法第19条に反しない。

3：憲法第23条の学問の自由には、学問的研究の自由は含まれるが、その研究結果の発表の自由については、研究結果の発表という形態をとった政治的社会的活動になる可能性を否定できないことから含まれない。

4：国が第三者の所有物を没収する場合において、その所有者に何らの告知·弁解·防禦の機会を与えることなく、その所有権を奪うことは著しく不合理であるが、この没収手続が法律の規定に基づいたものである場合には、憲法第29条の財産権の侵害には当たるものの、憲法第31条の法定手続の保障に違反するものではない。

5：国家公務員の労働基本権については、勤労者を含めた国民全体の共同利益の見地からの制約を免れないものの、個々の公務員の争議行為自体を罰することはできない。

チェック欄		
1回目	2回目	3回目

実践 問題 111 の解説

〈人権総合〉

1 × 判例は、本肢と同様の事案において、結論として地下鉄の車内放送は違法でないとしている（とらわれの聴衆事件、最判昭63.12.20）。なお、個人は他者から自己の欲しない刺激によって心の静穏を乱されない利益を有しており、かかるプライバシーとの調整が必要であるとするのは、伊藤正己裁判官の補足意見である。

2 ○ 判例は、民法723条にいう「名誉を回復するのに適当な処分」として謝罪広告を新聞紙などに掲載すべきことを命ずる判決は、その内容が単に事態の真相を告白し謝罪の意を表明するにとどまる程度のものであれば、代替執行の手続によって強制執行しても、加害者の倫理的な意見、良心の自由を侵害するものではないとしている（謝罪広告事件、最大判昭31.7.4）。

3 × 憲法第23条にいう学問の自由には、一般に、①学問研究の自由、②研究結果の発表の自由、③教授の自由、④大学の自治、が含まれると解されている。判例も、学問の自由に②研究結果の発表の自由が含まれることを前提に、学生の集会が真に学問的な研究結果の発表のためのものではなく、実社会の政治的社会的活動にあたる行為をする場合には、大学の有する特別の学問の自由と自治は享有しないとする（東大ポポロ事件、最大判昭38.5.22）。

4 × 判例は、法律の規定（関税法旧118条１項）に基づき第三者の所有物を没収した事案において、その所有者に何らの告知・弁解・防禦の機会を与えることなく、その所有権を奪うことは著しく不合理であって、憲法31条、29条に違反するとしている（第三者所有物没収事件、最大判昭37.11.28）。

5 × 判例は、公務員の地位の特殊性・職務の公共性、国民全体の共同利益などを理由に、国家公務員の争議行為の一律かつ全面的な制限を合憲とし、かかる制限に違反した場合は、個々の公務員に刑事制裁を科すことができるとしている（全農林警職法事件、最大判昭48.4.25）。

正答 2

人権総合問題
人権総合

実践 問題 112 基本レベル

頻出度	地上★ 国家一般職★ 特別区★ 裁判所職員★ 国税·財務·労基★★★ 国家総合職★

問 基本的人権の保障に関する次の記述のうち、判例に照らし、妥当なのはどれか。
(国税・労基2001)

1：宗教上の信念に基づき輸血を伴う医療行為を拒否するとの明確な意思を有している患者に対し、医師が、手術の際に輸血以外には救命手段がない事態が生じた場合には輸血を行うとの方針を採っていながら、当該方針を事前に患者に説明することなく手術を行うことは、このような手術を受けるか否かについて患者が意思決定をする権利を奪うものであり、人格権の侵害に当たる。

2：民法第900条第４号ただし書によれば、非嫡出子の法定相続分は嫡出子の二分の一とされているが、当該規定は、いまだ法律婚の尊重という立法目的の枠を超えるとはいえず、立法目的と手段との実質的関連性が認められ、合理的であるといえるから、憲法第14条第１項に違反しない。

3：公立学校において、信仰する宗教の教義に基づいて必修科目である剣道実技の履修を拒否する生徒に対し、他の体育実技の履修、レポート提出等の代替措置を課した上でその成果に応じた評価を行い、単位の認定をすることは、特定の宗教を援助、助長、促進する効果を有するものであり、憲法第20条第３項に違反する。

4：税理士会は、税理士法に基づく公益法人であり、強制加入団体である点において私企業等一般の法人と性格を異にするものの、国や政党の特定の政策を支持、推進するなどの政治的行為を行う自由が否定されるものではないから、税理士に係る法令の制定改廃に関する要求を実現することを目的として政党等の政治資金規正法上の政治団体に対して金員を寄付することは認められる。

5：大学等の高等教育において、単に学問の研究のみでなくその成果を教授するという教授の自由が学問の自由の一環として保障されるのとは異なり、高校等の普通教育においては、児童生徒に教育内容を批判する能力がないこと、教師に強い影響力があること、全国的に一定の教育水準を確保すべき要請が強いことなどから、教授の自由が認められる余地はない。

チェック欄

1回目	2回目	3回目

実践 問題 112 の解説

〈人権総合〉

1 ○ 宗教上の理由から輸血を拒否する患者に対して無断で輸血をしたことが患者の人格権を侵害するかが問題となった事案について、判例は、本肢と同様の理由により、人格権の侵害にあたるとしている（エホバの証人輸血拒否事件、最判平12.2.29）。

2 × 非嫡出子の法定相続分を嫡出子の2分の1と定める民法900条4号但書の合憲性について、従来の判例は合憲の立場をとっていた。しかし、判例（非嫡出子法定相続分事件、最大決平25.9.4）は、立法府の裁量権を考慮しても、嫡出子と嫡出でない子の法定相続分を区別する合理的な根拠は失われており、憲法14条1項に違反するとするに至った。

3 × 公立学校において、宗教上の理由から必修科目である剣道実技の履修を拒否する生徒の退学処分などの適否が問題となった事案において、判例は、代替措置をとることが、その目的において宗教的意義を有し、特定の宗教を援助、助長、促進する効果を有するものとはいえず、他の宗教者に圧迫、干渉を加える効果もないので憲法20条3項に違反しないとしている（エホバの証人剣道拒否事件、最判平8.3.8）。

4 × 判例は、税理士会は公益法人であり、強制加入団体であることからすれば、会員の思想・良心の自由との関係で、法人としての「目的の範囲」は限定的なものとならざるをえず、政治資金規正法上の政治団体に金員の寄付をすることは、税理士会の「目的の範囲外」の行為であるとしている（南九州税理士会事件、最判平8.3.19）。すなわち、税理士会は政治献金を有効になしうるものではない。

5 × 初等中等教育機関における教師の教授の自由について、判例は、教師に一定範囲の教授の自由が保障されることを肯定しながらも、普通教育においては、教育の機会均等と全国的な教育水準の確保の要請などがあることから、完全な教授の自由を認めることは許されないとしている（旭川学テ事件、最大判昭51.5.21）。

正答 1

第9章 人権総合問題

人権総合問題

人権総合

実践 問題 113 基本レベル

頻出度	地上★ 国家一般職★ 特別区★ 裁判所職員★ 国税･財務･労基★★★ 国家総合職★

問 国務請求権・参政権に関するア～エの記述のうち、判例に照らし、妥当なもののみを挙げているのはどれか。 (国税・財務・労基2023)

ア：憲法第３章に定める国民の権利及び義務の各条項は、性質上可能な限り、内国の法人にも適用されるものであるから、会社は、公共の福祉に反しない限り、政治的行為の自由の一環として、政党に対する政治資金の寄附の自由を有する。

イ：憲法は投票の秘密を保障しているから、村議会議員の選挙における議員の当選の効力を定めるに当たり、誰が誰に投票したかを証拠調べによって明らかにすることはもちろん、詐偽投票等の犯罪捜査に当たり、誰が誰に投票したかを同様に明らかにすることも許されない。

ウ：憲法第32条は、訴訟の当事者が訴訟の目的たる権利関係につき裁判所の判断を求める法律上の利益を有することを前提として、かかる訴訟につき本案の裁判を受ける権利を保障したものであって、法律上の利益の有無にかかわらず、常に本案につき裁判を受ける権利を保障したものではない。

エ：地方公共団体が日本国民である職員に限って管理職に昇任することができることとする措置をとることは、当該地方公共団体が、公権力の行使に当たる行為を行うことなどを職務とする地方公務員の職とこれに昇任するのに必要な職務経験を積むために経るべき職とを包含する一体的な管理職の任用制度を構築している場合であっても、憲法第14条第１項に違反し許されない。

1：ア、イ
2：ア、ウ
3：ア、エ
4：イ、ウ
5：イ、エ

チェック欄

1回目	2回目	3回目

実践 問題 113 の解説

〈人権総合〉

ア○ 法人に人権享有主体性が認められるかについて、判例は、憲法第３章に定める国民の権利および義務の各条項は、性質上可能な限り、内国の法人にも適用されるとしたうえで、法人の政治活動の自由についても、会社は自然人たる国民と同様、政治的行為をなす自由を有しており、政治資金の寄附もまさにその自由の一環であるとしている（八幡製鉄政治献金事件、最大判昭45.6.24）。

イ× 詐偽投票の犯罪捜査においても、誰が誰に投票したか明らかにすることは許されないと述べる本記述は、判例の見解と異なるので妥当でない。選挙における投票の秘密は、これを侵してはならない（憲法15条４項）。そこで、①選挙や当選の効力に関する訴訟や、②詐偽投票（公職選挙法237条）などの選挙犯罪に関する刑事手続において、誰が誰に投票したかを明らかにすること（投票の検索）が許されるかが問題となるが、判例は、①については、無記名投票制度の精神に反するとして、投票の検索は許されないとする一方、②については、選挙犯罪の捜査・処罰にはその投票者および被選挙人を明らかにする必要があるので投票の検索も許されるとしている（最判昭23.6.1）。

ウ○ 憲法32条は裁判を受ける権利を保障しているが、訴えの利益を失った当事者に対しても本案判決を行う必要があるかにつき、判例は、本記述のとおりに述べ、裁判所の判断を求める法律上の利益を失ってもなお裁判を受ける権利を保障したものではないとしている（最大判昭35.12.7）。

エ× 日本国民である職員に限って管理職に昇任できる措置は憲法14条１項に違反し許されないと述べる本記述は、判例の見解と異なるので妥当でない。本記述と類似の事案において判例は、国民主権の原理に基づき、国および地方公共団体による統治のあり方については日本国の統治者としての国民が最終的な責任を負うべきものであることに照らし、原則として日本の国籍を有する者が公権力行使等地方公務員に就任することが想定されていると述べ、本記述のような任用制度をとることは、憲法14条１項に違反しないとしている（東京都管理職試験事件、最大判平17.1.26）。

以上より、妥当なものはア、ウであり、肢２が正解となる。

正答 2

人権総合問題

人権総合

実践 問題 114 応用レベル

頻出度	地上★	国家一般職★	特別区★
	裁判所職員★	国税·財務·労基★	国家総合職★

問 基本的人権に関する次の記述のうち、妥当なのはどれか。 (国Ⅰ2001)

1：憲法第3章の諸規定による基本的人権の保障は、権利の性質上日本国民のみを対象としていると解されるものを除き、我が国に在留する外国人に対しても等しく及ぶと解すべきであり、憲法第22条に規定する外国移住の自由に関しても、その権利の性質上外国人にも保障されるべきものとして出国の自由を基本的に肯定するのが判例の立場である。また、特別永住者の再入国については、生活の本拠地たる我が国に帰国することであり、我が国国民の一時的海外旅行の場合と異ならないとして、憲法第22条によって保障されているとするのが判例の立場である。

2：公務員の人権制限に関しては、公務員にも一般の勤労者と同様に労働基本権が保障され、国民生活全体の利益の保障という見地から当然の内在的制約に服するにとどまるとして、いわゆる特別権力関係を否定するのが判例の立場である。一方、在監者の人権制限に関しては、監獄収容関係は特別権力関係であることを肯定し、信書の発信不許可、抹消、書籍等の一部閲読禁止処分等に関しても、拘禁目的のために必要な限度と範囲という基準は採用せず、具体的な法律の根拠なしに命令強制を行い得るとするのが判例の立場である。

3：憲法第20条が保障する信教の自由も絶対無制限のものではなく、公共の福祉の観点から制約を受ける場合があるとするのが判例の立場であるが、キリスト教信者の妻が、殉職した自衛官の夫が県隊友会の申請に基づき神社により合祀されたことによって、自らの信教の自由が侵害されたと主張した事件に関し、判例は、合祀は神社の信教の自由に基づく行為ではあるが、個人の信教の自由はより強い保護が必要であるとして、妻の信教の自由が侵害されたことを認めている。

4：弁護士会からの照会に応じて地方公共団体が前科等について回答したために解雇された個人が、プライバシーの権利を侵害されたとして、当該地方公共団体に損害賠償を求めた事件に関し、判例は、前科等は人の名誉、信用に直接関わる事項であり、地方公共団体がこれをみだりに公表することは違法であると判断した。一方、ノンフィクション作品により前科等の事実を公表された個人が、プライバシーの権利を侵害されたとして、損害賠償を求めた事件に関しては、判例は、前科等は社会的・公共的事項であるから、私人によって公表されない法的利益は認められないとした。

5：営業の自由に関しては、社会経済の調和的発展という積極的な目的のための規制については、判例は、当該規制措置が著しく不合理であることが明白である場合に限って違憲となるとして、立法府の裁量を広範に認め、小売商業調整特別措置法に基づく小売市場の許可制を合憲とした。一方、国民の生命及び健康に対する危険を防止することを目的とする消極的・警察的目的の規制については、判例は、規制の必要性・合理性及びより緩やかな規制手段の有無について厳格に判断されなければならないとして、薬事法に基づく薬局の適正配置規制を違憲とした。

第9章 SECTION ① 人権総合問題 人権総合

チェック欄
1回目	2回目	3回目

実践 問題 114 の解説

〈人権総合〉

1 × 判例は、出国の自由は、憲法22条２項の外国移住の権利として保障されるとした（最大判昭32.12.25）が、外国人には憲法上、外国へ一時旅行する自由を保障されているものではないから、再入国の自由は保障されないとした（森川キャサリーン事件、最判平4.11.16）。

2 × 公務員の人権制限について判例は、たとえば労働基本権に対する制限について、公務員の地位の特殊性と職務の公共性を根拠に認めており、特別権力関係を制限の根拠としているわけではない（全農林警職法事件、最大判昭48.4.25）。また、在監者の人権制限についても判例は、たとえば閲読の自由の制限について、監獄内における規律･秩序の維持を根拠に認めており（よど号ハイジャック新聞記事抹消事件、最大判昭58.6.22）、特別権力関係を制限の根拠とはしていない。

3 × 判例は、殉職自衛官の夫が県の護国神社に合祀されたことにより、キリスト教信者であるその妻が自らの信仰生活の静謐を害されたことは、法的利益の侵害にはあたらないとして、妻による損害賠償の請求と差止請求を否定した（殉職自衛官合祀事件、最大判昭63.6.1）。

4 × 判例は、区長が弁護士会の照会に応じて前科を報告したことがプライバシー権の侵害が問題となった事件において、前科は人の名誉、信用に直接かかわる事項であり、前科等のある者もこれをみだりに公開されないという法律上の保護に値する利益を有するとし、前科をみだりに公開することは違法であるとした（前科照会事件、最判昭56.4.14）。また、ノンフィクション作品により前科等の事実を公表された個人が、プライバシー権を侵害されたとしてその作家に対し損害賠償請求を求めた事件において、みだりに前科等にかかわる事実を公表されないことにつき法的利益を有するとした（ノンフィクション『逆転』事件、最判平6.2.8）。

5 ○ 判例は、積極規制は、著しく不合理であることが明白である場合に限って違憲となるとしたうえで、小売市場の許可規制は、その規制の手段・態様が著しく不合理であることが明白であるとはいえないので合憲と判断した（小売市場事件、最大判昭47.11.22）。また、判例は、消極規制は、より緩やかな制限によってはその目的を達成することができないと認められることを要するとしたうえで、薬局距離制限をより緩やかな制限があるので違憲と判断した（薬事法事件、最大判昭50.4.30）。

正答 5

第2編
統治

第1章

国会

SECTION

① 国会の地位
② 国会の構成・活動、参議院の緊急集会
③ 国会の権能
④ 議院の権能
⑤ 国会議員の特権
⑥ 国会総合

第1章 国会

出題傾向の分析と対策

試験名	地　上			国家一般職			特別区			裁判所職員			国税・財務・労基			国家総合職		
年　度	16-18	19-21	22-24	16-18	19-21	22-24	16-18	19-21	22-24	16-18	19-21	22-24	16-18	19-21	22-24	16-18	19-21	22-24
出題数 / セクション		2	1	2	3	1	3	4	3	3	2	2	2	2	3	4	3	2
国会の地位																		
国会の構成・活動、参議院の緊急集会			★	★	★	★	★	★	★	★	★					★	★★	
国会の権能		★					★	★	★	★	★	★	★★	★		★		
議院の権能				★			★	★		★								
国会議員の特権		★						★	★									
国会総合					★★							★		★	★★★	★★	★	★★

（注）１つの問題において複数の分野が出題されることがあるため、星の数の合計と出題数とが一致しないことがあります。

国会については、どの試験種でもよく出題されています。ほとんどが条文の内容を問う問題です。

地方上級

たまに出題されます。基本的な知識を問う問題ばかりですので、過去問を繰り返し解いて、基本的な知識を身につけてください。

国家一般職

３年に２回くらいの頻度で出題されています。国会全体にわたって出題されていますので、満遍なく勉強する必要があります。

特別区

ほぼ毎年出題されています。基本的な知識を問う問題ばかりですので、過去問を繰り返し解いて、基本的な知識を身につけてください。

裁判所職員

ほぼ毎年出題されています。基本的な知識を問う問題ばかりですので、過去問を繰り返し解いて、基本的な知識を身につけてください。

国税専門官・財務専門官・労働基準監督官

ほぼ毎年出題されています。国会全体にわたって出題されていますので、満遍なく勉強する必要があります。

国家総合職

ほぼ毎年出題されています。国会全体にわたって出題されていますので、満遍なく勉強する必要があります。

Advice アドバイス 学習と対策

国会をはじめとする統治は条文の内容を問う問題がほとんどです。条文の内容の理解に努めてください。

特に唯一の立法機関の意味、衆議院の優越、会期制、定足数・議決数、参議院の緊急集会、予算の承認、国政調査権、国会議員の不逮捕特権・免責特権は頻出ですので、しっかりと勉強しておいてください。

国会

国会の地位

必修問題 セクションテーマを代表する問題に挑戦！

国会の持つ３つの地位、国民代表機関、国権の最高機関、国の唯一の立法機関のそれぞれの意味を理解しましょう。

問 憲法第41条に関する次の記述のうち、妥当なのはどれか。

（国Ⅱ2000）

1：憲法第41条の「立法」については、実質的意味の法律の定立を指すとする考え方があるが、通説では、形式的意味の法律の定立を指すとされており、例えば内閣が独立命令を制定する権能を持つとしても本条に反しない。

2：憲法第41条の「唯一の立法機関」とは、本条にいう「立法」がすべて国会を通し、国会を中心に行われるべきことのみならず、本条にいう「立法」は国会の意思だけによって完結的に成立し、ほかの機関の意思によって左右されないことをも意味する。

3：国会の各議院は議院規則を、また、最高裁判所は最高裁判所規則を定めることができるが、これらは「国会中心立法の原則」の例外ではないと解するのが通説である。

4：法律案の提出権を内閣に認めることは、憲法第41条の「国会単独立法の原則」に違反すると解するのが通説である。

5：憲法第41条の「国権の最高機関」とは、国会が憲法上国政全般を統括し、ほかの機関に指揮・命令する権能を法的に持つ機関であることを意味すると解するのが通説である。

Guidance ガイダンス

「立法」の意味・形式的意味の立法…「法律」という名の規範の定立
・実質的意味の立法…一般的抽象的規範の定立

「唯一の」立法機関の意味

・国会中心立法の原則
国会による立法以外の実質的意味の立法は、憲法に特別の定めがある場合を除いては許されない

・国会単独立法の原則
国会による立法は、国会以外の機関の関与を必要としないで成立する

直前復習

必修問題の解説

チェック欄
1回目	2回目	3回目

〈国会の地位〉

1 × 憲法41条の立法の意義につき争いがあるが、形式的意味の立法と考える説は、内容のいかんを問わず国会の議決により成立する国法の一形式としての法律の制定を「立法」とする。しかし、そのように考えると憲法41条が単なる同語反復になってしまうことから、実質的意味の立法と考えるのが通説である。また、独立命令とは、法律から独立して行政機関が独自の権限で制定する法規範をいうが、憲法41条の立法を実質的意味の立法と考える以上、独立命令は許されない。

2 ○ 国会が国の「**唯一の**」立法機関（憲法41条）であるとは、第１に、国の行う立法は、憲法に特別の定めがある場合を除いて、常に国会を通してなされなければならないこと（**国会中心立法の原則**)、第２に、国会による立法は国会以外の機関が関与できず国会の議決のみで成立すること（**国会単独立法の原則**）を意味する。

3 × 国の行う立法は、憲法に特別の定めがある場合を除いて、常に国会を通してなされなければならないが（**国会中心立法の原則**)、通説は、議院規則（憲法58条２項)・最高裁判所規則（憲法77条１項）がこの特別の定めにあたり、国会中心立法の原則の例外であるとする。

4 × 内閣の法案提出権について、通説は、憲法72条前段の「議案」に法律案も含まれると解されていること（内閣法５条参照)、国会は内閣の提出した法律案を自由に修正・否決しうることなどから、国会単独立法の原則に反しないと解している。

5 × 本肢の内容は統括機関説であるが、「**国権の最高機関**」の意義につき、通説は、国民代表機関たる国会が国政の中心に位置する重要な機関であることを政治的に強調したものにすぎないとする（**政治的美称説**)。なぜなら、対等型三権分立制を採用する現行憲法においては、内閣・裁判所も行政・司法の分野ではそれぞれ最高機関であり、国会の指揮命令に服するものではないからである。

正答 2

国会

国会の地位

1 国民の代表機関

憲法43条１項は「両議院は、全国民を代表する選挙された議員でこれを組織する」と規定しています。

「**代表**」の意味については議論があります。

①　政治的代表

国民は代表機関を通じて行動し、代表機関の行為は国民意思の反映とみなされる、とする考え方です。政治的代表の考え方からは、議員は全国民の代表であって選挙区民の命令には拘束されない、という原則が導かれます（**自由委任の原則**）。

政治的代表の考え方には国民の意思と議員の意思との間に実際上の不一致があることを覆い隠すという問題点があるため、社会学的代表の考え方が提唱されました。

②　社会学的代表

代表とは、国民の政治的見解と国民が選んだ代議士の政治的見解との事実上の一致が必要である、という考え方です。

日本国憲法における「代表」は、政治的代表に加えて社会学的代表という意味を含むものと解されています。

2 国権の最高機関

国会は、「**国権の最高機関**」であるとされています（憲法41条）。

「最高機関」とは、国会が他の国家機関（内閣・裁判所）に法的に優越する地位に立つということを意味するものではなく、国会が主権者である国民によって直接に選出された議員で構成され、国民に最も近い地位にあるということ、そして、そのことから、国会が国政の中心的地位を占める機関であるということを強調したものにすぎないと解されています（**政治的美称説**）。

3 唯一の立法機関

国会は、「**唯一の立法機関**」であるとされています（憲法41条）。「立法」には、国会が制定する「法律」という名前の法規範を定立すること（形式的意味の立法）と、特定の内容の法規範を定立すること（実質的意味の立法）の２つの意味がありますが、憲法41条にいう「立法」とは、実質的意味の立法を意味します。また、「唯一の」からは、国会中心立法の原則と国会単独立法の原則が導かれます。

従来「立法」とは、国民の権利・自由を制限する法規範、すなわち、「法規」と解されてきましたが、民主主義の憲法体制化では、より広く「一般的・抽象的法規範」をすべて含む、と考えられています。

(1) 国会中心立法の原則

国会中心立法の原則とは、国会以外の機関が実質的意味の立法を行うことは、憲法に特別の定めがある場合を除いて許されないということです。

国会中心立法の原則の憲法上の例外として、①各議院の規則制定権（憲法58条２項本文）、②最高裁判所の規則制定権（憲法77条１項）が定められています。条例を国会中心立法の原則の例外とみるかについては争いがあります。

(2) 国会単独立法の原則

国会単独立法の原則とは、国会による立法に国会以外の機関は関与できないということです。

国会単独立法の原則の憲法上の例外として、地方自治特別法制定のための住民投票（憲法95条）が定められています。

〈国会単独立法の原則との関係が問題となるもの〉

① 内閣の法案提出権

議院内閣制を採用している日本国憲法のもとでは、国会と内閣の協働関係が認められているとともに、国会は提出された法案に対して自由かつ無制限に修正を加えることができるなどの理由から、国会単独立法の原則に反しないと解されています。

② 主任の国務大臣の署名と内閣総理大臣の連署

署名･連署（憲法74条）は法律の執行権の所在を明確にするためのものにすぎず、また、署名・連署が欠けても法律の効力には影響しないので、国会単独立法の原則の例外にあたらないと解されています。

③ 天皇による法律の公布

天皇は国事行為として法律を公布します（憲法７条１号）。公布は、法律の効力要件にすぎず、成立要件ではないので、国会単独立法の原則の例外にあたらないと解されています。

①内閣には国会への議案の提出権限があります（憲法72条）が、法律案の提出も含まれるものと解されており、内閣法５条は内閣の国会への法案提出権限を認めています。
②法律および政令には、主任の国務大臣が署名し、内閣総理大臣が連署することが必要とされます（憲法74条）。

国会

国会の地位

実践 問題 115 基本レベル

頻出度			
	地上★	国家一般職★	特別区★
	裁判所職員★	国税·財務·労基★	国家総合職★

問 国会に関するア～エの記述のうち、妥当なもののみを挙げているのはどれか。

（国家一般職2023）

ア：常会の会期は150日間であるが、会期中に議員の任期が満限に達する場合には、その満限の日をもって会期は終了する。また、常会の会期の延長は認められていない。

イ：憲法改正は、各議院の総議員の３分の２以上の賛成で国会が発議することとされているが、両議院の意見が一致しないときは、衆議院の優越が認められる。

ウ：国会の会期中に議決に至らなかった案件は後の会期に引き継がれることはないとする原則を「会期不継続の原則」といい、国会法は同原則について定める条文を置いている。

エ：両議院は、各々その総議員の３分の１以上の出席がなければ、議事を開き議決することができない。

1：ア、イ
2：ア、ウ
3：ア、エ
4：イ、エ
5：ウ、エ

チェック欄		
1回目	2回目	3回目

実践 問題 115 の解説

〈国会〉

ア× 本記述前半の内容は国会法10条の規定のとおりであり、妥当であるが、常会は１回まで延長できるので（同法12条２項）、常会の延長は認められていないと述べる本記述後半が妥当でない。

イ× 憲法改正の発議について衆議院の優越が認められると述べる本記述は、憲法の規定と異なるので妥当でない。憲法は、法律（59条２項）、予算（60条２項）、条約の承認（61条）、内閣総理大臣の指名（67条２項）について、議決の効力面での衆議院の優越を認めているが、憲法改正の発議については、衆議院の優越を認めていない。硬性憲法（96条）の建前からすれば、両議院の対等はむしろ当然といえるからである。

ウ○ 本記述は国会法の規定のとおりであり、妥当である。すなわち、国会法68条本文は「会期中に議決に至らなかつた案件は、後会に継続しない」と規定している。これが本記述にいう会期不継続の原則である。

エ○ 本記述は両議院の定足数を正確に述べており、妥当である。憲法56条１項は、両議院の定足数について、両議院は各々その総議員の３分の１以上の出席がなければ、議事を開き議決することができないと規定している。ちなみに、「総議員」とは、現在議員数ではなく、法定議員数であるとするのが先例である。

以上より、妥当なものはウ、エであり、肢５が正解となる。

正答 5

第1章 SECTION 1 国会 国会の地位

実践 問題 116 基本レベル

頻出度	地上★	国家一般職★	特別区★
	裁判所職員★	国税·財務·労基★	国家総合職★

問 **国会に関する次のア～エの記述のうち、妥当なもののみを全て挙げているものはどれか。** **（裁判所事務官2022）**

ア：国会が「唯一の立法機関」であるとは、法規という特定の内容の法規範を定立する実質的意味の立法は、専ら国会が定めなければならない趣旨であるから、国会が定めた法律の個別的・具体的な委任があったとしても、内閣が実質的意味の立法を政令で定めることはできない。

イ：国会議員は、法律の定める場合を除いて、国会の会期中逮捕されないが、「法律の定める場合」とは、議員の所属する議院の許諾のある場合に限られる。

ウ：国会議員は、議院で行った演説、討論又は表決について、院外で責任を問われないが、この「責任」には、民事及び刑事上の責任が含まれる一方、政党が所属議員の発言や表決について、除名等の責任を問うことは含まれない。

エ：各議院は、その議員の資格争訟の裁判権を有するが、これは議員の資格の有無に関する判断について議院の自律性を尊重する趣旨であるから、各議院における裁判について更に裁判所で争うことはできない。

1：ア、イ
2：ア、ウ
3：イ、ウ
4：イ、エ
5：ウ、エ

チェック欄

1回目	2回目	3回目

実践 問題 116 の解説

〈国会〉

ア× 国会が定めた法律の個別的・具体的な委任があれば内閣が政令を定めることもできるので、本記述は妥当でない。憲法41条の「立法」の意味は、特定の内容を持つ法規範の定立という実質的意味の立法である。そして、同条の「唯一」の意味の１つに、国の行う立法は、憲法に特別の定めがある場合（議院規則、最高裁判所規則）を除いて、常に国会を通してなされなければならないという**国会中心立法の原則**がある。もっとも、福祉国家の実現のためには、行政機関に立法を委ねる必要性が高い。また、憲法は委任立法の存在を前提とする規定を置いている（憲法73条６号但書）。そこで、一般的・抽象的な委任（白紙委任）は許されないが、**法律による個別的・具体的な委任**があれば、内閣が実質的意味の立法を政令で定めることもできると解されている。

イ× 院外における現行犯逮捕の場合も含まれるので、本記述は妥当でない。憲法50条にいう「法律の定める場合」とは、**議員の所属する議院の許諾のある場合だけでなく**、**院外における現行犯逮捕の場合**も含まれる（国会法33条・34条）。

ウ○ 憲法51条にいう「**院外で責任を問はれない**」とは、**一般国民が当然に負うべき法的責任を問われないということを意味する**。民事上、刑事上の責任に限られないが、議員の政治責任までも免除することを意味しない。また、政党から院内での発言や投票行動を理由に制裁を受けても、同条の保障は及ばない。

エ○ 憲法55条は、議員の資格に関する争訟は、各議院が行うことを規定している。この議員の資格争訟は、法律上の争訟であるが、**憲法自らがこれを特に議院の自律的決定に委ねた趣旨から、憲法76条１項の例外として、司法審査の対象から除外される**。したがって、各議院における裁判についてさらに裁判所で争うことはできない。

以上より、妥当なものはウ、エであり、肢５が正解となる。

正答 5

第1章 SECTION 1 国会 国会の地位

実践 問題 117 基本レベル

頻出度	地上★	国家一般職★★	特別区★
	裁判所職員★★	国税·財務·労基★★	国家総合職★★

問 国会に関する次の記述のうち、妥当なのはどれか。　(国家総合職2018)

1：日本国憲法下においては、国権の最高機関たる国会の権能は極めて大きいものとなっており、その主要な権能としては憲法改正の発議権、法律の議決権、条約の締結権、内閣総理大臣の指名権が挙げられる。他方で、衆議院解散権と違憲立法審査権により、国会の権能に対する抑制が働いている。

2：国会の権能が広範に及ぶことから、憲法第62条が規定する衆参両議院の国政調査権の範囲は、国政に関連のない私的な事項を除き国政のほぼ全般にわたる。したがって、司法権や検察権との関係については一定の制限があるものの、その他の一般行政権に対しては、国政調査権についての制約はないと一般に解されている。

3：参議院の緊急集会は、衆議院が解散された際に、特別会が召集されるまでの間に国会の開会を要求する緊急の事態が生じたときに、内閣の請求により天皇の召集を経て開かれるものであり、国会の権能を代行するものである。緊急集会でとられた措置はあくまで臨時のものであり、次の国会開会の後10日以内に衆議院の同意がない場合には、将来に向かってその効力を失うとされている。

4：衆参両議院は、院内の秩序を乱した議員を懲罰することができる。ここでいう「院内」とは議事堂という建物の内部に限られず、議場外の行為でも、会議の運営に関連し、又は議員として行った行為で議院の品位を傷つけ、院内の秩序を乱したとされたものは懲罰の対象となるが、議場外の行為で会議の運営と関係のない個人的行為については、懲罰の対象とはならない。

5：憲法第60条の規定により、予算について衆参両議院の議決が異なった場合には、必ず両院協議会が開かれることとなり、協議会でも意見が一致しない場合には衆議院の議決をもって国会の議決とされることとなるが、協議会で成案が得られた場合には、両議院の審議を経ずに、協議会の議決をもって国会の議決とされる。

チェック欄

1回目	2回目	3回目

実践 問題 117 の解説

〈国会〉

1 × 条約の締結権は、国会の権能ではなく内閣の権能である（憲法73条3号本文）。国会は条約の承認を行うのである（憲法73条3号但書、61条、60条2項）。

2 × 憲法は議院内閣制を採用し、内閣の議会に対する連帯責任を定めている（憲法66条3項）ことから、国会による行政監督が期待されており、原則として、行政事項全般にわたって広く国政調査権を行使することができる。もっとも、議院における証人の宣誓及び証言等に関する法律5条は、公務員の「職務上の秘密」に関する事項については、その証言または書類の提出を拒むことができると定めており、国政調査権に制約を課している。したがって、その他の一般行政権に対しては、国政調査権についての制約はないと一般に解されていると述べる本肢は妥当でない。

3 × 天皇は国会を召集する（憲法7条2号）。もっとも、同号の「国会」に参議院の緊急集会は含まれない。二院制（憲法42条）の建前からして参議院だけでは「国会」とはいえないからである。したがって、参議院の緊急集会が天皇の召集を経て開かれると述べる本肢は、参議院の緊急集会を国会の開催と混同するものであり、妥当でない。

4 ○ 本肢は、憲法58条2項本文にいう「院内」の意義を正確に述べており、妥当である。ここに「院内」とは、議事堂という建物を意味するのではなく、人的組織体としての議院を意味する。したがって、議事堂外においても議員として活動する場合、当該行為は懲罰の対象となるが、議院の運営と関係のない議員個人の行為については懲罰の対象とならない。

5 × 予算について衆参両議院の議決が異なった場合には、必ず両院協議会が開催される（憲法60条2項、国会法85条1項）。この両院協議会において協議案が成案に至れば（国会法92条参照）、その成案は、まず、両院協議会を求めた議院で審議され、その後、他の議院に送付する運びとなる（国会法93条1項）。したがって、両院協議会で成案が得られた場合、その成案は両議院の審議を経ることとなるので、両議院の審議を経ずに、協議会の議決をもって国会の議決とされると述べる本肢は妥当でない。

正答 4

第1章 SECTION 1 国会 国会の地位

実践 問題 118 応用レベル

頻出度			
	地上★	国家一般職★	特別区★
	裁判所職員★	国税·財務·労基★	国家総合職★

問 憲法第41条は、国会は「国の唯一の立法機関」であると規定しているが、この「唯一」の内容については、一般に、「国会中心立法の原則」と「国会単独立法の原則」の二つの意味があると考えられている。以下のア～カの記述は、いずれかの原則に関するものであるが、各記述のうち、「国会単独立法の原則」に関する記述のみを組み合わせたものとして妥当なのはどれか。ただし、該当する選択肢が「国会単独立法の原則」に関する記述を全て挙げているとは限らない。（財務・労基2012）

ア：憲法が最高裁判所に規則制定権を認めていることは、この原則の例外に当たる。

イ：内閣法第5条が内閣に法案提出権を認めていることについては、憲法第72条前段の「議案」に法律案も含まれると解されていることや国会は内閣の提出した法律案を自由に修正・否決し得ることなどを理由に、実質的にはこの原則の例外に当たるものではないとする考え方がある。

ウ：大日本帝国憲法（明治憲法）の下で認められていた緊急勅令や独立命令は、この原則に反して許されないと考えられている。

エ：憲法第59条第1項が、法律案は「両議院で可決したとき法律となる」と定めていることは、この原則の趣旨を明らかにしたものと考えることができる。

オ：憲法で規定されているもの以外に、個別の法律案について、国会での議決に先立って国民投票を行うことは、それが投票結果に法的拘束力を認めない諮問的又は助言的なものであれば、この原則に反しないと考えることができる。

カ：憲法第95条が、特定の地方公共団体にのみ適用される特別法を国会が制定するためには、その地方公共団体の住民の投票でその過半数の同意を得なければならないと定めていることは、この原則の例外に当たる。

1：ア、イ、ウ
2：ア、オ、カ
3：イ、ウ、エ
4：ウ、エ、オ
5：エ、オ、カ

実践 問題 118 の解説

チェック欄		
1回目	2回目	3回目

〈国会の地位〉

ア× 憲法が定める国会中心立法の原則の例外として、本記述の最高裁判所が制定する規則（憲法77条１項）や、国会の各議院がそれぞれ制定する規則（憲法58条２項）がある。

イ○ 内閣法５条は、内閣の法案提出権を認めている。これが国会単独立法の原則に反しないか問題となるが、本記述にある理由によれば法律案を議案として国会に提出でき（憲法72条）、また、内閣の法律案は国会の議決を拘束せず法律の成立そのものに影響しないので、国会単独立法の原則にかかわらない（同原則の例外ではない）とする。

ウ× 明治憲法下では、天皇による緊急勅令（明治憲法８条）や独立命令（同９条）を帝国議会の関与なしに制定することが認められていた。しかし、国会中心立法の原則を採る日本国憲法のもとでは、これらの制定は許されない。

エ○ 法律案は、両議院で可決されたときに、法律となる（憲法59条１項）。これは、「立法」が国会の意思のみで成立し、ほかの機関の意思には左右されないことを示しているので、国会単独立法の原則の趣旨を明らかにしたものといえる。

オ○ 憲法が、国会単独立法の原則（憲法41条）や法律が両議院の議決で成立する（憲法59条１項）ことを定めていることからすれば、国会の議決に先立つ国民投票に国会を法的に拘束するような効力を認めることはできない。ただ、国会に対して民意に近づく機会を与えるという面から、諮問的・助言的な国民投票であれば国会単独立法の原則に反しない。

カ○ 憲法は、国会単独立法の原則の例外として、「一の地方公共団体のみに適用される特別法」（地方自治特別法）について、国会の議決のほかに、その地方公共団体の住民投票による過半数の同意を必要としている（憲法95条）。地方自治特別法に住民投票を必要としたのは、特別法による特定の地方公共団体の自治権の侵害の防止や、地方行政における民意の尊重といった理由が挙げられる。

以上より、国会単独立法の原則に関する記述はイ、エ、オ、カであり、肢５が正解となる。

正答 5

第1章 SECTION 1 国会 国会の地位

実践 問題 119 応用レベル

頻出度	地上★	国家一般職★	特別区★
	裁判所職員★	国税·財務·労基★	国家総合職★

問 国会に関するア～オの記述のうち、妥当なもののみを全て挙げているのはどれか。（国家総合職2016）

ア：議院における国会議員の発言の自由を保障するため、国会議員が国会の質疑等の中で個別の国民の名誉又は信用を低下させる発言をしたとしても、事実を摘示する場合には、国家賠償法第1条第1項の規定にいう違法な行為があったものとして国の損害賠償責任が生じることはないとするのが判例である。

イ：憲法は国会に会期制度を採用していると解され、国会の活動は会期中に限られるのが原則であり、これは、一つの会期における国会の独立性を認め、会期と会期との間に意思の継続性がないということを意味する。したがって、会期中に議決に至らなかった案件は、全て後会に継続しない。

ウ：予算の議決、条約の締結の承認及び内閣総理大臣の指名については、参議院が衆議院と異なった議決をした場合には必ず両院協議会を開かなければならない。これに対して、法律案の議決については、参議院が衆議院と異なった議決をした場合でも、必ず両院協議会を開かなければならないわけではない。

エ：衆議院の優越が認められる場合及び住民投票による住民の同意が必要とされる地方特別法の場合を除き、法律案は両議院で可決したとき法律となる。

オ：臨時会の会期は、召集日に、両議院一致の議決で決定するが、両議院の議決が一致しないとき、又は、参議院が議決しないときは、衆議院の議決したところによる。また、臨時会の会期の延長は、二回まで認められている。

1：ア、ウ
2：イ、エ
3：ウ、オ
4：ア、イ、エ
5：ウ、エ、オ

チェック欄
1回目	2回目	3回目

実践 問題 119 の解説

〈国会〉

ア× 判例は、当該国会議員が、その職務とはかかわりなく違法または不当な目的をもって事実を摘示し、あるいは、虚偽であることを知りながらあえてその事実を摘示するなど、当該国会議員がその付与された権限の趣旨に明らかに背いてこれを行使したものと認めうるような特別の事情がある場合には、国家賠償法１条の責任が肯定されるとした（最判平9.9.9）。したがって、国の損害賠償責任が生じることはないとする本記述は妥当でない。

イ× 本記述は、会期不継続の原則に関するものであるが（国会法68条本文）、これには例外があるので妥当でない。すなわち、常任委員会、特別委員会は、議院の議決により特に付託された案件（懲罰事犯の件も含む）については、閉会中も審査することができ（国会法47条２項）、閉会中に審理された案件は、後会に継続するとされている（国会法68条但書）。

ウ○ 予算の議決（憲法60条２項）、条約の締結の承認（憲法61条）、内閣総理大臣の指名（憲法67条２項）につき、衆議院と参議院で異なる議決がなされた場合、必ず両院協議会を開かなければならない。これに対し、法律案の議決については、憲法59条３項が両議院の協議会の開催を「妨げない」と規定しているにすぎず、開催は任意である。

エ× 原則として、法律案は両議院で可決したとき法律となる（憲法59条１項）。もっとも、この原則に対する憲法上の例外として、①本記述の衆議院の優越の場合（同条２項）、②地方特別法の場合（憲法95条）に加えて、③参議院の緊急集会における可決の場合（憲法54条２項・３項）がある。参議院の緊急集会で採られた措置は暫定的ではあるものの効力を有するから、この例外をなす。本記述はこの例外を挙げていないので妥当でない。

オ○ 臨時会の会期は、召集日に、両議院一致の決議で決定する（国会法11条）が、両議院の議決が一致しないとき、または、参議院が議決しないときは、衆議院の議決したところによる（同法13条）。また、臨時会の会期の延長は２回を「超えてはならない」から、２回までなら会期の延長が認められる（同法12条２項）。したがって、本記述は国会法の規定のとおりであり、妥当である。

以上より、妥当なものはウ、オであり、肢３が正解となる。

正答 3

第1章 2 SECTION

国会

国会の構成・活動、参議院の緊急集会

必修問題 セクションテーマを代表する問題に挑戦！

常会、臨時会、特別会、緊急集会それぞれの特徴を混同しないようにきちんと押さえましょう！

問 日本国憲法に規定する国会に関する記述として、妥当なのはどれか。

（特別区2014）

1：衆議院が解散された場合、内閣は、国に緊急の必要があるときは参議院の緊急集会を求めることができるが、当該緊急集会において採られた措置は、次の国会開会の後10日以内に、衆議院の同意がない場合には、その効力を失う。

2：衆議院と参議院で予算について異なった議決をした場合は、衆議院の優越が認められているため、衆議院は両議院の協議会の開催を求める必要はなく、衆議院の議決が直ちに国会の議決となる。

3：内閣総理大臣の指名の議決について、衆議院が議決をした後、国会休会中の期間を除いて10日以内に参議院が議決しない場合、衆議院の総議員の３分の２以上の多数で再び可決したときは、衆議院の議決が国会の議決となる。

4：国の収入支出の決算は、先に衆議院に提出され、参議院で衆議院と異なった議決をした場合、両議院の協議会を開いても意見が一致しないときは、衆議院の議決が国会の議決となる。

5：参議院が、衆議院の可決した条約の締結に必要な国会の承認を受け取った後、国会休会中の期間を除いて30日以内に議決しない場合、衆議院で出席議員の３分の２以上の多数で再び可決したときは、衆議院の議決が国会の議決となる。

直前復習

チェック欄 1回目 2回目 3回目

〈国会〉

1 ○ 衆議院が解散されたときは、参議院は同時に閉会となる（**両院同時活動の原則**）が、内閣は、国に緊急の必要があるときは、参議院の緊急集会を求めることができる（憲法54条2項）。そして、当該緊急集会でとられた措置は、次の国会開会の後10日以内に、衆議院の同意がない場合は、将来に向かってその効力を失うこととなる（憲法54条3項）。

2 × 本肢は、衆議院は両議院の協議会の開催を求める必要はなく、衆議院の議決が直ちに国会の議決となる、としている点で妥当でない。議決の効力面での衆議院の優越は、①法律案、②予算、③条約、④内閣総理大臣の指名の4つがある。このうち、**衆議院と参議院が異なった議決をした場合に両院協議会の開催が義務付けられないのは、法律案だけである**（憲法59条3項）。本肢は、予算について問うており、衆議院は両議院の協議会の開催を求めなければならない（憲法60条1項、国会法85条1項）。

3 × 本肢は、内閣総理大臣の指名につき、衆議院の議決と参議院の議決が異なった場合に、衆議院の再議決を必要とする旨を述べている点において妥当でない。肢2の解説で述べた衆議院の優越のうち、**衆議院の再可決が必要なのは、法律案だけである**（憲法59条2項）。内閣総理大臣の指名につき、衆議院が議決した後、10日以内に参議院が議決しないときは、衆議院の議決が国会の議決となる（憲法67条2項）のであり、衆議院の再議決を必要とするのではない。

4 × 本肢は、決算につき衆議院に先議権がある旨を述べ、また、衆議院の優越を認める旨を述べている点において妥当でない。国の収入支出の決算は、毎年会計検査院が検査し、内閣が、次の年度に国会に提出しなければならない（憲法90条1項）が、予算と異なり、衆議院の先議を認める規定がない（憲法60条1項参照）。また、議決の効力面での衆議院の優越は、肢2の解説で述べたとおり4つであり、決算については憲法上、明文がない。

5 × 本肢は、条約の締結に必要な国会の承認につき、衆議院が議決した後、参議院が議決しない場合に、衆議院の再議決を必要とする旨を述べている点において妥当でない。条約の締結に必要な国会の承認について、衆議院の優越が認められている（憲法61条、60条2項）が、肢3の解説で述べたとおり、**衆議院の再可決が必要なのは法律案だけである**（憲法59条2項）。したがって、条約の締結に必要な国会の承認については、衆議院が議決したところによる。

正答 1

第1章 SECTION 2 国会

国会の構成・活動、参議院の緊急集会

1 二院制、衆議院の優越

(1) 二院制

国会は、衆議院と参議院の二院で構成されます（憲法42条）。

(2) 衆議院の優越

① 権限に関する優越

衆議院は、内閣不信任決議をすることができます。内閣は、衆議院で不信任案を可決し、または信任の決議案を否決したときは10日以内に衆議院が解散されない限り、総辞職をしなければなりません（憲法69条）。

参議院も内閣不信任決議をすること自体は可能です。ただし、衆議院の場合と違って、決議に法的な意味はありません。

予算は先に衆議院に提出しなければなりません（憲法60条１項）。

② 議決に関する優越

	参議院に与えられた議決期間	参議院が議決しない場合の効果	再議決の要否	両院協議会の開催
法律案	60日（59条４項）	衆議院は参議院が否決したものとみなすことができる	必要（59条２項）（＊）	任意的（59条３項）
予算	30日（60条２項）	衆議院の議決が国会の議決となる	不要	必要的（60条２項）
条約	30日（61条・60条２項）	衆議院の議決が国会の議決となる	不要	必要的（61条・60条２項）
内閣総理大臣の指名	10日（67条２項）	衆議院の議決が国会の議決となる	不要	必要的（67条２項）

（＊）法律案の再議決には、出席議員の３分の２以上の多数が必要となります（59条２項）。

2 国会の会期

国会は常時活動しているわけではなく、一定の限られた期間（会期）にのみ活動する会期制を採っています。

会期が終了すると、国会は当然に閉会します。なお、会期中に衆議院が解散された場合には、参議院は同時に閉会となります（両院同時活動の原則。憲法54条２項本文）。

会期の種類	召集の原因・態様	(a)会期の長さ (b)会期の延長
常　会	毎年1回(1月) 定期に(1月中［国会法2条］)	(a)150日間 (b)1回のみ(ただし衆議院の優越)
臨時会	内閣は ①必要に応じていつでも、 ②いずれかの議院の総議員の4分の1以上の要求があれば必ず、召集 その他、衆議院議員の任期満了による総選挙、参議院議員の通常選挙の場合にも内閣に臨時会召集の決定義務が生じる(国会法2条の3)	(a)両院の一致の議決で決定 (b)2回まで可能(ただし衆議院の優越)
特別会	衆議院が解散され、総選挙が行われた後	

国会法上、会期中に議決されなかった案件は原則として次の会期に持ち越さないとする**会期不継続の原則**が採られています（国会法68条本文）。ただしその例外として、各議院の議決で閉会中に委員会が審査することとした議案は、会期不継続の原則の例外として後会に継続されます（国会法68条但書）。

3 会議の原則

(1) 定足数・表決数

各議院は、それぞれ**総議員の3分の1以上の出席**がなければ議事・議決を行うことはできません（憲法56条1項）。

各議院における議決は、原則として、**出席議員の過半数**で行われます（憲法56条2項）。ただし、次のような例外があります。

表決数の例外

出席議員の3分の2以上の多数を要するもの	①会議を秘密会とする議決(憲法57条1項但書) ②資格争訟裁判において、議員の議席を剥奪する議決(憲法55条但書) ③懲罰により議員を除名する議決(憲法58条2項) ④法律案の、衆議院での再議決(憲法59条2項)
総議員の3分の2以上の賛成を要するもの	憲法改正の発議(憲法96条1項)

(2) 会議の公開

・両議院の本会議は原則公開（憲法57条１項本文）
・会議録の公表（憲法57条２項）
　※秘密会で特に秘密を要するものを除く

国民の目に触れさせるのが妥当でない事案については、出席議員の３分の２以上の多数により秘密会とすることができます（憲法57条１項但書）。

4 参議院の緊急集会

参議院の緊急集会とは、衆議院が解散されて、参議院も閉会されている間に、国家に緊急事態が生じた場合に、内閣の求めに応じて開かれる、参議院のみの集会をいいます。

・原則としてすべての国会の権限に属する事項を議決できる
　※憲法改正の発議、内閣総理大臣の指名はできない
・緊急集会で採られた措置は、次の国会開会後10日以内に衆議院の同意が得られなければ、将来に向かって効力を失う（憲法54条３項）

ミニ知識
憲法上の規定はないものの、国会法上、緊急集会中の参議院議員には、国会の会期中の議員と同様の不逮捕特権が認められています（国会法100条）。

memo

国会
国会の構成・活動、参議院の緊急集会

実践 問題 120 基本レベル

頻出度	地上★　国家一般職★　特別区★ 裁判所職員★　国税·財務·労基★　国家総合職★

問 日本国憲法に規定する衆議院の優越に関する記述として、妥当なのはどれか。

(特別区2024)

1：衆議院で法律案を可決し、参議院でこれと異なった議決をした場合に、参議院は両院協議会を開くことを求めることができるが、衆議院はこの両院協議会の請求を拒むことができない。

2：予算及び決算は、先に衆議院に提出しなければならないが、予算及び決算について、参議院で衆議院と異なった議決をした場合において、両院協議会を開いても意見が一致しないときは、衆議院の議決を国会の議決とする。

3：条約の締結に必要な国会の承認について、参議院で衆議院と異なった議決をした場合は、両院協議会を開かずに、衆議院の議決を国会の議決とすることができる。

4：内閣総理大臣の指名について、衆議院が指名の議決をした後、国会休会中の期間を除いて10日以内に参議院が指名の議決をしないときは、衆議院の議決を国会の議決とする。

5：衆議院で内閣の不信任の決議案を可決したときは、内閣は衆議院の解散又は総辞職をしなければならないが、衆議院が内閣の信任の決議案を否決したときは、内閣は必ず衆議院を解散しなければならない。

直前復習

実践 問題 120 の解説

チェック欄		
1回目	2回目	3回目

〈衆議院の優越〉

1 × 衆議院が可決し、参議院が否決した法律案について、「衆議院が」両院協議会の開催を求めることができることは憲法でも認められており（憲法59条3項）、国会法にもその定めがある（国会法84条1項）。これに対し、参議院も両院協議会の開催を衆議院に求めることは可能であるが、衆議院はこの請求を拒むことができる（国会法84条2項）。

2 × 決算の審査について衆議院の優越は認められておらず、また国会の議決を必要としないので、本肢は妥当でない。予算については本肢のとおり衆議院の優越が認められている（憲法60条）。しかし、決算は明治憲法時代以来の慣例により、両議院それぞれに提出され、両議院が個別に審査するため、衆議院の優越は認められていない。さらに、決算は国会に「提出」することが求められているにすぎず（憲法90条1項）、国会の議決は不要とされている。

3 × 条約の締結に必要な国会の承認（憲法73条3号但書）について、参議院で衆議院と異なった議決を行った場合、憲法61条は予算について両議院が異なる議決を行った場合を規定した憲法60条2項を準用している。したがって、条約の承認の議決の場合、両院協議会を開かなければならない。

4 ○ 内閣総理大臣の指名について、衆議院と参議院が異なった指名の議決をした場合に、両院協議会を開催しても意見が一致しないとき、または衆議院が指名の議決をした後、国会休会中の期間を除いて10日以内に参議院が指名の議決をしないときは、衆議院の議決を国会の議決とする（憲法67条2項）。したがって、本肢は憲法の規定のとおりであり、妥当である。

5 × 内閣は、衆議院で不信任の決議案を可決し、または信任の決議案を否決したときは、10日以内に衆議院が解散されない限り、総辞職しなければならない（憲法69条）。したがって、不信任決議案の可決と信任決議案の否決で効果に違いが生ずることはなく、信任決議案が否決されたときも内閣は衆議院の解散または総辞職をすることになる。

正答 4

国会

国会の構成・活動、参議院の緊急集会

実践 問題 121 基本レベル

頻出度	地上★	国家一般職★	特別区★
	裁判所職員★	国税·財務·労基★	国家総合職★

問 国会に関するア～オの記述のうち、妥当なもののみを挙げているのはどれか。

(国家総合職2024)

ア：条約の締結に必要な国会の承認については、条約が外国との間における国際法上の権利・義務関係の創設・変更に関わるものであることの重要性に鑑みて、予算の議決の場合と同様に、衆議院に先議権が認められている。

イ：法律案の議決について、参議院が、衆議院の可決した法律案を受け取った後、国会休会中の期間を除いて60日以内に議決しないときは、衆議院は、参議院がその法律案を否決したものとみなすことができる。

ウ：国会の会期の種類には、常会、臨時会及び特別会があるが、衆議院が解散されたときに、衆議院議員の総選挙の日から30日以内に召集されるのは、臨時会である。

エ：両議院の議員は、院外における現行犯罪の場合又は議員の所属する議院の許諾のある場合でなければ、国会の会期中逮捕されない。

オ：法律案は、衆議院の優越が認められる場合及び住民投票による住民の同意が必要とされる地方特別法の場合を除き、両議院で可決したとき法律となる。

1：ア、ウ
2：ア、オ
3：イ、エ
4：イ、オ
5：エ、オ

チェック欄

1回目	2回目	3回目

実践 問題 121 の解説

〈国会〉

ア× 憲法上、条約の締結に必要な国会の承認について、衆議院に先議権はない（同法61条・60条2項）。この点が、予算について衆議院に先議権が認められている（同法60条1項）のとは異なる。

イ○ 本記述は、憲法の規定のとおりであり、妥当である。法律案の議決については、参議院が、衆議院の可決した法律案を受け取った後、国会休会中の期間を除いて60日以内に議決しない場合、衆議院は参議院がその法律案を否決したものとみなすことができる（憲法59条4項）。

ウ× 衆議院の解散による総選挙の後に召集される国会を臨時会と述べる本記述は、国会法の規定と異なるので妥当でない。衆議院が解散されたときは、解散の日から40日以内に衆議院議員の総選挙を行い、その選挙の日から30日以内に国会が召集されるが（憲法54条1項）、この国会は特別会である（国会法1条3項）。

エ○ 不逮捕特権（憲法50条）の保障が及ばないのは、所属する議院の許諾のある場合と、院外における現行犯罪の場合である（国会法33条）。

オ× 憲法上、本記述以外にも例外が認められているので、妥当でない。法律案は、原則として両議院で可決したとき法律となる（憲法59条1項）が、その例外として住民の投票による地方特別法の制定の場合（同法95条）のほかに、衆議院の再議決による場合（同法59条2項）、参議院の緊急集会における議決の場合（同法54条2項・3項）がある。

以上より、妥当なものはイ、エであり、肢3が正解となる。

正答 3

国会
国会の構成・活動、参議院の緊急集会

実践 問題 **122** 基本レベル

頻出度	地上★　国家一般職★　特別区★ 裁判所職員★　国税·財務·労基★　国家総合職★

問 衆議院の優越に関する次のア～オの記述のうち、妥当なもののみを全て挙げているものはどれか。（裁判所事務官2023）

ア：法律案は、必ず衆議院から審議しなければならない。

イ：法律案について、衆議院で可決し、参議院でこれと異なる議決をした場合には、両院協議会を開き、これを開いても意見が一致しないときは、衆議院の議決が国会の議決となる。

ウ：予算案は、必ず衆議院から審議しなければならない。

エ：予算案について、衆議院で可決し、参議院でこれと異なる議決をした場合には、両院協議会を開き、これを開いても意見が一致しないときは、衆議院の議決が国会の議決となる。

オ：条約の締結に必要な国会の承認については、法律案の議決の手続に関する規定が準用される。

1：ア、イ
2：ア、オ
3：イ、ウ
4：ウ、エ
5：エ、オ

チェック欄		
1回目	2回目	3回目

実践 問題 122 の解説

〈衆議院の優越〉

ア× 法律案につき衆議院に先議権を認める本記述は、憲法の規定と異なるので妥当でない。権限に関する衆議院の優越は、内閣不信任決議（憲法69条）と予算の先議権（憲法60条1項、記述ウの解説参照）に限られている。

イ× 法律案につき、衆議院で可決し、参議院でこれと異なる議決をした場合に両院協議会を開催する義務があり、そこでの意見が一致しないときは衆議院の議決が国会の議決となると述べる本記述は、憲法の規定と異なるので妥当でない。衆議院で可決し、参議院でこれと異なった議決をした法律案は、衆議院で出席議員の3分の2以上の多数で再び可決したときは、法律となる（憲法59条2項）。この場合において、両院協議会の開催は任意的である（同条3項）。

ウ○ 本記述は憲法60条1項の規定のとおりであり、妥当である。予算は、先に衆議院に提出しなければならない（憲法60条1項）。この規定は、予算は国民の負担に帰するものであり、その使途に強い関心を抱く国民の意思をより直接的に代表する衆議院に予算の先議権を認めたものである。

エ○ 本記述は憲法60条2項の規定のとおりであり、妥当である。予算について、参議院で衆議院と異なった議決をした場合に、法律の定めるところにより、両院協議会を開いても意見が一致しないとき、または参議院が、衆議院の可決した予算を受け取った後、国会休会中の期間を除いて30日以内に、議決しないときは、衆議院の議決を国会の議決とする（憲法60条2項）。法律案の場合（記述イの解説参照）と異なり、両院協議会の開催が必要的であり、両院協議会で意見が一致しなかった後は再可決を必要としない。

オ× 条約の締結に必要な国会の承認について、法律案の議決の規定が準用されると述べる本記述は、憲法の規定と異なるので妥当でない。条約の承認に関する議決の効力について、憲法は60条2項の予算案の議決における優越（記述エの解説参照）を準用している（憲法61条）。

以上より、妥当なものはウ、エであり、肢4が正解となる。

正答 4

国会

国会の構成・活動、参議院の緊急集会

実践 問題 123 基本レベル

頻出度			
	地上★	国家一般職★	特別区★
	裁判所職員★	国税·財務·労基★	国家総合職★

問 国会に関する次の記述のうち、妥当なのはどれか。（国税・財務・労基2019）

1：予算及び条約の締結に必要な国会の承認は、先に衆議院で審議されなければならない。

2：両議院は、院内の秩序を乱した議員を懲罰することができるが、選挙によって選ばれた議員の身分を剥奪することは許されないため、懲罰として議員を除名することはできない。

3：参議院の緊急集会で採られた措置は、臨時のものであって、次の国会開会の後10日以内に衆議院の同意がない場合には、その効力を失う。

4：国会が罷免の訴追を受けた裁判官を裁判するために設置する弾劾裁判所は、両議院の議員で組織されるのが原則であるが、法律で定めれば、その裁判員に両議院の議員以外の者を加えることができる。

5：両議院の議員は、国会の会期中、院内若しくは院外における現行犯罪の場合又はその所属する議院の許諾がある場合を除き、逮捕されない。

チェック欄

1回目	2回目	3回目

実践 問題 123 の解説

〈国会〉

1 × 条約の締結に必要な国会の承認については、衆議院で先に審議される必要はないので、本肢は妥当でない。予算および条約の締結はいずれも国会の議決・承認を必要とする（憲法60条・61条）。もっとも、予算については衆議院の先議が規定されているが（憲法60条1項）、条約の承認については衆議院の先議は規定されていない（憲法61条は60条1項を準用していない）。したがって、条約の締結に必要な国会の承認についての審議順序は特に規定されていないため、参議院から審議してもよいことになる。

2 × 両議院は、院内の秩序を乱した議員の懲罰として、当該議員を除名することもできるので、本肢は妥当でない。両議院は、院内の秩序を乱した議員を懲罰することができる（憲法58条2項本文後段）。この懲罰には、除名することが含まれている（憲法58条2項但書）。

3 ○ 衆議院が解散され特別会が召集されるまでの間に、法律の制定・予算の改定その他国会の開会を要する緊急の事態が生じた場合に、臨時に国会を代行するのが参議院の緊急集会である。このような緊急集会でとられた措置は、臨時のものであるから、次の国会開会の後10日以内に衆議院の同意がない場合には、その効力を失う（憲法54条3項）。

4 × 弾劾裁判所の裁判員に、両議院の議員以外の者を加えることを法律で定めることはできないので、本肢は妥当でない。弾劾裁判所の構成について、憲法は「両議院の議員で組織する」と定めているので（憲法64条1項）、法律をもってしても、弾劾裁判所の裁判員に両議院の議員以外の者を加えることはできない。実際に、弾劾裁判所は、両議院においてその議員の中から選挙された7名ずつの裁判員で組織されている（国会法125条1項、裁判官弾劾法16条1項）。

5 × 憲法は、「両議院の議員は、法律の定める場合を除いては、国会の会期中逮捕され」ない（憲法50条前段）と規定し、いわゆる議員の不逮捕特権を定めている。「法律の定める場合」とは、院外における現行犯罪と議員の所属する議院の許諾のある場合の2つである（国会法33条）。したがって、院内における現行犯罪の場合は「法律の定める場合」にあたらず、議員の不逮捕特権の保障が及ぶことになる。

正答 3

第1章 SECTION ② 国会

国会の構成・活動、参議院の緊急集会

実践 問題 124 基本レベル

頻出度	地上★	国家一般職★	特別区★
	裁判所職員★	国税·財務·労基★	国家総合職★

問 日本国憲法に規定する参議院の緊急集会に関する記述として、通説に照らして、妥当なのはどれか。 （特別区2021）

1：衆議院が解散されたときは、参議院は同時に閉会となるが、国に緊急の必要があるときは、参議院は、自発的に緊急集会を行うことができる。

2：緊急集会の要件である、国に緊急の必要があるときとは、総選挙後の特別会の召集を待てないような切迫した場合をいい、その例として自衛隊の防衛出動や災害緊急措置があるが、暫定予算の議決はこれに含まれない。

3：緊急集会の期間中、参議院議員は、国会の通常の会期中とは異なり、不逮捕特権及び免責特権を認められていない。

4：緊急集会は、国会の代行機能を果たすものであり、その権限は法律や予算等、国会の権限全般に及ぶものであることから、議員による議案の発議は、内閣が示した案件に関連のあるものに限らず行うことができる。

5：緊急集会において採られた措置は、臨時のものであって、次の国会開会の後10日以内に、衆議院の同意がない場合には、その効力を失う。

チェック欄

1回目	2回目	3回目

実践 問題 124 の解説

〈参議院の緊急集会〉

1 × 参議院が自発的に緊急集会を行うことはできないので、本肢は妥当でない。衆議院が解散されたときは、参議院は同時に閉会となる（両院同時活動の原則。憲法54条2項本文）ので、本肢前半は正しい。しかし、参議院の緊急集会は内閣の要求に基づいてのみ開催される（憲法54条2項但書、国会法99条）。

2 × 暫定予算の議決も「国に緊急の必要があるとき」に含まれるので、本肢は妥当でない。参議院の緊急集会の開催要件は、①衆議院が解散中であること、②内閣の要求があること、③国に緊急の必要があることである（憲法54条2項但書）。そして、この「国に緊急の必要があること」には、暫定予算の議決のように緊急に国会の議決を必要とする国政上の重要問題が起こった場合も含まれる。1953年には実際に昭和28年度一般会計暫定予算などの議決のために緊急集会が開催されている。

3 × 緊急集会の期間中も不逮捕特権および免責特権が認められるので、本肢は妥当でない。緊急集会の期間は国会の会期中そのものではないが、国会の会期中に準じるものとして、不逮捕特権（憲法50条、国会法100条）・免責特権（憲法51条）が認められる。

4 × 参議院議員による議案の発議は、内閣総理大臣から示された案件に関連するものに限り認められているので、本肢は妥当でない。参議院の緊急集会の要求権が内閣にのみ与えられていることとの整合性から、緊急集会において参議院は内閣提出の案件およびそれと関連する事項についてのみ権能を行使できるものとされている（議案の発議につき国会法101条、請願につき同法102条）。

5 ○ 緊急集会で採られた措置は、あくまでも臨時の代行措置であるから、次の国会（特別会）開会の後10日以内に、衆議院の同意を得なければならない。衆議院の同意がない場合には、将来に向かってその効力を失うことになる（憲法54条3項）。

正答 5

国会

国会の構成・活動、参議院の緊急集会

実践 問題 125 基本レベル

頻出度	地上★	国家一般職★	特別区★
	裁判所職員★	国税·財務·労基★	国家総合職★

問 国会に関する次の記述のうち、妥当なのはどれか。 (国家一般職2019)

1：常会、臨時会及び特別会の会期は、それぞれ召集の都度、両議院一致の議決で定めなければならない。

2：常会、臨時会及び特別会の会期は、両議院一致の議決で延長することができるが、いずれの場合も、会期の延長ができる回数についての制限はない。

3：特別会は、衆議院の解散による総選挙の日から30日以内に召集されるが、その召集の時期が常会の召集時期と重なる場合には、常会と併せて召集することができる。

4：国会の会期中に議決に至らなかった案件は、原則として後会に継続しない。これを会期不継続の原則といい、憲法上明文で規定されている。

5：国会は、会期が満了すれば閉会となり、会期中に期間を定めて一時その活動を休止することはあっても、会期の満了を待たずに閉会することはない。

チェック欄

1回目	2回目	3回目

実践 問題 125 の解説

〈国会の会期〉

1 × 常会の会期は、150日間と国会法で定められているため、本肢は妥当でない。臨時会と特別会は定期的に召集されるわけではないから、それぞれの会期は召集の都度、両議院の一致で定められる（国会法11条）。他方、常会は毎年１回定期的に召集されるところ（憲法52条）、会期は原則として150日間と定められている（国会法10条本文）。

2 × それぞれの会期の延長ができる回数には制限があるため、本肢は妥当でない。常会、臨時会および特別会の会期は、両議院一致の議決で延長することができる（国会法12条１項）。もっとも、会期の延長は、常会については１回、特別会および臨時会については２回を超えてはならないという、回数制限がある（同条２項）。

3 ○ 本肢は、憲法および国会法の規定するとおりであり、妥当である。特別会は、衆議院の解散の日から40日以内に衆議院議員の総選挙を行い、その選挙の日から30日以内に召集される国会である（憲法54条１項）。そして、特別会と常会の召集時期が重なる場合には、特別会は常会と併せて召集することができる（国会法２条の２）。

4 × 会期不継続の原則を定めた憲法上の規定は存在しないため、本肢は妥当でない。会期不継続の原則とは、各会期は独立して活動し、会期中に議決されなかった案件は後会に継続しないとする原則をいう。もっとも、この原則は、憲法には規定がなく、国会法において定められているにすぎない（国会法68条）。

5 × 国会は会期の満了を待たずに閉会することもあるため、本肢は妥当でない。国会は、会期が満了すれば閉会となるが、会期中に衆議院が解散されたとき（憲法54条２項）または常会の会期中に議員の任期が満限に達したとき（国会法10条但書）には会期の満了を待たずに閉会となる。なお、国会または各議院が、会期中一定の期間を定めて一時その活動を休止することを「休会」といい、国会法15条に規定がある。

正答 3

国会の権能

必修問題 セクションテーマを代表する問題に挑戦！

条約の承認等、過去問を解いて基礎を押さえましょう。

問 条約に関する記述として、妥当なのはどれか。　　（東京都2002）

1：文書による国家間の合意のうち、条約の名称を有するものの成立には、国会による承認を要するが、協定や協約の名称を有するものの成立には、国会の承認を要しない。
2：内閣が国会に条約案を提出するにあたっては、衆議院の先議は必要ないが、条約の承認の議決については、衆議院の優越が認められている。
3：国会は、条約案を一括承認するかしないかだけではなく、修正付き承認をすることができ、修正された場合には、修正された内容で条約が確定する。
4：条約の国内法としての効力は、内閣が公布することによって発生し、条約が法律と抵触する場合には、条約の効力が劣るとされている。
5：砂川事件判決で最高裁判所は、日米安全保障条約が一見明白に違憲無効である外観を呈するとしたが、同条約が高度な政治性を有することから、違憲・合憲の法的判断は、司法審査になじまないとした。

直前復習

Guidance ガイダンス

条約の意味

条約という名称の有無にかかわらず、実質的意味の条約を指す。

条約の承認の議決

事前または事後に国会の承認を得ることが必要。

〈砂川事件判決〉

日米安全保障条約は高度の政治性を有するので、一見きわめて明白に違憲無効であると認められない限り裁判所の司法審査は及ばない。そして本条約は、一見きわめて明白に違憲無効と認められないので、司法審査の範囲外。

頻出度	地上★	国家一般職★	特別区★
	裁判所職員★	国税·財務·労基★	国家総合職★

チェック欄		
1回目	2回目	3回目

〈条約〉

1 × 憲法73条3号により国会の承認に付される条約は、条約という名称の有無にかかわらず実質的意味の条約（政府見解では、法律事項・財政事項を含む国際約束と、わが国と相手国との間あるいは国家間一般の基本的な関係を法的に規定するという意味において政治的に重要な国際約束であって、発効のために批准が要件とされているもの）をいうとされる。

2 ○ 条約の承認については、すみやかな承認を実現すべく、憲法61条で、予算の議決に関する衆議院の優越の規定である憲法60条2項を準用している。しかし、憲法61条は、衆議院の予算先議の規定である憲法60条1項は準用していない。

3 × 国会の条約修正権の肯否について争いがあるが、肯定説も、条約は相手国との合意で成立するものであるから、国会の修正は内閣の再交渉を義務付けるものにとどまるとしている。

4 × 条約を公布するのは天皇である（憲法7条1号）。さらに、法律と条約の優劣について、通説は、条約が法律に優位すると解している。

5 × 砂川事件で最高裁判所は、日米安全保障条約が高度な政治性を有することから、その違憲·合憲の法的判断は、原則として司法審査になじまないとし、一見きわめて明白に違憲無効であると認められない限りは、裁判所の司法審査権の範囲外のものであるとしたうえで、本条約は、一見きわめて明白に違憲無効であると認められないと判示した（最大判昭34.12.16）。

正答 2

第1章 SECTION 3 国会

国会の権能

1 国会の権能

憲法上の国会の権能として、①憲法改正の発議・提案権（憲法96条１項）、②立法権（憲法41条）、③条約の承認権（憲法73条３号但書）、④内閣総理大臣の指名権（憲法67条１項）、⑤弾劾裁判所の設置権（憲法64条１項）、⑥財政に対する統制権（憲法83条以下）があります。

2 条約の承認（73条３号但書）

条約を締結する権能は内閣のみにありますが、**条約の締結には、事前または事後に国会の承認を得ることが必要**とされています（73条３号但書）。承認は条約締結前に行われるのが原則ですが、緊急やむをえない場合など特に理由がある場合には、条約締結後の承認でもよいとされています。

条約とは、文書による国家間の国際法上の合意のことをいいます。
「条約」という名称が用いられているとは限りません。
例　国際連合憲章

補足

条約について、国会が事前の承認を拒否した場合、内閣はその条約を締結することができなくなります。したがって、その条約が国内法的にも国際法的にも効力を持つことはありません。これに対して、国会が事後の承認を拒否した場合、その条約が国内法的には無効になることに争いはありませんが、国際法的に有効になるか無効になるかについては争いがあります。この点、通説的見解では無効になると解されています。

国会は、条約を一括して承認するか承認を拒否するかしかできず、条約を修正することはできないと解されています。

memo

国会の権能

実践 問題 126 基本レベル

頻出度 地上★ 国家一般職★ 特別区★ 裁判所職員★ 国税·財務·労基★ 国家総合職★

問 日本国憲法に規定する国会又は議院の権能に関する記述として、通説に照らして、妥当なのはどれか。 （特別区2023）

1：両議院は、各々その役員を選任するが、議院の役員は、議長、副議長、仮議長及び事務総長に限られる。

2：内閣が条約の締結について国会に事前承認を求めた場合に、承認が得られないときであっても、条約は有効に成立する。

3：皇室が財産を譲り渡す場合は、国会の議決に基づかなければならないが、皇室が財産を譲り受ける場合は、国会の議決を経る必要は一切ない。

4：国会は、内閣が提出する国の収入支出の決算を審査し、議決するが、当該決算を否決した場合、既になされた支出の法的効果に影響を及ぼす。

5：憲法の改正は各議院の総議員の３分の２以上の賛成で国会が発議をするが、この発議とは、国民投票に付す憲法改正案を国会が決定することをいう。

チェック欄

1回目	2回目	3回目

実践 問題 126 の解説

〈国会・議院の権能〉

1 × 両議院は、各々その議長その他の役員を選任する（憲法58条1項）。この「役員」について、国会法では、議長、副議長、仮議長、常任委員長および事務総長を各議院の役員と規定している（国会法16条）。したがって、常任委員長を含めていない本肢は妥当でない。

2 × 事前の承認が得られなかった場合、条約は成立しないので本肢は妥当でない。内閣が条約を締結するに際しては、事前に、時宜によっては事後に、国会の承認を経ることを要する（憲法73条3号但書）。もし事前の承認が得られなかったならば、条約は成立せず、国内法的にも国際法的にも効力を生じない。なお、この場合、内閣は条約締結後に国会の承認を求めることになる。事後の承認を得られなかった場合については、国内法的効力は発生しない一方で、国際法的に有効かどうかについては争いがあるが、通説的見解では、国際法的にも無効となるとされている。

3 × 皇室の財産譲受に国会の議決不要とする点で憲法の規定と異なるので、本肢は妥当でない。**皇室に財産を譲り渡し、または皇室が、財産を譲り受け、もしくは賜与することは、国会の議決に基づかなければならない**（憲法8条）。したがって、皇室が財産を譲り渡す（賜与する）場合も、皇室が財産を譲り受ける場合も国会の議決を必要とするので、本肢は妥当でない。

4 × 決算は国会の議決を必要とせず、決算が各議院で否決されても、支出の法的効果には影響がないので、本肢は妥当でない。決算は、会計検査院がこれを検査したうえで、次の年度に内閣が検査報告とともに国会に提出しなければならない（憲法90条1項）。条文上、憲法で要求されているのは内閣の決算提出義務であり、国会の承認ないし議決は要求されていない。そのため、決算は両議院それぞれに提出され、各議院で別個に審査し、承認の議決をとっても他院に送付しない。また、**決算が否決された場合でも、内閣の政治的責任が生ずるにとどまり、支出の法的効果に影響しないと解され**ている。

5 ○ 本肢は憲法および国会法の規定のとおりであり、妥当である。憲法改正は、各議院の総議員の3分の2以上の賛成で、国会がこれを発議する（憲法96条1項前段）。そして、「発議」については国会法に規定があり、憲法改正原案について国会において最後の可決があった場合に、その可決をもって、憲法改正の発議をしたものとされる（国会法68条の5第1項）。すなわち、「発議」とは、国民投票に付すべき憲法改正案を国会が決定することである。

正答 5

国会の権能

実践 問題 127　基本レベル

頻出度　地上★　国家一般職★　特別区★
裁判所職員★　国税･財務･労基★　国家総合職★

問 国会に関するア～オの記述のうち、妥当なもののみを全て挙げているのはどれか。 (国家総合職2019)

ア：憲法第62条に規定されている国政調査権の行使に際しては、基本的人権を侵害するような調査は許されず、憲法第38条の黙秘権の保障は、国政調査における証言についても及ぶと一般に解されている。

イ：衆議院が解散されたとき、参議院は必ず閉会となるが、閉会中に国に緊急の必要があるときは、内閣のみが参議院の緊急集会を求めることができる。

ウ：両議院の本会議及び委員会は、いずれも原則公開とすることが憲法上規定されており、これらを秘密会とするためには、出席議員の３分の２以上の多数による議決が必要とされる。

エ：両議院は、各々その会議その他の手続に関する規則を定めることができるとされており、両院協議会に関する手続は、法律で定められておらず、各議院の議院規則で定められている。

オ：内閣は、両議院のいずれかで内閣不信任案が可決された場合、10日以内に衆議院が解散されない限り、総辞職しなければならない。

1：ア、イ
2：ア、エ
3：イ、エ
4：ウ、オ
5：エ、オ

チェック欄		
1回目	2回目	3回目

実践 問題 127 の解説

〈国会〉

ア○ 国政調査権によっても国民の基本的人権を侵害するような調査は許されない。たとえば、思想の露顕を求めるような質問は、思想・良心の自由（憲法19条）の侵害になるので、証人は証言を拒絶することができるし、また、憲法38条の黙秘権（自己に不利益な供述を強要されない権利）の保障は、国政調査の領域においても妥当すると解されている（議院証言法４条参照）。

イ○ 緊急集会を求めることができるのは内閣のみであり（憲法54条２項但書）、参議院議員にその権能はない。緊急集会の必要性の有無は、行政権の担い手であり、日常の行政運営の責任者である内閣が最も正確に判断できる地位にあるからである。

ウ× 憲法57条１項は「両議院の会議は、公開とする」とし、会議公開の原則を定めている。ここに「会議」とは、本会議を意味し委員会を含まない。この点において本記述は妥当でない。委員会について国会法は、「委員会は、議員の外傍聴を許さない。但し、報道の任務にあたる者その他の者で委員長の許可を得たものについては、この限りでない。」（国会法52条１項）と規定し、非公開を原則としている。委員会は本会議の準備段階にすぎないことから、会議公開の原則は妥当しないのである。

エ× 両院協議会に関する手続は、国会法10章「両議院関係」（83条以下）に規定されている。国会法は法律なので、本記述の「法律で定められておらず」という点が妥当でない。

オ× 法的効力のある内閣不信任決議は衆議院だけの権能である（憲法69条）。議院の意思表明である決議は、憲法69条などのように憲法や法律に明記されている決議を除いて、法的拘束力はなく、政治声明的な意味合いにとどまる。参議院も問責決議をすることができるが、当該決議は政治的・道義的効果を有するにすぎず、内閣を総辞職に追い込む法的効力はない。

以上より、妥当なものはア、イであり、肢１が正解となる。

正答 1

第1章 4 SECTION

国会
議院の権能

必修問題 セクションテーマを代表する問題に挑戦！

国政調査権については、その法的性質を押さえたうえで、権力分立や人権の尊重から限界を理解することが求められます。

問 議院の国政調査権に関する次の記述のうち、明らかに誤っているものはどれか。 （裁事2004）

1：裁判所で審理中の事件の事実関係について、適法な目的で、裁判と並行して調査することは、司法権の独立を侵すものではなく、許容される。

2：検察権に関する調査が、起訴・不起訴に関する検察権の行使に政治的圧力を加えることが目的と考えられる場合には、違法ないし不当なものであって許されない。

3：議院により証人として喚問された者は、思想の露顕を求めるような質問を受けた場合であっても、証言を拒むことはできない。

4：国政調査権の性質につき、議院に与えられた権能を実効的に行使するために認められた補助的権能であるという見解をとった場合でも、国政に関連のない純粋に私的な事項を除き、国政のほぼ全体が調査の対象となる。

5：行政権の作用については、その合法性と妥当性について、原則として全面的に国政調査権の対象となる。

直前復習

Guidance ガイダンス

国政調査権の法的性質

・**独立権能説**
憲法41条の「国権の最高機関」性に基づく、国権統括のための独立の権能

・**補助的権能説**
議院に与えられた権能を実効的に行使するために認められた補助的権能（通説）

国政調査権の限界

・司法権との関係
係属中の事件につき、裁判と同じ目的で調査することはできない

・検査権との関係
起訴・不起訴に圧力を加える調査はできない

必修問題の解説

チェック欄 1回目 2回目 3回目

〈国政調査権〉

1 ○ 両議院は、司法権の独立（憲法76条３項など）を侵害する場合、すなわち裁判官のなす裁判に事実上重大な影響を及ぼすような場合には、国政調査権を行使できない。そのため、審理中の事件の訴訟指揮を批判したり、確定した後であっても、その裁判の内容の当否を調査したりすることは許されない。ただし、審理中の事件であっても、裁判所と異なる正当な目的（立法目的・行政監督の目的など）での調査（並行調査）ならば、裁判官のなす裁判に事実上重大な影響を及ぼすおそれはなく、司法権の独立は害されないため、許されると解されている。

2 ○ 検察事務は行政権であるから、後述するように（肢５解説参照）国政調査の対象となるが、その反面、裁判と密接にかかわる準司法的作用でもあるため、司法権の独立に準じた配慮が必要とされる。そのため、起訴・不起訴といった検察権の行使に政治的圧力を加えることを目的とした調査や、公訴追行の内容を対象とする調査などは、違法ないし不当なものとして許されないと解されている。

3 × 国政調査権の行使に際し、国民の基本的人権を侵害するような手段・方法を採ることは許されない。そのため、証人として喚問された者が思想の露顕を求めるような質問を受けた場合、当該証人は、憲法19条の思想・良心の自由、憲法38条１項の黙秘権、議院証言法７条の「正当の理由」を根拠として、そうした証言を拒める。

4 ○ 国政調査権の性質を、本肢のような補助的権能と捉えたとしても、国会の権能、特に立法権は広範な事項に及んでいるので、国政調査権の及ぶ範囲は、国政に関連のない純粋に私的な事項を除き、国政のほぼ全般にわたると解されている。

5 ○ 議院内閣制（憲法66条３項）のもと、国会には行政に対する広範な監督・統制権が認められていることから、原則として行政権の作用は、その合法性・妥当性について、全面的に国政調査の対象になると解されている。

正答 3

国会
議院の権能

1 議院の自律権

議院の自律権の内容

役員選任権（58条１項）	議長その他の役員を選任する権限
規則制定権（58条２項）	議院における会議その他の手続および内部規律に関する規則を定める権限
議員懲罰権（58条２項）	院内の秩序を乱した議員を懲罰する権能 ※「院内」とは人的組織としての議院を意味し、議事堂外での議院の運営に関連する活動についても懲罰権の対象となりうる。
資格争訟裁判権（55条）	議員の資格に関する争訟を裁判する権限 ※「議員の資格」とは議員の地位を保つことのできる資格のことで、被選挙権があること、兼職禁止規定に抵触しないことの２つがある。
議員の逮捕の許諾権、釈放要求権（50条）	会期中に議員を逮捕することを許諾する権限、および、会期前に逮捕された議員の釈放を要求する権限

2 国政調査権（憲法62条）

両議院は、国政に関する調査を行い、これに関して証人の出頭・証言、記録の提出を求めることができます。

独立権能説	国政調査権は国会が国権の最高機関であることから認められた、他の諸権能とは独立した権能であり、国政全般にわたって行使できる、と解する見解。 ⇔批判：このように解することは三権分立に反する。
補助的権能説	法律の制定、予算審議等の国会・議院の権能を効果的に行使するために補助的に与えられた権能と解する見解（通説）。

ただし、国政調査権には、権力分立や人権の尊重から、次のような限界があります。

① 司法権との関係では、司法権の独立の観点から、**裁判官の訴訟指揮や裁判の判決内容を批判する目的の調査は許されません**。もっとも、裁判が行われているのと同じ事項について、議院が別個の目的で調査を行うことは認められます。

② 検察権は行政権に属しますが、**準司法的作用を有するものであるため**、国政調査権が制限されることがあります。

③ 内閣の権能に属する行政事務については、全般にわたり国政調査権を行使することが認められます。ただし、**公務員の職務上の秘密に関する事項には調査権は及ばないとされます**。

④ **基本的人権を侵害するような調査は**、許されないものとされています。たとえば、証人に対して思想の露見を求めるような質問をすることは、憲法19条が保障する思想・良心の自由を害するおそれがあるため、認められません。

memo

国会

議院の権能

実践 問題 128 基本レベル

頻出度	地上★★	国家一般職★	特別区★★
	裁判所職員★★	国税·財務·労基★	国家総合職★

問 日本国憲法に規定する議院の国政調査権に関する記述として、通説に照らして、妥当なのはどれか。 (特別区2017)

1：国政調査権は、国会の国権の最高機関性に基づく、国権を統括するための独立の権能であるが、国政調査権の及ぶ範囲は立法に限られ、国政全般には及ばない。

2：国政調査権は、その行使に当たって、証人の出頭及び証言並びに記録の提出の要求のほか、住居侵入、捜索、押収も強制力を有する手段として認められている。

3：国政調査権は、議院の保持する権能を実効的に行使するためのものでなければならず、議院は、調査を特別委員会又は常任委員会に付託して行わせることはできない。

4：国政調査権は、公務員が職務上知りえた事実について、本人から職務上の秘密に関するものであることを申し立てたときは、当該公務所の承認がなければ、証言を求めることができないが、書類の提出を求めることはできる。

5：国政調査権は、裁判所で係属中の事件について、裁判官の訴訟指揮又は裁判内容の当否を批判する調査をすることは許されないが、議院が裁判所と異なる目的から、適正な方法で裁判と並行して調査をすることは可能である。

実践 問題 128 の解説

チェック欄

1回目	2回目	3回目

〈国政調査権〉

1 × 国政調査権の法的性質につき、①憲法の他の条項により各議院に与えられた諸権能とは独立した権能と解する独立権能説と、②国会・議員の権能を実効的に行使するため補助的に付与された権能と解する補助的権能説が対立するが、②が通説である。よって、本肢は妥当でない。また、②の補助的権能説でも、調査の範囲は立法に限られず、予算審議や行政監督など国政全般にわたるので、この点でも妥当でない。

2 × 住居侵入などの人権侵害を伴う国政調査権の行使は許されないので、本肢は妥当でない。国政調査権行使の方法について、憲法62条は、両議院が各々、証人の出頭、証言、記録の提出を要求できると定める。これらについて各議院がそれぞれ強制権を持つということは、反面、捜索、押収、逮捕などの強制手段を認めないという意味に解されている。

3 × 各議院の自律権に基づき調査を特別委員会等に付託することができるから、本肢は妥当でない。なお、現実の国政調査権は、議院の付託・委託を受けた特別委員会または常任委員会により行使されている。

4 × 憲法62条の規定を受けた議院証言法では、国政調査権の行使に対して、公務員が職務上知りえた事実について、本人から職務上の秘密に関するものであることを申し立てたときは、「証言又は書類の提出を求めることができない」（同法５条１項）と規定しており、書類の提出についても拒むことができる。したがって、書類の提出を求めることはできると述べる本肢は妥当でない。

5 ○ 司法権に対する国政調査権の行使は司法権の独立を侵害するおそれがあるので、判決確定の前後を問わず、裁判官の訴訟指揮や、裁判内容の当否を批判する調査をすることは許されない。もっとも、裁判所で審理中の事件について、議院が、立法目的や行政監督目的など、裁判所と異なる目的で裁判と並行して調査することは司法権の独立を侵害するものではなく可能である。

正答 5

第1章 SECTION 4 国会

議院の権能

実践 問題 129 基本レベル

頻出度	地上★★	国家一般職★	特別区★★
	裁判所職員★★	国税·財務·労基★	国家総合職★

問 議院の権能に関する次の記述のうち、妥当なのはどれか。 (国Ⅱ2004)

1：各議院が定める議院規則と国会法との優劣についての学説のうち、議院規則が国会法上の制約に服すると説く学説に対しては、参議院の自主性が損なわれるとの批判が可能である。

2：各議院は、その議員の資格に関する争訟を裁判することができるが、当該裁判において、資格を有しないと議決された議員は、裁判所に資格回復のための司法上の救済を求めることができる。

3：各議院は、院内の秩序を乱した議員を懲罰することができるが、議院の多数派による恣意的な運用を招くおそれがあるから、除名は許されないと解されている。

4：各議院の持つ国政調査権は、憲法第41条によって国会が唯一の立法機関であると定められたことに基づき、憲法の他の条項によって各議院に与えられた諸権能とは独立した権能であると解される。

5：会期中の議員に対する逮捕許諾権は、憲法の定める不逮捕特権の例外であるから、その行使には当該議員の所属する議院の議決のみでは足りず、両議院一致の議決が必要となる。

チェック欄

1回目	2回目	3回目

実践 問題 129 の解説

〈議院の権能〉

1 ○ 衆議院で可決された法律案は、参議院が否決したとしても、衆議院の出席議員の３分の２以上の多数で再び可決すれば、法律として成立する（憲法59条２項）。したがって、議院規則が国会法上の制約に服するとすると、衆議院の意思により参議院の議院規則制定権を制約することができることになり、参議院の自主性が損なわれるおそれが生じることになる。

2 × 各議院の自律権を尊重する観点から、**資格争訟の裁判**（憲法55条）で議院の議決により資格を有しないとされた議員は、さらに裁判所に救済を求めることはできないと解されている。

3 × 両議院には**議員懲罰権**が与えられており（憲法58条２項本文後段）、出席議員の３分の２以上の多数による議決があれば、議員を除名することもできる（憲法58条２項但書）。

4 × 本肢のように、国政調査権を憲法の他の条項により各議院に与えられた諸権能とは独立した権能であると解する見解を、**独立権能説**という。しかし、この見解は、国会が国権の最高機関として国政を統括する地位にあることを前提にしている点で、三権対等型の権力分立制を採用する憲法に反していると批判されている。通説は、議院の国政調査権（憲法62条）は、法律案の議決（憲法59条）、予算の議決（憲法60条）、条約の承認（憲法61条）など、議院に与えられた権能を実効的に行使するために与えられたと解する**補助的権能説**を採る。このように解したとしても、各議院の権能は国政全般にかかわるものであるから、国政調査権の対象は国政全般にわたることになる。

5 × 会期中の議員に対する逮捕許諾権を行使するためには、当該議員の所属する議院の議決で足り（憲法50条、国会法33条）、両議院一致の許諾（両議院の議決）は必要とされていない。逮捕許諾権は「議院の権能」であり、国会の権能ではないからである。

正答 1

国会

議院の権能

実践 問題 130 基本レベル

頻出度	地上★★　国家一般職★　特別区★★ 裁判所職員★★　国税·財務·労基★　国家総合職★

問 **日本国憲法に規定する議院の権能に関する記述として、通説に照らして、妥当なのはどれか。**　（特別区2006）

1：両議院は、それぞれその議員の逮捕に対し許諾を与えることができるが、議員は、その許諾がなければ、院外における現行犯罪の場合でも、国会の会期中は逮捕されない。

2：両議院は、それぞれその議員の資格に関する争訟を裁判するが、議員は、その裁判に不服がある場合には、司法裁判所に救済を求めて出訴することができる。

3：両議院は、それぞれその会議その他の手続及び内部の規律に関する規則を定めることができるが、その規則は、各議院の議決のみで成立し、公布を必要としない。

4：両議院は、それぞれ院内の秩序をみだした議員を懲罰することができるが、議員を除名するには、所属議院の総議員の３分の２以上の多数による議決を必要とする。

5：両議院は、それぞれその会議の出席議員の３分の２以上の多数で議決したときは、秘密会を開くことができ、秘密会の記録はすべて非公開としなければならない。

チェック欄

1回目	2回目	3回目

実践 問題 130 の解説

〈議院の権能〉

1 × 憲法50条は、両議院の議員は法律の定める場合を除いては国会の会期中逮捕されないとする。この憲法の規定を受けて、国会法33条は、①院外における現行犯罪の場合、②所属議院の許諾がある場合には、議員は逮捕されるとしている。

2 × 裁判所法３条１項は、裁判所は日本国憲法に特別の定めのある場合を除いて一切の法律上の争訟を裁判すると規定する。とすると、議員の資格に関する争訟の裁判についても裁判所は裁判できそうである。しかし、通説は、議院の自律性を尊重し、議員の資格に関する争訟の裁判については裁判所法３条１項の日本国憲法に特別の定めのある場合にあたり、裁判所は裁判できないとする。

3 ○ 両議院は、各々その会議その他の手続および内部の規律に関する規則を定めることができる（憲法58条２項本文前段）。この議院規則の制定は一院の議決で足り、また、議院規則は議院の内部事項を規律するにとどまることから、法律のように正式に公布されない。

4 × 両議院は、院内の秩序をみだした議員を懲罰することができる（憲法58条２項本文後段）。しかし、除名は、議員の身分を剥奪するものであることにかんがみ、憲法は、所属議院の出席議員の３分の２以上の多数による議決を要求している（憲法58条２項但書）。もっとも、憲法は、所属議院の総議員の３分の２以上の多数による議決までは要求していない。

5 × 両議院の会議は公開とされる（憲法57条１項本文）。しかし、両議院は、各々出席議員の３分の２以上の多数で議決したときは秘密会を開くことができる（憲法57条１項但書）。もっとも、秘密会の記録については、特に秘密を要すると認められるもの以外は、公表し、かつ、一般に頒布しなければならない（憲法57条２項）。

正答 3

国会

議院の権能

実践 問題 131 基本レベル

頻出度			
	地上★★	国家一般職★	特別区★★
	裁判所職員★★	国税·財務·労基★	国家総合職★

問 日本国憲法に規定する議院の国政調査権に関する記述として、判例、通説に照らして、妥当なのはどれか。 (特別区2012)

1：国政調査権の行使に当たっては、議院は証人の出頭及び証言並びに記録の提出を要求することができるが、強制力を有する捜索、押収などの手段によることは認められない。

2：国政調査権は、議院が保持する権能を実効的に行使するためのものであり、その主体は議院であるから、議院は、調査を常任委員会に付託して行わせることはできない。

3：裁判所で審理中の事件について、議院が裁判と並行して調査することは、裁判所と異なる目的であっても、司法権の独立を侵すこととなるので許されないが、判決が確定した事件については、調査することができる。

4：検察事務は、行政権の作用に属するが、検察権が裁判と密接に関連する準司法作用の性質を有することから、司法権に類似した独立性が認められなくてはならないので、国政調査権の対象となることはない。

5：国政調査権は、国会が国権の最高機関であることに基づく、国権を統括するための補助的な権能であるが、立法、予算審議、行政監督など、国政調査権の及ぶ範囲は、国政のほぼ全般にわたる。

直前復習

チェック欄

1回目	2回目	3回目

実践 問題 131 の解説

〈国政調査権〉

1 ○ 国政調査権行使の方法について、憲法62条は、両議院が各々、①証人の出頭、②証言、③記録の提出を要求できるとし、これらについて議院が強制権を持つことを定めている。本条が、この3つの強制手段を認めているということは、その反面、捜索、押収、逮捕などの強制手段を認めないという意味に解されている（札幌高判昭30.8.23）。

2 × 国政調査権は各議院によって行使される（憲法62条）。しかし、議院が必ずしも本会議によって行使しなければならないわけでなく、委員会が行うこともできる。

3 × 司法権に対する国政調査権の行使は司法権の独立を侵害するおそれがあるので、判決確定の前後を問わず、裁判官の訴訟指揮の調査や、裁判の内容の当否を批判する調査は許されない。もっとも、裁判所で審理中の事件について、議院が、立法目的や行政監督目的といった裁判所と異なる目的で裁判と並行して調査することは司法権の独立を侵害するものではないので許される。

4 × 議院内閣制を採用する日本国憲法においては、国会は行政を監督する地位にあるから、議院の国政調査権は行政事務全般に及ぶ。したがって、検察事務も行政作用なので国政調査権の対象となる。もっとも、検察事務は、裁判と密接にかかわる準司法的作用を有するので、司法権と類似の独立性が必要とされるため、これに対する国政調査権の行使は一定の制約を受ける。

5 × 国政調査権の性質については、①国会が国権の最高機関（憲法41条）であることに基づき、国政調査権を国権を統括するための独立の権能と捉える説（独立権能説）と、②国会の国権の最高機関性を単なる政治的美称とする立場から、国政調査権を議院に与えられた権能を実効的に行使するために認められた補助的な権能と捉える説（補助的権能説）があり、後者が通説的見解である。なお、補助的権能説に立っても議院の権能はもともと広範に及ぶので国政調査権の及ぶ範囲は国政のほぼ全般にわたる。

正答 1

国会
議院の権能

実践 問題 132 基本レベル

頻出度	地上★	国家一般職★	特別区★
	裁判所職員★	国税·財務·労基★	国家総合職★

問 日本国憲法に規定する議院の国政調査権に関する記述として、判例、通説に照らして、妥当なのはどれか。　（特別区2021）

1：国政調査権の性質について、国権の最高機関性に基づく国権統括のための独立の権能であるとする説に対し、最高裁判所は、議院に与えられた権能を実効的に行使するために認められた補助的な権能であるとした。

2：両議院は、国政調査に関して、証人の出頭及び証言並びに記録の提出を要求することができ、調査手段として、強制力を有する住居侵入、捜索及び押収も認められている。

3：裁判所と異なる目的であっても、裁判所に係属中の事件について並行して調査することは、司法権の独立を侵すため許されず、二重煙突の代金請求を巡る公文書変造事件の判決において、調査は裁判の公平を害するとされた。

4：国政調査権は、国民により選挙された全国民の代表で組織される両議院に特に認められた権能であるため、特別委員会又は常任委員会に調査を委任することはできない。

5：日商岩井事件の判決において、検察権との並行調査は、検察権が行政作用に属するため原則として許容されるが、起訴、不起訴について検察権の行使に政治的圧力を加えることが目的と考えられる調査に限り自制が要請されるとした。

チェック欄

1回目	2回目	3回目

実践 問題 132 の解説

〈国政調査権〉

1 ○ 国政調査権の性質について、参議院が本肢前半の主張（独立権能説）により、国政調査権に基づき刑事裁判の判決内容を調査し、判決を批判する量刑不当の決議を行ったことに対し、最高裁判所は本肢後半の主張（補助的権能説）により、司法権の独立の侵害・国政調査権の濫用として抗議している（浦和事件）。したがって、本肢は妥当である。

2 × 両議院は、国政調査に関して、証人の出頭および証言ならびに記録の提出を求めることができる（憲法62条）。しかし、国政調査権は刑事司法活動ではなく、あくまで国政の調査を目的とするものであるから、憲法62条で認められた以上の強制力を有する住居侵入、捜索、押収、逮捕のような手段は認められていないと解されている（札幌高判昭30.8.23）。

3 × 現に係属中の事件に対する調査（並行調査）であっても、裁判所の審理とは異なる正当な目的に基づき、裁判所への慎重な配慮をもって行われるものである限り、司法権の独立を脅かすものではなく否定されることはないと解されている。本肢類似の事案において下級審判例は、委員会議事録等によって証言内容が公表されたからといって、直ちに裁判官に予断を抱かせる性質のものではなく、裁判の公平を害するものでもないとしている（東京地判昭31.7.23）。

4 × 国政調査権は、通常、議院の付託もしくは委任により、調査特別委員会もしくは常任委員会によって実際に行使されている。各議院規則も委員会の章に調査のための規定を設けている（衆議院規則44条以下、参議院規則33条以下参照）。

5 × 検察との並行調査には、政治的圧力を加えるもの以外にも限定があるので、本肢は妥当でない。司法作用に属する裁判所の審理に対する並行調査と異なり、行政作用に属する検察権の行使との並行調査は原則的に許容されると解されている。しかし、下級審判例は、例外的に、国政調査権行使の自制が要請される例として、①起訴、不起訴についての検察権の行使に政治的圧力を加えることが目的と考えられるような調査、②起訴事件に直接関連のある捜査および公訴追行の内容を対象とする調査、③捜査の続行に重大な支障をきたすような方法をもって行われる調査などを挙げている（東京地判昭55.7.24）。

正答 1

第1章 5 SECTION

国会

国会議員の特権

必修問題 セクションテーマを代表する問題に挑戦！

不逮捕特権と免責特権を比較しつつ、その趣旨および内容を正確に理解しましょう。

問 日本国憲法に規定する国会議員の特権に関する記述として、妥当なのはどれか。 （特別区2010）

1：国会議員は、議院で職務上行った演説、討論、表決について、院外において民事上の責任は問われるが、刑事上の責任は問われない。

2：国会議員は、国会の会期中においては、院外における現行犯罪であっても、当該議員の所属する議院の許諾がなければ逮捕されることはない。

3：国会議員の不逮捕特権は、衆議院の解散中に開催された参議院の緊急集会中における参議院議員には、認められていない。

4：国会議員の不逮捕特権は、国会が閉会中に開催される継続審議中の委員会の委員である国会議員には、認められている。

5：国会の会期前に逮捕された国会議員は、当該議員の所属する議院の要求があれば、会期中釈放される。

直前復習

Guidance ガイダンス

不逮捕特権

・趣旨　国会議員の活動を保護し、議院の審議権を保障する

・内容　広く公権力によって身体の自由を拘束されることを禁止するもの

免責特権

・趣旨　議員の自由な職務遂行を保障する

・内容　議院で行った演説・討論または表決について、院外で責任を問われないものとするもの

頻出度	地上★　国家一般職★　特別区★ 裁判所職員★★　国税･財務･労基★　国家総合職★

必修問題の解説

チェック欄		
1回目	2回目	3回目

〈国会議員の特権〉

1 × 両議院の議員は、議院で行った演説、討論または表決について、院外で責任を問われない（免責特権、憲法51条）。ここで免除される責任とは一般国民が負うべき法的責任のことであり、具体的には、名誉毀損罪（刑法230条）や侮辱罪（刑法231条）などの刑事上の責任、行政上･資格上（弁護士など）の懲戒処分などの責任のみならず、不法行為に基づく損害賠償責任（民法709条）などのような民事上の責任も含まれる。

2 × 国会議員は不逮捕特権を持つ（憲法50条）。本条の趣旨は、議員の身体の自由を政府・権力による不当逮捕から保護するとともに、構成員の保護を通じて政府を監視する議院の活動を保障することにある。したがって、この趣旨に反しないのであれば、不逮捕特権を及ぼす必要はない。憲法は、不逮捕特権が及ばない例外的場合を法律で定めるとし、国会法がその例外として院外の現行犯罪と議員が所属する議院の許諾がある場合を定めている（国会法33条）。

3 × 緊急集会は国会の会期ではないが、国会の権能を代行するものである。よって、議員の身体の自由を確保し、議院の活動を保障するという国会議員の不逮捕特権の要請は、参議院の緊急集会についても等しく及ぶ。このため、参議院の緊急集会においても参議院議員に不逮捕特権が認められる（国会法100条１項）。

4 × 国会議員の不逮捕特権は、会期中における国会議員の身体の自由および議院の活動の自由の保障を目的としている。このため、不逮捕特権は、閉会中に活動している議員には及ばない。国会が閉会後も案件が継続審議されることがあるが、この場合も閉会中である以上、継続審議中の委員会の委員である国会議員に不逮捕特権は及ばない。

5 ○ 国会議員の不逮捕特権は、会期前に逮捕された議員についても、議員が所属する議院の要求があれば会期中は釈放しなければならないという形で保障されている（憲法50条後段）。会期中の議員の身体の自由と議院の審議権の保障を実質化するためである。

正答 5

第1章 SECTION 5 国会

国会議員の特権

1 兼職の禁止、任期

憲法が二院制を採用したことから当然に、何人も、同時に両議院の議員となることはできません（憲法48条）。

国会議員の任期は、衆議院議員が原則として４年、参議院議員が６年です（憲法45条、46条）。

国会議員と地方公共団体の議会の議員との兼職も禁止されています（地方自治法92条１項）。

2 不逮捕特権（憲法50条）

両議院の議員は、原則として国会の開会期間中は逮捕されることはありません。また、会期前に逮捕された議員も、所属する議院から釈放の請求があれば、会期中釈放されます。

ここにいう「逮捕」は、広く公権力によって身体の自由を拘束される場合を指します。警察や検察機関による犯罪者に対する身体の拘束（一般的な「逮捕」とはこれを指します）のほか、精神保健および精神障害者福祉に関する法律に基づく保護拘束や、警察官職務執行法による保護措置（警官による泥酔者の保護など）も含まれます。

不逮捕特権は、①国会議員の職務遂行の自由を確保し、②議院内で内容のある議論ができることを保障する、という趣旨で認められたものです。

院外での現行犯と、議員の所属する議院が逮捕について許諾した場合には、逮捕されます（国会法33条）。

3 発言・表決に対する免責特権（憲法51条）

両議院の議員は、議院で行った演説・討論または表決について、院外で責任を問われることはありません。議員の自由な職務遂行を保障するためです。

免責されるのは「議院で行った」行為です。「議院で行った」とは、議員の活動として、職務上行った行為を意味します。そのため、不逮捕特権の場合と異なり、会期外の活動であっても、議員が職務上行ったものは「議院で行った」ものとされます。これに対して暴力行為は議員の活動とはいえませんから、免責の対象とはなりません。

免責される範囲は、民事上・刑事上の責任のほか、弁護士および公務員としての懲戒責任にも及びます。つまり、一般国民ならば当然負うべき法的責任を免れるということです。

議員には法律の定めるところにより国庫から相当額の歳費（国会議員に対する給料）を受ける**歳費受領権**が認められています（憲法49条）。

国会

国会議員の特権

実践 問題 133 基本レベル

頻出度	地上★	国家一般職★	特別区★
	裁判所職員★★	国税·財務·労基★	国家総合職★

問 国会議員の免責特権に関する記述のうち、妥当なのはどれか。 (国Ⅱ1995)

1：国会議員の免責特権は、議員の国会での職務執行の自由を保障するために認められたものであるから、国会の会期中の行為のみが対象とされ、会期外の行為には免責特権の保障は及ばない。

2：国会議員の免責特権は、広く議員の院内での活動全般を対象とするから、国務大臣として行った発言にも免責特権の保障が及ぶ。

3：国会議員の免責特権は、議員が議院で行った演説、討論または表決のみを対象とするから、議員が院外で行った行為については、それが議院の活動として行われたものであっても免責特権の保障は及ばない。

4：憲法第51条にいう院外で問われない「責任」とは、一般国民ならば負うべき法的な責任をいうから、免責特権の保障は刑事上の責任の他、民事上の責任にも及ぶ。

5：政党が、党員である議員の議院における発言・表決について、除名などによりその責任を問うことは、議員の自由な職務執行を制限するものであり、憲法が免責の特権を保障した趣旨に反するから許されない。

直前復習

チェック欄		
1回目	2回目	3回目

実践 問題 133 の解説

〈免責特権〉

1 × 憲法51条は「両議院の議員は、議院で行つた演説、討論又は表決について、院外で責任を問はれない」と規定している。この規定の目的は、本肢前半にあるように、議員の国会での職務執行の自由を保障するためである。それゆえ、**免責特権の保障**は、「議院で行つた演説、討論又は表決」に限らず、議員の国会における意見の表明とみられる行為や、職務執行に付随する行為にも及ぶ（東京地判昭37.1.22）。必ずしも議事堂内の行為に限られるものではなく、地方公聴会において議員として行った行為のようなものも免責の対象となるし、議員として行った行為であれば、それが会期中のものであると否とを問わない。ちなみに、「会期中」に限られるのは、免責特権ではなく、不逮捕特権（憲法50条）である。

2 × 学説上争いはあるが、一般には、免責特権（憲法51条）は議員の特権であるから、議員の職務活動として行った行為にのみ認められ、国務大臣が議院で行った発言には認められず、**国会議員である国務大臣が大臣として行った発言**についても免責されない（**議員として行った行為であれば免責される**）と解されている。このように解される理由としては、①免責特権の沿革や趣旨からみて、それはあくまで国会議員の職務遂行を保障するためのものであること、②これを認めると、議席を有する国務大臣とそうでない国務大臣とのアンバランスが生じてしまうことが挙げられる。

3 × 肢1の解説参照。

4 ○ 憲法51条にいう「院外で責任を問はれない」とは、一般国民ならば負うべき法的責任を負わないということであり、**刑事上の責任だけでなく、民事上の責任も含まれる**。たとえば、国会議員が議院で行った演説に対して、名誉毀損罪（刑法230条）によって刑事責任を問うことはできないし、不法行為に基づく損害賠償（民法709条）によって民事責任を問うこともできない。

5 × 「院外で責任を問はれない」とは、一般国民が負うべき法的責任（民事・刑事・懲戒責任）を問われないということであって、その他の責任は憲法の関知するところではなく、所属政党・支持団体・選挙民などが、院内で議員が行った発言・表決について、政治的・道義的責任を追及することは自由である。

正答 4

国会

国会議員の特権

実践 問題 134 基本レベル

頻出度	地上★ 国家一般職★ 特別区★ 裁判所職員★★ 国税·財務·労基★ 国家総合職★

問 国会議員の不逮捕特権に関する次の記述のうち、誤っているのはどれか。

(裁事1997)

1：参議院の緊急集会においては議員の不逮捕特権は認められていない。

2：国会議員は国会の会期中は院外における現行犯罪の場合と、その院の許諾がある場合でなければ逮捕されない。また、院内における現行犯罪の場合は、議院自身が自主的措置をすることが予定されている。

3：国会議員が所属する議院が逮捕許諾を与える判断基準について、その逮捕の理由が正当なものか否かによるべきものではなくて、当該議員の逮捕がその院の活動の妨げになるか否かによるべきであるとする見解もある。

4：国会の会期中、国会議員に対する逮捕状の請求を受けた裁判官はその議員が所属する議院の許諾がなければ逮捕状を発せない。

5：国会の会期前に逮捕された国会議員は所属する議院の要求があれば、会期中に釈放される。

実践 問題 134 の解説

チェック欄		
1回目	2回目	3回目

〈不逮捕特権〉

1 × 参議院の緊急集会も、国会法100条１項により、会期中と同様に扱われ、参議院議員の不逮捕特権が認められる。

2 ○ 前半については国会法33条参照。後半については、院内の現行犯は議長の警察権（国会法114条）に服し、衛視または警察官がこれを逮捕して議長の命令を請わなければならず、院内でも議場における逮捕は議長の命令を要するとされる（衆議院規則210条、参議院規則219条）。すなわち、不逮捕特権の例外である現行犯罪の場合でも、それが院内であるときには当該議院自身の自主的措置に委ねられている。

3 ○ 不逮捕特権の究極目的を国会の正常な活動の保障にあるとする見解によれば、議院の許諾の判断基準は当該議員の逮捕がその院の活動の妨げになるか否かとなる。

4 ○ 議員の逮捕についての議員が所属する議院の許諾の請求は、所轄裁判所または裁判官が令状を発する前に内閣へ要求書を提出し、内閣は要求書の受理後、その要求書の写しを添え議院に許諾を求める（国会法34条）という手続でなされるから、裁判官は議員の所属議院の許諾がなければ逮捕状を発せないこととなる。

5 ○ 会期前の議員には不逮捕特権が認められないが、国民代表である国会議員が議会において発言ができなくなってしまっては、正常な議会活動とはいえない。そこで、憲法50条後段では、本肢のように、会期前に逮捕された議員について、所属議院からの要求があれば、会期中釈放しなければならないと定めたのである。

正答 1

国会

国会議員の特権

実践 問題 135 基本レベル

頻出度	地上★	国家一般職★	特別区★
	裁判所職員★★	国税·財務·労基★	国家総合職★

問 日本国憲法に規定する国会議員の特権に関する記述として、通説に照らして妥当なのはどれか。 (特別区2023)

1：国会議員は、院内における現行犯罪の場合を除いては、国会の会期中、その議員の属する議院の許諾がなければ逮捕されない。

2：国会閉会中の委員会における継続審査は、国会の会期に含まれるため、継続審査中の委員会の委員には、不逮捕特権が認められる。

3：参議院の緊急集会前に逮捕された参議院議員は、参議院の要求があれば、緊急集会中、釈放しなければならない。

4：国会議員の免責特権の対象となる行為は、院内で行った演説、討論又は表決に限られるため、地方公聴会で行った発言について免責されることはない。

5：国会に議席を有しない国務大臣が行った発言については、国会議員と同様に、免責特権が及ぶ。

チェック欄		
1回目	2回目	3回目

実践 問題 135 の解説

〈国会議員の特権〉

1 × 院内の現行犯罪を例外とする点が憲法および国会法の規定と異なるので、本肢は妥当でない。憲法50条の規定する不逮捕特権について、国会法33条は「各議院の議員は、院外における現行犯罪の場合を除いては、会期中その院の許諾がなければ逮捕されない」と定めている。なお、院内の現行犯罪については各院議長の議院警察権によって処理する（国会法114条）。

2 × 国会閉会中の委員会における継続審査（国会法47条２項）は、文字どおり会期が終了して閉会中の期間に行われるものであり、会期に含まれず、不逮捕特権も認められない。

3 ○ 本肢は緊急集会時の不逮捕特権を定めた国会法の規定のとおりであり、妥当である。参議院の緊急集会（憲法54条２項）は衆議院解散時に行うものであるから、国会は閉会中であり、会期とはされない。しかし、国会を代行するものとして会期中に準じて不逮捕特権の保障が及ぶ（国会法100条）。すなわち、緊急集会前に逮捕された参議院議員は、参議院の要求があれば、緊急集会中、釈放しなければならない（同条４項）。

4 × 地方公聴会のような議事堂外での発言も免責特権の対象となるので、本肢は妥当でない。両議院の議員は、議院で行った演説、討論または表決について、院外で責任を問われない（憲法51条）。免責特権は国会議員の職務遂行の自由を最大限に保障することを目的とするため、憲法51条にいう「議院で」とは「職務上」という意味に解されており、地方公聴会のように議事堂外で行った行為でも、国会議員の活動として職務上行った行為については免責特権の対象となる。

5 × 国会に議席を有しない国務大臣の発言には免責特権が及ばないので、本肢は妥当でない。免責特権の保障が及ぶのは、国会議員に限定される。免責特権は法の下の平等（憲法14条）の例外にあたるため、憲法の明文の根拠がなければ付与することができないと考えられるからである。したがって、国会に議席を有しない国務大臣（憲法68条１項但書参照）が行った発言には、免責特権の保障が及ばない。

正答 3

国会

国会議員の特権

実践 問題 136 基本レベル

頻出度			
	地上★	国家一般職★	特別区★
	裁判所職員★★	国税·財務·労基★	国家総合職★

問 **国会議員に関する次の記述のうち、妥当なのはどれか。** **(地上1990)**

1：選挙区、投票の方法その他各議院の議員の選挙に関する事項は、各議院の自律権にかかる事項であるので、各議院がそれぞれ規則によってこれを定めることとされている。

2：衆議院議員と参議院選挙区選出議員は、おのおのその議員を選出した各選挙区の住民を代表するものとされており、参議院比例代表区選出議員は全国民を代表するものとされている。

3：国会議員は他の職業との兼職を禁じられており、内閣総理大臣、その他の国務大臣を除く行政府の職員を兼ねることは認められていない。

4：各議院の議員が同時に他の議院の議員となることは禁じられているが、各議院の議員が普通地方公共団体の議会の議員を兼ねることは、現行法上禁じられていない。

5：両議院は、おのおのその所属議員が院内の秩序を乱した場合、当該議員を懲罰することが認められているが、これを除名するためには、出席議員の３分の２以上の多数による議決を必要とする。

チェック欄

1回目	2回目	3回目

実践 問題 136 の解説

〈不逮捕特権〉

1 × 選挙区、投票の方法その他両議院の議員の選挙に関する事項は、法律で定めることとされている（憲法47条、公職選挙法）。議院規則で定めることとされているのは、各議院の会議その他の手続および内部の規律に関する事項である（憲法58条2項本文）。議院規則制定権は、独立して議事を審議し議決する各議院の自主的運営を確保するために認められた各議院の権能である。

2 × 国会議員は、全国民の代表であり（憲法43条1項）、選出母体である選挙区や特定の団体の意思に拘束されず（命令委任の禁止）、全国民を代表する立場から、自己の信念に基づいてのみ発言・表決することができる（自由委任の原則）。これは、議員がどのような選挙区から選出されたかを問わない。

3 × 国会議員の兼職については、憲法48条で、両議院の議員の兼職が禁止され、国会法39条で、議員は内閣総理大臣その他の国務大臣、内閣官房副長官、内閣総理大臣補佐官、副大臣、大臣政務官および別に法律で定めた場合を除いて、国または地方公共団体の公務員との兼職が禁止されている。しかし、国会議員は、一般職の国家公務員と異なり（国家公務員法2条参照）、職務専念義務（国家公務員法101条1項）を負わず、これ以外の職業との兼職は禁止されていない。

4 × 国会議員の兼職禁止については、肢3解説参照。普通地方公共団体の議会の議員との兼職についても、地方自治法92条1項で禁止されている。

5 ○ 各議院による議員の懲罰については、憲法58条2項に定められている。本肢は条文の内容のとおりである。

正答 5

国会
国会総合

必修問題 セクションテーマを代表する問題に挑戦！

最後に、国会全体を復習しましょう。

問 国会に関する次のア～エの記述のうち、妥当なもののみを全て挙げているものはどれか。 **（裁判所事務官2022）**

ア：国会が「唯一の立法機関」であるとは、法規という特定の内容の法規範を定立する実質的意味の立法は、専ら国会が定めなければならない趣旨であるから、国会が定めた法律の個別的･具体的な委任があったとしても、内閣が実質的意味の立法を政令で定めることはできない。

イ：国会議員は、法律の定める場合を除いて、国会の会期中逮捕されないが、「法律の定める場合」とは、議員の所属する議院の許諾のある場合に限られる。

ウ：国会議員は、議院で行った演説、討論又は表決について、院外で責任を問われないが、この「責任」には、民事及び刑事上の責任が含まれる一方、政党が所属議員の発言や表決について、除名等の責任を問うことは含まれない。

エ：各議院は、その議員の資格争訟の裁判権を有するが、これは議員の資格の有無に関する判断について議院の自律性を尊重する趣旨であるから、各議院における裁判について更に裁判所で争うことはできない。

1：ア、イ
2：ア、ウ
3：イ、ウ
4：イ、エ
5：ウ、エ

直前復習

頻出度	地上★　国家一般職★★★　特別区★ 裁判所職員★★　国税·財務·労基★★★　国家総合職★★★

必修問題の解説

チェック欄		
1回目	2回目	3回目

〈国会総合〉

ア× 国会が定めた法律の個別的・具体的な委任があれば内閣が政令を定めることもできるので、本記述は妥当でない。まず、憲法41条の「立法」とは、特定の内容を持つ法規範の定立という**実質的意味の立法**をいう。次に、同条の「唯一」には２つの意味があるが、その１つに、国の行う立法は、憲法に特別の定めがある場合を除いて、常に国会を通してなされなければならないという**国会中心立法の原則**がある。しかし、福祉国家の実現のためには、行政機関に立法を委ねる必要があるし、また、憲法には委任立法の存在を前提とする規定もある（同法73条６号但書参照)。そこで、一般的・抽象的な委任（白紙委任）は許されないが、**法律による個別的・具体的な委任があれば内閣が実質的意味の立法を政令で定めることもできる**と解されている（**猿払事件**、最大判昭49.11.6)。

イ× 院外における現行犯逮捕の場合も含まれるので、本記述は妥当でない。憲法50条にいう「法律の定める場合」とは、国会法33条を指す。すなわち、**議員の所属する議院の許諾のある場合**だけでなく、**院外における現行犯罪の場合**も含まれ、これらについては会期中でも逮捕されうる。

ウ○ 国会議員の免責特権についての説明として適切であり、本記述は妥当である。憲法51条にいう「院外で責任を問はれない」とは、**一般国民なら当然に負うべき法的責任を問われないという意味である**。民事上、刑事上の責任に限られないが、議員の政治責任までも免除することを意味しない。また、政党から院内での発言や投票行動を理由に制裁を受けても、同条の保障は及ばない。これらは、法的責任追及レベルの問題である免責特権とは直接の関連性を有しないからである。

エ○ 議員の資格に関する争訟の説明として適切であり、本記述は妥当である。憲法55条は、議員の資格に関する争訟は、各議院が行うことを規定している。**議員の資格争訟は、法律上の争訟であるが、憲法自らがこれを特に議院の自律的決定に委ねた趣旨から、憲法76条１項の例外として、司法審査の対象から除外される**。したがって、各議院における裁判についてさらに裁判所で争うことはできない。

以上より、妥当なものはウ、エであり、肢５が正解となる。

正答 5

第1章 SECTION 6 国会

国会総合

1 権力分立とは

権力分立（三権分立）とは、国家権力を立法・司法・行政の各権力に区別し、それぞれを独立した別個の機関に分担させ、相互に抑制と均衡を保たせる制度のことです。権力分立の趣旨は、国家権力の集中によって生じる権力の濫用を防止し、国民の人権保障を確保する点にあります。

立法、司法、行政の各権力を相互に牽制させることによって権力の濫用を防止しようとしているのが、権力分立の制度です。

2 権力分立の特性

権力分立により権力が単一の国家機関に集中しないよう配慮するのは、権力の集中が権力の濫用をもたらし、その結果、国民の権利・自由が侵害されるおそれがあるからです。このように、国民の自由を確保しようとする権力分立の考え方は、自由主義的な特性を持つものであるといえます。

補足

本文のほかにも、権力分立の特性として、安全装置がないと必ず権力濫用が生じるという懐疑的・悲観的特性、どのような政治形態にもなじむものであるという政治的中立性を挙げることができます。

3 日本国憲法における権力分立

日本国憲法では、国家権力作用を立法・行政・司法に分割し、立法は国会に（憲法41条）、行政は内閣に（憲法65条）、司法は裁判所（憲法76条１項）に担当させて、権力分立制度を採用しています。

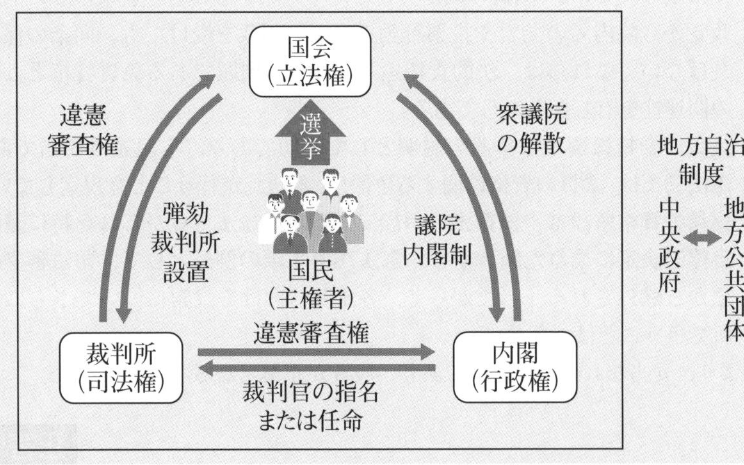

4 憲法と政党

憲法上、政党は憲法21条1項で「結社」として保障されているにとどまり、政党について特別の規定は置かれていません。

しかし、政治資金規正法、政党助成法、公職選挙法などの個別の法律においては、その目的に応じて政党に関する規定が設けられています。

また、実際上、憲法が採用する代表民主制の仕組みは、政党がなければうまく機能しません。国民の多様な意見・利益は、それを各政党が代表することによって、初めて議会における議論に反映させることができるのです。

判例も、憲法の定める議会制民主主義は政党を無視しては到底その円滑な運用を期待することはできないのであるから、憲法は政党の存在を当然に予定している、と述べています（八幡製鉄政治献金事件、最大判昭45.6.24）。

補足 

政党に対する国法の態度は①敵視、②無視、③承認・合法化、④憲法的編入、という4段階の変遷を経るといわれています。日本は現在③の段階にあります（トリーペルの4段階論）。

国会
国会総合

実践 問題 137 基本レベル

頻出度	地上★　国家一般職★★★　特別区★ 裁判所職員★★　国税･財務･労基★★★　国家総合職★★★

問 国会に関するア～オの記述のうち、妥当なもののみを全て挙げているのはどれか。（国家総合職2020）

ア：衆議院が解散されたときは、解散の日から40日以内に衆議院議員の総選挙を行い、その選挙の日から30日以内に特別会を召集しなければならず、特別会の会期の延長は、臨時会の場合と異なり、一回のみに限られている。

イ：国会議員は、その身分保障を徹底する観点から、国庫から相当額の歳費を受けること及びその歳費は在任中減額することができないことが憲法上明記されている。

ウ：国会は、罷免の訴追を受けた裁判官を裁判するため、両議院の議員で組織する弾劾裁判所を設けることとされており、弾劾裁判所は、国会の閉会中であっても、その職権を行うことができる。

エ：国会議員は、議院で行った演説、討論又は表決について、院外で民事・刑事上の責任を問われないという免責特権を有するのであり、国会議員の議院内での発言について、国が国家賠償法第１条に基づく賠償責任を負うことはないとするのが判例である。

オ：衆議院が解散されたときは、参議院は、同時に閉会となる。この場合において、国に緊急の必要があるときは、参議院の緊急集会が開かれることがあるが、緊急集会を求めることができるのは内閣のみであり、参議院がこれを求めることはできない。

1：ア、イ
2：ア、オ
3：イ、エ
4：ウ、エ
5：ウ、オ

実践 問題 137 の解説

チェック欄		
1回目	2回目	3回目

〈国会総合〉

ア× 特別会の会期の延長は、臨時会の場合と異なり、1回のみに限られていると述べる本記述は、国会法の規定と異なるので、妥当でない。国会の会期はこれを延長することができる（国会法12条1項）。その回数は、常会にあっては1回、特別会と臨時会は2回までである（同法12条2項）。したがって、特別会の会期の延長も2回までできる。

イ× 国会議員の受領する歳費は在任中減額することができないと憲法上明記されていると述べる本記述は、憲法の規定と異なるので、妥当でない。憲法49条は、「両議院の議員は、法律の定めるところにより、国庫から相当額の歳費を受ける」とするのみで、減額の禁止は明記されていない。したがって、「法律の定めるところにより」、減額することも可能である。

ウ○ 弾劾裁判所は、両議院の議員各7名を裁判員とする国会が設置した独立の機関である（憲法64条1項、裁判官弾劾法16条1項）。弾劾裁判所は、国会とは別に独立して職権を行使しうるので、国会の閉会中であっても、その職権を行いうる（裁判官弾劾法4条）。

エ× 国会議員の議院内での発言について、国が国家賠償法1条に基づく賠償責任を負うことはないと述べる本記述は、判例の見解と異なるので、妥当でない。判例は、国会議員の発言に名誉毀損的発言があったとしても、当然に国家賠償法1条1項の違法な行為として国に損害賠償責任が生ずるものではなく、「国の責任が肯定されるためには、国会議員が、その職務とはかかわりなく違法又は不当な目的をもって事実を摘示し、あるいは、虚偽であることを知りながらあえてその事実を摘示するなど、国会議員がその付与された権限の趣旨に明らかに背いてこれを行使したものと認めうるような特段の事情があることを必要とする」としている（最判平9.9.9）。したがって、特段の事情がある場合には、国が賠償責任を負う場合もありうる。

オ○ 参議院の緊急集会は、衆議院議員の総選挙後の特別会が召集されるまでに、国会の議決を必要とし、しかも、特別会を待つことができない緊急の案件が生じた場合において行われるものである。国会の議決を必要とするか、それが緊急の案件なのかを判断しうるのは内閣なので、内閣だけがその開催を求めることができる（憲法54条2項但書）。

以上より、妥当なものはウ、オであり、肢5が正解となる。

正答 5

第1章 SECTION 6 国会

国会総合

実践 問題 138 基本レベル

頻出度 地上★ 国家一般職★★★ 特別区★ 裁判所職員★★ 国税·財務·労基★★★ 国家総合職★★★

問 国会に関するア～オの記述のうち、妥当なもののみを全て挙げているのはどれか。（国家一般職2012）

ア：常会は、法律案等の議決のために毎年１回召集される。常会の会期は150日間と定められているが、両議院一致の議決により、何度でも会期を延長することができる。

イ：内閣は、臨時の必要により臨時会を召集することができる。この場合の召集は、内閣の自由な判断によるため、内閣は、国会の閉会中新たに生じた問題についてのみならず、前の国会で議決されなかった問題の処理のためにも臨時会を召集することができる。

ウ：特別会は、内閣総理大臣の指名のみを目的として、衆議院の解散による総選挙の日から30日以内に召集される国会であり、常会と併せて召集することができない。

エ：法律案の議決について、衆議院と参議院が異なった議決をした場合において、両院協議会を開いても意見が一致しないときは、衆議院が出席議員の４分の３以上の多数で再可決することによって、当該法律案は法律となる。

オ：内閣総理大臣の指名の議決について、衆議院と参議院が異なった議決をした場合には、両院協議会が開かれることになるが、それでも意見が一致しないときは、衆議院の議決が国会の議決とされる。

1：ア、イ
2：ア、ウ
3：イ、オ
4：ウ、エ
5：エ、オ

直前復習

チェック欄		
1回目	2回目	3回目

実践 問題 138 の解説

〈国会総合〉

ア× 常会は、毎年1回召集することになっている（憲法52条）。法律において、常会の会期は、150日とされている（国会法10条本文）。そして、常会の会期延長も認められている（国会法12条1項）。ただし、常会においては、会期延長は1回しか許されていない（同条2項）。

イ○ 内閣は、国会の臨時会の召集を決定することができる（憲法53条前段）。臨時会は、国会の権能の大幅な増大などにより、常会が閉会した後も、国会の活動を必要とする事態が生じた場合に対応する制度である。内閣が召集する場合には、何ら法的制約なくして、必要に応じて臨時会を召集できる。国会法も、懲罰事案などは後会に継続する規定を定めている（国会法68条但書）ことからも、前の国会で議決されなかった問題の処理のために内閣が臨時会を召集することができることがわかる。

ウ× 特別会は、衆議院議員総選挙の日から30日以内に召集される（憲法54条1項）。しかし、国会としての権能は、常会、臨時会と異なるものではない。すなわち、特別会は、内閣総理大臣の指名のみを目的としているわけではない。また、特別会は、常会とあわせて召集することもできる（国会法2条の2）。

エ× 法律案の議決について、衆議院で再議決をする場合には、出席議員の3分の2以上の多数の賛成が必要である（憲法59条2項）。なお、憲法上、出席議員の4分の3以上の多数の賛成を要求する決議は存在しない。

オ○ 憲法67条2項は、内閣総理大臣の指名について、衆議院と参議院とが異なった議決をした場合に、法律の定めるところにより、両議院の協議会を開いても意見が一致しないとき、または衆議院が議決をした後、国会休会中の期間を除いて10日以内に、参議院が議決をしないときは、衆議院の議決を国会の議決とすると規定する。したがって、両議院の協議会を開いても意見が一致しないときは、衆議院の議決が国会の議決となる。

以上より、妥当なものはイ、オであり、肢3が正解となる。

正答 3

国会

国会総合

実践 問題 139 基本レベル

頻出度 地上★ 国家一般職★★★ 特別区★ 裁判所職員★★ 国税·財務·労基★★★ 国家総合職★★

問 国会に関するア～オの記述のうち、妥当なもののみを全て挙げているのはどれか。 (国家総合職2013)

ア：衆議院で可決し、参議院でこれと異なった議決をした法律案は、衆議院で出席議員の３分の２以上の多数で再び可決したときは、法律となる。また、参議院が、衆議院の可決した法律案を受け取った後、国会休会中の期間を除いて60日以内に議決しないときは、衆議院は、参議院がその法律案を否決したとみなすことができる。

イ：条約の締結に必要な国会の承認については、先に衆議院で審議されなければならず、参議院で衆議院と異なった議決をした場合に、両議院の協議会を開いても意見が一致しないとき、又は参議院が衆議院の可決後、国会休会中の期間を除いて30日以内に議決しないときは、衆議院の議決が国会の議決となる。

ウ：衆議院が解散されたときは、解散の日から40日以内に衆議院議員の総選挙を行い、その選挙の日から30日以内に特別会を召集しなければならない。解散後、特別会の召集までの間に国会の議決を必要とするような緊急の必要が生じた場合には、内閣は解散前の衆議院議員を構成員とする緊急集会を求めて必要な措置を採ることが認められている。

エ：国会は、国権の最高機関であって、国の唯一の立法機関であり、毎年１回、会期を150日とする常会が必ず召集される。また、臨時会を召集するか否かについての判断は行政権の一部として内閣に専属するが、会期の延長は両議院一致の議決で行うことが認められており、延長の回数は常会は１回まで、臨時会は２回までとされている。

オ：両議院における議決は、原則として出席議員の過半数で行われるが、憲法の改正については、各議院の総議員の３分の２以上の賛成による発議を行い、国民投票における過半数の賛成が必要とされている。

1：ア、イ
2：ア、オ
3：イ、ウ
4：ウ、エ
5：エ、オ

チェック欄		
1回目	2回目	3回目

実践 問題 139 の解説

〈国会総合〉

ア○ 衆議院で可決し、参議院でこれと異なる議決をした法律案は、衆議院で出席議員の３分の２以上の多数で、再び可決したとき、法律となる（憲法59条２項）。また、参議院が衆議院の可決した法律案を受け取った後、国会休会中の期間を除いて60日以内に、議決しないときは、衆議院は、参議院がその法律案を否決したものとみなすことができる（憲法59条４項）。

イ× 参議院が、衆議院の承認した条約を受け取った後、国会休会中の期間を除いて30日以内に議決しないときは、衆議院の承認のみで国会の承認があったものとされる（憲法61条・60条２項）。ただし、条約の承認に関して、衆議院に先議権はない。

ウ× 衆議院が解散されたときは、解散の日から40日以内に、衆議院議員の総選挙を行い、その選挙の日から30日以内に、国会を召集しなければならない（憲法54条１項）。衆議院の解散後、特別会が召集されるまで、国会の機能は停止する。しかし、この間に国会の議決が必要な緊急事態が生じる場合がある。これに対応するための制度が、参議院の緊急集会である（同条２項但書）。緊急集会は内閣の要求により参議院において開かれるものであり、国会を代行して必要な臨時の措置をとることができる。

エ× 国会は、国権の最高機関であって、国の唯一の立法機関である（憲法41条）。国会の常会は、毎年１回必ず召集される（憲法52条）。会期の長さは150日間である（国会法10条本文）。臨時会は、常会閉会後に臨時に召集される会期である。臨時会の召集を決定するのは内閣であるが、いずれかの議院の総議員の４分の１以上の要求があれば、内閣は、その召集を決定しなければならない（憲法53条）。つまり、臨時会の召集の決定権は内閣の専属ではなく、国会議員にもある。国会の会期は、両議院の一致の議決により延長することができる（国会法12条１項）。会期の延長は、常会については１回、臨時会については２回（国会法12条２項）まで認められる。

オ○ 両議院の議決（表決数）は、原則として出席議員の過半数で行われる（憲法56条２項）。この例外として、憲法改正は、各議院の総議員の３分の２以上の賛成により発議され、国民投票における過半数の賛成が必要となる（憲法96条１項）。

以上より、妥当なものはア、オであり、肢２が正解となる。

正答 2

国会

国会総合

実践 問題 140 応用レベル

頻出度	地上★	国家一般職★★	特別区★
	裁判所職員★	国税·財務·労基★★	国家総合職★★

問 政党等に関する次の記述のうち、妥当なのはどれか。 (国Ⅱ2010)

1：憲法は政党について規定するところがなく、これに特別の地位を与えてはいないが、憲法の定める議会制民主主義は政党を無視しては到底その円滑な運用を期待することはできないのであるから、憲法は、政党の存在を当然に予定しているものというべきであり、政党は議会制民主主義を支える不可欠の要素であるとともに国民の政治意思を形成する最も有力な媒体であるとするのが判例である。

2：政党に党則、規約その他の当該政党の組織、管理運営等に関する事項を記載した文書を提出させるなど一定の事項の届出をさせた上、国が当該政党に対して政党交付金による助成を行い、その使途等について報告書の提出を義務付けることは、それが議会制民主政治における政党の機能の重要性にかんがみ、政党の政治活動の健全な発達の促進及びその公明と公正の確保を図り、もって民主政治の健全な発展に寄与することを目的とするものであり、その手続が合理的なものであったとしても、政党の内部的自治や運営への不当な介入に当たり、結社の自由を著しく侵害するものとして違憲になると解されている。

3：政党は、議会制民主主義の重要な担い手であり、自らの組織運営について高度の自律権を有するが、その組織運営が民主主義の原理にのっとったものでなければならないことは憲法上の当然の要請というべきであり、政党内部の制裁処分も公正な手続によるべきことは当然であるから、処分の手続が著しく不公正であったり、政党内部の手続規定に違背してなされたりした場合には、裁判所がこれを司法審査の対象とし、その適否を判断することができるとするのが判例である。

4：政党その他の政治団体（以下「政党等」という。）にあらかじめ候補者名簿の届出をさせ、選挙人が名簿登載者の氏名又は名簿届出政党等の名称を記載して投票し、（1）各名簿届出政党等の得票数に基づき名簿届出政党等の当選人の数を定め、（2）得票数の多い名簿登載者から当選人となるべき順位を定めた上、（3）候補者名簿登載者のうち、（2）の順位に従って（1）により定められた名簿届出政党等の当選人の数に相当する数の名簿登載者を当選人と決定する方式は、選挙人が投票した名簿登載者以外の名簿登載者に得票が流用されることになり、当選人の決定に選挙人以外の者の意思が介在することになるが、これが国会の裁量権の限界を超えるものとは解されないとするのが判例である。

5：衆議院小選挙区の選挙において、議員を５人以上有するなど一定の政党等にその立候補者の届出を認め、このような届出をした政党等を候補者届出政党として候補者本人ができる選挙運動に加えて候補者届出政党としての選挙運動を行うことができるとする公職選挙法の規定は、候補者届出政党に所属する候補者とこれに所属しない候補者との間の選挙運動に合理性を有するとは到底いえない程度の較差を生じさせているものであるが、事情判決の法理を適用して当該選挙の違法を宣言するにとどめ、選挙の効力は無効としないこととするのが相当であるとするのが判例である。

チェック欄

1回目	2回目	3回目

実践 問題 140 の解説

〈政党〉

1 ○ 判例は、政党について本肢のとおりに述べている（八幡製鉄政治献金事件、最大判昭45.6.24）。

2 × 現行の政党助成法が本肢のとおりの要件を定めているが、これは、議会制民主政治における政党の機能の重要性にかんがみ、国が政党に対し政党交付金による助成を行うことによって、政党への不明朗な政治資金の流れを断ち切り、民主政治の健全な発展を図ろうとするものである（政党助成法１条）。もっとも、このような助成によって、政党の内部的自治や運営に著しく介入したり、大政党のみが有利に扱われたりするような場合は、結社の自由を侵害し、違憲の問題が生じうると解される。

3 × 判例は、政党は議会制民主主義を支えるうえで重要な存在であるから、憲法は政党に高度の自主性と自律性を与えて自主的な組織運営をなしうる自由を保障するとし、一般市民法秩序と直接の関係を有しない内部的な問題にとどまる限り、裁判所の審判権は及ばないが、一般市民としての権利利益を侵害する場合であっても、処分の当否は、当該政党が自律的に定めた規範が公序良俗に反するなどの特段の事情がない限り政党の内部規範に照らし、そのような規範を有しないときは条理に基づき、適正な手続に則ってされたか否かによって決すべきであり、その審理もこの点に限られるとしている（共産党袴田事件、最判昭63.12.20）。

4 × 平成12年の公選法改正によって導入された、本肢で述べている参議院非拘束名簿式比例代表制が、ある候補者について超過得票に相当する票が他の名簿登載者の得票に流用される点で直接選挙の原則に反し憲法43条１項に違反するのではないか争われた事件で、判例は、投票の結果すなわち選挙人の総意により当選人が決定される点において、選挙人が候補者個人を直接選択して投票する方式と異なるところはないから、直接選挙でないとはいえず、憲法43条１項に違反しないとしている（最大判平16.1.14）。

5 × 現在の公職選挙法では、選挙運動のうえで、候補者届出政党の公認候補者は政見放送ができるが、そうでない候補者はそれを認めないといった差異が生じる。これについて判例は、政見放送は選挙運動の一部にすぎず、それ以外の選挙運動については候補者届出政党に所属しない候補者も十分に行うことができるので、その政見を選挙人に訴えるのに不十分とはいえず、政見放送が認められないことの一事をもって、選挙運動に関する規定における候補者間の差異が合理性を有するとは到底考えられない程度に達しているとまでは断定しがたいところであって、これをもって国会の合理的裁量の限界を超えているということはできないから、合憲であるとしている（最大判平11.11.10）。

正答 1

memo

第1章

国会

章末CHECK

? Question

Q1	権力分立は、立法、司法、行政の各権力が相互に牽制しあうことにより、権力が濫用されることを防止しようとする制度である。
Q2	権力分立は民主主義的思想に基づくものであり、自由主義的思想とは相容れない。
Q3	国会は国権の最高機関であるから、国会には他の国家機関に対する指揮・命令をする権能が認められる。
Q4	国会中心立法の原則とは、国会による立法には国会以外の機関が関与できない、とする原則である。
Q5	国会単独立法の原則については、憲法上、例外は認められていない。
Q6	法律には主任の国務大臣の署名と内閣総理大臣の署名を要するものとされているが、これを欠いたとしても、法律の効力には影響しない。
Q7	会期中に衆議院が解散されても、参議院は会期を続行することができる。
Q8	各議院は、総議員の３分の１以上の出席がなければ、議事・議決を行うことができない。
Q9	秘密会の議事録については、公開が義務付けられることはない。
Q10	内閣が条約を締結するには事前に国会の承認を得ることを要し、事後的に承認を得ることは一切認められない。
Q11	条約の承認については、衆議院に先議権が認められている。
Q12	裁判所に係属中の事件については、国政調査権の行使は一切許されない。
Q13	議員の資格争訟の対象となる資格とは議員となるための資格、すなわち被選挙権があることをいうから、兼職禁止規定に反することは含まれない。
Q14	衆議院が解散され総選挙が行われたときは、選挙の日から30日以内に国会を召集しなければならない。
Q15	参議院の緊急集会では国政に関するあらゆる事項について議決することが認められるから、憲法改正の発議を行うこともできると解されている。
Q16	国会議員が地方公共団体の議会の議員を兼職することは許されている。
Q17	国会開会中の国会議員であっても、現行犯逮捕される場合がある。
Q18	発言に対する免責特権は、弁護士としての懲戒責任にも及ぶ。
Q19	政党は議会制民主主義を支えるうえできわめて重要な存在であるから、日本国憲法には政党について特別の規定が置かれている。
Q20	政党に対しては、高度の自主性・自律性を与えて、自主的に組織運営をなしうる自由を保障しなければならない、とするのが判例である。

A1 ○ 立法・司法・行政の各権力をそれぞれ独立した機関に分担させ、相互に牽制させることで、権力濫用を防止しようとする制度である。

A2 × 権力分立は、民主主義的思想のみならず、権力濫用防止により国民の自由を確保しようとする自由主義に基づく考え方である。

A3 × 最高機関とは国会が国政の中心にあることを強調するものにすぎず、法的な意味を持つものではないとするのが通説である。

A4 × 国会中心立法の原則とは、憲法上の例外を除いて国会以外の機関による立法は許されない、とする原則である。問題文は、国会単独立法の原則についてのものである。

A5 × 国会単独立法の原則の例外として、地方自治特別法制定のための住民投票（憲法95条）がある。

A6 ○ 署名・連署（憲法74条）は法律の執行権の所在を明らかにするためのものにすぎない、と解されている。

A7 × 会期中に衆院が解散されると参院も同時に閉会となる（憲法54条２項）。

A8 ○ 憲法56条１項が、本問のように定めている。

A9 × 議事録の公表を要しないのは、秘密会における記録の中で特に秘密を要するものに限られている（憲法57条２項）。

A10 × 国会の承認は事前に得ることが原則であるが、時宜によっては事後に得ることも認められている（憲法73条３号但書）。

A11 × 憲法上、先議権が定められているのは予算についての議決のみであり、条約の承認について衆議院の先議権は認められていない。

A12 × 議院が別個の目的で国政調査権を行使することは許される。

A13 × 兼職禁止規定違反も、議員の資格争訟の裁判（憲法55条）の対象となる。

A14 ○ 憲法54条１項が、本問のように定めている。

A15 × 憲法改正には緊急集会によらなければならないほどの緊急性はない。

A16 × 衆参両院の議員の兼職禁止（憲法48条）のほか、国会議員と地方公共団体の議会の議員との兼職も禁止される（地方自治法92条１項）。

A17 ○ 院外における現行犯逮捕は認められている（国会法33条）。

A18 ○ 弁護士である国会議員の、弁護士としての懲戒責任も免除されうる。

A19 × 憲法上、政党は「結社」として保障されているにすぎず（憲法21条１項）、政党についての特別の規定は置かれていない。

A20 ○ 共産党袴田事件（最判昭63.12.20）の判旨と同旨。

memo

第2章

内閣

SECTION

① 内閣の地位・組織・権能
② 議院内閣制、衆議院の解散

第2章 内閣

出題傾向の分析と対策

試験名	地上			国家一般職			特別区			裁判所職員			国税・財務・労基			国家総合職		
年度	16-18	19-21	22-24	16-18	19-21	22-24	16-18	19-21	22-24	16-18	19-21	22-24	16-18	19-21	22-24	16-18	19-21	22-24
出題数 / セクション	3	1	2	3		2	2		2		1	2	2	1	2	2	3	2
内閣の地位・組織・権能	★★	★	★★	★★		★★	★★		★★		★	★★	★★	★	★★	★★	★★★	★
議院内閣制、衆議院の解散	★			★														★

（注） 1つの問題において複数の分野が出題されることがあるため、星の数の合計と出題数とが一致しないことがあります。

内閣については、どの試験種でもよく出題されています。ほとんどが条文の内容を問う問題です。ただし、衆議院の解散については学説問題が出題される場合があります。

地方上級

最近よく出題されています。基本的な知識を問う問題ばかりですので、過去問を繰り返し解いて、基本的な知識を身につけてください。

国家一般職

2年に1回くらいの頻度で出題されています。条文の内容を理解するのと同時に、衆議院の解散に関する各学説の内容を理解しておきましょう。

特別区

2年に1回くらいの頻度で出題されています。基本的な知識を問う問題ばかりですので、過去問を繰り返し解いて、基本的な知識を身につけてください。

裁判所職員

2年に1回くらいの頻度で出題されていましたが、ここ数年はたまに出題されるくらいです。近年では、内閣総理大臣について問われています。また、衆議院の解散に関する学説問題も出題されますので、各学説の内容を理解しておきましょう。

国税専門官・財務専門官・労働基準監督官

最近よく出題されています。最近では、内閣総理大臣について問われています。基本的な知識を問う問題ばかりですので、過去問を繰り返し解いて、基本的な知識を身につけてください。

国家総合職

最近よく出題されています。条文の内容を理解するのと同時に、衆議院の解散に関する各学説の内容を理解しておきましょう。

Advice アドバイス 学習と対策

内閣についても、条文に関する知識を問う問題がほとんどですので、条文の内容をしっかり理解してください。

特に内閣総理大臣の地位・権限や内閣の総辞職についてよく出題されますので、しっかり勉強してください。

衆議院の解散については、解散権の所在に関する学説を理解することが重要です。69条限定説・非限定説（7条説・65条説・制度説）・自律解散説それぞれの根拠をしっかりと理解しておいてください。

内閣
内閣の地位・組織・権能

必修問題 セクションテーマを代表する問題に挑戦！

内閣および内閣総理大臣の権能、内閣の総辞職についてよく勉強しておきましょう。

問 日本国憲法に規定する内閣又は内閣総理大臣に関する記述として、通説に照らして、妥当なのはどれか。（特別区2024）

1：内閣は、その首長たる内閣総理大臣及びその他の国務大臣で組織され、各大臣は、主任の大臣として行政事務を分担管理することとされているが、行政事務を分担管理しない、いわゆる無任所の大臣を置くことを妨げるものではない。

2：内閣は、行政権の行使について、国会に対し連帯して責任を負うため、閣議の議決方法は全員一致によらなければならないことが内閣法で規定されている。

3：内閣総理大臣は、任意に国務大臣を罷免することができ、この罷免権は、内閣総理大臣の専権に属するため、国務大臣の罷免には天皇の認証は必要としない。

4：国務大臣は、その在任中、内閣総理大臣の同意がなければ、訴追されず、内閣総理大臣が同意を拒否した場合には、公訴時効の進行は停止しない。

5：法律及び政令には、全て主任の国務大臣が署名し、内閣総理大臣が連署することを必要とするため、この署名及び連署を欠いた場合には、法律及び政令の効力は否定される。

直前復習

Guidance ガイダンス

内閣の総辞職

・衆議院が不信任決議案を可決し、または信任の決議案を否決した後10日以内に衆議院が解散されない場合
・内閣総理大臣が欠けた場合
・衆議院議員総選挙後、初めて国会の召集があった場合

頻出度	地上★★　国家一般職★★　特別区★★ 裁判所職員★★★　国税･財務･労基★★★　国家総合職★★★

必修問題の解説

チェック欄		
1回目	2回目	3回目

〈内閣・内閣総理大臣〉

1○ 内閣は、内閣総理大臣と、その他の国務大臣からなり（憲法66条１項）、各大臣は、主任の大臣として行政事務を分担管理する（内閣法３条１項）。ただし、行政事務を分担しない無任所大臣を置くことも可能である（同条２項）。したがって、本肢は内閣法の規定のとおりであり、妥当である。

2× 内閣は、行政権の行使について、全国民を代表する議員からなる国会に対し連帯して責任を負う（内閣法１条２項）。そのため、内閣が権限を行使するに際して、合議体としての意思を決定するために閣議が開催される（内閣法４条参照）。しかし、閣議の議決方法については内閣法に規定がなく、慣例により全員一致で行うこととされているにすぎない。

3× 内閣総理大臣は、国務大臣を任命し、また任意に罷免することができる（憲法68条１項本文・２項）。この任免（任命および罷免）権は内閣総理大臣の専権に属し、任免の決定に際して閣議にかける必要はない。しかし、天皇の国事行為を列挙した憲法７条５号は「国務大臣…の任免…を認証すること」と規定しているため、国務大臣の罷免にも天皇の認証が必要となる。

4× 国務大臣は､その在任中､内閣総理大臣の同意がなければ､訴追されない（憲法75条本文)｡ただし､訴追の権利は､害されない（同条但書)｡この但書は､国務大臣が訴追されない特権は大臣在任中に限定され、かつ大臣退任後に訴追が可能な状態を保つために、在任中は公訴時効の進行が停止することを意味している。内閣総理大臣が同意を拒否した場合には、公訴時効の進行が停止するので、本肢は妥当でない。

5× 法律および政令には、すべて主任の国務大臣が署名し、内閣総理大臣が連署することを必要とする（憲法74条）。これは主任の大臣の執行責任および内閣が法律を誠実に執行する責任を明確化するために義務化されたものである。したがって、署名・連署は法律の効力発生要件ではないので、署名・連署を欠いた法律および政令の効力は否定されない。

正答 1

内閣

内閣の地位・組織・権能

1 内閣の組織

行政権は、内閣に属するとされています（憲法65条）。

行政権を一義的に定義するのは困難なため、「国家作用全般から立法権と司法権を取り除いたもの」と定義するのが多数説です（控除説）。

憲法65条はあらゆる行政権が内閣に帰属することまで要求するものではないので、内閣から独立性を有する独立行政委員会の制度も認められます。人事院、公正取引委員会などがその例です。

内閣は、内閣総理大臣およびその他の国務大臣で組織する合議体です（憲法66条1項）。

内閣総理大臣およびその他の国務大臣は、内閣の構成員であると同時に、主任の大臣として内閣府および各省の長として行政事務を分担管理するのが通常ですが、行政事務を分担管理しない無任所の大臣を置くこともできます（内閣法3条2項）。

内閣の職権は**閣議**の決定に基づき行使されます。閣議とは、内閣が意思決定をなすために行われる内閣構成員（内閣総理大臣その他の国務大臣）による会合のことです。閣議の議事は、慣行上全員一致で行われます。

2 内閣の構成員の要件

内閣の構成員の要件として、**①文民であること**（憲法66条2項）、**②過半数が国会議員であること**（憲法68条1項但書）が定められています。

「文民」とは、職業軍人でない者をいいます。

国務大臣の過半数が国会議員であることは、内閣が成立する時点で確保されなければならない要件ですが、同時に、内閣が存続する限り確保されていなければならない要件でもあります。

3 内閣総理大臣

内閣総理大臣には、内閣の首長としての地位が与えられています（憲法66条1項）。

明治憲法では内閣総理大臣は他の大臣と対等な同輩中の首席にすぎませんでした。

内閣総理大臣は、**国会議員の中から国会の議決によって指名され**（憲法67条1項前段）、**天皇が国会の指名に基づいて任命します**（憲法6条1項）。この指名は国会の他のすべての案件に先だって行うものとされています（憲法67条1項後段）。

内閣総理大臣が国会議員であることは、就任に必要な要件であるだけでなく、総理大臣であり続けるためにも必要な要件です。したがって、内閣総理大臣が国会議員の地位を失ったときは、内閣総理大臣の地位も同時に失うことになります。

4 内閣の権能

(1) 一般行政事務に関する権限 憲法73条は、内閣の権限として、他の一般行政事務のほか、特に重要なものを列挙しています。 ①法律の誠実な執行と国務の総理（1号） ②外交関係の処理（2号） ③条約の締結（3号） ④官吏に関する事務の掌理（4号） ⑤予算の作成と国会への提出（5号） ⑥政令の制定（6号） ⑦恩赦の決定（7号）
(2) 天皇の国事行為に関する助言と承認（憲法3条、6条、7条）
(3) 国会・裁判所との関係における権能 ①臨時会の召集の決定（憲法53条） ②参議院の緊急集会の請求（憲法54条2項但書） ③衆議院の解散の決定（憲法7条3号） ④最高裁判所長官の指名（憲法6条2項） ⑤その他の裁判官の任命（憲法79条1項、80条1項）
(4) その他の権能 ①予備費を支出し、国会の事後承認を求めること（憲法87条） ②国の収入支出の決算を国会に提出すること（憲法90条1項） ③国会・国民に財政状況を報告すること（憲法91条）

5 内閣総理大臣の権能

(1) 国務大臣の任免権

内閣総理大臣は、国務大臣を任命し、任意に罷免することができます（憲法68条）。

(2) 国務大臣の訴追同意権（憲法75条本文）

内閣総理大臣は、国務大臣の訴追に対する同意権を有しています。

内閣

内閣の地位・組織・権能

同意権によって訴追の権利は害されない、とされており（憲法75条但書）、同意がない場合、公訴時効の進行は停止します。

(3) 内閣を代表する権能（憲法72条）

内閣総理大臣は、内閣を代表して議案を国会に提出し、一般国務および外交関係について国会に報告し、行政各部を指揮監督する権能を有します。

一般に、内閣が国会に提出することのできる「議案」には、法律案も含まれると解されています。

そして、内閣法６条は、「内閣総理大臣は、閣議にかけて決定した方針に基いて、行政各部を指揮監督する」としています。

なお、判例は、閣議にかけて決定した方針が存在しない場合でも、内閣の明示の意思に反しない限り、内閣総理大臣は行政各部に対し、指導・助言等の指示を与える権限を有する、としています（ロッキード事件、最大判平7.2.22）。

(4) 法律・政令に連署する権能（憲法74条）

内閣総理大臣は、主任の国務大臣とともに法律および政令に連署することとされています。

6 内閣の総辞職

内閣の総辞職とは、内閣の構成員全員が一体となって辞職することです。憲法上、以下の場合には、内閣は総辞職をしなければなりません。

内閣が総辞職しなければならない場合

①	衆議院で内閣不信任決議案を可決し、または信任決議案を否決した後、10日以内に衆議院が解散されないとき（憲法69条）
②	衆議院議員総選挙の後に、初めて国会の召集があったとき（憲法70条）
③	内閣総理大臣が欠けたとき（憲法70条）

日常的な行政事務の継続性を確保する必要があるため、総辞職した内閣は、次の内閣総理大臣が任命されるまで引き続き職務を行うこととされています（憲法71条）。

memo

内閣の地位・組織・権能

実践 問題 141 基本レベル

頻出度	地上★★　国家一般職★★　特別区★★ 裁判所職員★★★　国税·財務·労基★★★　国家総合職★★★

問 内閣に関する記述として最も妥当なものはどれか。　（裁判所事務官2019）

1：内閣総理大臣は、必ず国会議員の中から指名されなければならないが、国務大臣については、国会議員以外の者を任命することができ、全ての国務大臣を国会議員以外の者から任命することも可能である。

2：衆議院が内閣不信任を決議した場合において、内閣がこれに対抗して衆議院の解散に踏み切り、その後の総選挙で内閣を支持する与党が過半数の議席を獲得した場合には、内閣は総辞職する必要はない。

3：衆議院において個別の国務大臣に対する不信任決議がされた場合、当該国務大臣はその地位を失う。

4：憲法第65条が「行政権は、内閣に属する。」と定め、内閣において行政全般に統括権を持つことを要求していることからすれば、全ての行政は、内閣による直接の指揮監督を受けなければならない。

5：内閣総理大臣は、閣議にかけることなく、国務大臣を罷免することができる。

チェック欄

1回目	2回目	3回目

実践 問題 141 の解説

〈内閣〉

1 × 国務大臣については、国会議員以外の者を任命することもできるが、その過半数は国会議員の中から選ばれなければならない（憲法68条但書）ため、すべての国務大臣を国会議員以外の者から任命することはできない。したがって、すべての国務大臣を国会議員以外の者から任命することも可能であると述べる本肢後段が妥当でない。

2 × 衆議院議員総選挙の後、初めて国会の召集があったときは、内閣は必ず総辞職しなければならない（憲法70条）。したがって、本肢のような総選挙の前後で与党が変わらない状況が生じても、内閣は総辞職しなければならないことに変わりはない。

3 × 国務大臣に対する個別責任を問うため、衆議院や参議院は国務大臣に対し、不信任決議をすることができる。しかし、このような不信任決議は、当該国務大臣の地位を奪う法的拘束力はないので、本肢は妥当でない。同決議は、憲法69条・70条のような規定がないため、その対象である国務大臣を辞職させる法的効力を持たず、その政治的責任を問う意味を有するにすぎない。

4 × 行政権に属する国家作用は広範にわたり、その中には準司法作用や政治的中立性が要求される作用など、内閣の指揮監督になじまない作用も存在する。そのため、憲法65条は、すべての行政について内閣が直接の指揮監督権を持つことまで要求しているわけではなく、例外的に、内閣の指揮監督から独立して権限を行使する機関の存在を許容していると解されている。現に、前記のような作用を行う独立行政委員会は、内閣の指揮監督から独立しているものの、憲法65条に反しないとされる。したがって、すべての行政は内閣による直接の指揮監督を受けなければならないと述べる本肢後段が妥当でない。

5 ○ 内閣総理大臣は、任意に国務大臣を罷免することができる（憲法68条２項）。国務大臣の罷免権は、内閣総理大臣の専権であるから、内閣総理大臣は、国務大臣を閣議にかけることなく自らの判断で罷免することができる。

正答 5

内閣

内閣の地位・組織・権能

実践 問題 142 基本レベル

頻出度 地上★★ 国家一般職★★★ 特別区★★ 裁判所職員★★★ 国税·財務·労基★★★ 国家総合職★★★

問 **内閣に関するア～オの記述のうち、妥当なもののみを全て挙げているのはどれか。** **(国家一般職2015)**

ア：衆議院の解散又は衆議院議員の任期満了のときから、衆議院議員総選挙を経て初めて国会が召集されるまでの期間において内閣総理大臣が欠けた場合、内閣は、衆議院議員総選挙の後に初めて国会の召集があったときではなく、直ちに総辞職するのが先例である。

イ：内閣は、法律を誠実に執行し、また、憲法を尊重し擁護すべき義務を負っていることから、最高裁判所が違憲と判断しなくとも、憲法上の疑義を理由に法律の執行を拒否することができると一般に解されている。

ウ：国務大臣は、その在任中に、内閣の同意がなければ訴追されず、当該同意に基づかない逮捕、勾留は違法であり、当該訴追は無効となる。ただし、訴追の権利は害されないとされていることから、訴追に内閣の同意がない場合には公訴時効の進行は停止し、国務大臣を退職するとともに訴追が可能となると一般に解されている。

エ：内閣は、国会に対し責任を負うとされているが、各議院が個別的に内閣に対して責任を追及することを排除する趣旨ではなく、例えば、内閣に対して、総辞職か議院の解散かの二者択一を迫る決議案は、衆議院及び参議院のいずれにおいても提出することができる。

オ：内閣は、閣議によりその職権を行使するものとされている。内閣総理大臣は内閣の首長であるとされているものの、閣議は全員一致によるものと法定されており、ある国務大臣が閣議決定に反対した場合は、当該国務大臣を罷免しない限り、内閣は職権を行使することができないため、総辞職することになる。

1：ア
2：ウ
3：イ、エ
4：ア、ウ、オ
5：イ、エ、オ

直前復習

チェック欄

1回目	2回目	3回目

実践 問題 142 の解説

〈内閣〉

ア○ 大平首相が衆議院解散後・総選挙前に急死した際、内閣は首相死亡時点で総辞職したという先例があるので、本記述は妥当である。衆議院の解散または任期満了時から総選挙を経て、新国会召集までに内閣総理大臣が欠けた場合には、その時点で内閣は総辞職することとなる（憲法70条）。内閣は、「首長」である内閣総理大臣を欠いては存続しえないからである。

イ× 本記述は、内閣は、最高裁判所が違憲と判断しなくとも法律の執行を拒否できるとする点において妥当でない。内閣が違憲と判断した法律も「誠実に執行」（憲法73条１号）する義務を負うかが問題となるが、国会は「唯一の立法機関」（憲法41条）であることから、法律の憲法適合性については、内閣より国会の判断のほうが優先すると解されている。したがって、国会で合憲と判断した以上、内閣はその判断に拘束され、自らが違憲と思料する法律も執行しなければならない。

ウ× 国務大臣の訴追に対する同意権は内閣総理大臣にあるので、内閣にあるとする本記述は妥当でない。国務大臣の訴追に対する内閣総理大臣の同意権を規定する憲法75条は、検察権の行使による内閣の職務執行への不当な影響を防ぎ、内閣の一体性を確保する趣旨に出たものである。それゆえ、「訴追」には、公訴の提起のみならず、捜査の過程で大臣の職務遂行を阻害するような処分（逮捕・勾留など）も含まれると解されている。

エ× 本記述は、総辞職か議院の解散かを迫る決議案を参議院も提出できるとする点で妥当でない。憲法69条の規定からして、内閣に総辞職か議院の解散かの法的効果を生じる決議案を提出できるのは衆議院だけである。参議院も同様の決議案を提出できると解されるが、それは、個々の国務大臣に対する不信任決議案の場合と同様に、単なる政治的意味を持つにとどまる。

オ× 閣議は全員一致によることが法定されていないので、それを法定されていると述べる本記述は妥当でない。内閣の職権行使については、内閣総理大臣が主宰する閣議によるものとされているが（内閣法４条１項・２項)、議事に関する手続等の事項は法定されておらず、非公開・全員一致であることが慣行とされているにすぎない。

以上より、妥当なものはアであり、肢１が正解となる。

正答 1

実践 問題 143 基本レベル

頻出度	地上★★　国家一般職★★　特別区★★ 裁判所職員★★★　国税·財務·労基★★★　国家総合職★★★

問 内閣に関するア～オの記述のうち、妥当なもののみを全て挙げているのはどれか。
（国税・財務・労基2018）

ア：内閣が国会に対し連帯して責任を負うだけでなく、特定の国務大臣がその所管する事項に関して単独の責任を負うことも否定されていないが、個別の国務大臣に対する不信任決議は、参議院はもとより、衆議院においても行うことができない。

イ：内閣総理大臣は、国会議員の中から国会の議決で指名される。内閣総理大臣は国務大臣を任命するが、その過半数は国会議員の中から選ばれなければならない。また、国務大臣は、その在任中、内閣総理大臣の同意がなければ訴追されず、閣議決定によらなければ罷免されない。

ウ：内閣総理大臣の職務として、内閣を代表して議案を国会に提出し、一般国務及び外交関係について国会に報告し、行政各部を指揮監督することが、憲法上規定されている。

エ：条約の締結は、内閣の職務として憲法上規定されているが、必ず事後に国会の承認を経ることが必要である。

オ：法律及び政令には、全て主任の国務大臣が署名し、内閣総理大臣が連署することが必要である。政令には、特に法律の委任がある場合を除き、罰則を設けることができない。

1：ア、イ
2：ア、ウ
3：イ、エ
4：ウ、オ
5：エ、オ

チェック欄		
1回目	2回目	3回目

実践 問題 143 の解説

〈内閣〉

ア× 個々の国務大臣に対する不信任決議は衆議院および参議院にも認められている。この点において、本記述の後半部分が妥当でない。ただし、衆議院の内閣不信任決議（憲法69条）と異なり、いずれについても、国務大臣の辞職を強制する法的効果まではないことに注意を要する。

イ× 本記述の第1文および第2文は、妥当である（憲法67条1項・68条1項）。しかし、第3文が妥当でない。内閣総理大臣は任意に国務大臣を罷免することができる（憲法68条2項）が、ここに「任意」とは、内閣総理大臣の単独の意思という意味であり、閣議決定による必要はない。したがって、閣議決定によらなければ罷免されないと述べる点が妥当でない。

ウ○ 憲法72条は「内閣総理大臣は、内閣を代表して議案を国会に提出し、一般国務及び外交関係について国会に報告し、並びに行政各部を指揮監督する」と規定している。このように、内閣総理大臣の職務につき憲法上規定がある。

エ× 憲法73条各号で内閣の職務を規定しており、その中に条約の締結も規定されている（憲法73条3号本文）。しかし、事前に、時宜によっては事後に、国会の承認を経ることを必要としている（同号但書）。したがって、必ず事後の国会の承認を経ることが必要となるわけではないので、本記述は妥当でない。なお、国会の承認を求めた趣旨は、条約は、国家の命運や国民の権利義務に直接関係することから、憲法は、条約の締結権は内閣に帰属させつつも、条約の締結に国会の承認を要することとして、内閣の権限行使を国会の直接の統制化に置こうという点にある。

オ○ 法律および政令には、すべて主任の国務大臣が署名し、内閣総理大臣が連署することを必要とする（憲法74条）。また、内閣の職務として、政令の制定権が認められている（憲法73条6号）が、政令に罰則を設ける場合には、特に法律の委任が必要となる（同条同号但書）。したがって、法律の委任がある場合を除き、罰則を設けることはできない。

以上より、妥当なものはウ、オであり、肢4が正解となる。

正答 4

第2章 SECTION 1 内閣

内閣の地位・組織・権能

実践 問題 144 基本レベル

頻出度	地上★★　国家一般職★★　特別区★★ 裁判所職員★★★　国税·財務·労基★★★　国家総合職★★★

問 次のア～カの記述のうち、憲法上、内閣の権限又は事務とされているもののみを全て挙げているのはどれか。（国家一般職2018）

ア：最高裁判所の長たる裁判官を任命すること。
イ：下級裁判所の裁判官を任命すること。
ウ：法律を誠実に執行し、国務を総理すること。
エ：国会の臨時会の召集を決定すること。
オ：参議院の緊急集会を求めること。
カ：国務大臣の訴追について同意すること。

1：ア、エ、カ
2：イ、ウ、オ
3：ア、イ、エ、オ
4：ア、ウ、オ、カ
5：イ、ウ、エ、オ

チェック欄

1回目	2回目	3回目

実践 問題 144 の解説

〈内閣の権限・事務〉

内閣の権限または事務について、憲法上さまざまな規定がある。

まず、一般的行政事務に関する権限について憲法73条の規定がある。同条は、内閣の権限として、他の一般行政事務のほか、特に重要なものを列挙する。具体的には、法律の誠実な執行と国務の総理（記述ウ、１号)、外交関係の処理（２号)、条約の締結（３号)、官吏に関する事務の掌理（４号)、予算の作成と国会への提出（５号)、法律を実施するための政令の制定（６号)、恩赦の決定（７号）である。

次に、国会や裁判所に関する権限で本問に関係するものとしては、国会につき、臨時会の召集の決定（記述エ、憲法53条前段)、参議院の緊急集会の求め（記述オ、憲法54条２項但書）がある。また、裁判所との関係においては、最高裁判所の長たる裁判官以外の裁判官の任命（憲法79条１項)、下級裁判所の裁判官の任命（記述イ、憲法80条１項）が挙げられる。これに対して、**最高裁判所の長たる裁判官は、内閣の指名に基づき、天皇が任命する**（記述ア、憲法６条２項）ので、任命自体は内閣ではなく天皇が行う。

また、**国務大臣の訴追同意権**（記述カ、憲法75条本文）は、**内閣ではなく内閣総理大臣の権能である**。なお、憲法に規定された内閣総理大臣の権能は他に、国務大臣の任免権（憲法68条)、内閣を代表する権限（憲法72条)、法律・政令に連署する権能（憲法74条）がある。

以上より、内閣の権能として妥当なのはイ、ウ、エ、オであり、肢５が正解となる。

正答 5

内閣

内閣の地位・組織・権能

実践 問題 145 基本レベル

頻出度	地上★★　国家一般職★★　特別区★★ 裁判所職員★★★　国税・財務・労基★★★　国家総合職★★★

問 内閣に関するア～オの記述のうち、妥当なもののみを全て挙げているのはどれか。　　　　(国家総合職2017)

ア：内閣総理大臣は、国会議員の中から国会の議決で指名され、天皇が任命する。これに対し、内閣総理大臣が指名し、天皇が任命する国務大臣については、その過半数は、国会議員の中から選ばれなければならないとされており、国会議員以外の者を国務大臣として指名することも認められている。

イ：内閣総理大臣は、任意に国務大臣を罷免することができるが、この罷免は内閣総理大臣の一身専属的な権限であることから、内閣総理大臣に事故のあるときに臨時に内閣総理大臣の職務を行う国務大臣でも、他の国務大臣の罷免を行うことはできないと一般に解されている。

ウ：内閣は行政権の行使について国会に対して連帯して責任を負うものの、各国務大臣がその所管事項について単独の責任を負うことが否定されているわけではなく、国会が個別の国務大臣に対する不信任を決議することでその単独の責任を追及することは可能であるが、その不信任決議に法的効力はないと一般に解されている。

エ：内閣法では、内閣は閣議によりその職権を行い、また、閣議は内閣総理大臣が主宰するとされている。その上で、閣議の実際の運営では、閣議決定は全会一致によることとされ、また、閣議は非公開であり議事録も一切公開されることはないが、これらの取扱いはあくまで慣習によるものである。

オ：内閣総理大臣は、内閣を代表して行政各部を指揮監督するとされており、行政各部に対し、随時、その所掌事務について一定の方向で処理するよう指導、助言等の指示を与える権限を有するが、内閣法では「内閣総理大臣は、閣議にかけて決定した方針に基いて、行政各部を指揮監督する」と規定されていることから、こうした指導、助言等の指示については、内閣の意思に反しないことを明らかにするため、あくまで閣議にかけて決定した方針に基づいて行う必要があるとするのが判例である。

1：ア、イ
2：イ、ウ
3：ウ、オ
4：ア、エ、オ
5：イ、ウ、エ

チェック欄

1回目	2回目	3回目

実践 問題 145 の解説

〈内閣〉

ア× 国務大臣を任命するのは内閣総理大臣であり（憲法68条1項本文）、天皇が任命するのではない。したがって、国務大臣は内閣総理大臣が指名し、天皇が任命すると述べる本記述は妥当でない。

イ○ 臨時代理の権限は、原則として、内閣総理大臣のすべての権限に及ぶが（内閣法9条参照）、例外として、内閣総理大臣の一身専属的な権限は含まれないと解されている。その1つに国務大臣の任命・罷免権がある（憲法68条1項・2項）。したがって、国務大臣の罷免を行うことは臨時代理の権限に含まれない旨を述べる本記述は妥当である。

ウ○ 内閣の国会に対する連帯責任を規定する憲法66条3項は、内閣の構成員すべてが国会に対し一体として政治責任を負う趣旨に出たものである。もっとも、本条は、国会による国務大臣の個別的な責任追及を否定する趣旨ではない。国務大臣のみの責任を追及することは、憲法が「主任の国務大臣」（憲法74条）の存在を認めていることからも不合理ではないと解されるからである。ただし、憲法69条のような規定がないことから、個別の国務大臣に対する不信任決議に法的効力はないと解されている。

エ× 内閣は閣議によりその職権を行い、また、閣議は内閣総理大臣が主宰する（内閣法4条1項・2項前段）。また、内閣法に規定はないが、慣習により、閣議が非公開で行われ、閣議決定は全会一致により決せられている。しかし、閣議の議事録は、第2次安倍内閣において2014年4月から作成・公開されることが決定された。閣議の議事録が一切公開されることはないと述べる本記述は、現在の内閣の慣行と異なるので妥当でない。

オ× 内閣総理大臣は、原則として、閣議で決定した方針に基づいて行政各部を指揮監督するが（内閣法6条）、判例は、「閣議で決定した方針がない場合でも、内閣総理大臣は、少なくとも内閣の明示の意思に反しない限り、行政各部に対し指導・助言などの指示を与える権限を有する」としている（ロッキード事件、最大判平7.2.22）。したがって、あくまで閣議にかけて決定した方針に基づいて行う必要があるとし、例外を認めない旨を述べる本記述は妥当でない。

以上より、妥当なものはイ、ウであり、肢2が正解となる。

正答 2

内閣

内閣の地位・組織・権能

実践 問題 146 基本レベル

頻出度 地上★★ 国家一般職★★ 特別区★★ 裁判所職員★★★ 国税·財務·労基★★★ 国家総合職★★★

問 内閣総理大臣に関する次の記述のうち、最も適当なのはどれか。（裁事2006）

1：憲法第68条第２項は、内閣総理大臣に国務大臣の罷免権を認めているが、国務大臣の任免には天皇の認証が必要とされるから、内閣総理大臣が国務大臣を罷免する場合には、憲法上閣議を招集することが要件とされている。

2：憲法第68条第１項は、国務大臣の過半数は衆議院議員でなければならないと定めているが、衆議院が解散された場合は、その総選挙後の国会の召集時まで内閣が存続しうることが憲法上予定されているから、内閣総理大臣は、国務大臣を任命し直す必要はない。

3：憲法第75条は、国務大臣の在任中は、内閣総理大臣の同意がなければ訴追されないことを定めているが、内閣総理大臣が国務大臣の訴追について同意しない場合であっても、これによって訴追の権利が害されることはない。

4：内閣総理大臣は、憲法第67条第１項により、国会の議決で指名されるが、衆議院と参議院とが異なる指名をした場合は、衆議院において出席議員の３分の２以上の多数で再び議決したときに、国会の議決として扱われる。

5：法律及び政令には、その執行責任を明確にする趣旨から、憲法第74条により、内閣総理大臣及びすべての国務大臣の署名が必要となるが、この署名は効力発生要件と解されており、署名を欠いた法律及び政令は、効力が生じないとするのが通説的見解である。

直前復習

チェック欄

1回目	2回目	3回目

実践 問題 146 の解説

〈内閣総理大臣〉

1 × 憲法68条２項は、内閣の一体性および内閣総理大臣の首長としての地位（憲法66条１項）を確保する趣旨から、内閣総理大臣に国務大臣の任免権を認めている。この国務大臣の任免には天皇の認証が必要であるが（憲法７条５号）、憲法上閣議を招集することは要件とされていない。なお、天皇の認証については「内閣の助言と承認」が必要であるから（憲法７条柱書）、認証それ自体については閣議を招集することが必要となるが、任免権が内閣総理大臣の一身専属権であることを重視して、任免それ自体については閣議を招集することは不要であると解されている。

2 × 議院内閣制のもと、憲法68条１項但書は、国務大臣の過半数は「国会議員」でなければならない旨を規定している。これは内閣の成立・存続要件であると解されているが、衆議院が解散された場合は、その総選挙後の国会の召集時まで内閣が存続しうることが憲法上予定されているから（憲法71条）、内閣総理大臣は国務大臣を任命し直す必要はないとされている。

3 ○ 憲法75条本文は、内閣の一体性および内閣総理大臣の首長としての地位を確保する趣旨から、国務大臣は在任中は内閣総理大臣の同意がなければ訴追されないことを定めている（国務大臣の訴追同意権）。もっとも、内閣総理大臣が国務大臣の訴追について同意しない場合であっても、これによって「訴追の権利は、害されない」とされている（同条但書）。「訴追の権利は、害されない」とは、具体的には公訴時効（刑事訴訟法250条以下）が停止することを意味すると解されている。

4 × 議院内閣制のもとで、憲法67条１項は、内閣総理大臣は国会議員の中から国会の議決で指名される旨を規定している。そして、衆議院と参議院とが異なる指名をした場合は、両院協議会の開催が必要となる（同条２項）。この両院協議会で意見が一致しなければ、衆議院の議決が国会の議決となる（同条同項）。衆議院において出席議員の３分の２以上の多数で再び議決したときに国会の議決として扱われるのは法律案の議決である（憲法59条２項）。

5 × 憲法74条は、執行責任を明確にする趣旨から、法律および政令には「主任の国務大臣」の署名と内閣総理大臣の連署が必要である旨を規定している。もっとも、同条は執行責任を明確にする趣旨にすぎないから、この署名は効力発生要件ではない。国会単独立法の原則に照らし署名を欠いた法律および政令についても効力が生じると解するのが通説である。

正答 3

内閣
内閣の地位・組織・権能

実践 問題 147 基本レベル

頻出度 地上★★ 国家一般職★★ 特別区★★ 裁判所職員★★★ 国税·財務·労基★★★ 国家総合職★★★

問 内閣に関する次のア～エの記述のうち、妥当なもののみを全て挙げているものはどれか。 （裁判所事務官2024）

ア：憲法は、国務大臣について、内閣総理大臣の同意がなければ、その在任中訴追されないことを定めている。

イ：最高裁判所の長たる裁判官は、内閣の指名に基づいて天皇が任命し、最高裁判所の長たる裁判官以外の最高裁判所の裁判官は、内閣が任命する。

ウ：内閣は、国会の指名した者の名簿によって下級裁判所の裁判官を任命する。

エ：内閣総理大臣は、国務大臣を自由に任免することができ、内閣総理大臣その他の国務大臣は、その過半数が文民であれば足りる。

1：ア、イ
2：ア、エ
3：イ、ウ
4：イ、エ
5：ウ、エ

チェック欄		
1回目	2回目	3回目

実践 問題 147 の解説

〈内閣〉

ア○ 憲法75条本文は、「国務大臣は、その在任中、内閣総理大臣の同意がなければ、訴追されない」と規定している。これは、検察機関による不当な政治的圧力を防止し、もって内閣の一体性と活動力の保全を図る規定である。したがって、本記述は妥当である。

イ○ 最高裁判所の長たる裁判官は、内閣の指名に基づいて、天皇が任命する（憲法6条2項）。また、最高裁判所の長たる裁判官以外の最高裁判所の裁判官は、内閣が任命し（憲法79条1項）、天皇が認証する（憲法7条5号、裁判所法39条3項）。したがって、本記述は妥当である。

ウ× 下級裁判所の裁判官は、最高裁判所の指名した者の名簿によって、内閣でこれを任命する（憲法80条1項前段）。内閣は、最高裁判所の指名した名簿にない者を任命することはできない。したがって、国会の指名した者の名簿によって下級裁判所の裁判官を任命すると述べる点が妥当でない。

エ× 内閣総理大臣は、国務大臣を任命し、かつ任意に罷免することができる（憲法68条1項本文・2項）。これは明治憲法時代に内閣総理大臣が他の国務大臣と対等の地位しか持ちえなかったことを改め、内閣の首長としての地位を高めたものである。ここに「任意」とは、内閣総理大臣の単独の意思という意味であり、閣議にかけることを要しない。したがって、本記述前半は正しい。しかし、内閣総理大臣その他の国務大臣は、文民でなければならない（憲法66条2項）。したがって、国務大臣の過半数が文民であれば足りると述べる本記述後半が妥当でない。

以上より、妥当なものはア、イであり、肢1が正解となる。

正答 1

第2章 SECTION 1 内閣 内閣の地位・組織・権能

実践 問題 148 基本レベル

頻出度 地上★★ 国家一般職★★ 特別区★★ 裁判所職員★★★ 国税·財務·労基★★★ 国家総合職★★★

問 **内閣に関するア～オの記述のうち、妥当なもののみを全て挙げているのはどれか。** **(国家総合職2013)**

ア：内閣総理大臣は、国会議員の中から国会の議決で指名される。明治憲法下においては、内閣総理大臣は、「同輩中の首席」にすぎず、他の国務大臣と対等の地位にあるにすぎなかったが、日本国憲法は、内閣の首長としての地位を認め、それを裏付ける国務大臣の任免権等を与えている。

イ：内閣総理大臣が、死亡した場合のほか、病気や一時的な生死不明の場合も、憲法上「内閣総理大臣が欠けた」場合に該当し、内閣は総辞職をしなければならない。

ウ：衆議院の解散に伴う総選挙の結果、総選挙前の与党が、総選挙後も引き続き政権を担うことになった場合であっても、総選挙後に初めて国会が召集されたときは、内閣は総辞職をしなければならない。

エ：内閣がその職権を行うのは、閣議によることとされ、また、閣議の議事に関する特別の規定はなく、全て慣習によるが、その議決方式は構成員の過半数によることとされている。

オ：内閣総理大臣は、内閣の明示の意思に反しない限り、行政各部に対し、随時、その所掌事務について一定の方向で処理するよう指導、助言等の指示を与える権限を有するが、内閣総理大臣が、運輸大臣（当時）に対し、特定の民間航空会社に特定機種の選定購入を勧奨するよう働きかける行為は、内閣総理大臣の職務権限には属さないとするのが判例である。

1：ア、イ
2：ア、ウ
3：イ、エ
4：ウ、オ
5：エ、オ

チェック欄

1回目	2回目	3回目

実践 問題 148 の解説

〈内閣一般〉

ア○ 内閣総理大臣は、国会議員の中から国会の議決で指名される（憲法67条1項）。明治憲法においては「国務各大臣ハ天皇ヲ輔弼シ其ノ責ニ任ス」と規定されており（55条1項）、内閣総理大臣は、憲法上の制度ではなく、一般に、「同輩中の首席」にすぎず、他の国務大臣と同格のものとされていた。これに対し、日本国憲法においては、内閣総理大臣は内閣の「首長」と規定されており（憲法66条1項）、国務大臣の任免権（憲法68条1項・2項）、内閣を代表して行政各部を指揮監督する権限などが与えられている（憲法72条）。

イ× 内閣総理大臣が欠けた場合、内閣は総辞職しなければならない（内閣の総辞職。憲法70条）。この「内閣総理大臣が欠けたとき」とは、死亡、辞職、総理大臣に任命されるための資格要件を欠くに至った場合（資格争訟裁判や除名の結果、国会議員の地位を失った場合など）を指し、病気や一時的生死不明などのような暫定的性質の故障の場合は、「事故のあるとき」（内閣法9条）であり、内閣総理大臣臨時代理が置かれるにすぎない。

ウ○ 衆議院議員総選挙後に初の国会が召集された場合には、内閣は総辞職しなければならない（憲法70条）。総選挙の結果、総選挙前の与党が、総選挙後も引き続き政権を担うことになった場合であっても同様である。

エ× 内閣に属する権限の行使は、閣議によって行われる（内閣法4条1項）。閣議とは国務大臣全員により開かれる会議をいう。閣議の定足数および表決数などの議事手続についての明文の規定は、憲法のみならず内閣法にも存在せず、明治憲法下からの慣例で全会一致によるものとされている。

オ× 判例は、閣議によって決定した方針が存在しない場合においても、流動的で多様な行政需要に遅滞なく対応するため、内閣総理大臣は、少なくとも、内閣の明示の意思に反しない限り、行政各部に対し、随時、その所掌事務について一定の方向で処理するよう指導、助言等の指示を与える権限を有するとした。このため、内閣総理大臣が、運輸大臣（当時）に対し、特定の民間航空会社に特定機種の選定購入を勧奨するよう働きかける行為は、内閣総理大臣の職務権限に属するとした（ロッキード事件、最大判平7.2.22）。

以上より、妥当なものはア、ウであり、肢2が正解となる。

正答 2

内閣の地位・組織・権能

実践 問題 149 基本レベル

頻出度 地上★★ 国家一般職★★ 特別区★★ 裁判所職員★★★ 国税·財務·労基★★★ 国家総合職★★★

問 内閣総理大臣の権限に関する次の記述のうち、妥当なのはどれか。

（国家一般職2013）

1：内閣総理大臣は、恩赦を決定し、天皇がこれを認証する。

2：各大臣は、案件を内閣総理大臣に提出して、閣議を求めることができる。他方、内閣総理大臣は、閣議を主宰するが、自ら案件を発議することはできない。

3：主任の大臣の間における権限について疑義があり、内閣総理大臣がこれを裁定する場合、閣議にかけることが必要である。

4：内閣総理大臣が行政各部に対し指揮監督権を行使するためには、閣議にかけて決定した方針が存在することが必要であるから、これが存在しない場合に、内閣の明示の意思に反しない範囲で、内閣総理大臣が行政各部に対して一定の方向で処理するよう指導、助言等の指示をすることはあり得るが、それは内閣総理大臣としての権限に属するものではないとするのが判例である。

5：予算に予備費を計上し、内閣総理大臣の責任でこれを支出することができるが、その支出については、事後に国会の承諾を得なければならない。

チェック欄

1回目	2回目	3回目

実践 問題 149 の解説

〈内閣総理大臣〉

1 × 恩赦の決定は、内閣総理大臣ではなく、合議体である内閣の権限である（憲法73条7号)。なお、恩赦については、内閣の決定の後、天皇の認証が必要であり（憲法7条6号)、この点は正しい。

2 × 各大臣は、案件を内閣総理大臣に提出して、閣議を求めることができる（内閣法4条3項)。内閣総理大臣も、閣議を主宰するとともに、案件を発議することができる（同条2項)。

3 ○ 主任の大臣の間における権限についての疑義は、内閣総理大臣が、閣議にかけて、これを裁定する（内閣法7条)。

4 × 内閣総理大臣は、行政各部を指揮監督する（憲法72条）が、行政権は内閣に属するのであるから、この指揮監督は内閣が決定した方針に基づいて行われなければならない（内閣法6条)。判例も、内閣総理大臣が行政各部に対し指揮監督権を行使するためには、閣議にかけて決定した方針が存在することを要するとした。問題は、閣議にかけて決定した方針が存在しない場合である。判例は、このような場合でも、内閣総理大臣は、少なくとも、内閣の明示の意思に反しない限り、行政各部に対し、随時、その所轄事務について一定の方向で処理するよう指導、助言等の指示を与える権限を有するとした（ロッキード事件、最大判平7.2.22)。

5 × 予見しがたい予算の不足に充てるため、国会の議決に基づいて予備費を設け、内閣の責任でこれを支出することができる（憲法87条1項)。つまり、予備費の支出は、内閣の権限である。ただし、すべて予備費の支出については、内閣は、事後に国会の承諾を得なければならない（同条2項)。

正答 3

実践 問題 150 基本レベル

頻出度	地上★★　国家一般職★★　特別区★★ 裁判所職員★★★　国税·財務·労基★★★　国家総合職★★★

問 日本国憲法に規定する内閣又は内閣総理大臣に関する記述として、妥当なのはどれか。 （特別区2014）

1：内閣は、法律の定めるところにより、内閣総理大臣及びその他の国務大臣で組織され、内閣総理大臣は、全ての国務大臣を国会議員の中から任命しなければならない。

2：内閣は、内閣総理大臣が欠けたとき、又は衆議院議員総選挙の後に初めて国会の召集があったときは、総辞職をしなければならず、この場合には、あらたに内閣総理大臣が任命されるまで引き続きその職務を行う。

3：内閣総理大臣は、一般行政事務のほか、日本国憲法及び法律の規定を実施するために、政令を制定することができるが、政令には罰則を設けることが一切できない。

4：内閣総理大臣は、衆議院議員の中から国会の議決で指名され、国務大臣を任意に任命することができるが、国会の議決がなければ国務大臣を罷免することはできない。

5：内閣総理大臣は、一般国務及び外交関係について国会に報告し、並びに行政各部を指揮監督するが、議案を国会に提出するのは内閣のみの権限であり、内閣総理大臣はその権限を有しない。

チェック欄

1回目	2回目	3回目

実践 問題 150 の解説

〈内閣・内閣総理大臣〉

1 × 内閣総理大臣は、すべての国務大臣を国会議員の中から任命しなければならない、としている点で本肢は妥当でない。内閣は、法律の定めるところにより、内閣総理大臣およびその他の国務大臣で組織される（憲法66条１項）が、**内閣総理大臣が任命する国務大臣は、その過半数が国会議員であれば**よいのであり、そのすべてを国会議員から任命しなければならないのではない（憲法68条１項但書）。

2 ○ 本肢は、内閣の必要的総辞職を規定する憲法70条の趣旨を述べ、また、総辞職後の行政の空白を避けるため、新たに内閣総理大臣が任命されるまでの行政事務の継続を規定する71条の趣旨を述べているところ、いずれにおいても妥当である。なお、衆議院議員総選挙後の国会とは、**解散総選挙後の特別会**（憲法54条１項）と、**任期満了による総選挙後の臨時会**（国会法２条の３第１項）がある。

3 × 本肢は、内閣総理大臣に政令制定権を認めている点、政令には罰則を設けることが一切できないとする点において妥当でない。まず、政令を制定できるのは合議体としての「内閣」であり（憲法73条６号本文）、内閣総理大臣ではない。次に、法律の個別具体的な委任があれば政令にも罰則を設けることができる（同条同号但書）。

4 × 本肢は、内閣総理大臣が衆議院議員の中から指名されるとしている点、国会の議決がなければ国務大臣を罷免することができないとしている点において妥当でない。まず、内閣総理大臣は、国会議員の中から指名されるのであり（憲法67条１項）、衆議院議員に限定されない。次に、内閣総理大臣は、国会の議決がなくとも、任意に国務大臣を罷免することができる（憲法68条２項）。

5 × 本肢は、議案を国会に提出するのは内閣のみの権限であり、内閣総理大臣はその権限を有しない、としている点で妥当でない。すなわち、内閣総理大臣は、内閣を代表して議案を国会に提出する権限を有するのである（憲法72条）。

正答 2

内閣

内閣の地位・組織・権能

実践 問題 151 基本レベル

頻出度	地上★★　国家一般職★★　特別区★★ 裁判所職員★★★　国税·財務·労基★★★　国家総合職★★★

問 内閣及び内閣総理大臣に関するア～オの記述のうち、妥当なもののみを全て挙げているのはどれか。（国税・財務・労基2013）

ア：内閣は、国会の臨時会の召集を決定することができるが、いずれかの議院の総議員の５分の１以上の要求があれば、その召集を決定しなければならない。

イ：予見し難い予算の不足に充てるため、内閣は閣議に基づいて予備費を設け、これを支出することができるが、事後に国会の承諾を得なければならない。

ウ：内閣総理大臣は、国務大臣の任免権を有するが、これは内閣総理大臣の専権事項であるので、閣議にかけて決定する必要はない。

エ：内閣総理大臣は、閣議にかけて決定した方針が存在しない場合においても、少なくとも内閣の明示の意思に反しない限り、行政各部に対し、随時その所掌事務について一定の方向で処理するよう指導、助言等の指示を与える権限を有するとするのが判例である。

オ：憲法は、内閣総理大臣が欠けたときは、内閣は総辞職をしなければならないと定めているが、ここにいう「欠けた」には、死亡した場合のほか、除名や資格争訟の裁判などによって内閣総理大臣が国会議員たる地位を失った場合も含まれる。

直前復習

1：ア、イ
2：ウ、エ
3：ア、イ、オ
4：イ、エ、オ
5：ウ、エ、オ

チェック欄

1回目	2回目	3回目

実践 問題 151 の解説

〈内閣一般〉

ア× 臨時会の召集の決定について、内閣は、①必要に応じていつでもすることができ、②いずれかの議院の総議員の「4分の1」以上の要求があれば必ず決定しなければならない（憲法53条）。そのほか、衆議院議員の任期満了による総選挙・参議院議員の通常選挙の後にも臨時会を召集しなければならない（国会法2条の3第1項・2項）。

イ× 内閣は、予見しがたい予算の不足に充てるため、予備費を予算の中に設けることができる。ただし、予備費を予算の中に設けるためには、内閣の閣議ではなく「国会の議決」が必要となる（憲法87条1項）。なお、予備費の支出について、国会の事前承認は不要であるが、事後承諾を得る必要がある（同条2項）。もっとも、事後の承諾が得られなかったとしても、すでになされた支出の法的効果に影響はない。

ウ○ 憲法68条は、内閣総理大臣に国務大臣の任免権を認めている。この任免権は内閣総理大臣の専権であり、任免の決定に際して閣議にかける必要はない。これは、内閣の一体性および内閣総理大臣の首長たる地位（憲法66条）を確保する趣旨である。

エ○ 行政各部の指揮監督（憲法72条）は、内閣の権限であり、内閣総理大臣は、内閣を代表してそれを行う。これを受けて、内閣法6条は、内閣総理大臣は、閣議にかけて決定した方針に基づいて行政各部を指揮監督することを定めている。閣議にかけて決定した方針が存在しない場合について判例は、内閣総理大臣の地位および権限に照らすと、流動的で多様な行政需要に遅滞なく対応するため、内閣総理大臣は、少なくとも内閣の明示の意思に反しない限り、行政各部に対し、随時その所掌事務について一定の方向で処理するよう指導､助言等の指示を与える権限を有するとした（ロッキード事件、最大判平7.2.22）。

オ○ 憲法70条は、内閣総理大臣が欠けたときに内閣は総辞職しなければならないことを定めている（内閣の総辞職）。この「欠けた」ときとは、死亡、失踪のほか、内閣総理大臣の資格要件の喪失すなわち除名や資格争訟の裁判などによって国会議員の地位を失った場合を含む。

以上より、妥当なものはウ、エ、オであり、肢5が正解となる。

正答 5

内閣

内閣の地位・組織・権能

実践 問題 152 基本レベル

頻出度	地上★★　国家一般職★★　特別区★★ 裁判所職員★★★　国税･財務･労基★★★　国家総合職★★★

問 **内閣に関するア～オの記述のうち、妥当なもののみを全て挙げているのはどれか。**　**(国家総合職2019)**

ア：内閣総理大臣は、閣議にかけて決定した方針が存在しない場合においても、内閣の明示の意思に反しない限り、行政各部に対し、その所掌事務について指導、助言等の指示を与える権限を有するとするのが判例である。

イ：内閣は、首長たる内閣総理大臣及びその他の国務大臣で組織する合議体である。国務大臣は、内閣の構成員であるとともに、主任の大臣として、行政事務を分担管理するが、内閣には、行政事務を分担管理しない無任所の大臣を置くこともできる。

ウ：国務大臣は、内閣総理大臣に案件を提出して、閣議を求めることができるが、主任の大臣として行政事務を分担管理する国務大臣が提出することができる案件は、その分担管理する行政事務の範囲に限られる。

エ：内閣は、衆議院議員総選挙の後に初めて召集された国会において、内閣総理大臣が指名され、天皇によって任命された時点で、総辞職をしなければならない。

オ：内閣が国会に対して負う責任は、憲法第69条の規定による総辞職の場合は別として、法的責任であると一般に解されている。

1：ア、イ
2：ア、ウ
3：ア、オ
4：イ、オ
5：ウ、エ

チェック欄

1回目	2回目	3回目

実践 問題 152 の解説

〈内閣〉

ア○ 内閣総理大臣の行政各部に対する権限行使の方法について内閣法は、「閣議にかけて決定した方針に基いて」指揮監督するとしている（内閣法6条）。もっとも、判例は、閣議によって決定した方針が存在しない場合でも、流動的で多様な行政需要に遅滞なく対応するため、「内閣総理大臣は、少なくとも、内閣の明示の意思に反しない限り、行政各部に対し、随時、その所掌事務について一定の方向で処理するよう指導、助言等の指示を与える権限を有する」としている（ロッキード事件、最大判平7.2.22）。

イ○ 「主任の大臣」とは、その法律および政令の内容に関する行政事務を分担管理する国務大臣をいう（憲法74条参照）。国務大臣は、同時に通例として、「主任の大臣」として行政事務を分担管理する（内閣法3条1項、国家行政組織法5条1項）が、これとは別に、行政事務を分担管理しない大臣（いわゆる無任所大臣）も認められている（内閣法3条2項）。

ウ× 国務大臣は、閣議に列席し、案件のいかんを問わず内閣総理大臣に提出して閣議を求めることができる（内閣法4条3項）。すなわち、本記述の「その分担管理する行政事務の範囲に限られる」と述べる点が妥当でない。

エ× 内閣は、衆議院議員総選挙の後に初めて国会の召集があったときに総辞職をするのであり（憲法70条）、内閣総理大臣が指名され、天皇によって任命された時点で総辞職するのではない。

オ× 憲法66条3項は、内閣が国会に対して連帯して責任を負うと規定するが、責任の性質について憲法上明文がないことから、この責任は法的責任ではなく、政治的責任であると解されている。この点で本記述は妥当でない。すなわち、責任追及の方法のうち、衆議院の内閣不信任決議は、内閣が遅かれ早かれ総辞職せざるをえなくなるという法的効力を伴うのに対し（憲法69条・70条）、各大臣に対する不信任決議や参議院の内閣総理大臣に対する不信任決議には、このような法的効果は伴わない。これが政治的責任という意味である。

以上より、妥当なものはア、イであり、肢1が正解となる。

正答 1

内閣
内閣の地位・組織・権能

実践 問題 153 基本レベル

頻出度	地上★★　国家一般職★★　特別区★★ 裁判所職員★★★　国税·財務·労基★★★　国家総合職★★★

問 内閣に関するア〜オの記述のうち、妥当なもののみを全て挙げているのはどれか。
(国税・財務・労基2020)

ア：内閣総理大臣及びその他の国務大臣は、合議体としての内閣の構成員である。また、行政事務を分担管理しない無任所の大臣が存在することは想定されていない。

イ：内閣は、衆議院が内閣不信任の決議案を可決した場合、10日以内に衆議院が解散されない限り、総辞職をしなければならないが、衆議院が内閣信任の決議案を否決した場合については、この限りでない。

ウ：内閣が実質的な衆議院の解散決定権を有しているわけではないため、衆議院の解散は、憲法第７条のみならず憲法第69条にも基づく場合でなければ行うことができないと一般に解されており、実際に憲法第69条に基づかない衆議院の解散は行われていない。

エ：明治憲法においては、内閣総理大臣は、同輩中の首席であって、他の国務大臣と対等の地位にあるにすぎず､国務大臣を罷免する権限は有していなかった。

オ：内閣は行政全般に直接の指揮監督権を有しているため、内閣の指揮監督から独立している機関が行政作用を担当することは、その機関に国会のコントロールが直接に及ぶとしても、憲法第65条に違反すると一般に解されている。

1：エ
2：ア、オ
3：イ、エ
4：イ、オ
5：ア、ウ、エ

チェック欄

1回目	2回目	3回目

実践 問題 153 の解説

〈内閣〉

ア× 内閣は、首長たる内閣総理大臣およびその他の国務大臣でこれを組織する合議体である（憲法66条1項）から、第1文は正しい。しかし、内閣法3条2項は、行政事務を分担管理しない無任所大臣の存在を認めているので、第2文は誤りであり、本記述は妥当でない。

イ× 憲法69条によると、衆議院が不信任決議案を可決した場合と信任決議案を否決した場合とで取扱いに差異はない。したがって、衆議院が内閣信任決議案を否決した場合についても、10日以内に衆議院が解散されなければ、内閣は総辞職をしなければならないので、本記述は妥当でない。

ウ× 現在は憲法7条に基づいた解散が慣行として行われているので、本記述は妥当でない。解散権の根拠として、学説は、69条説、7条説、制度説、行政説（65条説）と多岐にわたるが、現在では、7条によって内閣に実質的な解散決定権が存するという慣行が成立している。現に、解散詔書の文言は「日本国憲法第7条により、衆議院を解散する。」との文言が確立している。

エ○ 本記述は明治憲法における内閣総理大臣の地位についての説明として適切であり、妥当である。明治憲法においては、内閣総理大臣は、内閣官制により同輩中の首席と位置づけられ、憲法上は内閣総理大臣も国務大臣の一人にすぎず、内閣を構成する国務大臣はすべて対等の地位にあって天皇の行為を輔弼（ほひつ）するものとされていた。このため、内閣総理大臣は、他の国務大臣の罷免権は有していなかった。

オ× 内閣の指揮監督権から独立している機関が行政作用を担当したとしても、憲法65条に違反するとは限らないので、本記述は妥当でない。憲法65条は、「行政権は、内閣に属する」と定める。これについては、内閣が行政全般に統括権を持つことを意味するものの、すべての行政について直接に指揮監督権を持つことまで要求するものではないと解されている。特に政治的中立性が要求される行政については、それに対して国会のコントロールが直接及ぶのであれば、内閣の指揮監督から独立した機関が担当したとしても憲法65条に違反しないと一般に解されている。

以上より、妥当なものはエであり、肢1が正解となる。

正答 1

内閣

内閣の地位・組織・権能

実践 問題 154 応用レベル

頻出度	地上★	国家一般職★	特別区★
	裁判所職員★★	国税・財務・労基★★	国家総合職★★

問 **内閣に関するア～オの記述のうち、妥当なもののみを全て挙げているのはどれか。** **(国家総合職2021)**

ア：憲法は、内閣が行政権の行使について国会に対し連帯して責任を負うことを定めているが、ここにいう責任とは法的制裁に裏付けられた法的責任のことであるから、その責任追及の原因は内閣の違法な行為に限られる。

イ：内閣がその職務を行うのは、閣議によることとされているが、閣議の議事に関する原則については、法律にも定めはなく、慣例に従って運用されており、例えば、閣議の議決方式は全員一致によることとされている。

ウ：内閣総理大臣は、国会の議決による指名に基づき、天皇が任命するが、憲法は、内閣総理大臣になるための資格として、衆議院議員であることと、文民であることの二つを定めている。また、国務大臣は、内閣総理大臣が任命し、天皇が認証するが、憲法は、国務大臣の過半数は国会議員の中から選ばれなければならないと定めている。

エ：明治憲法は、内閣について何らの規定も置いておらず、内閣総理大臣についても憲法上の規定を欠いていた。これに対し、日本国憲法は、内閣総理大臣が内閣の首長たる地位にあることを明文で定め、内閣総理大臣は任意に国務大臣を罷免することができると定めている。

オ：内閣総理大臣の行政各部への指揮監督権は、内閣総理大臣の首長としての地位に基づくものであるから、内閣総理大臣は、閣議にかけて決定した方針が存在しない場合には、内閣の明示の意思に反するものであっても、独自の見解に基づいて指揮監督権を行使することができるとするのが判例である。

1：ア、ウ
2：ア、オ
3：イ、ウ
4：イ、エ
5：エ、オ

実践 問題 154 の解説

チェック欄 1回目 2回目 3回目

〈内閣〉

ア× 内閣は、行政権の行使について、国会に対し連帯責任を負う（憲法（以下、法令指定がなければ憲法である）66条3項)。この責任の性質につき、通説は、内閣は民主政の原理に基づき責任を負うのであるし、また、69条においても内閣不信任の理由は内閣の違法な行為に限定されていないことから、政治的責任であると解している。この見解からは、内閣の負う責任の原因は、内閣の違法な行為に限定されることはない。

イ○ 閣議とは、内閣が職務を行うに際して、その意思を決定するために開く構成員による会議をいう（内閣法4条)。閣議の議事に関しては法律に定めはなく、慣例に従って運用されている。慣例では、審議方式は非公開で行われ、議決方式（意思決定）は全員一致によることとされている。

ウ× 内閣総理大臣は、国会議員の中から国会の議決により指名され（67条1項)、天皇が任命する（6条1項)。したがって、国会議員であればよく、衆議院議員である必要はない。

エ○ 明治憲法には内閣および内閣総理大臣についての規定はなかった。また、内閣総理大臣は、内閣官制（1889年制定）により「各国務大臣の首班」と位置づけられていた。これは「同輩中の首席」という意味で、他の国務大臣と対等の地位しか有しなかった。しかし、日本国憲法における内閣総理大臣は、内閣の首長としての地位を有し（66条1項)、他の国務大臣の上位に位置する。首長の立場を裏づけるために国務大臣の任免権(68条)のほか、行政各部の指揮監督権（72条）などの強い権能が付与されている。内閣の一体性・統一性を確保し、内閣の連帯責任の強化を図るためである。

オ× ロッキード事件において判例は、内閣総理大臣が行政各部に対し指揮監督権を行使するためには、閣議で決定した方針が存することを原則とするが、それがない場合でも、内閣総理大臣は、少なくとも、内閣の明示の意思に反しない限り、行政各部に対し、随時、その所掌事務について一定の方向で処理するよう指導、助言等の指示を与える権限を有するとしている（最大判平7.2.22)。したがって、内閣総理大臣は、閣議で決定した方針が存在しない場合には、内閣の明示の意思に反するものであっても、独自の見解に基づいて指揮監督権を行使しうると述べる本記述は妥当でない。

以上より、妥当なものはイ、エであり、肢4が正解となる。

正答 4

第2章 SECTION 1 内閣

内閣の地位・組織・権能

実践 問題 155 応用レベル

頻出度	地上★	国家一般職★	特別区★
	裁判所職員★★	国税・財務・労基★★	国家総合職★★

問 内閣に関する次の記述のうち、妥当なのはどれか。 （国家総合職2012）

1：内閣は、その職権を行うに当たっては閣議によることとされているが、閣議の運営の大部分が長年の慣行に委ねられており、その議決方式については、構成員の過半数の賛成によることとされている。

2：内閣が法律案を国会に提出することは、立法作用そのものには含まれず、国会を「国の唯一の立法機関」とする憲法第41条には違反せず認められるが、内閣が憲法改正の原案としての議案を国会に提出することは、憲法を尊重・擁護する義務を課する憲法第99条に違反し認められないとされている。

3：内閣総理大臣は、閣議を主宰し、閣議にかけて決定した方針に基づいて行政各部を指揮監督するが、閣議にかけて決定した方針が存在しない場合でも、内閣総理大臣は、少なくとも、内閣の明示の意思に反しない限り、行政各部に対し、その所掌事務について一定の方向で処理するよう指導、助言等の指示を与える権限を有するとするのが判例である。

4：内閣総理大臣に事故のあるとき、又は内閣総理大臣が欠けたときには、そのあらかじめ指定する国務大臣が臨時に内閣総理大臣の職務を行うが、この内閣総理大臣の臨時代理の権限の範囲については内閣法に規定があり、内閣総理大臣の臨時代理は、内閣総理大臣の一身専属的な権限である衆議院の解散権及び国務大臣の任免権は有しないが、自衛隊の指揮監督権は有すると定められている。

5：国会で議決された法律には、内閣総理大臣が署名し、主任の国務大臣が連署することが必要とされているが、この署名と連署は、法律が正当に成立したことを公証する編制の行為であり、署名と連署を欠いた法律は有効に成立しない。

チェック欄		
1回目	2回目	3回目

実践 問題 155 の解説

〈内閣一般〉

1 × 内閣は、行政権の行使について国会に対して連帯責任を負う（憲法66条3項）。そのため、閣議の議決方法については多数決ではなく全会一致によるが、これは、慣例によるものである。異論のある国務大臣は、内閣総理大臣によって罷免され、または辞職することで内閣の意思の統一を図ることになる。

2 × 内閣総理大臣は内閣を代表して「議案」を国会に提出することができる（憲法72条）が、この「議案」に法律案が含まれるか（内閣の法案提出権）、国会単独立法の原則（憲法41条）との関係で問題となる。通説は、法律案は国会の議決を拘束するものではなく法律の成立を左右するものではないので、内閣による法律案の提出は国会単独立法の原則に違反しないとする。また、「議案」に憲法改正案が含まれるかも問題となるが、内閣に発案権を認めても国会の審議や国民投票の自主性が害されるわけではないと解し、これを認める説もあるので、「認められない」と決め付けている点が妥当でない。

3 ○ 判例は、閣議にかけて決定した方針が存在しない場合であっても、内閣総理大臣の地位および権限に照らすと、流動的で多様な行政需要に遅滞なく対応するため、内閣総理大臣は、少なくとも、内閣の明示の意思に反しない限り、行政各部に対し、随時、その所掌事務について一定の方向で処理するよう指導、助言等の指示を与える権限を有するとしている（ロッキード事件、最大判平7.2.22）。

4 × 内閣総理大臣に事故のあるとき、または内閣総理大臣が欠けたとき、そのあらかじめ指定する国務大臣が臨時に内閣総理大臣の職務を行う（内閣法9条）。その権限の範囲について内閣法に具体的規定はないが、自衛隊の指揮監督権は認められるが、国務大臣の任免権といった内閣総理大臣の一身専属的な権限については認められない（内閣法制局見解）。また、衆議院の解散権は、内閣の権限であり、内閣総理大臣の一身専属的な権限ではない。

5 × 憲法74条は、成立した法律には、主任の国務大臣が署名し、内閣総理大臣が連署しなければならない旨を規定するが、本条は、執行責任を表示する義務規定にすぎず、法律の効力要件を規定するものではない。したがって、署名および連署を欠いたとしても法律は有効に成立する。

正答 3

内閣

議院内閣制、衆議院の解散

必修問題 セクションテーマを代表する問題に挑戦！

議院内閣制を成文化した規定を覚えておきましょう。衆議院の解散に関する学説も重要です。

問 日本国憲法に規定する衆議院の解散に関する記述として、通説に照らして、妥当なのはどれか。（特別区2006）

1：衆議院の解散は、内閣の助言と承認によって天皇が行う国事行為であり、解散を実質的に決定する権限は天皇にある。

2：衆議院で内閣不信任の決議案を可決したときは、内閣は、10日以内に衆議院を必ず解散しなければならない。

3：衆議院が解散された場合であっても、衆議院議員は、次の国会が召集されるまで、議員としての身分を失わない。

4：衆議院が解散されたときは、参議院は同時に閉会となるが、内閣は、国に緊急の必要があるときは、参議院の緊急集会を求めることができる。

5：衆議院が解散されたときは、解散の日から40日以内に、衆議院議員の総選挙を行い、選挙の日から30日以内に、国会の臨時会を召集しなければならない。

直前復習

Guidance ガイダンス

衆議院の解散権の根拠

・内閣が助言と承認により衆議院の解散を決定（7条説）

議院内閣制

・内閣の連帯責任（憲法66条3号）
・内閣不信任決議（憲法69条）
・内閣総理大臣の指名（憲法67条）
・国務大臣の資格要件（憲法68条1項但書）
・国務大臣の議院出席義務（憲法63条）

必修問題の解説

チェック欄		
1回目	2回目	3回目

〈衆議院の解散〉

1 × 衆議院の解散は、内閣の助言と承認によって天皇が行う国事行為である（憲法7条3号）。衆議院の実質的解散権は、内閣が有するとするのが通説であり、天皇が有しないことには争いがない。天皇は、国政に関する権能を有しないからである（憲法4条1項）。

2 × 衆議院で内閣不信任の決議案を可決したときは、内閣は10日以内に衆議院を解散することができる。しかし、内閣は必ず衆議院を解散しなければならないというわけではなく、総辞職するという途を採ることもできる（憲法69条）。

3 × 衆議院の解散とは、任期の満了する前に全衆議院議員の地位を失わせることをいう。衆議院が解散された場合、衆議院議員の任期は、総選挙の後に国会が召集されたときではなく、衆議院が解散されたときに終了する（憲法45条但書参照）。

4 ○ 衆議院と参議院について、両議院の召集、開会、閉会は同時に行われるべきであるとされる（両院同時活動の原則）。この同時活動の原則から、衆議院が解散されたときは、参議院は同時に閉会となる（憲法54条2項本文）。しかし、常に国会は活動ができないとすると災害緊急措置を要する場合などの非常事態に対応できず不都合である。そこで、内閣は、国に緊急の必要があるときは、参議院の緊急集会を求めることができるとされている（憲法54条2項但書）。

5 × 衆議院が解散されたときは、解散の日から40日以内に、衆議院議員の総選挙を行い、選挙の日から30日以内に、国会を召集しなければならない（憲法54条1項）。ここにいう国会とは特別会をいい、臨時会ではない。臨時会とは、常会や特別会のほかに、必要に応じて臨時に召集される国会のことである（憲法53条）。

正答 4

内閣

議院内閣制、衆議院の解散

1 立法権と行政権の関係

立法権と行政権の関係について、日本では**議院内閣制**とよばれる制度が採用されています。

議院内閣制に対するものとしては、アメリカのように選挙によって政府の長を決定する大統領制があります。

2 議院内閣制の本質

議院内閣制の本質的要素としては、①議会と政府が一応分立していること、②政府が議会に対して連帯責任を負うこと、の2点を挙げることができます。そこで、一般的には、議院内閣制とは、「行政権（内閣）が立法権（議会）に対して政治的責任を負い、行政権の存立が立法権の信任に依存する制度」であるとされています（**責任本質説**）。

補足

議院と政府の権力が均衡することが議院内閣制の本質に含まれるとして、政府による議会解散権を議院内閣制の本質的要素として挙げる見解も有力です（均衡本質説）。

3 日本の議院内閣制

日本における議院内閣制は、以下のような形で具体化されています。

① 内閣の国会に対する連帯責任

内閣は、行政権の行使について、国会に対して連帯して責任を負うとされています（憲法66条3項）。

ここでいう責任とは、法的責任ではなく、**政治的責任**を意味します。

内閣が国会に連帯責任を負うことと各国務大臣が個別に責任を負うこととは矛盾しないから、議会は、内閣の責任を追及するのとは別に、個別に各国務大臣の責任を追及することができます。

② 内閣総理大臣の指名（憲法67条1項）

③ 国務大臣の要件（憲法68条1項但書）

④ 内閣不信任決議（信任案否決）の効果（憲法69条）

⑤ 衆議院議員総選挙後の国会召集時の内閣の総辞職（憲法70条）

⑥ 国務大臣の議院出席義務（憲法63条）

内閣総理大臣その他の国務大臣は、両議院の1つに議席を有すると有しないとにかかわらず、いつでも議案について発言するために議院に出席することができます（憲法63条前段）。

ただし、議院から答弁または説明のために出席を求められたときは、出席しなければなりません（憲法63条後段）。

4 衆議院の解散

衆議院の解散とは、衆議院議員の全員について、その任期満了前に、議員としての身分を失わせることをいいます（憲法45条但書）。

衆議院の解散には、立法権と行政権との抑制・均衡を図る自由主義的意義、解散後の総選挙により国民の意思を衆議院に反映させる民主主義的意義があります。

解散されると	解散の日から40日以内に総選挙を行い、その選挙の日から30日以内に国会を召集しなければなりません（憲法54条１項）。このとき召集される国会を「特別会」といいます。

5 解散権の所在

形式的な解散権は憲法７条３号により天皇が有しますが、実質的な解散決定権を誰が有しているのかについては、憲法上明らかにされていません。

実務上採用されているのは、７条説とよばれる見解です。憲法７条３号は、天皇の国事行為として衆議院の解散を定めていますが、天皇は政治的な権能を有しません。そこで、助言と承認という形態でかかわる内閣に、解散の実質的な決定権があると解するのです。

７条説のほかにも、議院内閣制が内閣の解散権を内容とする（均衡本質説）として制度上当然に内閣の解散権が認められるとする制度説、解散は衆議院が内閣を不信任とした場合に限られるとする69条限定説などが唱えられています。

第2章 SECTION ② 内閣

議院内閣制、衆議院の解散

実践 問題 156 基本レベル

頻出度	地上★★ 国家一般職★ 特別区★ 裁判所職員★ 国税·財務·労基★ 国家総合職★

問 **衆議院の解散に関するア～オの記述のうち、妥当なもののみを全て挙げているのはどれか。** **（国家一般職2017）**

ア：衆議院解散の実質的決定権者及びその根拠について、最高裁判所は、天皇の国事行為の一つとして衆議院の解散を規定する憲法第７条第３号により、内閣に実質的な解散決定権が存すると解すべきであるとしている。

イ：憲法第69条の場合を除き、衆議院が解散される場合を明示した規定はなく、内閣が衆議院を解散することができるのは、衆議院と参議院とで与野党の議席数が逆転した場合及び議員の任期満了時期が近づいている場合に限られると一般に解されている。

ウ：衆議院の自律的解散については、憲法上これを認める明文の規定はないが、国会は国権の最高機関であり、自ら国民の意思を問うのが民主制にかなうと考えられることから、衆議院は自らの解散決議により解散することができると一般に解されている。

エ：内閣は、衆議院で内閣不信任決議案が可決された場合において、10日以内に衆議院が解散されたときは、総辞職をする必要はないが、衆議院議員総選挙が行われた後、初めて国会の召集があったときは、総辞職をしなければならない。

オ：衆議院が解散されたときは、参議院は同時に閉会となる。ただし、国に緊急の必要があるときは、参議院は、内閣又は一定数以上の参議院議員からの求めにより、緊急集会を開くことができる。

1：ア
2：エ
3：ア、エ
4：イ、ウ
5：エ、オ

チェック欄

1回目	2回目	3回目

実践 問題 156 の解説

〈衆議院の解散〉

ア× 衆議院の解散権の根拠を示した最高裁判例は存在しないので、本記述は妥当でない。ちなみに、衆議院の解散が問題となった苫米地事件において最高裁は、いわゆる統治行為論を採用し、解散権の所在および解散の有効性について何ら判示していない（最大判昭35.6.8）。

イ× 衆議院の解散については、憲法69条のほかに、憲法７条３号が規定しているが、同条同号は、解散事由を明示していない。この点、通説は、①衆議院で内閣の重要案件が否決されたような場合、②政界再編等により内閣の性格が基本的に変わった場合、③総選挙で争点とされなかった新しい政治的課題に対処する場合、④内閣が基本政策を根本的に変更する場合、⑤議員の任期満了時期が接近している場合等に限定すべきとするが、本記述のように、衆議院と参議院とで与野党の議席数が逆転した場合（いわゆる「ねじれ国会」）および議員の任期満了時期が近づいている場合に限られると一般に解されているわけではない。

ウ× 衆議院は、自らの解散決議により解散することができるとは一般に解されていない。通説は、憲法が自律的解散についての規定を設けておらず、また、議員の任期を確定的に定めている以上（憲法45条本文）、憲法上保障された議員の任期を多数決によって縮減する自律的解散は許されないとしている。

エ○ 憲法69条は、「10日以内に衆議院が解散されない限り、総辞職をしなければならない」としており、衆議院の解散を、内閣の総辞職の例外としている。もっとも、憲法70条は、「衆議院議員総選挙の後に初めて国会の召集があつたときは、内閣は、総辞職をしなければならない」としている。

オ× 衆議院が解散されたときは、参議院は同時に閉会となるが（憲法54条２項本文）。国に緊急の必要があるときは、内閣は、参議院の緊急集会を求めることができる（同条項但書）。緊急集会を求めることができるのは、内閣のみである。一定数以上の参議院議員からの求めがあったとしても、それは緊急集会開催の要件ではない。

以上より、妥当なものはエであり、肢２が正解となる。

正答 2

実践 問題 **157** 基本レベル

頻出度	地上★★	国家一般職★	特別区★
	裁判所職員★	国税·財務·労基★	国家総合職★

問 衆議院の解散権の所在に関する次のア～エの記述の正誤の組合せとして、最も適当なのはどれか。　（裁判所職員2012）

ア：憲法７条に根拠を求める見解は、７条の内閣の「助言と承認」は実質的決定を含む場合もあることを前提とする。

イ：憲法65条に根拠を求める見解は、解散権を行使できる場合が著しく限定されてしまうという批判がある。

ウ：憲法69条に根拠を求める見解は、解散の有する民主主義的機能を十分に生かすことができないという批判がある。

エ：権力分立制・議院内閣制を採用している憲法の全体的な構造に根拠を求める見解は、その根拠とする概念が一義的な原則ではないという批判がある。

（参照条文）

憲法７条　天皇は、内閣の助言と承認により、国民のために、左の国事に関する行為を行ふ。

三　衆議院を解散すること。

憲法65条　行政権は、内閣に属する。

憲法69条　内閣は、衆議院で不信任の決議案を可決し、又は信任の決議案を否決したときは、10日以内に衆議院が解散されない限り、総辞職をしなければならない。

	ア	イ	ウ	エ
1：	正	正	誤	正
2：	正	誤	正	誤
3：	正	誤	正	正
4：	誤	誤	正	正
5：	誤	正	誤	正

直前復習

チェック欄		
1回目	2回目	3回目

実践 問題 157 の解説

〈衆議院の解散〉

ア○ 憲法7条に根拠を求める見解（7条説）は、憲法7条に列挙されている国事行為の中には政治的行為も含まれるが、内閣が助言と承認により実質的な決定権を行使する結果（憲法3条）、天皇が行う国事行為はすべて儀礼的な行為となり、その結果、天皇は国政に関する権能を有しないことになる（憲法4条1項）。したがって、衆議院の解散についても、憲法7条3号において国事行為として定められているので、内閣が実質的決定権を持つとする。

イ× 憲法65条に根拠を求める見解は、行政作用とは国家作用から立法作用と司法作用を除いた残余部分であるとし（控除説）、解散は立法でも司法でもないから行政に属し、したがって内閣に解散権を認めるものである。この見解によれば、内閣が衆議院を解散できるのは、憲法69条の場合に限定されないので、解散権の行使が著しく限定されるとはいえない。

ウ○ 憲法69条に根拠を求める見解は、衆議院において内閣不信任決議案が可決された場合または内閣信任決議案が否決された場合にのみ、内閣が衆議院を解散することができるとするものである。この見解には、国会が民意から乖離した状態に陥ったとしても、憲法69条の場合を除いて内閣は解散によって民意を問えないこととなり、解散制度の民主主義的機能を十分に生かすことができないという批判がある。

エ○ 本記述の見解（制度説）は、憲法上明文の規定はないが、憲法は権力分立制・議院内閣制を採用しており、衆議院と内閣との均衡を確保するための重要な手段として、内閣に衆議院の解散権が認められているとする。この見解は、議院内閣制の本質を、議会の内閣不信任決議権と内閣の議会解散権とが対抗しあうことにより議会と内閣とが均衡することにあるとする均衡本質説を前提とする。しかし、議院内閣制の本質について、内閣が議会の信任に依拠して存在することにあるとする責任本質説が存在する。この説によれば、議院内閣制において内閣の議会解散権は不可欠なものとはいえない。したがって、制度説に対しては、憲法が議院内閣制を採用していることを、内閣が衆議院の解散権を持つことの根拠とすることはできないと批判される。

以上より、ア―正、イ―誤、ウ―正、エ―正であり、肢3が正解となる。

正答 3

内閣
議院内閣制、衆議院の解散

実践 問題 158 応用レベル

頻出度			
	地上★	国家一般職★	特別区★
	裁判所職員★	国税·財務·労基★	国家総合職★

問 内閣に関する次の記述のうち、妥当なのはどれか。（国税・財務・労基2022）

1：憲法上、議院内閣制を採用している旨の明文の規定はないものの、内閣の連帯責任の原則（第66条第３項）、内閣不信任決議権（第69条）及び内閣総理大臣による行政各部の指揮監督権（第72条）の規定はいずれも、憲法が議院内閣制を採用している根拠であると一般に解されている。

2：内閣総理大臣が衆議院議員である場合、衆議院が解散したとき、又は衆議院議員の任期が満了したときは、内閣総理大臣がその地位を失うため、内閣は直ちに総辞職をしなければならない。ただし、衆議院議員総選挙後に初めて国会が召集されるまでは、行政の継続性を確保する観点から、内閣は総辞職をしてもなお引き続きその職務を行うこととされている。

3：内閣の構成員である国務大臣は、内閣総理大臣が任命し、天皇が認証する。国務大臣は、両議院のいずれかに議席を有するか否かにかかわらず、いつでも議案について発言するため議院に出席することができるが、ここでいう「議院」とは衆議院又は参議院の本会議を指し、委員会は含まれないとされている。

4：国務大臣は、その在任中に、内閣総理大臣の同意がなければ訴追されない。ただし、訴追の権利は害されないとされていることから、訴追に内閣総理大臣の同意がない場合には公訴時効の進行は停止し、国務大臣を退職するとともに訴追が可能となると一般に解されている。

5：閣議は、内閣総理大臣が主宰するとされているが、その定足数や表決数等の議事に関する原則については憲法や法律で規定されておらず、従来からの慣例によって運営されている。また、閣議は、高度に政治的な判断を行う場であるため、その議事は非公開とされており、議事録についても公表されることはない。

チェック欄		
1回目	2回目	3回目

実践 問題 158 の解説

〈内閣〉

1 × 議院内閣制とは、内閣の存立の基礎を国会の信任に置く制度である。憲法上、議院内閣制を採用している旨の明文の規定はないものの、内閣の連帯責任の原則（憲法66条３項）、内閣不信任決議権（同法69条）などの規定は、憲法が議院内閣制を採用している根拠であるとされている。これに対し、行政各部の指揮監督権（同法72条）の規定は、行政各部の指揮監督はそもそも内閣の権能であるところ、内閣総理大臣がそれを代表して行いうることを明らかにしたものであって、議院内閣制を採用している根拠であるとは一般に解されていない。

2 × 衆議院の解散または衆議院議員の任期が満了したときであっても内閣総理大臣はその地位を失わないので、本肢は妥当でない。衆議院の解散や衆議院議員の任期が満了したときであっても、内閣は衆議院議員総選挙後初めて国会の召集があったときに総辞職する必要があるので（憲法70条）、それまでは内閣総理大臣としての地位を失うわけではない。

3 × 国務大臣は、内閣総理大臣が任命し（憲法68条１項）、天皇が認証するため（同法７条５号）、本肢前段は妥当である。また、国務大臣は、両議院のいずれかに議席を有するか否かにかかわらず、いつでも議案について発言するため議院に出席することができるが（同法63条前段）、ここでいう「議院」とは、衆議院または参議院の本会議および委員会を含むため（国会法69条１項、71条）、本肢後段が妥当でない。

4 ○ 「国務大臣は、その在任中、内閣総理大臣の同意がなければ、訴追されない。但し、これがため、訴追の権利は、害されない」（憲法75条）。ここで「訴追の権利は、害されない」の意味について、通説によれば、内閣総理大臣の同意がない場合には、その在任中は公訴時効の進行が停止するにすぎず、国務大臣を退職すると訴追が可能になると解されている。

5 × 閣議の議事録は公表されるので、本肢は妥当でない。閣議は内閣総理大臣が主宰する（内閣法４条１項・２項前段）。また、内閣法に規定はないが、慣例により、閣議は非公開とされている。これに対し、閣議の議事録は、2014年４月から作成・公表されている。

正答 4

第2章 内閣

章末CHECK ? Question

Q1 憲法65条により行政権は内閣に属するものとされているから、内閣から独立性を有する行政機関を設置することは認められていない。

Q2 憲法上、閣議は全員一致により行われなければならないものとされている。

Q3 内閣の構成員は、過半数が国会議員でなければならない。

Q4 内閣総理大臣は衆議院議員の中から指名されなければならず、参議院議員が内閣総理大臣となることは認められていない。

Q5 内閣総理大臣が国会議員の地位を失ったときは、内閣総理大臣としての地位も失う。

Q6 明治憲法においては、内閣総理大臣は「同輩中の首席」の地位を与えられていたにすぎず、他の大臣に優越する地位は認められていなかった。

Q7 内閣は、自らが違憲と判断した法律であっても、最高裁判所による違憲判決が確定しない限りは、その執行を拒否することはできない。

Q8 予算を作成して国会に提出することは、内閣の権能である。

Q9 内閣が制定する政令には、法律による委任があるかどうかにかかわらず、任意に罰則を設けることができる。

Q10 内閣総理大臣は内閣を代表して国会に議案を提出することができるが、法律案を提出することまでは認められていない。

Q11 内閣総理大臣が国務大臣を罷免するには、他の大臣の過半数の同意を得ることを要する。

Q12 天皇に対して助言と承認を行うことは、内閣総理大臣の権能である。

Q13 国務大臣の訴追について内閣総理大臣の同意が得られない場合でも、犯罪に関する公訴時効の進行は停止する。

Q14 内閣総理大臣には内閣を代表する権能があるから、閣議にかけて決定した方針が存在しない場合でも、行政各部に対して指示を与えることができる。

Q15 衆議院が内閣不信任決議をしたときは、内閣は10日以内に総辞職しなければならない。

Q16 内閣総理大臣が急病のため一時的に職務を行うことができなくなった場合には、内閣は総辞職しなければならない。

Q17 内閣は、国会に対して連帯して法的責任を負うものとされている。

Q18 国会は、内閣全体に対して責任を追及することができるのみならず、個別の国務大臣の責任を問うこともできる。

A 1 × 憲法65条は一切の行政権が内閣に属すべきことまで定めたものではなく、内閣から独立性を有する独立行政委員会も認められている。

A 2 × 慣習上、全員一致によって行われているにすぎない。

A 3 ○ 憲法68条1項但書が、そのように規定している。

A 4 × 憲法上は、内閣総理大臣は国会議員の中から指名する（憲法67条1項）ものとされており、参議院議員であってもよい。

A 5 ○ 内閣総理大臣が国会議員であることは、就任要件であるだけでなく、総理大臣であり続けるためにも必要な要件であると解されている。

A 6 ○ 明治憲法下では内閣総理大臣は他の大臣と同格とされていたが、日本国憲法では「首長」としての地位が認められている。

A 7 ○ 法律の合憲性についての判断は、立法を行う国会の判断が内閣の判断よりも優先されるため、問題文のように解されている。

A 8 ○ 憲法73条5号が、問題文のように定めている。

A 9 × 法律による委任がなければ、政令に罰則を設けることはできない。

A 10 × 憲法72条の「議案」には、法律案も含まれるものと解されている。

A 11 × 国務大臣の任免権は内閣総理大臣に専属する権限であり、任意に行使することができる。

A 12 × 天皇に対する助言と承認は内閣の権能であり（憲法3条・7条）、内閣総理大臣が単独で行使しうる権能ではない。

A 13 ○ 憲法75条本文は内閣総理大臣に国務大臣の訴追に対する同意権を認めているが、同条但書は「これがため、訴追の権利は、害されない」としており、公訴時効の進行は停止するものと解されている。

A 14 ○ 判例は、閣議にかけて決定した方針が存在しない場合でも、内閣の明示の意思に反しない限り、内閣総理大臣は行政各部に対して指示を与える権限を有する、としている（ロッキード事件、最大判平7.2.22）。

A 15 × 10日以内に衆議院が解散された場合には、内閣は直ちに総辞職する必要はない（憲法69条）。

A 16 × 暫定的に職務を行うことができないにすぎない場合は「内閣総理大臣が欠けたとき」（憲法70条）に該当せず、内閣総辞職の必要はない。

A 17 × 内閣は政治的責任を負うにすぎず、法的責任を負うものではない。

A 18 ○ 内閣が国会に連帯責任を負うことと各国務大臣が個別に責任を負うこととは矛盾しない。

memo

第3章

裁判所

SECTION

① 裁判所の地位
② 司法権の限界
③ 裁判所の構成、最高裁判所の権能
④ 司法権の独立
⑤ 裁判の公開
⑥ 違憲審査制

第3章 裁判所

出題傾向の分析と対策

試験名	地上			国家一般職			特別区			裁判所職員			国税・財務・労基			国家総合職		
年度	16-18	19-21	22-24	16-18	19-21	22-24	16-18	19-21	22-24	16-18	19-21	22-24	16-18	19-21	22-24	16-18	19-21	22-24
出題数 / セクション	2	1	2	1	1	1	2	1	3	3	3	3	1	2	1	2	1	4
裁判所の地位											★★	★						★
司法権の限界		★	★	★	★	★	★			★				★★	★	★	★	
裁判所の構成、最高裁判所の権能							★					★	★			★		
司法権の独立	★								★									★★
裁判の公開	★								★	★	★							
違憲審査制			★					★	★	★		★						★

（注） 1つの問題において複数の分野が出題されることがあるため、星の数の合計と出題数とが一致しないことがあります。

裁判所については、どの試験種でもよく出題されています。統治機構の他の分野と異なり、判例の内容を問う問題が多いですので、判例の学習をしっかり行う必要があります。

地方上級

2年に1回くらいの頻度で出題されています。特に違憲審査制についてよく出題されています。問われている内容は基本的ですので、過去問を繰り返し解いて、基本的な知識を身につけてください。

国家一般職

3年に1回くらいの頻度で出題されています。かなり細かい知識を問う問題が出されることがありますので、過去問演習を通してしっかり身につけてください。判例の内容についてもしっかり理解しておく必要があります。

特別区

2年に1回くらいの頻度で出題されています。特に司法権の限界と違憲審査制からよく出題されています。問われている知識は基本的なものですので、過去問を繰り返し解いて、基本的な知識を身につけてください。

裁判所職員

ほぼ毎年出題されています。裁判所に関して幅広く出題されています。問われている内容は基本的なものですので、過去問を繰り返し解いて、基本的な知識を身につけてください。

国税専門官・財務専門官・労働基準監督官

3年に1回くらいの頻度で出題されています。かつては、裁判所に関して幅広く出題されていますので、満遍なく勉強する必要があります。条文に関する知識の習得と判例の内容の理解に努めてください。

国家総合職

3年に2回くらいの頻度で出題されています。特に違憲審査制についてよく問われています。司法権の限界に関する判例についてかなり細かい知識を問う問題が出されていますので、判例集などでしっかり判例を理解するようにしてください。

Advice アドバイス 学習と対策

法律上の争訟および司法権の限界に関する判例の内容を問う問題が頻出です。これらの判例はしっかりと学習してください。

司法権の独立・裁判の公開についてもよく出題されます。条文の内容をしっかり理解しておきましょう。

違憲審査制については、学説問題が問われることがあります。抽象的審査制と付随的審査制、判決の個別的効力説と一般的効力説など、各学説の内容と相違点を理解するようにしてください。

裁判所

裁判所の地位

必修問題　セクションテーマを代表する問題に挑戦！

裁判所の審査権が及ばない事項について、覚えておきましょう。

問　司法権に関するア～オの記述のうち、妥当なもののみを全て挙げているのはどれか。　（国税・財務・労基2014）

ア：日米安保条約のような、主権国としての我が国の存立の基礎に重大な関係を持つ高度の政治性を有するものが、違憲であるか否かの法的判断は、純司法的機能を使命とする司法裁判所の審査におよそなじまない性質のものであり、それが一見極めて明白に違憲無効であるとしても、裁判所の司法審査権の範囲外にあるとするのが判例である。

イ：全て司法権は最高裁判所及び法律の定めるところにより設置する下級裁判所に属するところ、家庭裁判所は、一般的に司法権を行う通常裁判所の系列に属する下級裁判所であり、憲法が設置を禁止する特別裁判所には当たらないとするのが判例である。

ウ：憲法上、裁判の公開が制度として保障されていることに伴い、各人は裁判所に対して裁判を傍聴することを権利として要求することが認められ、また、傍聴人には法廷においてメモを取ることが権利として保障されているとするのが判例である。

エ：最高裁判所は、本来の裁判権のほかに、規則制定権、下級裁判所裁判官の指名権、下級裁判所及び裁判所職員に対する監督などの司法行政の監督権を有する。

オ：裁判官に職務上の義務違反がある場合には、裁判によって懲戒処分に付すことができるところ、懲戒処分の種類は、裁判官分限法で免職、戒告、過料の三つが定められている。

1：ア、イ
2：イ、エ
3：ウ、オ
4：ア、ウ、オ
5：イ、エ、オ

Guidance ガイダンス

司法権とは、「法律上の争訟」を解決する国家作用

「法律上の争訟」の要件を充たさない場合
・法令の抽象的審査
・事実の存否、学問上の論争、宗教上の教義に関する紛争

直前復習

頻出度 地上★ 国家一般職★ 特別区★ 裁判所職員★ 国税·財務·労基★★ 国家総合職★

必修問題の解説

チェック欄

1回目	2回目	3回目

〈司法権〉

ア× 本記述は、「一見極めて明白に違憲無効であるとしても」裁判所の司法審査権の範囲外にあるとする点が妥当でない。判例は、日米安保条約は、「主権国としてのわが国の存立の基礎に極めて重大な関係をもつ高度の政治性を有するもの」であって、その内容が違憲か否かの判断は、「純司法的機能をその使命とする司法裁判所の審査には、原則としてなじまない性質のもの」であるから、「一見極めて明白に違憲無効であると認められない限りは、裁判所の司法審査権の範囲外」にあるとしている（砂川事件、最大判昭34.12.16）。したがって、「一見極めて明白に違憲無効」の場合には司法審査は可能である。

イ○ すべて司法権は、最高裁判所および法律の定めるところにより設置する下級裁判所に属するので（憲法76条１項）、「特別裁判所」の設置が禁止されている（同条２項前段）。ここにいう特別裁判所とは、特別の人間または事件について裁判するために、通常裁判所の系列から独立して設けられる裁判機関である。しかし、家庭裁判所は、家事事件・少年事件という特定の種類の事件だけを扱うが、一般的に司法権を行う通常裁判所の系列に属する下級裁判所として設置されたものであり、「特別裁判所」ではない（最大判昭31.5.30）。

ウ× 本記述は、各人は裁判所に対して裁判を傍聴することを権利として要求することが認められているとする点、傍聴人には法廷においてメモを取ることが権利として保障されているとする点が妥当でない。判例は、憲法82条１項は、①裁判を一般に公開して裁判が公正に行われることを制度として保障するが、②各人が裁判所に対して傍聴することを権利として要求できることまでを認めたものでないことはもとより、③傍聴人に対して法廷でメモを取ることを権利として保障しているものでもないとしている（レペタ事件、最大判平元.3.8）。

エ○ 最高裁判所は、①上告および訴訟法で特に定める抗告についての裁判権（裁判所法７条）のほかに、②規則制定権（憲法77条１項）、③下級裁判所裁判官の指名権（憲法80条１項）、④下級裁判所および裁判所職員に対する監督などの司法行政の監督権（裁判所法80条）を有する。

オ× 本記述は、裁判官の懲戒処分の種類に「免職」が含まれている点が妥当でない。裁判官の身分保障のため、裁判官の懲戒処分は裁判所が裁判手続によって行う（裁判所法49条）。ただし、罷免については、憲法が、①「裁判により、心身の故障のために職務を執ることができないと決定された場合」、②「公の弾劾による場合」に限定していることから（憲法78条前段）、懲戒処分としての免職は存在しない。そのため、裁判官分限法は、懲戒処分の種類として「戒告又は１万円以下の過料」のみを定めている（同法２条）。

以上より、妥当なものはイ、エであり、肢２が正解となる。

正答 2

裁判所
裁判所の地位

1 司法権の意味

(1) 司法権の意味

憲法76条１項は、「すべて司法権は、最高裁判所及び法律の定めるところにより設置する下級裁判所に属する」と規定しています。

司法権とは、「法律上の争訟」（裁判所法３条１項）を解決する国家作用をいいます。

(2) 法律上の争訟の意味

「法律上の争訟」とは、①当事者間の具体的な権利義務ないし法律関係の存否に関する紛争であって、かつ、②法律の適用により終局的に解決できるものをいいます。したがって、ある紛争が「法律上の争訟」の要件を充足しない場合には、司法権の範囲外であり、原則として裁判所は裁判することができません。

「法律上の争訟」の要件を充たさない場合としては、以下のようなものがあります。

(3) 法令の抽象的審査

具体的争訟性（①）がないのに、抽象的に法令の解釈または効力について争うことはできません。

> **判例チェック**
> 判例は、司法権が発動するためには具体的な争訟事件が提起されていることを必要とするのであって、裁判所は具体的な争訟事件が提起されていないのに将来を予想して憲法その他の法令などの解釈に対して存在する疑義論争に関し抽象的な判断を下す権限を有しない、としています（警察予備隊訴訟、最大判昭27.10.8）。

(4) 事実の存否、宗教上の教義など

事実の存否、学問上の論争、宗教上の教義などに関する争いは、②「法律の適用により終局的に解決できるもの」ではないので、司法審査の対象とはなりません。

> **判例**
> 《板まんだら事件》最判昭56.4.7
> 【事案】宗派の本尊である「板まんだら」が偽物であり寄付行為に錯誤があったと主張して、原告が宗教団体に対して寄付金の返還を求めた事案
> 【判旨】本件訴訟は具体的な権利義務ないし法律関係の存否に関する紛争の形式をとっているが、請求の当否を判断する前提として信仰の対象や宗教上の教義に関する判断を行わなければならず、実質的には法令の適用による終局的な解決が不可能なものであるから、法律上の争訟にあたらない。

「司法権」行使の対象のまとめ
司法権（76条１項）
↓
法律上の争訟（裁判所法３条）
↓
① 具体的な権利義務ないし法律関係の存否に関する紛争であること
② 法律の適用により終局的に解決できること

2 司法権の範囲

民事事件、刑事事件だけでなく、行政事件も司法権に属します。

明治憲法では、行政事件は司法権に属していませんでした。

※民事事件
私人間の法律関係に関する事件
※刑事事件
刑法の適用による処罰に関する事件
※行政事件
行政法上の法律関係に関する事件

実践 問題 159 基本レベル

頻出度	地上★　国家一般職★　特別区★　裁判所職員★　国税·財務·労基★★　国家総合職★

問 司法権に関するア～エの記述のうち、妥当なもののみを挙げているのはどれか。（国家総合職2024）

ア：国会の両議院は、それぞれ国政調査権を有しており、国政に関連のない純粋に私的な事項を除き、国政調査権の及ぶ範囲は国政のほぼ全般にわたる。司法権との関係では、国政調査権に基づき、判決内容の当否や裁判官の訴訟指揮の仕方などに関する調査を行うことは、司法権の独立を侵害するものではないと一般に解されている。

イ：司法権は、最高裁判所及び法律の定めるところにより設置する下級裁判所に属する。裁判所相互の上下関係は、行政機関のような指揮命令関係ではなく、それぞれの裁判所は独立して司法権を行使する。最高裁判所及び下級裁判所には、権力分立の観点から裁判所の自主性を確保するための規則制定権がそれぞれ独自に認められており、その対象は、裁判所の内部規律や司法事務処理など裁判所の自律権に関するもののほか、訴訟に関する手続など一般国民が訴訟関係者となったときに拘束されるものも含まれる。

ウ：裁判所が扱う「一切の法律上の争訟」とは、当事者間の具体的な権利義務ないし法律関係の存否に関する紛争であって、それが法律を適用することにより終局的に解決することができるものに限られる。また、公益の保護を目的とする客観訴訟は、個人の権利利益の保護を目的とする主観訴訟とは異なり、法律に定める場合において、法律に定める者に限り、具体的事件性を前提とせずに出訴することができるとされている。

エ：司法権の範囲について、明治憲法は、民事裁判及び刑事裁判のみを司法権として通常裁判所に属せしめ、行政事件の裁判は通常裁判所とは別系統の行政裁判所の所管とした。これに対して、日本国憲法は、憲法第76条第２項で特別裁判所の設置や行政機関による終審裁判を禁止して、行政事件の裁判も含めて全ての裁判作用を司法権とし、これを通常裁判所に属するものとしている。

1：ア、イ
2：ア、ウ
3：イ、ウ
4：イ、エ
5：ウ、エ

実践 問題 159 の解説

チェック欄 1回目 2回目 3回目

〈司法権〉

ア× 国政調査権（憲法62条）は、司法権との関係で制約を受ける。すなわち、裁判官の訴訟指揮に関する調査や裁判内容を批判するために行う調査は、司法権の独立を侵害するものとして許されないと解されている。

イ× 最高裁判所は、訴訟に関する手続、弁護士、裁判所の内部規律および司法事務処理に関する事項について、規則を定める権限を有している（憲法77条1項）。最高裁判所はこの規則制定権を下級裁判所に委任することができる（同条3項）。すなわち、下級裁判所は、最高裁判所から委任を受けなければこの権限を行使しえない。下級裁判所に規則制定権が独自に認められているわけではないので、本記述は妥当でない。

ウ○ 本記述は主観訴訟および客観訴訟それぞれの意義を正確に述べており、妥当である。司法権の中核をなす具体的な争訟とは、「一切の法律上の争訟」（裁判所法3条1項）を指す。すなわち、法令を適用することで解決しうる当事者間の権利義務に関する紛争である。また、客観訴訟は、個人の権利利益の保護を目的とする主観訴訟と異なり、客観的な法秩序の維持を目的とする訴訟であり、具体的事件性を前提とせず、法律に定める場合において、法律に定める者だけが提起することができる（行政事件訴訟法42条）。したがって、本記述の前半と後半いずれも妥当である。

エ○ 本記述は司法制度の沿革について正確に述べており、妥当である。かつて、明治憲法下においては大陸法系における法制度が導入されていた。すなわち、行政権に対する司法権の干渉を排除するため、行政事件は通常裁判所の管轄外とされ、通常裁判所と組織系列を別にする行政裁判所が設けられ、これに行政事件の裁判権が与えられていた（明治憲法61条）。これに対し、日本国憲法は、すべて司法権は、最高裁判所および下級裁判所に属することを規定するとともに（憲法76条1項）、特別裁判所の設置を禁止し、行政機関による終審裁判を否定している（同条2項）。これらのことから、行政事件についても通常裁判所が全面的に裁判権を有する。

以上より、妥当なものはウ、エであり、肢5が正解となる。

正答 5

裁判所
裁判所の地位

実践 問題 160 基本レベル

頻出度			
	地上★	国家一般職★	特別区★
	裁判所職員★	国税·財務·労基★★	国家総合職★

問 裁判所に関する記述として最も妥当なものはどれか（争いのあるときは、判例の見解による。）。 （裁判所事務官2022）

1：最高裁判所裁判官の国民審査制度において、白票を罷免を可としない票に数えることは思想良心の自由に反する。

2：非訟事件手続及び家事事件手続についても、憲法所定の例外の場合を除き公開の法廷における対審及び判決によってなされないならば、憲法第82条第１項に反する。

3：憲法第82条第１項は、傍聴人に対して法廷でメモを取ることを権利として保障している。

4：憲法第81条は、最高裁判所のみならず、下級裁判所も違憲審査権を有することを否定する趣旨を持つものではない。

5：裁判官は、裁判により、回復の困難な心身の故障のために職務を執ることができないと決定された場合であっても、公の弾劾によらなければ罷免することができない。

直前復習

チェック欄

1回目	2回目	3回目

実践 問題 160 の解説

〈裁判所〉

1 × 判例は、国民審査の制度を解職の制度であると解したうえで、この制度は積極的に罷免を可とする者とそうでない者との2つに分け、前者が後者より多数であるかどうかを知ろうとするものであり、いずれともわからないものは積極的に罷免を可とする意思をもたないものとして後者に入れるのは当然であるとし、思想・良心の自由に反するものではないとしている（最大判昭27.2.20）。

2 × 公開を要する裁判とは、性質上純然たる訴訟事件につき、終局的に事実を確定し当事者の主張する権利義務の存否を確定する裁判をいう（最大決昭35.7.6）。したがって、非訟事件手続や家事審判手続は公開を要する裁判ではない。

3 × 憲法82条1項は、法廷でメモを取る権利を保障していないので、本肢は妥当でない。判例は、憲法82条1項は、各人が裁判所に対して傍聴をすることを権利として要求できることまでを認めたものでないことはもとより、傍聴人に対して法廷においてメモを取ることを権利として保障しているものではないとしている（レペタ事件、最大判平元.3.8）。

4 ○ 判例は、裁判官が具体的訴訟事件に法令を適用して裁判をするにあたり、その法令が憲法に適合するか否かを判断することは、憲法によって裁判官に課せられた職務と職権であり、このことは最高裁判所の裁判官であると下級裁判所の裁判官であるとを問わないとし、憲法81条の趣旨についても、最高裁判所が違憲審査権を有する終審裁判所であることを明らかにした規定であり、下級裁判所が違憲審査権を有することを否定する趣旨を持つものではないとしている（最大判昭25.2.1）。

5 × 裁判により心身の故障のために職務を執ることができないと決定された場合、公の弾劾による必要はないので、本肢は妥当でない。憲法78条は、「裁判官は、裁判により、心身の故障のために職務を執ることができないと決定された場合を除いては、公の弾劾によらなければ罷免されない」と規定しているため、心身の故障のために職務を執ることのできない裁判官は、公の弾劾ではなく、裁判（分限裁判）による決定によって罷免されることになる。

正答 4

裁判所
司法権の限界

必修問題 セクションテーマを代表する問題に挑戦！

法律上の争訟であっても、裁判所の審査が及ばない場合を、しっかり記憶しておきましょう。

問 司法権に関するア～エの記述のうち、判例に照らし、妥当なもののみを全て挙げているのはどれか。（財務2022）

ア：裁判所がその固有の権限に基づいて審判することのできる対象は、裁判所法にいう「法律上の争訟」、すなわち当事者間の具体的な権利義務ないし法律関係の存否に関する紛争であって、かつ、それが法令の適用により終局的に解決することができるものに限られる。

イ：訴訟が具体的な権利義務ないし法律関係に関する紛争の形式をとっており、信仰の対象の価値又は宗教上の教義に関する判断は請求の当否を決するについての前提問題にとどまるものとされていても、それが訴訟の帰すうを左右する必要不可欠のものであり、紛争の核心となっている場合には、裁判所法にいう法律上の争訟に当たらない。

ウ：直接国家統治の基本に関する高度に政治性のある国家行為は、たとえそれが法律上の争訟となり、これに対する有効無効の判断が法律上可能である場合であっても、裁判所の審査権の外にあり、その判断は主権者たる国民に対して政治的責任を負う政府、国会等の政治部門の判断に任され、最終的には国民の政治判断に委ねられているものと解すべきである。

エ：普通地方公共団体の議会の議員に対する出席停止の懲罰は、議員の権利行使の一時的制限にすぎないものとして、原則として議会の自主的、自律的な解決に委ねられるべきものであるが、出席停止とされた期間が長期にわたる場合には、議員としての責務を十分に果たすことができなくなるため、例外的に司法審査の対象となる。

1：ア、イ、ウ
2：ア、イ、エ
3：ア、ウ、エ
4：イ、ウ、エ
5：ア、イ、ウ、エ

直前復習

頻出度　地上★　国家一般職★★　特別区★★　裁判所職員★★　国税·財務·労基★★　国家総合職★

チェック欄

1回目	2回目	3回目

〈司法権の限界〉

ア○ 憲法76条の規定を受け、裁判所法３条は、「裁判所は……一切の法律上の争訟を裁判」すると定めている。ここに「法律上の争訟」の意義が問題となるが、判例は、①当事者間の具体的な権利義務ないし法律関係の存否に関する紛争であること、②法令の適用により終局的に解決することができるものであること、この２つの要件を充たすことが必要であるとしている（板まんだら事件、最判昭56.4.7）。

イ○ 上掲板まんだら事件において判例は、具体的な権利義務ないし法律関係に関する紛争の形式をとっている訴訟であっても、信仰の対象の価値または宗教上の教義に関する判断が当該訴訟の帰すうを左右する必要不可欠のものと認められ、また、当該訴訟の争点および当事者の主張立証も右の判断に関するものがその核心となっていると認められる場合には、結局当該訴訟は、その実質において法令の適用による終局的な解決の不可能なものであって、裁判所法３条にいう法律上の争訟にあたらないとする（最判昭56.4.7）。

ウ○ 本記述は、衆議院の解散の効力が争われた苫米地事件（最大判昭35.6.8）の判旨を正確に述べており、妥当である。

エ× 出席停止の期間にかかわらず出席停止の懲罰は司法審査の対象となるので、本記述は妥当でない。地方議会議員に対する出席停止の懲罰決議の効力が争われた事件において判例は、出席停止の期間、議員が「議事に参与して議決に加わるなどの議員としての中核的な活動をすることができず、住民の負託を受けた議員としての責務を十分に果たすことができなくなる」ことを理由に、「裁判所は、常にその適否を判断することができる」としている（最大判令2.11.25）。同判例は、地方議会議員に対する３日間の出席停止の懲罰決議の効力が争われた事案につき、司法審査の対象とならないとした従来の判例（最大判昭35.10.19）を変更したものである。

以上より、妥当なものはア、イ、ウであり、肢１が正解となる。

正答 1

裁判所

司法権の限界

1 司法権の限界

「法律上の争訟」であっても、裁判所の審査が及ばないとされる場合があります。

ミニ知識　国際法上、外交官には外交特権が認められているので、日本の裁判権は及びません。

(1) 憲法が明文で認めている限界

① 国会議員の資格争訟の裁判（憲法55条）

両議院は、それぞれの議員の資格に関する争訟を裁判する権限を有し、この事件については裁判所の審査権は及ばないとされます。

② 裁判官の弾劾裁判（憲法64条）

国会に設置される弾劾裁判所において下された罷免の裁判については、通常の裁判所に上訴することができません。

(2) 憲法の解釈から導かれる限界

① 団体内部事項に関する限界（部分社会の法理）

部分社会の法理とは、地方議会、大学、政党などの自律的な団体内部の紛争については、裁判所は裁判を控えるべきであるとする考え方です。

判例　《富山大学事件》最判昭52.3.15
【事案】国立大学の単位不認定処分の効力が争われた事案
【判旨】大学は一般社会とは異なる特殊な部分社会を形成しており、単位認定行為は、他にそれが一般市民法秩序と直接の関係を有するものであることを肯認するに足りる特段の事情がない限り、純然たる大学内部の問題として大学の自主的、自律的な判断に委ねられるべきものであり、司法審査は及ばない。

判例　《地方議会の懲罰議決》最大判令2.11.25
【事案】地方議会がその議員に行った23日間の出席停止の懲罰の適否が争われた事案
【判旨】議員は、憲法上の住民自治の原則を具現化するため、議事に参与し、議決に加わるなどして、住民の代表としてその意思を普通地方公共団体の意思決定に反映させるべく活動する責務を負うので、出席停止の懲罰が科されると、議員としての中核的な活動をすることができず、住民の負託を受けた議員としての責務を十分に果たすことができなくなる。そうすると、出席停止の懲罰については、裁判所は、常にその適否を判断できるというべきである。したがって、その適否は、司法審査の対象となる。

②　議院の自律権の問題

議院の自律権とは、懲罰や議事手続など、各議院はその内部事項について、他の機関からの干渉を排除して自主的に決定できる権能のことをいいます。

> **判例**
> 《警察法改正無効事件》最大判昭37.3.7
> 【事案】警察法の審議にあたり議場混乱のまま可決された議決の効力が争われた事件
> 【判旨】法律が両院の議決を経たものとされ適法な手続により公布されている以上、裁判所は両院の自主性を尊重すべく、同法制定の議事手続に関する事実を審理して有効無効を判断すべきでない。

③　自由裁量行為（立法裁量行為・行政裁量行為）

立法権や行政権に対して、その権限行使に裁量権が認められている場合に、その裁量の範囲内であれば、原則として裁判所は審査することができません。ただし、裁量権の範囲を逸脱した場合や濫用した場合には、裁判所の審査の対象となります。

④　統治行為

直接国家統治の基本に関する高度に政治性のある国家行為（統治行為）については、法律上の争訟として裁判所による審査が可能であっても、裁判所の審査権が及ばないとする考え方があります。これを統治行為論といいます。

> **判例**
> 《苫米地事件》最大判昭35.6.8
> 【事案】憲法７条を根拠として行われた衆議院の抜き打ち解散が無効であるとして争われた事案
> 【判旨】衆議院の解散は、直接国家統治の基本に関する高度に政治性のある国家行為については、法律上の争訟となり有効・無効の判断が可能であっても、司法審査の対象とはならない。

裁判所
司法権の限界

実践 問題 161 基本レベル

頻出度	地上★　国家一般職★★　特別区★★ 裁判所職員★★　国税·財務·労基★★　国家総合職★

問 **司法権に関するア～オの記述のうち、妥当なもののみを全て挙げているのはどれか。**
(財務2019改題)

ア：直接国家統治の基本に関する高度に政治性のある国家行為は、原則として司法審査の対象とはならないが、それが法律上の争訟となり、これに対する有効無効の判断が法律上可能である場合は、例外的に司法審査の対象となるとするのが判例である。

イ：裁判の対審及び判決が公開の法廷で行われるべき旨を定めた憲法第82条第1項は、各人が裁判所に対して裁判を傍聴することを権利として要求できることまでを認めたものでないことはもとより、傍聴人に対して法廷においてメモを取ることを権利として保障しているものでもないとするのが判例である。

ウ：司法権の独立は憲法上の要請であるから、裁判官が裁判をなすに当たって、他の国家機関から重大な影響を受けることは許されないが、両議院の有する国政調査権は裁判に対しても及ぶため、立法の準備のためであれば、両議院はその資料収集のために、現に裁判が進行中の事件について裁判官の訴訟指揮を調査することができると一般に解されている。

エ：全て司法権は最高裁判所及び下級裁判所に属するという原則の例外に弾劾裁判所の裁判があるが、弾劾裁判所で罷免の裁判を受けた裁判官は、これに不服がある場合、通常の裁判所に訴訟を提起することができる。

オ：地方議会の議員に対して出席停止の懲罰が科されると、当該議員は議員としての中核的な活動をすることができず、住民の負託を受けた議員としての責務を十分に果たすことができなくなるので、地方議会の議員に対する出席停止の懲罰の適否は、司法審査の対象となるとするのが判例である。

1：ア、ウ
2：ア、オ
3：イ、エ
4：イ、オ
5：ウ、エ

実践 問題 161 の解説

チェック欄 1回目 2回目 3回目

〈司法権〉

ア× いわゆる統治行為について判例は、それが法律上の争訟となり、これに対する有効無効の判断が法律上可能である場合であっても、司法審査の対象とはならないとし、その判断は主権者たる国民に対して政治的責任を負う政府、国会等の政治部門の判断に委され、最終的には国民の政治判断に委ねられているとしている（苫米地事件、最大判昭35.6.8）。したがって、例外的に司法審査の対象となると述べる本記述後段が妥当でない。

イ○ 憲法82条１項は、裁判の対審および判決が公開の法廷で行われるべきことを定めているが、判例は、同規定は、「各人が裁判所に対して傍聴することを権利として要求できることまでを認めたものでないことはもとより、傍聴人に対して法廷においてメモを取ることを権利として保障しているものでない」と判示している（レペタ事件、最大判平元.3.8）。

ウ× 両議院は国政調査権を有し、国政に関連のない私的な事項を除き、国政の全般に関して調査を行うことができる（憲法62条）が、この国政調査権も、権力分立との関係で一定の制約を受ける。司法権との関係においては、裁判官の職権行使の独立（憲法76条３項）にかんがみ、国会が、現に裁判が進行中の事件について裁判官の訴訟指揮などを調査したり、裁判の内容の当否を批判する調査をしたりすることは許されないと一般的に解されている。したがって、本記述後段が妥当でない。

エ× すべて司法権は裁判所に属するのが原則であるが（憲法76条１項）、この原則の憲法上の例外として弾劾裁判がある（憲法64条）。すなわち、権力分立の原理のもと、国会による裁判所の統制を徹底するため、弾劾裁判で罷免の裁判を受けた裁判官は、これに不服がある場合でも、通常の裁判所に訴訟を提起することはできない。したがって、本記述後段が妥当でない。

オ○ 従来の判例は、地方議会における議員の出席停止の懲罰には、議会内部の自律的事項として司法審査は及ばないとしていた（最大判昭35.10.19）が、最高裁はこれを変更し、本記述のように議員に対する出席停止の弊害を指摘することで、出席停止の懲罰の適否は司法審査の対象となるとした（最大判令2.11.25）。

以上より、妥当なものはイ、オであり、肢４が正解となる。

正答 4

第3章 SECTION 2 裁判所

司法権の限界

実践 問題 162 基本レベル

頻出度	地上★ 国家一般職★★ 特別区★★ 裁判所職員★★ 国税・財務・労基★★ 国家総合職★

問 司法権に関するア～オの記述のうち、妥当なもののみを全て挙げているのはどれか。 (国家一般職2020)

ア：法律上の争訟は、当事者間の具体的な権利義務ないし法律関係の存否に関する紛争であって、かつ、それが法律を適用することにより終局的に解決することができるものに限られるため、具体的事件性を前提とせずに出訴できる制度を法律で設けることはできない。

イ：特定の者の宗教法人の代表役員たる地位の存否の確認を求める訴えは、その者の宗教活動上の地位の存否を審理、判断するにつき、当該宗教団体の教義ないし信仰の内容に立ち入って審理、判断することが必要不可欠である場合であっても、法律上の争訟に当たるとするのが判例である。

ウ：法律が両院において議決を経たものとされ適法な手続により公布されている場合、裁判所は両院の自主性を尊重すべきであり、同法制定の議事手続に関する事実を審理してその有効無効を判断すべきではないとするのが判例である。

エ：衆議院の解散は、極めて政治性の高い国家統治の基本に関する行為であり、その法律上の有効無効を審査することは、当該解散が訴訟の前提問題として主張されている場合においても、司法裁判所の権限の外にあるとするのが判例である。

オ：自律的な法規範を持つ社会ないし団体にあっては、当該規範の実現を内部規律の問題として自主的措置に任せるのが適当であるから、地方公共団体の議会の議員に対する懲罰議決の適否については、それが除名処分である場合も含めて、裁判所の審査権の外にあるとするのが判例である。

1：ア、イ
2：ア、オ
3：イ、ウ
4：ウ、エ
5：エ、オ

チェック欄		
1回目	2回目	3回目

実践 問題 162 の解説

〈司法権の限界〉

ア× 具体的事件性を前提とせずに出訴する制度を特に法律で設けることは可能であるので、本記述は妥当でない。法律上の争訟（裁判所法３条１項）の意味を述べる本記述前半は正しい。しかし、裁判所法３条１項の「その他法律において特に定める権限を有する」との規定から明らかなように、具体的事件性を前提とせずに出訴できる制度を法律で設けることができる。その例の１つとして民衆訴訟（行政事件訴訟法５条）がある。したがって、本記述後半が誤りである。

イ× 特定の者の宗教法人の代表役員たる地位の存否の確認を求める訴えが法律上の争訟にあたるかについて、判例は、宗教団体の教義ないし信仰の内容に立ち入って審理、判断することが必要不可欠である場合には、裁判所が法令の適用によって終局的な解決を図ることができない訴訟として、法律上の争訟にあたらないとしている（日蓮正宗管長事件、最判平5.9.7）。

ウ○ 新警察法の成立にあたり、審議の際に野党が強硬に反対し、議場混乱のまま可決されたものとして扱われたため、かかる議決が無効ではないかが争われた事案につき判例は、「同法は両院において議決を経たものとされ適法な手続によって公布されている以上、裁判所は両院の自主性を尊重すべく同法制定の議事手続に関する事実を審理してその有効無効を判断すべきでない」としている（警察法改正無効事件、最大判昭37.3.7）。

エ○ 第３次吉田内閣による衆議院の抜き打ち解散の効力が争われた事案において最高裁は、「衆議院の解散は、極めて政治性の高い国家統治の基本に関する行為であって、かくのごとき行為について、その法律上の有効無効を審査することは司法裁判所の権限の外にありと解すべき」であり、「そして、この理は、衆議院の解散が訴訟の前提問題として主張されている場合においても同様であって、ひとしく裁判所の審査権の外にありといわなければならない」としている（苫米地事件、最大判昭35.6.8）。

オ× 地方議会議員の除名処分は司法審査の対象であるとするのが判例であるので、本記述は妥当でない。地方議会議員に対する懲罰議決が司法審査の対象となるかについて最高裁は、除名処分が司法審査の対象となることを繰り返し認めている（最大決昭28.1.16、最大判昭35.3.9等）。

以上より、妥当なものはウ、エであり、肢４が正解となる。

正答 4

裁判所
司法権の限界

実践 問題 163 基本レベル

頻出度	地上★ 国家一般職★★ 特別区★★ 裁判所職員★★ 国税·財務·労基★★ 国家総合職★

問 司法権の限界に関する記述として、最高裁判所の判例に照らして、妥当なのはどれか。 **(特別区2012)**

1：裁判所は、法令の形式的審査権をもつので、両院において議決を経たものとされ適法な手続によって公布されている法について、法制定の議事手続に関する事実を審理してその有効無効を判断することができる。

2：衆議院の解散は、極めて政治性の高い国家統治の基本に関する行為であって、その法律上の有効無効を審査することは、衆議院の解散が訴訟の前提問題として主張されている場合においても、裁判所の審査権の外にある。

3：大学における授業科目の単位授与行為は、一般市民法秩序と直接の関係を有するので、大学が特殊な部分社会を形成しているとしても、当該行為は、大学内部の問題として大学の自主的、自律的な判断に委ねられるべきではなく、裁判所の司法審査の対象になる。

4：自律的な法規範をもつ社会ないしは団体にあっては、当該規範の実現を内部規律の問題として自治的措置に任せ、必ずしも、裁判にまつを適当としないものがあり、地方公共団体の議会の議員に対する除名処分はそれに該当し、その懲罰議決の適否は裁判権の外にある。

5：政党は、議会制民主主義を支える上で重要な存在であり、高度の自主性と自律性を与えて自主的に組織運営をなしうる自由を保障しなければならないので、政党が党員に対してした処分には、一般市民法秩序と直接の関係を有するか否かにかかわらず、裁判所の審判権が及ばない。

直前復習

チェック欄		
1回目	2回目	3回目

実践 問題 163 の解説

〈司法権の限界〉

1 × 判例は、法律が両院において議決を経たものとされ適法な手続によって公布されている以上、裁判所は両院の自主性を尊重すべく、法制定の議事手続に関する事実を審理してその有効無効を判断すべきでないとした（警察法改正無効事件、最大判昭37.3.7）。

2 ○ 判例は、直接国家統治の基本に関する高度に政治性のある国家行為（統治行為）は、たとえそれが法律上の争訟となり、これに対する有効無効の判断が法律上可能であっても、裁判所の審査権の外にあり、その判断は国民に対して政治的責任を負う政府、国会等の政治部門の判断によるべきであるとし、いわゆる統治行為論を採用した。そして、このことは、衆議院の解散が訴訟の前提問題として主張されている場合においても同様であるとした（苫米地事件、最大判昭35.6.8）。

3 × 判例は、単位の授与行為は、ほかにそれが一般市民法秩序と直接の関係を有するものであることを肯認するに足りる特段の事情のない限り、純然たる大学内部の問題として大学の自主的、自律的な判断に委ねられるべきものであって、裁判所の司法審査の対象とならないとした（富山大学事件、最判昭52.3.15）。

4 × 判例は、自律的な法規範を持つ社会ないし団体にあっては、当該規範の実現を内部規律の問題として自治的措置に任せ、必ずしも裁判によるのを適当としないものがあるとの「部分社会の法理」を認めているが、議員の除名処分については、議員の身分の喪失に関する重大事項で、単なる内部規律の問題にとどまらないから司法審査の対象となるとした（最大判昭35.3.9）。

5 × 判例は、政党の党員に対する処分について、一般市民法秩序と直接の関係を有しない内部的な問題にとどまる限りは司法審査の対象とならないが、その処分が一般市民としての権利利益を害する場合は、政党の自律的に定めた規範が公序良俗に反するなどの特段の事情がない限りはその規範に照らし、規範を有しない場合は条理に基づき、適正な手続に則ってされたか否かの点に限って裁判所の審査権が及ぶとした（共産党袴田事件、最判昭63.12.20）。

正答 2

実践 問題 164 応用レベル

頻出度	地上★	国家一般職★	特別区★
	裁判所職員★	国税·財務·労基★	国家総合職★

問 司法権に関するア～オの記述のうち、判例に照らし、妥当なもののみをすべて挙げているのはどれか。 (国Ⅰ2007改題)

ア：地方議会の議員に出席停止の懲罰が科されると、当該議員は議員としての中核的な活動をすることができず、住民の負託を受けた議員としての責務を十分に果たすことができなくなるので、地方議会議員に対する出席停止の懲罰については司法審査の対象となる。

イ：政党は、結社の自由に基づき任意に結成される政治団体であり、かつ、議会制民主主義を支える極めて重要な存在であるから、高度の自主性と自律性を与えて自主的に組織運営をなし得る自由を保障しなければならず、政党が党員に対してする処分については司法審査の対象とならない。

ウ：司法権は、当事者間の具体的な権利義務ないし法律関係の存否に関する紛争につき、法の客観的な意味と解されるところに従って当該紛争を解決確定する作用であると解され、訴訟が具体的な権利義務ないし法律関係に関する紛争の形式をとっている限りは、裁判所法第３条にいう「法律上の争訟」に当たり、司法審査の対象となる。

エ：宗教法人の機関である代表役員兼責任役員の地位を有するか否かについて争いがある場合で、寺院の住職のような本来宗教団体内部における宗教活動上の地位にある者が当該宗教法人の規則上当然に代表役員兼責任役員となるとされているときは、裁判所は、特定人が当該宗教法人の代表役員兼責任役員であるかどうかを審理、判断する前提として、その者が住職選任の手続上の準則に従って選任されたかどうか、また、手続上の準則が何であるかに関して、審理、判断することができる。

オ：大学は、国公立であると私立であるとを問わず、一般市民社会とは異なる特殊な部分社会を形成しており、単位授与認定といった大学の内部的な問題については、大学の自主的、自律的な判断に委ねられるべきものであり、裁判所の司法審査の対象となることはない。

1：ア、イ
2：ア、エ
3：イ、エ
4：イ、ウ
5：ウ、オ

直前復習

チェック欄 1回目 2回目 3回目

実践 問題 164 の解説

〈司法権〉

ア○ 従来の判例は、地方議会議員に対する出席停止の懲罰は内部規律の問題にすぎず司法審査の対象にはならないとしていた（最大判昭35.10.19）が、最高裁はこれを変更し、本記述のように議員に対する出席停止の弊害を指摘することで、出席停止の懲罰について、裁判所は、常にその適否を判断することができ、司法審査の対象となるとした（最大判令2.11.25）。

イ× 判例は、政党が組織内の自律的運営として党員に対してした除名その他の処分が一般市民としての権利利益を侵害する場合、当該政党の自律的に定めた規範に照らし、適正な手続に則ってされたか否かに限ってではあるものの、当該処分の当否は、司法審査の対象となるとする（共産党袴田事件、最判昭63.12.20）。

ウ× 判例は、具体的な権利義務ないし法律関係に関する紛争の形式をとっている訴訟であっても、信仰の対象の価値または宗教上の教義に関する判断が当該訴訟の帰すうを左右する必要不可欠のものと認められ、また当該訴訟の争点および当事者の主張立証も当該の判断に関するものがその核心となっていると認められる場合には、結局当該訴訟は、その実質において法令の適用による終局的な解決の不可能なものであって、裁判所法３条にいう法律上の争訟にあたらないとする（板まんだら事件、最判昭56.4.7）。

エ○ 判例は、住職の選任の効力に関する争点は、XがY寺の住職として活動するにふさわしい適格を備えているか否かというような、本来当該宗教団体内部においてのみ自治的に決定されるべき宗教上の教義ないし宗教活動に関する問題ではなく、もっぱらＹ寺における住職選任の手続上の準則に従って選任されたか否か、また当該手続上の準則が何であるかに関するものであり、このような問題については、それが、代表役員兼責任役員たる地位の前提をなす住職の地位を有するか否かの判断に必要不可欠のものである限り、裁判所はこれを審理、判断することができるとした（本門寺事件、最判昭55.4.10）。

オ× 判例は、単位の授与（認定）行為は、他にそれが一般市民法秩序と直接の関係を有するものであることを肯認するに足りる特段の事情のある場合には、裁判所の司法審査の対象にはなる余地があるとする（富山大学事件、最判昭52.3.15）。

以上より、妥当なものはア、エであり、肢２が正解となる。

正答 2

裁判所
司法権の限界

実践 問題 165 応用レベル

頻出度	地上★	国家一般職★	特別区★
	裁判所職員★	国税·財務·労基★	国家総合職★

問 司法審査の対象に関するア～オの記述のうち、判例に照らし、妥当なもののみをすべて挙げているのはどれか。 (国Ⅱ2011改題)

ア：裁判所がその固有の権限に基づいて審判することのできる対象は、当事者間の具体的な権利義務ないし法律関係の存否に関する紛争であって、かつ、それが法令の適用により終局的に解決することができるものに限られ、具体的な権利義務ないし法律関係に関する紛争であっても、法令の適用により終局的に解決するのに適しないものは、裁判所の審査判断の対象とならない。

イ：憲法第25条は福祉国家の理念に基づく国の責務を宣言したものであるところ、同条の規定の趣旨にこたえて具体的にどのような立法措置を講ずるかの選択決定は、立法府の広い裁量に委ねられており、それが著しく合理性を欠き明らかに裁量の逸脱・濫用と見ざるを得ないような場合を除き、裁判所の審査判断の対象とならない。

ウ：一切の法律上の争訟に対する司法権を認めている我が国の法治主義の下においては、現実に行われた衆議院の解散が、その依拠する憲法の条章の適用を誤ったために法律上無効であるかどうかといった問題を、単に高度に政治性を有するものであるという一事をもって司法審査の対象から除外することは適切ではなく、これに対する有効無効の判断が法律上可能である場合は、裁判所の審査判断の対象となる。

エ：地方公共団体の議会の議員に対する23日間の出席停止の懲罰決議は、地方自治法に根拠を有する処分であって、地方議会の自律的な法規範に基づく行為というべきであり、裁判所の司法審査の対象とならない。

オ：大学における授業科目の単位授与行為は、学生が当該授業科目を履修し試験に合格したことを確認する教育上の措置であるが、必要な単位数の取得は卒業の要件をなすという点において、学生の重大な社会的身分にかかわり、一般市民法秩序と直接の関係を有するものであるから、純然たる大学内部の問題として大学の自主的、自律的な判断に委ねることはできず、裁判所の審査判断の対象となる。

1：ア、イ
2：ア、ウ
3：イ、オ
4：ウ、エ
5：エ、オ

チェック欄		
1回目	2回目	3回目

実践 問題 165 の解説

〈司法審査の対象〉

ア○ 司法権とは、具体的な争訟について、法を適用し宣言することによって、これを裁定する国家作用をいう。ここで、具体的な争訟とは、「法律上の争訟」（裁判所法３条１項）を指す。判例は、①当事者間の具体的な権利義務ないし法律関係の存否に関する争いであること、および、②それが法律の適用により終局的に解決しうべきものであることを要件とする（最判昭41.2.8）から、どちらかを欠く場合には裁判所の審査対象とはならない。

イ○ 判例は、児童扶養手当法が児童扶養手当と障害福祉年金の併給を禁止していることが、憲法25条の規定の趣旨に違反するとして争われた事件に関し、本記述のとおりに示し、併給禁止規定も立法府の裁量の範囲内であるとしている（堀木訴訟、最大判昭57.7.7）。

ウ× 判例は、直接国家統治の基本に関する高度に政治性のある国家行為（統治行為）のごときはたとえそれが法律上の争訟となり、これに対する有効無効の判断が法律上可能である場合であっても、かかる国家行為は裁判所の審査権の外にあり、その判断は主権者たる国民に対して政治的責任を負うところの政府、国会等の政治部門の判断に委され、最終的には国民の政治判断に委ねられているとし（統治行為論）、衆議院の解散は高度の政治性を有するので、その有効性を裁判所は審査できないとした（苫米地事件、最大判昭35.6.8）。

エ× 判例は、地方議会の議員に対して出席停止の懲罰が科されると、当該議員はその期間、議事に参与して議決に加わるなどの議員としての中核的な活動をすることができず、住民の負託を受けた議員としての責務を十分に果たすことができなくなるため、出席停止の懲罰の適否は、司法審査の対象となるとした（最大判令2.11.25）。

オ× 判例は、単位授与（認定）行為は、他にそれが一般市民法秩序と直接の関係を有するものであることを肯認するに足りる特段の事情のない限り、純然たる大学内部の問題として大学の自主的、自律的な判断に委ねられるべきものであって、裁判所の司法審査の対象とならないとしている（富山大学事件、最判昭52.3.15）。

以上より、妥当なものはア、イであり、肢１が正解となる。

正答 1

裁判所

裁判所の構成、最高裁判所の権能

必修問題 セクションテーマを代表する問題に挑戦！

裁判所の構成についての問題はそれほど難しくありません。基本的事項をしっかり押さえておきましょう。

問 裁判所に関する次のア～エの記述のうち、妥当なもののみを全て挙げているものはどれか（争いのあるときは、判例の見解による。）。

（裁判所事務官2023）

ア：行政機関が終審として裁判を行うことは禁止されているが、前審として裁判を行うことは許されている。

イ：最高裁判所は、具体的な事件が提起された場合に法律命令等の合憲性を判断することができるほか、具体的な事件を離れて抽象的に法律命令等の合憲性を判断することもできる。

ウ：最高裁判所の長たる裁判官は、内閣の指名に基づいて、天皇が任命する。

エ：最高裁判所は、訴訟に関する手続、弁護士、裁判所の内部規律及び司法事務処理に関する事項について、規則を定める権限を有するが、立法権は国会に属するため、これらの規則を定めるに当たっては国会の承認が必要となる。

1：ア、イ
2：ア、ウ
3：イ、ウ
4：イ、エ
5：ウ、エ

Guidance ガイダンス

最高裁判所の裁判官の任命

長たる裁判官…内閣が指名、天皇が任命
その他の裁判官…内閣が任命、天皇が認証

最高裁判所裁判官の地位

・任期の定めなし
・法律の定める年齢に達した時に退官

直前復習

頻出度	地上★★　国家一般職★★　特別区★ 裁判所職員★　国税･財務･労基★★　国家総合職★

チェック欄		
1回目	2回目	3回目

〈裁判所〉

ア○ 行政機関は、終審として裁判を行うことができない（憲法76条２項後段）。同項の反対解釈として、行政機関は前審として裁判を行うことができるとされており、裁判所法にも同様の規定がある（裁判所法３条２項）。

イ× 違憲審査制の類型には、具体的な事件を裁判する際にその前提として適用法条の憲法適合性を審査する付随的違憲審査制と、具体的事件を離れて抽象的に法令等の憲法適合性を審査する抽象的違憲審査制がある。判例は、**特定の者の具体的な法律関係につき紛争の存する場合においてのみ裁判所に憲法適合性の判断を求めることができる**として、**付随的違憲審査制**を採っていることを明らかにしている（警察予備隊訴訟、最大判昭27.10.8）。

ウ○ **天皇は、内閣の指名に基づいて、最高裁判所の長たる裁判官を任命する**（憲法６条２項）。指名権が内閣に与えられているのは、行政権の責任者である内閣がある程度の影響を裁判官の組織に与えることで権力分立上の均衡を保つようにしたものと解されている。

エ× 最高裁判所は、訴訟に関する手続、弁護士、裁判所の内部規律および司法事務処理に関する事項について、規則を定める権限を有する（憲法77条１項）。これは、司法権の独立を確保し、かつ裁判に関する事項は裁判の専門家に定めさせたほうが適切である、との配慮により、**国会中心立法の原則に対して憲法自身が認めた例外である**。そのため、規則を定めるにあたって国会の承認は必要とされない。

以上より、妥当なものはア、ウであり、肢２が正解となる。

正答 2

裁判所

裁判所の構成、最高裁判所の権能

1 裁判所の組織

憲法76条１項は、「すべて司法権は、最高裁判所及び法律の定めるところにより設置する下級裁判所に属する」と規定しています。

下級裁判所	最高裁判所以外の裁判所を指します。具体的には高等裁判所、地方裁判所、家庭裁判所、簡易裁判所の４種類があります（裁判所法２条）。

2 特別裁判所・行政機関による終審裁判の禁止

(1) 特別裁判所の禁止

特別裁判所の設置は、禁止されています（憲法76条２項前段）。特別裁判所とは、最高裁判所を頂点とする通常裁判所の組織系列に属さない裁判所のことです。ただし、憲法自身が認めた例外として、国会に設置される弾劾裁判所があります。

家庭裁判所のように特定の種類の事件を専門的に扱う裁判所でも、通常裁判所の系列の下にあれば、憲法上禁止されている特別裁判所にはあたりません。

(2) 行政機関による終審裁判の禁止

行政機関は、終審として裁判を行うことはできません（憲法76条２項後段）。

行政機関による終審裁判が禁止されるのは、行政機関が関与した事件については恣意的な判断がなされないように、第三者的立場に立つ中立・公正な裁判所の判断の機会を残さなければならないと考えられるからです。

通常裁判所に上訴できる制度があれば、行政機関が前審として裁判を行うことは許されます。

3 裁判官の地位

他の権力からの干渉を排して、裁判官が独立して裁判を行うことができるようにするために、裁判官の地位は憲法上保障されています。

	最高裁判所裁判官	下級裁判所裁判官
任期	※定めなし	10年、再任可（80条１項）
定年	憲法上、法律事項とされる（79条５項）	憲法上、法律事項とされる（80条１項但書）
報酬	在任中減額不可（79条６項）	在任中減額不可（80条２項）

罷免	①分限裁判(78条) ②弾劾裁判(78条、64条) ③国民審査(79条２項・３項)	①分限裁判(78条) ②弾劾裁判(78条、64条) ※国民審査の制度はない

※裁判官の定年は、最高裁裁判官は70歳、高等裁判所、地方裁判所、家庭裁判所の裁判官は65歳、簡易裁判所の裁判官は70歳とされている（裁判所法50条）。

裁判所

裁判所の構成、最高裁判所の権能

実践 問題 166 基本レベル

頻出度	地上★★　国家一般職★★　特別区★ 裁判所職員★　国税·財務·労基★★　国家総合職★

問 司法権に関するア～オの記述のうち、妥当なもののみを全て挙げているのはどれか。 （国家総合職2018）

ア：司法権とは、具体的な争訟について、法を適用し、宣言することによって、これを裁定する国家の作用であり、裁判所において、紛争当事者間に法律関係に関する具体的な利害の対立がないにもかかわらず抽象的に法令の解釈又は効力について争うことはできないと一般に解されている。

イ：国民には裁判の傍聴の自由が認められており、裁判の公開の保障は、傍聴人のメモを取る権利の保障を含むとして、傍聴人のメモを取る行為が公正かつ円滑な訴訟の運営を妨げない限り、傍聴人がメモを取ることを禁止することは許されないとするのが判例である。

ウ：最高裁判所の裁判官の国民審査は、現行法上、罷免を可とすべき裁判官及び不可とすべき裁判官にそれぞれ印を付すという投票方法によっているが、これは、同制度の趣旨が、内閣による裁判官の恣意的な任命を防止し、その任命を確定させるための事後審査を行う権利を国民に保障するものであると一般に解されていることを踏まえたものである。

エ：警察法の審議に当たり、法律の成立手続の違憲性が問われた事案において、最高裁判所は、同法が国会の両院において議決を経たものとされ適法な手続によって公布されている以上、裁判所は両院の自主性を尊重すべきであり、同法制定の議事手続の有効無効を判断すべきでないと判示した。

オ：裁判が公正に行われ人権の保障が確保されるためには、裁判を担当する裁判官が外部からの圧力や干渉を受けずに職責を果たすことが必要であり、裁判官は、国民審査及び公の弾劾による場合を除いては、罷免されない。

1：ア
2：ア、エ
3：イ、ウ
4：ウ、オ
5：ア、エ、オ

チェック欄		
1回目	2回目	3回目

実践 問題 166 の解説

〈司法権〉

ア○ 司法権の中核をなす具体的な争訟とは、法令を適用することによって解決しうる権利義務ないし法律関係の存否に関する当事者間の紛争をいう。それゆえ、**事件性のない抽象的な法令の解釈や効力については争うことができない**。最高裁も**警察予備隊訴訟**において、本記述のように述べている（最大判昭27.10.8）。

イ× **レペタ事件**において最高裁は、憲法82条1項の規定は、各人が裁判所に対して傍聴することを権利として要求できることまでを認めたものでないことはもとより、傍聴人に対して法廷においてメモを取ることを権利として保障しているものでないとした（最大判平元.3.8）。したがって、裁判の公開の保障は、傍聴人のメモを取る権利の保障を含むと述べる本記述は妥当でない。

ウ× 最高裁判所裁判官の国民審査の制度が、①任命を確定させるための事後審査たる性質を持つか、それとも、②すでに裁判官の地位に就いている者を解職するいわゆるリコールとしての性質を持つかについて争いがあるが、最高裁は、79条3項が「罷免される」としていることから、国民審査で罷免と決定されても将来に向かって職を失う**解職制度**であるとして、②の見解を採った（最大判昭27.2.20）。したがって、国民審査の制度趣旨を、①の見解と述べる本記述は妥当でない。

エ○ 憲法上、両議院の自律に委ねられていると解される事項については、内部的自律の尊重という観点から、その自律的判断によって決定したものが最終決定となり、裁判所の審査権が及ばないとされる。これが、司法権の限界の1つである「**自律権に属する事項**」であり、最高裁も**警察法改正無効事件**において本記述のように述べている（最大判昭37.3.7）。

オ× 憲法上、国民審査により罷免されるのは最高裁判所裁判官であり、下級裁判所裁判官に当該制度は存在しない（憲法78条・79条2項）。また、すべての裁判官に共通の罷免事由は、心身の故障による執務不能の裁判と公の弾劾による場合の2つである（憲法78条）。

以上より、妥当なものはア、エであり、肢2が正解となる。

正答 2

裁判所

裁判所の構成、最高裁判所の権能

実践 問題 167 基本レベル

頻出度	地上★★　国家一般職★★　特別区★ 裁判所職員★　国税·財務·労基★★　国家総合職★

問 司法権に関するア～オの記述のうち、妥当なもののみを全て挙げているのはどれか。 （国家一般職2017）

ア：訴訟が具体的な権利義務ないし法律関係に関する紛争の形式をとっており、その結果信仰の対象の価値又は宗教上の教義に関する判断は請求の当否を決するについての前提問題にとどまるものとされていても、それが訴訟の帰すうを左右する必要不可欠のものであり、紛争の核心となっている場合には、当該訴訟は法律上の争訟に当たらないとするのが判例である。

イ：大学は、私立大学である場合に限り、一般市民社会とは異なる特殊な部分社会を形成しているということができるため、単位授与（認定）行為は、一般市民法秩序と直接の関係を有すると認められる特段の事情のない限りは、当該私立大学の自主的な判断に委ねられるべきものであり、司法審査の対象にはならないとするのが判例である。

ウ：司法権は全て通常の司法裁判所が行使するため、特別裁判所は設置することができないとされており、最高裁判所の系列下に所属させる場合であっても、特定の人や種類の事件について裁判をするための裁判機関を設けることは認められていないほか、行政機関による終審裁判も認められていない。

エ：最高裁判所及び下級裁判所には、権力分立の観点から裁判所の自主性を確保するための規則制定権がそれぞれ独自に認められており、その対象は、裁判所の内部規律や司法事務処理など裁判所の自律権に関するもののほか、訴訟に関する手続など一般国民が訴訟関係者となったときに拘束されるものも含まれる。

オ：全て司法権は最高裁判所及び下級裁判所に属するため、一般国民の中から選任された陪審員が審理に参加して評決するような制度は、職業裁判官が陪審の評決に拘束されないとしても憲法上認められないが、一般国民の中から選任された裁判員が職業裁判官と合議体を構成して裁判を行う制度は、憲法上認められるとするのが判例である。

1：ア
2：ア、エ
3：イ、ウ
4：エ、オ
5：ウ、エ、オ

チェック欄		
1回目	2回目	3回目

実践 問題 167 の解説

〈司法権〉

ア○ 蓮華寺事件（最判平元.9.8）において最高裁は、具体的な権利や法律関係をめぐる紛争を判断するための前提問題として特定人について寺の住職たる地位の存否を判断する必要がある場合、それが宗教上の教義の解釈にわたるときは、その実質において法令の適用による終局的解決に適さず、法律上の争訟にあたらないため、裁判所は審判権を有しないとしている。

イ× 富山大学事件（最判昭52.3.15）において最高裁は、大学は、国公立であると私立であるとを問わず、一般市民社会とは異なる特殊な部分社会を形成しているのであるから、一般市民法秩序と直接の関係を有しない内部的な問題は右司法審査の対象から除かれるべきであるとしており、国公立と私立を区別していない。したがって、私立大学である場合に限り、司法審査の対象にならないと述べる本記述は妥当でない。

ウ× 憲法76条２項の「特別裁判所」とは、特別の人または事件について裁判するために、通常裁判所の組織系列に属さない裁判所である。したがって、特定の人や種類の事件について裁判する裁判機関でも、最高裁判所の系列下に所属し、最終的に最高裁判所が事件を審理する仕組みになっていれば、それは「特別裁判所」ではなく、当該機関を設置することができる。

エ× 最高裁判所には裁判所の規則制定権がある（憲法77条１項）。他方、下級裁判所に独自の規則制定権はなく、最高裁判所から規則制定権を委任されたときにのみ、規則制定の権限が認められるにすぎない（同条３項）。

オ× 判例は、裁判官と裁判員によって構成された裁判体は、地方裁判所に属し、その判決に対しては高等裁判所への控訴が認められているので特別裁判所にあたらないとし、同様の理由から、陪審員が裁判体の構成員とされたとしても憲法76条２項の特別裁判所の禁止規定には違反しないとしている（最大判平23.11.16）。したがって、判例は、陪審員が審理に参加して評決するような制度は、職業裁判官が陪審の評決に拘束されないとしても憲法上認められないと考えているわけではないので、本記述は妥当でない。

以上より、妥当なものはアであり、肢１が正解となる。

正答 1

裁判所
裁判所の構成、最高裁判所の権能

実践 問題 168 応用レベル

頻出度	地上★ 国家一般職★ 特別区★
	裁判所職員★ 国税·財務·労基★ 国家総合職★

問 裁判所、裁判官等に関するア～オの記述のうち、妥当なもののみをすべて挙げているのはどれか。 (国Ⅰ2011)

ア：憲法は、特別裁判所を設置することを禁止しているが、現在の家庭裁判所は、家事事件及び少年事件には通常の民事事件及び刑事事件にはない特殊性が認められ、また、家事事件及び少年事件の審理に特化した裁判所を設置することに特段の弊害は認められないことにかんがみ、特に特別裁判所の禁止の例外として設置されているものである。

イ：最高裁判所は、その長たる裁判官（最高裁判所長官）及びその他の裁判官（最高裁判所判事）によって構成されるところ、最高裁判所判事の人数については、法律で定めることとされている。また、最高裁判所長官は、内閣の指名に基づいて天皇が任命するが、最高裁判所判事については、最高裁判所長官の指名した者の名簿によって内閣が任命するとされており、これによって内閣による恣意的な最高裁判所判事の任命を防ぎ、司法権の独立が図られている。

ウ：弾劾裁判の制度は、司法権がすべて裁判所に属するという原則に対して憲法自体が設けた例外であり、弾劾裁判所で罷免の裁判を受けた裁判官は、これに不服があっても、罷免の裁判に対してさらに通常の裁判所に訴訟を提起することはできないと解されている。

エ：憲法上、最高裁判所の裁判官及び下級裁判所の裁判官の身分保障については、差異が設けられており、下級裁判所の裁判官は、裁判により、心身の故障のために職務を執ることができないと決定された場合には罷免されるが、最高裁判所の裁判官の罷免は国民審査にゆだねられ、裁判により罷免されることはない。

オ：最高裁判所の裁判官の国民審査は、実質的にはいわゆる解職の制度であり、積極的に罷免を可とするものと、そうでないものとの二つに分かれるのであって、罷免の可否について不明の者の投票を罷免を可とするものではない票に数えることは、憲法に反するものではないとするのが判例である。

1：エ
2：ア、エ
3：ウ、オ
4：ア、イ、ウ
5：イ、ウ、オ

直前復習

チェック欄

1回目	2回目	3回目

実践 問題 168 の解説

〈裁判所・裁判官〉

ア× 憲法は、憲法自身が唯一認める特別裁判所である弾劾裁判所を除くほか特別裁判所を設置することを禁止しているが（特別裁判所の禁止。憲法76条2項）、ここにいう**特別裁判所とは、一般的に司法権を行う通常裁判所の組織系列に属さない裁判所**であって、単に特別の管轄を持つ裁判所のことではない（最大判昭31.5.30）。現在の家庭裁判所は、裁判官の任命、上訴などの面で、通常裁判所の組織系列に属するから、そもそも特別裁判所にあたらない。

イ× 最高裁判所は、その長たる裁判官（最高裁判所長官）およびその他の裁判官（最高裁判所判事）によって構成されるところ、最高裁判所判事の人数については、法律で定めることとされている（憲法79条1項）。しかし、**最高裁判所判事について最高裁判所長官には指名名簿を作成する権限は憲法上ない**。

ウ○ 弾劾裁判の制度は、司法権がすべて裁判所に属するという原則に対して憲法自体が設けた例外であり、弾劾裁判所で罷免の裁判を受けた裁判官は、これに不服があっても、罷免の裁判に対してさらに通常の裁判所に訴訟を提起することはできないと解されている。

エ× 裁判（分限裁判）により、心身の故障のために職務を執ることができないと決定された場合には罷免されるという制度は、下級裁判所の裁判官に限られず、最高裁判所の裁判官にも適用される（憲法78条）。

オ○ 最高裁判所の裁判官の国民審査は、実質的にはいわゆる解職の制度であり、積極的に罷免を可とするものと、そうでないものとの2つに分かれるのであって、罷免の可否について不明の者の投票を罷免を可とするものではない票に数えることは、憲法に反するものではないとするのが判例である（最大判昭27.2.20）。

以上より、妥当なものはウ、オであり、肢3が正解となる。

正答 3

裁判所
司法権の独立

セクションテーマを代表する問題に挑戦！

憲法の条文に書かれていることをしっかりマスターしましょう。

問 日本国憲法に規定する裁判官に関する記述として、妥当なのはどれか。 （特別区2022）

1：最高裁判所の裁判官の任命は、任命後10年を経過した後初めて行われる衆議院議員総選挙の際に、最初の国民審査に付し、その後10年を経過した後初めて行われる衆議院議員総選挙の際、更に審査に付し、その後も同様とする。

2：公の弾劾により裁判官を罷免するのは、職務上の義務に著しく違反し、若しくは職務を甚だしく怠ったとき又は職務の内外を問わず、裁判官としての威信を著しく失うべき非行があったときに限られる。

3：すべて裁判官は、独立してその職権を行うこととされているが、上級裁判所は、監督権により下級裁判所の裁判官の裁判権に影響を及ぼすことができる。

4：最高裁判所の長たる裁判官は、国会の指名に基づいて、天皇が任命し、最高裁判所の長たる裁判官以外の裁判官は、内閣が任命する。

5：裁判官は、監督権を行う裁判所の長たる裁判官により、心身の故障のために職務を執ることができないと決定されたときは、分限裁判によらず罷免される。

直前復習

Guidance ガイダンス

裁判官の職権行使の独立
・裁判官は、その良心に従って職権を行い、憲法および法律にのみ拘束される

裁判官の身分保障
・分限裁判、弾劾裁判、国民審査（最高裁判所裁判官のみ）によってのみ罷免される
・行政機関による懲戒の禁止
・報酬の保障

頻出度 地上★ 国家一般職★★ 特別区★★ 裁判所職員★ 国税・財務・労基★★★ 国家総合職★

必修問題の解説

チェック欄		
1回目	2回目	3回目

〈裁判官の身分保障〉

1 × 最初の国民審査は、任命後初めて行われる衆議院議員総選挙の際に行われるので、本肢は妥当でない。最高裁判所の裁判官の任命は、その任命後初めて行われる衆議院議員総選挙の際国民の審査に付し、その後10年を経過した後初めて行われる衆議院議員総選挙の際さらに審査に付し、その後も同様とする（憲法79条２項）。

2 ○ 公の弾劾による罷免事由は、①職務上の義務に著しく違反し、または職務を甚だしく怠ったとき、②その他職務の内外を問わず、裁判官としての威信を著しく失うべき非行があったときに限定されている（裁判官弾劾法２条）。したがって、本肢は妥当である。

3 × 上級裁判所が下級裁判所裁判官の裁判権に影響を及ぼすことは許されないので、本肢は妥当でない。すべて裁判官は、その良心に従い独立してその職権を行い、この憲法および法律にのみ拘束される（憲法76条３項）。その趣旨は、裁判官に対するあらゆる不当な干渉や圧力を排除し、裁判の公正を保つことにある。したがって、上級裁判所が監督権により下級裁判所の裁判官の裁判権に影響を及ぼすことは、裁判官の職権の独立に反するため許されない。

4 × 最高裁判所の長たる裁判官は、内閣が指名するので、本肢は妥当でない。最高裁判所の長たる裁判官は、内閣の指名に基づいて、天皇が任命する（憲法６条２項）。それ以外の最高裁判所の裁判官は、内閣が任命する（同法79条１項）。したがって、本肢後段は正しい。

5 × 裁判官は回復困難な心身の故障がある場合、分限裁判によらなければ罷免されないので、本肢は妥当でない。裁判官について、心身の故障のために職務を執ることができないとの決定は、裁判によりなされる（憲法78条）。また、裁判官分限法１条も、回復の困難な心身の故障のために職務を執ることができないと裁判された場合および本人が免官を願い出た場合を免官事由として規定している。したがって、分限裁判を経なければ裁判官を罷免することはできない。

正答 2

第3章 SECTION 4 裁判所
司法権の独立

1 司法権の独立の意義

司法権の独立とは、裁判官および裁判所が他のあらゆる権力（特に政治的権力）からの干渉を受けずに独立して裁判を行うことを意味します。その内容として、裁判官の職権行使の独立と、裁判所の独立とがあります。

司法権の独立の趣旨は、裁判所の公正を維持して国民の信頼を得ること、および、政治的中立性を確保して少数者の人権を保障することにあります。

2 裁判官の職権行使の独立（裁判官の独立）

裁判官の職権行使の独立とは、裁判官が、その職務を行うに際して、**法規範以外のなにものにも拘束されず、独立して職権を行使できること**を意味します。

これは、裁判官の良心を定めた憲法76条３項に端的に現れています。また、裁判官の身分保障によって側面から強化されているといえます。

(1) 裁判官の良心（憲法76条３項）

憲法76条３項は「すべて裁判官は、その良心に従ひ独立してその職権を行ひ、この憲法及び法律にのみ拘束される」と規定しています。この規定は、裁判の公正を保つために、裁判官に対するあらゆる不当な干渉や圧力を排除し、裁判官の職権行使の独立を謳ったものです。

ここに、「**良心**」とは、裁判官個人の主観的良心を指すものではなく、**裁判官としての客観的な良心を意味します。**

また、「**独立してその職権を行ひ**」とは、ほかの誰の指示や命令も受けないことをいいます。立法府・行政府からの干渉のみならず、**司法府内部からの指示・命令を排除することも含みます。**

(2) 裁判官の身分保障

裁判官の職権行使の独立を実効性あるものとするためには、裁判官の身分が保障されていなければなりません。そこで、憲法は以下のような形で裁判官の身分を保障しています。

① 罷免される場合の限定

裁判官が罷免されるのは、次頁の表の場合に限定され、これ以外の場合に罷免されることはありません。

ア　**分限裁判（78条前段）** 「心身の故障のために職務を執ることができない場合」には、裁判所の訴訟手続により罷免される。
イ　**弾劾裁判（78条・64条）** 裁判官は、「職務上の義務に著しく違反」「職務を甚だしく怠った」「裁判官としての威信を著しく失うべき非行」をした場合には、両議院の議員各7人の裁判員で構成される弾劾裁判所によって罷免される。
ウ　**最高裁判所裁判官の国民審査（79条2項・3項）** 最高裁判所の裁判官は、国民審査の結果、投票者の多数が裁判官の罷免を可とするときは罷免される。

国民審査の対象となるのは最高裁判所の裁判官だけです。

②　行政機関による裁判官の懲戒の禁止

憲法78条後段は、行政機関による裁判官の懲戒を禁止しています。

憲法78条後段は司法府の自主性を尊重する趣旨であることから、立法府による懲戒も禁止される、と解されています。

③　報酬の保障

憲法79条6項および80条2項は、裁判官はすべて定期に相当額の報酬を受け、在任中減額されることはないと規定しています。

裁判官の職務の重大性にかんがみ、地位にふさわしい生活をなしうる十分な報酬を与えることによってその身分を保障するとともに、報酬を減額するという方法により裁判官に圧力をかけることを禁止したものです。

3　裁判所の独立

裁判所の独立とは、裁判所が他の国家機関（特に政治部門）から独立して自主的に活動できることを意味します。この裁判所の独立は、下級裁判所裁判官の指名（憲法80条1項）、規則制定権（憲法77条）などの制度によって保障されています。

裁判所
司法権の独立

実践 問題 169 基本レベル

頻出度	地上★	国家一般職★★	特別区★★
	裁判所職員★	国税·財務·労基★★★	国家総合職★

問 裁判官の身分保障に関する次の記述のうち、最も妥当なのはどれか。

(国家総合職2023)

1：裁判官の懲戒権は、司法府の自主性を尊重して、裁判所自身に与えられており、行政機関がこれを行使することはできない。また、裁判官には、公の弾劾による罷免があることから、懲戒による免職はなく、停職のみが法定されている。

2：最高裁判所の裁判官は、国民審査において投票者の多数が罷免を可とする場合及び公の弾劾による場合を除いて、罷免されることはない。

3：裁判官が弾劾裁判所の裁判で罷免を宣告された場合に、これを不服とするときは、当該裁判官は宣告の取消しを求めて通常裁判所に出訴することができる。

4：公の弾劾による裁判官の罷免事由は、職務執行に関するものに限られない。裁判官としての威信を著しく失うべき非行があったときは、職務外の私的な行為に関するものであっても、弾劾により罷免される。

5：最高裁判所及び下級裁判所の裁判官は、全て定期に相当額の報酬を受け、個々の裁判官が在任中に報酬を減額されることはない。また、法律で全裁判官の報酬を一律に減額することは、財政上の理由であっても、立法府による裁判官の独立の侵害となるため許されず、実際に減額された例もない。

チェック欄

1回目	2回目	3回目

実践 問題 169 の解説

〈裁判官の身分保障〉

1 × 裁判官の懲戒処分は、行政機関がこれを行うことはできない（憲法78条後段）。司法権の独立の実効性を確保するために、その懲戒処分も裁判所自身によって行われなければならないとする趣旨である。この点において、本肢前半は妥当である。他方、裁判官の懲戒については、裁判官分限法に規定があるが、それによると戒告または１万円以下の過料のみが定められている（同法２条）。したがって、裁判官の懲戒による停職はないため、本肢後半が妥当でない。

2 × 司法権の独立を保障するため、最高裁判所の裁判官の罷免事由は限定されているが、本肢にある国民審査、公の弾劾による場合のほか、心身の故障による職務不能の裁判による場合も罷免事由となる（憲法78条）。

3 × 弾劾裁判所は、憲法自らその設置を認めた特別裁判所の禁止の例外である（憲法64条）。そのため、弾劾裁判は一審かつ終審であり、罷免の宣告に不服があっても、通常裁判所に出訴することはできない。

4 ○ 公の弾劾による罷免事由として、裁判官弾劾法２条は、①職務上の義務に著しく違反し、または職務を甚だしく怠ったこと、②その他職務の内外を問わず、裁判官としての威信を著しく失う非行があったことの２つを挙げている。したがって、職務執行に関するものに限られないため、本肢は妥当である。

5 × 財政上の理由であっても法律で全裁判官の報酬を減額することは許されず、実際に減額された例もないと述べる本肢は、事実に反するので妥当でない。裁判官の報酬は、在任中、減額することができない（憲法79条６項後段、80条２項後段）。これは、個々の裁判官の身分の安定を保障することで司法権の独立を裏づけようとの趣旨である。しかし、個々の裁判官に対する報酬の減額ではなく、人事院勧告に基づく行政職の国家公務員の給与引下げに伴い、法律によって一律に全裁判官の報酬を同程度に引き下げることは許されると解されている。実際に2002年に初めて行われて以降、2005年、2012年（東日本大震災復興）、2015年に報酬水準の引下げが行われている。

正答 4

裁判所
司法権の独立

実践 問題 170 基本レベル

頻出度	地上★ 国家一般職★★ 特別区★★ 裁判所職員★ 国税·財務·労基★★★ 国家総合職★

問 裁判官の職権の独立及び身分保障に関する次の記述のうち、妥当なのはどれか。 (国Ⅱ2001)

1：裁判官の職権の独立は、各裁判官に対する外部からの干渉や圧力の排除を目的とするものであるから、地方裁判所の所長が当該裁判所に所属する裁判官の担当する事件の内容について具体的示唆を与えることは、裁判官の職権の独立の侵害には当たらない。

2：憲法第78条は、行政機関による裁判官の懲戒処分を禁じているが、同条は立法機関による懲戒処分を否定するものではないと解するのが通説である。

3：裁判官に職務上の義務違反がある場合には、裁判によって懲戒処分に付すことができるが、懲戒処分の種類は、戒告又は過料に限定されている。

4：裁判官も、私人としては一市民として表現の自由が保障されているから、個人的意見の表明であれば、積極的に政治運動をすることも許容されるとするのが判例である。

5：最高裁判所の裁判官がその任命後初めて行われる衆議院議員選挙の際に国民審査に付される趣旨は、内閣による任命の可否を国民に問い、当該審査により任命行為を完成又は確定させるためであるとするのが判例である。

(参考) 憲法

第78条　裁判官は、裁判により、心身の故障のために職務を執ることができないと決定された場合を除いては、公の弾劾によらなければ罷免されない。裁判官の懲戒処分は、行政機関がこれを行ふことはできない。

直前復習

チェック欄		
1回目	2回目	3回目

実践 問題 170 の解説

〈裁判官の身分保障〉

1 × 裁判官の職権の独立とは、各裁判官は裁判をするにあたって外部からの干渉や圧力の排除を受けることなく独立して職権を行使することをいう。ここで、**地方裁判所の所長が当該裁判所に所属する裁判官の担当する事件の内容について具体的示唆を与えることは、個々の裁判官の職権行使に対する介入であり、まさに裁判官の職権の独立の侵害にあたる。**

2 × 憲法78条は、行政機関による裁判官の懲戒処分を禁じているが、これは、司法権の独立を確保するため**裁判官に対する懲戒処分を司法部の自律に委ねたものであり、同条の禁止の趣旨は立法機関による懲戒処分にも及ぶ**と解するのが通説である。したがって、通説によると立法機関による裁判官の懲戒処分も許されない。

3 ○ 裁判官の懲戒処分は裁判手続（分限裁判）によらなければならないと解されているが、その種類につき、罷免は、憲法78条前段が規定する心身の故障、公の弾劾による場合に限定され、懲戒処分として罷免を行うことは許されない。また、減俸も憲法79条６項および80条２項による報酬の減額禁止に照らし認められないものと解されている。これを受けて、裁判官分限法２条は、懲戒処分の種類として**戒告と１万円以下の過料を定めるのみである。**

4 × 裁判所法52条１号は、裁判官が積極的に政治運動をすることを禁止している。この点につき判例は、憲法21条１項の表現の自由の保障は裁判官にも及ぶとしつつも、**積極的政治運動の禁止は、裁判官の独立および中立・公正を確保し裁判に対する国民の信頼を維持するものとし、結論として憲法21条１項に違反しないとする（寺西判事補事件、最大決平10.12.1）**。したがって、個人的意見の表明であっても、裁判官が積極的政治運動にあたる行為をすることは許されない。

5 × 判例は、**国民審査の制度は実質において解職制**と解しており（最大判昭27.2.20）、任命行為を完成または確定させる行為とは解していない。

正答 3

裁判所

司法権の独立

実践 問題 171 基本レベル

頻出度	地上★ 国家一般職★★ 特別区★★ 裁判所職員★ 国税·財務·労基★★★ 国家総合職★

問 日本国憲法に規定する裁判官に関する記述として、通説に照らして、妥当なのはどれか。 (特別区2013)

1：最高裁判所の長たる裁判官は、内閣の指名に基づいて天皇が任命し、下級裁判所の裁判官は、内閣の指名した者の名簿によって、最高裁判所が任命する。

2：裁判官は、分限裁判により、回復の困難な心身の故障のために職務を執ることができないと決定された場合は、罷免される。

3：裁判官は、定期に相当額の報酬を受けると定められているが、行政機関は、懲戒処分として、その報酬を減額することができる。

4：憲法は、すべて裁判官はその良心に従い独立してその職権を行うことを定めているが、ここでいう裁判官の良心とは、裁判官としての客観的な良心をいうのではなく、裁判官個人の主観的な良心をいう。

5：憲法は、下級裁判所の裁判官については、法律の定める年齢に達した時に退官することを規定しているが、最高裁判所の裁判官については、国民の審査に付されるため、法律の定める年齢に達した時に退官することを規定していない。

チェック欄

1回目	2回目	3回目

実践 問題 171 の解説

〈裁判官の身分保障〉

1 × 最高裁判所の長たる裁判官（長官）は内閣の指名に基づいて、天皇が任命（憲法6条2項）し、その他の最高裁判所判事については、内閣が任命する（憲法79条1項）。また、下級裁判所の裁判官は、最高裁判所の指名した者の名簿によって、内閣が任命する（憲法80条1項）。

2 ○ 憲法78条前段は、裁判（分限裁判）により、「心身の故障のために職務を執ることができない」と決定された場合に罷免されるとしている。この「心身の故障のために職務を執ることができない」の意味については、相当な長期間継続すると予想される故障により、裁判官の職務の執行に支障をきたすことをいうと厳格に解されている。この趣旨を受けて、裁判官分限法は、回復の困難な心身の故障のために職務を執ることができないと裁判された場合に、裁判官は罷免されると定めており（1条1項）、罷免の要件を厳格に絞っている。

3 × 裁判官の身分保障の1つとして、憲法は、裁判官は、すべて定期に相当額の報酬を受け、この報酬は、在任中減額されない（憲法79条6項・80条2項）ことを定めている。裁判官の職務の重大性からその地位にふさわしい生活をなしうる報酬を保障するとともに、報酬を減額することで裁判官に対して圧力をかけることを禁止する趣旨である。また憲法は、行政機関による裁判官の懲戒の禁止により（憲法78条）、司法府の自主性を尊重している。

4 × 憲法76条3項は、裁判官はその良心に従い独立してその職権を行い、憲法および法律のみに拘束されると定め、裁判官の職権の独立を保障している。この裁判官の良心の意味について、憲法19条にいう良心と同じく裁判官個人の主観的良心とする見解もあるが、通説は、裁判官としての客観的良心と解している。

5 × 憲法は、裁判官は、法律の定める年齢に達した時には退官する（最高裁判所裁判官につき憲法79条5項、下級裁判所裁判官につき憲法80条1項但書）と規定している。これを受けて裁判所法50条は、最高裁判所裁判官について70歳、高等・地方・家庭裁判所裁判官について65歳、簡易裁判所裁判官について70歳と定めている。

正答 2

裁判所
司法権の独立

実践 問題 172 基本レベル

頻出度	地上★	国家一般職★★	特別区★★
	裁判所職員★	国税·財務·労基★★★	国家総合職★

問 次の記述のうち、正しいのはどれか。 (裁事2003)

1：最高裁判所の長たる裁判官は、内閣でこれを任命し、最高裁判所の長たる裁判官以外の裁判官は、最高裁判所の長たる裁判官の指名した者の名簿によって、内閣でこれを任命する。

2：最高裁判所の裁判官は、国民審査による場合を除いては、公の弾劾によらなければ、罷免されない。

3：最高裁判所の裁判官の任命は、その任命後初めて行われる国会議員の選挙の際国民の審査に付し、その後10年を経過した後初めて行われる国会議員の選挙の際さらに審査に付し、その後も同様とする。

4：最高裁判所の裁判官についての国民審査において、投票者の多数が裁判官の罷免を可とするときは、その裁判官は罷免される。

5：最高裁判所の裁判官の任期は10年とし、再任されることができる。

チェック欄

1回目	2回目	3回目

実践 問題 172 の解説

〈裁判官の身分保障〉

1 × 最高裁判所の長たる裁判官は、内閣の指名に基づいて、天皇が任命する（憲法６条２項）。また、最高裁判所の長たる裁判官以外の裁判官は、内閣で任命するが、最高裁判所の長たる裁判官の指名した者の名簿によって任命するような制度は、憲法上規定されていない（憲法79条１項参照）。

2 × 最高裁判所の裁判官は、**国民審査**による場合（憲法79条２項）、**公の弾劾**（**弾劾裁判**）による場合（憲法78条）のほかに、裁判（**分限裁判**）により心身の故障のために職務を執ることができないと決定された場合（憲法78条）にも罷免される。

3 × 最高裁判所の裁判官について国民審査が行われるのは、衆議院議員総選挙の際である（憲法79条２項）。

4 ○ 憲法79条３項は、最高裁判所の裁判官についての国民審査において、投票者の多数が裁判官の罷免を可とするときは、その裁判官は罷免されるとする。

5 × 下級裁判所の裁判官（憲法80条１項）と異なり、10年ごとに国民審査が行われる最高裁判所の裁判官は任期制が採られていない。

正答 4

裁判所
司法権の独立

実践 問題 173 基本レベル

頻出度	地上★	国家一般職★★	特別区★★
	裁判所職員★	国税·財務·労基★★★	国家総合職★

問 **裁判官の身分保障に関するア～オの記述のうち、妥当なもののみをすべて挙げているのはどれか。** (国Ⅱ2005)

ア：下級裁判所の裁判官は、司法権の独立の観点から最高裁判所が任命することとされている。また、任命された裁判官の任期は10年とされているが、心身の故障に基づく職務不能の場合のほか、成績不良など不適格であることが客観的に明白である場合でない限り、再任されるのが原則である。

イ：裁判官に、職務の内外を問わず、裁判官としての威信を著しく失うべき非行があった場合には、各議院の議員から選挙された訴追委員で組織された裁判官訴追委員会の訴追を待って、各議院の議員から選挙された裁判員で組織された弾劾裁判所が当該裁判官を罷免するか否かの裁判を行う。

ウ：裁判官が職務上の義務に違反した場合には、裁判によって懲戒処分に付すことができるが、懲戒処分の種類は、戒告又は過料に限定されている。

エ：裁判官も私人としては一市民として表現の自由が保障されているから、個人的意見の表明であれば、積極的に政治運動をすることも許容されるとするのが判例である。

オ：最高裁判所の裁判官がその任命後初めて行われる衆議院議員総選挙の際に国民審査に付される趣旨は、内閣による任命の可否を国民に問い、当該審査により任命行為を完成又は確定させるためであるとするのが判例である。

1：ア、イ
2：ア、オ
3：イ、ウ
4：ウ、エ
5：エ、オ

直前復習

チェック欄		
1回目	2回目	3回目

実践 問題 173 の解説

〈裁判官の身分保障〉

ア× 下級裁判所の裁判官は、最高裁判所の指名した者の名簿によって内閣が任命する（憲法80条１項前段）。また、任命された裁判官の任期は10年とされているが、再任されることができる（同条項後段）。そして、この「再任」につき最高裁判所は、新任とまったく同様に任命権者の自由裁量に委ねられているとする立場であり、再任されるのが原則だとする立場をとっていない。

イ○ 各議院の議員から選挙された訴追委員で組織された裁判官訴追委員会の訴追があると、各議院の議員から選挙された裁判員で組織された弾劾裁判所が当該裁判官を罷免するか否かの裁判を行う（憲法64条）。そして、罷免事由は、①「職務上の義務に著しく違反し、又は職務を甚だしく怠つたとき」および、②「職務の内外を問わず、裁判官としての威信を著しく失うべき非行があつたとき」である（裁判官弾劾法２条）。

ウ○ 裁判官が職務上の義務に違反した場合には、裁判によって懲戒処分に付すことができる（憲法78条後段、裁判所法49条）。そして、懲戒処分の種類は、戒告または過料に限定されている（裁判官分限法２条）。なお、憲法78条前段は裁判官が罷免される場合を限定していることから、懲戒処分としての罷免は許されないと解されている。

エ× 裁判官も私人としては一市民として表現の自由が保障されているから（憲法21条１項）、裁判官が立法作業に関与し賛成・反対の意見を述べる行為や、裁判官が職名を明らかにして論文・講演等において特定の立法の動向に反対である旨を述べる行為であって、個人的意見の表明にすぎないものであれば、許容されるとするのが判例である（寺西判事補事件、最大決平10.12.1）。しかし、裁判官が「積極的に政治運動をすること」は裁判所法52条１号で禁止されており、同判例も、かかる制限は裁判官の独立および中立・公正を確保し裁判に対する国民の信頼を維持する目的でなされる合理的で必要やむをえないものであるとして許されるとしている。

オ× 判例は、最高裁判所裁判官の国民審査制度（憲法79条２項）の趣旨は、憲法79条３項に照らすと、国民が罷免するか否かを決定するものであるから、任命行為の確定ではなく解職であるとする（最大判昭27.2.20）。

以上より、妥当なものはイ、ウであり、肢３が正解となる。

正答 3

裁判所

裁判の公開

必修問題　セクションテーマを代表する問題に挑戦！

過去問をしっかり解くことで、重要判例を覚えておきましょう。

問 裁判の公開に関する次の記述のうち、誤っているのはどれか。

（裁事1998）

1：法廷における判決言渡しについて一律にテレビ放送することを禁止しても憲法違反とはいえない。

2：傍聴人が傍聴席においてメモをとることは、その見聞する裁判を認識、記憶するためになされる限り尊重に値し、ゆえなく妨げられてはならず、その制度の禁止には表現の自由に制約を加える場合と同様の基準が要求される。

3：法廷の傍聴席に合わせて傍聴人の数を制限しても憲法に違反しない。

4：公の秩序または善良の風俗を害するおそれのある事件の対審を公開法廷で行わなくとも憲法には違反しない。

5：法廷等の秩序に関する法律による制裁を公開法廷で行わなくとも憲法には違反しない。

直前復習

Guidance ガイダンス

裁判の公開原則の例外

・裁判官の全員の一致で、公の秩序または善良の風俗を害するおそれがあると決した場合、対審は公開しないで行うことができる（82条２項）

「公開」の意味

・裁判の傍聴を認めることであり、報道の自由も含まれるが、写真撮影、録音、放送などは、裁判所の許可を要するとした規則について判例は合憲とした（最大判決昭33.2.17）

公開が必要な裁判

純然たる訴訟事件（非訟事件を含まない）

頻出度 地上★ 国家一般職★★ 特別区★
裁判所職員★ 国税･財務･労基★★ 国家総合職★

必修問題の解説

チェック欄		
1回目	2回目	3回目

〈裁判の公開〉

1 ○ 裁判の公開（憲法82条）は傍聴の自由を含み、傍聴の自由の中には、報道の自由も含まれるが、写真撮影、録音、放送などは、裁判所の許可を要するものとされている（民事訴訟規則77条、刑事訴訟規則215条）。これらについて判例は、法廷の秩序維持と被告人の利益保護のため必要と解し、合憲としている（北海タイムス事件、最大決昭33.2.17）。

2 × 判例は、情報などの摂取を補助するものとしてなされる限り、筆記行為の自由は、憲法21条１項の規定の精神に照らして尊重されるべきであるとしたが、憲法21条１項が直接保障している表現の自由そのものとは異なるから、その制限・禁止には、表現の自由の制約に一般に必要とされる厳格な基準は要求されるものではないとしている（レペタ事件、最大判平元.3.8）。

3 ○ 裁判の公開は傍聴の自由を含むが、法廷の施設からする制約、法廷秩序維持のための制約、訴訟当事者の人権保障のための制約に服する。しかし、それは合理的なものでなければならず、席数の限界による物理的制限は、合理的制限といえる。

4 ○ 裁判官の全員一致で、公の秩序または善良の風俗を害するおそれがあると決した場合、対審は公開しないで行うことができる（憲法82条２項本文）。

5 ○ 法廷等の秩序維持に関する法律３条２項に基づく行為者の拘束（監置）が刑事手続に関する憲法の規定に反しないかが問題となった事件において、判例は、「同法によって裁判所に属する権限は、直接憲法の精神つまり司法の使命とその正常、適正な運営の必要に由来するものである」としたうえで、「同法による制裁は従来の刑事的行政的処罰のいずれの範疇にも属しないところの、同法によって設定された特殊の処罰であり、そして同法は、裁判所または裁判官の面前その他直接に知ることのできる場所における言動つまり現行犯的行為に対し裁判所または裁判官自体によって適用されるものであるから、この場合は令状の発布、勾留理由の開示、訴追、弁護人依頼権など、刑事裁判に関し憲法の要求する諸手続の範囲外にある」としている（最大決昭33.10.15）。

正答 2

裁判所
裁判の公開

1 意味

裁判の対審および判決は公開されなければならない。
※対審
対立する当事者が、裁判官の面前において、各自それぞれの主張を述べること
※判決
民事訴訟・行政訴訟においては原告の、刑事訴訟においては検察官の申立てに対して、裁判所が言い渡す判断

2 公開を要する裁判の意味

性質上純然たる訴訟事件につき、終局的に事実を確定し当事者の主張する権利義務の存否を確認する裁判（最大決昭35.7.6）
→これを公開しなければ憲法違反

3 公開を要しない裁判

・民事上の秩序罰としての過料を科す手続（最大決昭41.12.27）
・旧家事審判法９条１項乙類１号の定める、夫婦の同居その他の夫婦間の協力扶助に関する処分（最大決昭40.6.30）
・訴訟手続の核心ではない公判の準備手続（最大決昭23.11.8）
・再審を開始するか否かを決定する手続（最大決昭42.7.5）
・法廷等の秩序に関する法律による制裁手続（最大決昭33.10.15）

4 「公開」の意味

国民に裁判の傍聴を認めること
※報道の自由も含まれる
※法廷の施設上の制約から傍聴人の数が制限される
※法廷の秩序を維持するための合理的な制約も許される

5 公開原則の例外

裁判所が、裁判官の全員一致で、公の秩序または善良の風俗を害するおそれがあると決した場合には、対審は、公開しないで行うことができる（憲法82条２項本文）。
※「判決」は例外なく公開

6 常に公開される裁判

対審も非公開にできない裁判（憲法82条２項但書）
①　政治犯罪に関する裁判
②　出版に関する犯罪についての裁判
③　憲法第３章で保障する国民の権利が問題となっている事件に関する裁判

※③は、人権を制限する法律に違反したことが犯罪構成要件とされている事件、すなわち、刑事事件を意味する。

裁判所

裁判の公開

実践 問題 174 基本レベル

頻出度	地上★ 国家一般職★★ 特別区★
	裁判所職員★ 国税·財務·労基★★ 国家総合職★

問 日本国憲法に規定する裁判の公開に関する記述として、最高裁判所の判例に照らして、妥当なのはどれか。 (特別区2009)

1：家事審判法が定める夫婦の同居その他夫婦間の協力扶助に関する処分の審判は、形成的効力を有し、審判が確定した場合には、確定判決と同一の効力を認めているため、公開の法廷における対審及び判決によってなされなければならないとした。

2：新聞が真実を報道することは、憲法の認める表現の自由に属し、また、そのための取材活動も認められなければならず、公判廷における写真の撮影は裁判所の許可を得なければすることができないとの刑事訴訟規則の規定は、公開の法廷における対審及び判決を定めた憲法の規定に違反するとした。

3：当事者の意思いかんにかかわらず終局的に、事実を確定し当事者の主張する権利義務の存否を確定するような純然たる訴訟事件についてなされた裁判であっても、調停に代わるものであれば、公開の法廷における対審及び判決による必要はないとした。

4：裁判の対審及び判決の公開の規定は、法廷で傍聴人がメモを取ることを権利として保障しているものではないが、法廷で傍聴人がメモを取ることは、その見聞する裁判を認識記憶するためにされるものである限り、表現の自由の保障の精神に照らし尊重に値し、故なく妨げられてはならないとした。

5：裁判所が公判期日における取調べを準備するため、公判期日前に被告人を訊問することは、公判そのものではないとしても、公判の審理が完全に行われるための準備であり、判決に至る「裁判の対審」に当たるため、公開の法廷における対審によってなされない限り、憲法に違反するとした。

実践 問題 174 の解説

チェック欄		
1回目	2回目	3回目

〈裁判の公開〉

1 × 判例は、法律上の実体的権利義務自体を確定することが固有の司法権の主たる作用であるから、法律上の実体的権利義務自体について争いがあり、これを確定する作用は「裁判」として公開が必要であるとしたうえで、家事審判法が定める夫婦の同居その他夫婦間の協力扶助に関する処分は、夫婦の同居の義務などの実体的権利義務自体を確定する趣旨のものではなく、これらの実体的権利義務の存することを前提として、たとえば夫婦の同居についていえば、その同居の時期、場所、態様などについて具体的内容を定める処分であるので、夫婦の同居その他夫婦間の協力扶助に関する処分の審判は、憲法82条・32条の「裁判」にはあたらず、非公開にしても同条に違反しないとしている（最大決昭40.6.30）。

2 × 判例は、新聞が真実を報道することは、憲法21条の認める表現の自由に属し、またそのための取材活動も認められなければならないが、公共の福祉により制約を受けるのであり、公判廷における写真撮影は、その行われる時、場所によっては公判廷における審判の秩序を乱し被告人その他の訴訟関係人の正当な利益を不当に害するおそれがあるので、公判廷における写真撮影の許可制は、憲法に違反しないとしている（北海タイムス事件、最大決昭33.2.17）。

3 × 判例は、もし性質上純然たる訴訟事件につき、憲法所定の例外の場合を除き、公開の法廷における対審および判決によってなされないとするならば、それは憲法82条に違反すると判断した（最大決昭35.7.6）。

4 ○ 判例は、裁判の対審および判決の公開の規定は、法廷で傍聴人がメモを取ることを権利として保障しているものではないが、法廷で傍聴人がメモを取ることは、その見聞する裁判を認識記憶するためにされるものである限り、表現の自由の保障の精神に照らし尊重に値し、ゆえなく妨げられてはならないとした（レペタ事件、最大判平元.3.8）。

5 × 判例は、公判の準備手続は、あくまで公判の審理が完全に行われるための準備であって、公判そのものではないから、公開が義務付けられる裁判の対審ではないとして、公開しなくても憲法に違反しないとした（最大決昭23.11.8）。

正答 4

裁判所
裁判の公開

実践 問題 175 基本レベル

頻出度 地上★ 国家一般職★★ 特別区★ 裁判所職員★ 国税·財務·労基★★ 国家総合職★

問 裁判の公開に関する次のア～ウの記述の正誤の組合せとして最も妥当なものはどれか（争いのあるときは、判例の見解による。）。 （裁判所事務官2021）

ア：終局的に事実を確定し当事者の主張する実体的権利義務の存否を確定することを目的とする純然たる訴訟事件については、原則として公開の法廷における対審及び判決によらなければならない。

イ：家事事件手続法に基づく夫婦同居の審判や遺産分割審判は、公開の法廷における対審及び判決によらなくても憲法第82条第１項に反しない。

ウ：国民は、憲法第82条第１項に基づき、裁判所に対して、裁判を傍聴することを権利として要求することができる。

	ア	イ	ウ
1：	正	正	正
2：	正	誤	誤
3：	誤	正	正
4：	誤	正	誤
5：	正	正	誤

直前復習

チェック欄

1回目	2回目	3回目

実践 問題 175 の解説

〈裁判の公開〉

ア○ 憲法82条１項にいう「公開の裁判」について、判例は、性質上純然たる訴訟事件について、終局的に事実を確定し当事者の主張する権利義務の存否を確定するような裁判は、憲法所定の例外の場合を除き、公開の法廷における対審または判決によってなされるべきであるとしている（最大決昭35.7.6）。したがって、本記述は正しい。

イ○ 既存の権利義務あるいは法律関係の確定を目的とする、性質上純然たる訴訟事件については、公開の裁判によって行われなければならない（肢ア解説参照）。そこで、権利義務の具体的な形成を目的とする非訟事件も公開が要求されるかが問題となるが、判例は、旧家事審判法９条１項乙類１号・３号（現家事事件手続法39条、別表第二）に基づく夫婦同居の審判や遺産分割審判は、純然たる訴訟事件の裁判ではないことから、公開の法廷における対審および判決によってなされる必要はないとしている（最大決昭40.6.30）。したがって、本記述は正しい。

ウ× 判例は、憲法82条１項に基づき裁判を傍聴することを憲法上の権利として要求しうるとは解していないので、本記述は誤りである。裁判の公開とは、国民に裁判の傍聴を認めることをいう。他方、裁判長には法廷の秩序維持に必要と認めたときには一定の制約を加える法廷警察権が認められている。この法廷警察権に基づいて傍聴中のメモを制限することの可否が問われたレペタ事件において判例は、裁判の公開を公正な裁判を維持するための制度であるとしたうえで、「（憲法82条１項の）規定は、各人が裁判所に対して傍聴することを権利として要求できることまでを認めたものでない」とし、憲法82条１項の権利性を否定している（最大判平元.3.8）。

以上より、ア―正、イ―正、ウ―誤であり、肢５が正解となる。

正答 5

裁判所
裁判の公開

実践 問題 176 応用レベル

頻出度			
	地上★	国家一般職★	特別区★
	裁判所職員★	国税・財務・労基★	国家総合職★

問 日本国憲法に規定する裁判の公開に関する記述として、妥当なのはどれか。

（特別区2023）

1：裁判の公開とは、広く国民一般に審判を公開し、その傍聴を認めることであり、裁判についての報道の自由を含むが、民事訴訟では、裁判長の許可を得なければ、法廷における速記をすることができない。

2：出版に関する犯罪の対審は、裁判所が、裁判官の全員一致で、公の秩序又は善良の風俗を害するおそれがあると決したときには、公開しないでこれを行うことができる。

3：最高裁判所の判例では、憲法は、裁判を一般に公開して裁判が公正に行われることを、制度として保障するものであり、各人が裁判所に対して傍聴することを権利として要求できることを認めたものであるとした。

4：最高裁判所の判例では、刑事訴訟における証人尋問が行われる場合に、傍聴人と証人との間で遮へい措置を採り、あるいはビデオリンク方式によることは、審理が公開されているとはいえず、憲法に違反するとした。

5：最高裁判所の判例では、裁判官に対する懲戒は、一般の公務員に対する懲戒と同様、裁判官に対する行政処分であるが、裁判所が裁判という形式をもってするため、懲戒の裁判を非公開の手続で行うことは、憲法に違反するとした。

チェック欄

1回目	2回目	3回目

実践 問題 176 の解説

〈裁判の公開〉

1 ○ 本肢は判例および民事訴訟規則の規定のとおりであり、妥当である。憲法82条１項の裁判の公開の趣旨について判例は、裁判を一般に公開して裁判が公正に行われることを制度として保障することで、裁判に対する国民の信頼を確保しようとするためにあるとする一方、メモを取る行為がいささかでも公正かつ円滑な訴訟の運営を妨げる場合には、それが制限・禁止されるべきことは当然であるとも判示している（レペタ事件、最大判平元.3.8）。そして、民事訴訟規則では、法廷における写真の撮影、速記、録音、録画または放送は、裁判長等の許可を得なければすることができない、と規定している（民事訴訟規則77条）。

2 × 裁判所が、裁判官の全員一致で、公の秩序または善良の風俗を害するおそれがあると決した場合には、対審は、公開しないで行うことができる（憲法82条２項本文）。しかし、出版に関する犯罪の対審は、裁判の公正の確保が特に要請されるため、公開しないで行うことはできない（同項但書）。

3 × 上掲レペタ事件において、判例は、裁判の公開の趣旨について本肢同様に述べており（肢１の解説参照）、本肢前半は妥当である。しかし、同判例はそれに続けて、「憲法82条１項の規定は、……各人が裁判所に対して傍聴することを権利として要求できることまでを認めたものでない」と、権利性を否定しているので、本肢後半が妥当でない。

4 × 犯罪被害者のために、証人尋問において遮へい措置・ビデオリンク方式をとる（旧）刑事訴訟法157条の３および４（現157条の５および６）の規定について判例は、審理が公開されていることに変わりはないから、憲法82条１項に反しないとしている（最判平17.4.14）。

5 × 裁判官に対する懲戒手続は、裁判所による分限事件の裁判という非公開の手続をとる。この点について判例は、裁判官に対する懲戒手続は、裁判官に対する行政処分であるので、純然たる争訟事件にあたらず、その手続内容も訴訟とはまったく構造を異にするから、分限事件について憲法82条１項の適用はないとしている（寺西判事補事件、最大決平10.12.1）。

正答 1

裁判所
違憲審査制

直前復習

必修問題 セクションテーマを代表する問題に挑戦！

重要判決が多く出題頻度も高い分野ですので、正確な知識を身につけましょう。

問 違憲審査権に関する次のア～オの記述のうち、判例の趣旨に照らし、適当なもののみをすべて挙げているのはどれか。 （裁事2009）

ア：裁判所は、具体的事件を離れて抽象的に法律、命令等の合憲性を判断する権限を有していない。

イ：憲法81条の文言上、違憲審査権を行使できるのは最高裁判所に限定されているから、下級裁判所は、違憲審査権を行使することができない。

ウ：最高裁判所が、ある法律について一度憲法に違反しないと判示した場合、その法律は、その後、改正されない限り、違憲となることはない。

エ：直接国家統治の基本に関する高度に政治性のある国家行為は、たとえそれが法律上の争訟となり、有効無効の判断が法律上可能な場合であっても、違憲審査の対象とならない。

オ：条約は、憲法81条の列挙事項から除外されているので、違憲審査の対象とならない。

1：ア、エ、オ
2：ウ、エ、オ
3：ア、イ
4：ア、エ
5：イ、ウ

Guidance ガイダンス

違憲審査権の性格
付随的審査制…具体的事件に付随して行使

違憲審査権の主体
最高裁判所および下級裁判所

違憲審査権の対象
一切の法律、命令、規則、処分…条約も含まれる

違憲判決の効力
個別的効力説…判決が出された事件においてのみ法令の適用が排除される

頻出度 地上★★ 国家一般職★★ 特別区★★ 裁判所職員★★★ 国税·財務·労基★★ 国家総合職★★★

必修問題の解説

チェック欄		
1回目	2回目	3回目

〈違憲審査権〉

ア○ 判例は、現行の制度のもとにおいては、特定の者の具体的な法律関係につき紛争の存する場合においてのみ裁判所にその判断を求めることができるのであり、裁判所がこうした**具体的事件を離れて抽象的に法律命令等の合憲性を判断する権限はない**としている（警察予備隊訴訟、最大判昭27.10.8）。

イ× 判例は、違憲審査権は司法権の行使に付随して行使されるから、司法権を行使しうる下級裁判所に、**最高裁判所と同様の違憲審査権が認められる**とする（最大判昭25.2.1）。

ウ× 付随的審査制説からは違憲審査は当該事件に関してなされたものであり、別の事件には原則としてその効果は及ばない。したがって、最高裁判所がある法律を一度合憲であると判示したからといって、別の事件におけるその法律の条項の違憲審査にはその効果は及ばないから、最高裁判所が別の事件においてはその条項を違憲とすることは論理的には可能である。たとえば、最高裁判所は尊属殺重罰規定（改正前刑法200条）をかつて合憲と判示していたが、1973（昭和48）年になってその条項を違憲無効としたことがある（**尊属殺重罰規定事件**、最大判昭48.4.4）。

エ○ 判例は、**直接国家統治の基本に関する高度に政治性のある国家行為（統治行為）は、それが法律上の争訟となり、これに対する有効無効の判断が法律上可能である場合であっても、かかる国家行為は裁判所の審査権の外にある**とした（苫米地事件、最大判昭35.6.8）。

オ× 憲法81条は憲法より下位のすべての法規範に違憲審査が及ぶという趣旨であって例示列挙と解すべきであること、**条約に違憲審査が及ばないとすれば憲法の最高法規性に反する**ことなどを根拠に原則として条約に対しても違憲審査権が及ぶと解されている。判例も、**高度に政治性のある条約であっても一見きわめて明白に違憲無効であると認められるものに対しては違憲審査が及ぶ**としており（砂川事件、最大判昭34.12.16）、およそ条約は違憲審査の対象外であるとする立場ではない。

以上より、妥当なものはア、エであり、肢4が正解となる。

正答 4

裁判所
違憲審査制

1 違憲審査権の意義

憲法81条は、最高裁判所は憲法判断をなしうる終局裁判所であるとしています。第三者的立場にいる裁判所に「憲法の番人」としての役割を与え、憲法秩序を修復する権能を付与したものです。

下級裁判所も違憲審査権を行使することができます。

2 違憲審査権の性格

日本国憲法は、三権分立、違憲審査権が司法権の存在のもとで認められていることなどから、付随的審査制を採用したものと解されています。

付随的審査制	具体的な権利義務に関する訴訟を前提として、その解決に必要な限りで違憲審査できる制度
抽象的審査制	付随的審査制に加えて、訴訟事件の存在とは無関係に法令の違憲審査をできる制度

3 違憲審査権の対象

違憲審査権の対象は、「一切の法律、命令、規則又は処分」とされ、憲法よりも下位の法規範のすべてが違憲審査の対象となります（81条）。

※処分

主に行政機関が行う一切の処分のことをいいますが、ここには裁判所の判決も含まれると解されています。

憲法81条は条約について規定していませんが、憲法は条約に優位し、違憲審査の対象になると解されています（判例・通説）。

4 法令違憲と適用違憲

法令違憲
　法令の規定自体について違憲とするもの
　例　尊属殺重罰規定違憲判決
適用違憲
　法令の規定を当該事件に対して適用したことを違憲とするもの
　例　第三者所有物没収事件

5 違憲判決の効力

通説は、違憲判決を受けた法令は、当該事件において適用が排除されるにすぎず、法令自体の効力は失われないと解しています（**個別的効力説**）。

もっとも、違憲とされた法令については、国会はそれを改廃することに努め、行政府はそれを執行しないようにすべきであると考えられています。

補足 

違憲判決の効力について、法令自体の効力が一般的、確定的に無効となり、廃止されたのと同様となるとする見解（一般的効力説）も主張されています。

第3章 SECTION 6 裁判所

違憲審査制

実践 問題 177 基本レベル

頻出度	地上★★　国家一般職★★　特別区★★ 裁判所職員★★★　国税·財務·労基★★　国家総合職★★★

問 **日本国憲法に規定する違憲審査権に関する記述として、最高裁判所の判例に照らして、妥当なのはどれか。** (特別区2003)

1：裁判の効力は審級制により上級裁判所によって審査されるので、裁判所の判決は違憲審査の対象とならないとした。

2：違憲審査権は、国民の権利の保障及び憲法規範の一般的保障を行おうとするもので、裁判所は、いかなる場合であっても法律命令等の解釈に対し抽象的な判断を下すことができるとした。

3：立法の不作為に対する国家賠償請求が許されるのは、立法府が憲法の一義的な文言に違反して立法を怠ったような例外的な場合に限られないとした。

4：国が私人と対等の立場で締結する私法上の契約であっても、憲法は国の行為に対する規範的枠組みの設定であるので、その行為は直接的に違憲審査の対象となるとした。

5：最高裁判所は違憲審査権を有する終審裁判所であって、下級裁判所も違憲審査権を有するとした。

直前復習

チェック欄		
1回目	2回目	3回目

実践 問題 177 の解説

〈違憲審査権〉

1 × 判例は、裁判の本質は一種の処分であり、憲法81条の「**処分**」の中に裁判が含まれるとしている（最大判昭23.7.8）。

2 × 判例は、違憲審査権は司法権の範囲内において行使されるものであって具体的な争訟事件の提起を必要とし、裁判所は抽象的に法律命令などの合憲性を判断する権限を有しない（**付随的審査制**）としている（**警察予備隊訴訟**、最大判昭27.10.8）。

3 × 判例は、**国会議員の立法行為**は本質的に政治的なものであり、立法行為に対する国家賠償請求が許されるのは、立法の内容が憲法の一義的な文言に違反しているにもかかわらず国会があえて当該立法を行うというごとき、容易に想定しがたい例外的な場合に限られるとしている（**在宅投票制度廃止事件**、最判昭60.11.21）。

4 × 判例は、国が私人と対等な立場で締結する私法上の契約については、特段の事情がない限り、憲法が直接に適用されないとしている（**百里基地訴訟**、最判平元.6.20）。

5 ○ 判例は、下級裁判所の裁判官も具体的訴訟事件に法令を適用して裁判するにあたり、その法令が憲法に適合するか否かを判断することを要するとし、憲法81条の規定は下級裁判所の違憲審査権を否定する趣旨ではないとしている（最大判昭25.2.1）。憲法は国の最高法規であって（憲法98条１項）、下級裁判所の裁判官も憲法および法律にのみ拘束され、**憲法尊重擁護義務**（憲法99条）を負うからである。

正答 5

裁判所
違憲審査制

実践 問題 178 基本レベル

頻出度	地上★★ 国家一般職★★ 特別区★★ 裁判所職員★★★ 国税･財務･労基★★ 国家総合職★★★

問 違憲審査権に関する次の記述のうち、判例に照らし、妥当なのはどれか。

（国Ⅱ2003）

1：憲法第81条は、最高裁判所のみが一切の法律、命令、規則又は処分が憲法に適合するかしないかを決定する権限を有することを明らかにしていると解されるから、下級裁判所は、違憲審査権を有しない。

2：現行の制度の下においては、特定の者の具体的な法律関係について紛争が存在する場合にのみ、裁判所にその判断を求めることができるのであり、裁判所が具体的な事件を離れて抽象的に法律命令等の合憲性を判断する権限を有するとの見解には、憲法上及び法令上、何ら根拠がない。

3：条約が主権国としての我が国の存立の基礎に極めて重大な関係を持つ高度の政治性を有する場合、当該条約の内容が違憲か否かの法的判断は、純司法的機能を使命とする司法裁判所の審査にはなじまず、およそ裁判所の違憲審査権の対象となることはない。

4：直接国家統治の基本に関する高度に政治性のある国家行為であっても、それが法律上の争訟となり、これに対する有効無効の判断が法律上可能である限りは、裁判所の違憲審査権の対象となり、裁判所の審査権が及ぶことにつき何らの制約はない。

5：裁判は、一般的抽象的規範を制定するものではなく、個々の事件について、具体的処置をつけるものであって、その本質は一種の処分であるが、これは行政行為とは異なるものであり、憲法第81条にいう処分には当たらず、裁判所の違憲審査権の対象とはならない。

チェック欄		
1回目	2回目	3回目

実践 問題 178 の解説

〈違憲審査権〉

1 × 判例は、憲法は国の最高法規であってその法規に反する法律命令などは効力を有せず、裁判官は憲法および法律に拘束され、また**憲法尊重擁護義務**を負うが、最高裁判所の裁判官も下級裁判所の裁判官も同様であり、下級裁判所も違憲審査権を有するとしている（最大判昭25.2.1）。

2 ○ 判例は、司法権発動のためには具体的な争訟事件が提起されることが必要（**付随的審査制**）であるとし、裁判所が具体的な事件を離れて抽象的に法律命令などの合憲性を判断する権限を有するとの見解には憲法上および法令上何ら根拠もないとしている（**警察予備隊訴訟**、最大判昭27.10.8）。

3 × 判例は、条約が主権国としてのわが国の存立の基礎にきわめて重大な関係を持つ高度の政治性を有する場合、当該条約の内容が違憲か否かの法的判断は、純司法的機能を使命とする司法裁判所の審査には原則としてなじまず、**一見きわめて明白に違憲無効であると認められない限り**は違憲審査権の範囲外であるとし（**砂川事件**、最大判昭34.12.16）、例外的に違憲審査の対象となる可能性を残している。

4 × 判例は、**直接国家統治の基本に関する高度に政治性のある国家行為**（**統治行為**）については、たとえそれが法律上の争訟となり、これに対する有効無効の判断が法律上可能である場合でも、裁判所の違憲審査権の外にあるとしている（**苫米地事件**、最大判昭35.6.8）。なお、条約の場合については、肢３の解説**砂川事件**参照。

5 × 判例は、裁判の本質は一種の処分であり、裁判も憲法81条の「**処分**」として違憲審査権に服するとしている（最大判昭23.7.8）。

正答 2

裁判所
違憲審査制

実践 問題 179 基本レベル

頻出度	地上★★　国家一般職★★　特別区★★ 裁判所職員★★★　国税·財務·労基★★　国家総合職★★★

問 日本国憲法に規定する違憲審査権に関する記述として、妥当なのはどれか。

(特別区2010)

1：最高裁判所の判例では、日本国憲法は、最高裁判所を一切の法律、命令、規則又は処分が適合するかしないかを決定する終審裁判所であると規定しているため、下級裁判所に法令の違憲審査権を認めないものとした。

2：最高裁判所の判例では、薬局の開設等の許可基準の一つとして地域的制限を定めた薬事法の規定は、不良医薬品の供給の防止等の目的のために必要かつ合理的な規制を定めたものということができないから、違憲であるとした。

3：最高裁判所の判例では、警察予備隊違憲訴訟において、最高裁判所の有する違憲審査権は、司法権の範囲内において行使されるものであれば、具体的事件を離れて抽象的に法律命令等の合憲性を判断することができるものとした。

4：憲法その他法令の解釈適用について、意見が前に最高裁判所の行った裁判に反するときは、最高裁判所の小法廷における審理及び裁判により判例を変更することができる。

5：最高裁判所によって、ある法律の規定が違憲と判断された場合、違憲とされた法律の規定は、当該事件に限らず、一般的に無効となるとするのが個別的効力説である。

チェック欄

1回目	2回目	3回目

実践 問題 179 の解説

〈違憲審査権〉

1 × 憲法81条は、最高裁判所は、一切の法律、命令、規則または処分が憲法に適合するかしないかを決定する権限を有する終審裁判所であると規定している。そこで、下級裁判所の裁判官が違憲審査権を行使する権限を持つかが問題となる。この点、判例は、憲法81条は下級裁判所が違憲審査権を有することを否定する趣旨を持つものではないとして（最大判昭25.2.1）、下級裁判所の裁判官にも違憲審査権を行使する権限があるとしている。

2 ○ 薬局開設の許可基準として距離制限を定めた薬事法の規定が営業の自由（憲法22条１項）を侵害するのではないかが争われた事件で、判例は、距離制限の理由となった「薬局等の偏在－競争激化－一部薬局等の経営の不安定－不良医薬品の供給の危険又は医薬品乱用の助長の弊害」という因果関係は確実な根拠に基づく合理的な判断とはいえないから、距離制限は必要かつ合理的な規制を定めたものということができず違憲であるとした（薬事法事件、最大判昭50.4.30）。

3 × 警察予備隊訴訟において、判例は、現行法上、特定の者の具体的な法律関係について紛争が存在する場合にのみ裁判所の判断を求めることができる（付随的審査制）のであり、裁判所が具体的な事件を離れて抽象的に法律命令等の合憲性を審査する抽象的審査権を認める根拠は、憲法上ないとした（最大判昭27.10.8）。

4 × 最高裁判所が前に最高裁判所がした裁判に反する憲法その他法令の解釈適用をする場合には、大法廷によらなければならないので（裁判所法10条３号）、小法廷が判例を変更することはできない。

5 × 違憲判決によって違憲とされた法律の規定の効力について、当該事件に限らず、一般的に無効となるとするのが一般的効力説であり、当該事件に適用される限りで無効となるとするのが個別的効力説である。日本は、アメリカ型の付随的審査制であり、具体的事件に法を解釈適用して解決するのが司法権の本質であることから、個別的効力説が学説上有力であり、実務もそれを前提とする。

正答 2

第3章 SECTION 6 裁判所

違憲審査制

実践 問題 180 基本レベル

頻出度	地上★★　国家一般職★★　特別区★★ 裁判所職員★★★　国税·財務·労基★★　国家総合職★★★

問 **違憲審査権に関する次のア～ウの記述の正誤の組合せとして最も妥当なものはどれか（争いのあるときは、判例の見解による。）。　（裁判所事務官2018）**

ア：違憲審査権は、憲法第81条の規定をみると、最高裁判所のみに与えられているようにみえるが、下級裁判所もまた、違憲審査権を有する。

イ：条約一般が違憲審査の対象になるか否かについて、判例は、憲法が条約に優位するという前提をとりつつ、①条約は特に憲法第81条の列挙から除外されていること、②条約は国家間の合意という性質をもち、一国の意思だけで効力を失わせることはできないこと、③条約はきわめて政治的な内容をもつものが多いことを理由に、これを否定する立場をとる。

ウ：司法権が民主的基盤に乏しいことは、国の統治の基本に関する高度に政治性のある国家行為を「統治行為」と観念し、それについては法的判断が可能であっても司法審査をすべきでないという見解の根拠になる。

	ア	イ	ウ
1：	正	正	正
2：	正	誤	正
3：	正	正	誤
4：	誤	誤	正
5：	誤	正	誤

チェック欄

1回目	2回目	3回目

実践 問題 180 の解説

〈違憲審査権〉

ア○ 判例は、下級裁判所の裁判官も具体的訴訟事件に法令を適用して裁判するにあたり、その法令が憲法に適合するか否かを判断することは裁判官の職務と職権であり、違憲審査権の権限主体を「最高裁判所」とのみ規定する憲法81条は、下級裁判所の違憲審査権を否定する趣旨ではないとしている(最大判昭25.2.1)。

イ× 条約が違憲審査の対象となりうるかが問題となった**砂川事件**で最高裁は、日米安全保障条約が高度の政治性を有すること（本記述③）を指摘しているものの、「**一見極めて明白に違憲無効であると認められない限り**」と留保を付したうえで、同条約が裁判所の司法審査の範囲外のものであるとした(最大判昭34.12.16)。本判決は、条約であることを理由に違憲審査の対象とならないとの論法をとっておらず、むしろ審査可能性を前提にしていると考えられている。したがって、判例は条約が違憲審査の対象になる余地を残しているので、本記述は誤りである。なお、本記述①～③は、憲法と条約の関係につき、憲法優位説に立ちつつ、条約の違憲審査権を否定する学説の論拠である。

ウ○ 司法権に対する内在的制約として**統治行為**を肯定する立場からは、裁判官は、国民から信任を受けて就任していないため民主的基盤に乏しく、国民の信任を受けている政治部門の決定に基づく高度の政治性を有する行為に対しては司法審査を及ぼすべきでなく、むしろ選挙や世論等により、政治的・民主的に判断されるほうが適当であるという考え方をとる。したがって、司法権の民主的基盤の乏しさは、統治行為については司法審査をすべきでないとの考え方の論拠となるので、本記述は正しい。また、**苫米地事件**において最高裁も、**統治行為論**を正面から認めたうえで、「**この司法権に対する制約は、結局三権分立の原理に由来し、当該国家行為の高度の政治性、裁判所の司法機関としての性格、裁判に必然的に随伴する手続上の制約等から、明文規定はなくとも、司法権の憲法上の本質に内在する制約である**」と述べている（最大判昭35.6.8)。

以上より、アー正、イー誤、ウー正であり、肢2が正解となる。

正答 2

裁判所
違憲審査制

実践 問題 181 基本レベル

頻出度	地上★★　国家一般職★★　特別区★★ 裁判所職員★★★　国税·財務·労基★★　国家総合職★★★

問 最高裁判所が、ある法律の条項が憲法違反であると判断した場合に、その判決の効力をどのように理解すべきかについては、次の2説がある。

（Ⅰ説）　当該条項は一般的かつ確定的に無効となり、当該条項が失われたのと同様の効果を有する。

（Ⅱ説）　当該条項はその適用が問題となった事件に限り適用が排除され、違憲判断はあくまで裁判の当事者のみに及ぶ。

次のア～カは、上記2説のいずれかの論拠に関する記述であるが、Ⅰ説の論拠として妥当なものの組合せはどれか。　（国Ⅱ2001）

ア：憲法第41条は、国会は国の唯一の立法機関であると規定している。

イ：憲法第98条第1項は、憲法は国の最高法規であって、これに反する法律はその効力を有しないと規定している。

ウ：他方の説によれば、法的安定性や予見可能性を損なうことになる。

エ：行政機関及び司法機関と比べて、立法機関は、その構成員たる議員が国民の直接選挙によって選出されるという意味で、最も民主的基盤を有する機関である。

オ：他方の説によれば、憲法第14条第1項の平等原則に違反するおそれがある。

カ：最高裁判所が憲法判断を行う場合であっても、その判決が通常の訴訟法上の効力以上に特別な効力を有すると考えることは困難である。

1：イ、エ
2：ウ、カ
3：ア、エ、カ
4：イ、ウ、オ
5：ア、ウ、エ、オ

チェック欄

1回目	2回目	3回目

実践 問題 181 の解説

〈違憲判決の効力〉

Ⅰ説は違憲とされた法律の効力は客観的に無効になるとする一般的効力説であり、Ⅱ説は違憲とされた法律の効力は当該事件に限って適用が排除されるとする個別的効力説である。

ア～カがいずれの説の論拠に関する記述であるか検討する。

ア Ⅱ説の論拠となる。違憲判決が一般的効力を持つとなると一種の消極的立法であり、国会が唯一の立法機関であると規定する憲法41条と抵触し、立法権に対する司法権の限界を超えるおそれがあるとするもので、これは一般的効力を否定するⅡ説の論拠となる。

イ Ⅰ説の論拠となる。最高裁判所が法律を違憲と判断した以上、憲法98条1項の規定によりその法律は当然に無効であるとするもので、当該事件限りでなく一般的に違憲の法律の効力を否定するものであり、Ⅰ説の論拠となる。

ウ Ⅰ説の論拠となる。違憲判決が個別的効力しか持たないとすると、ある場合には違憲無効、ほかの場合には有効ということになり、法的安定性や予見可能性を損なうことになるとするもので、これはⅠ説からⅡ説への批判である。よって、本記述Ⅰ説の論拠となる。

エ Ⅱ説の論拠となる。司法機関などと比べ、国会が最も民主的基盤を有する機関であることを強調しており、立法権を尊重する趣旨であるから、違憲判決の効力は当該事件限りであり、一般的に法律を無効とするには立法機関の措置が必要であるとするⅡ説の論拠となる。

オ Ⅰ説の論拠となる。違憲判決が個別的効力しか持たないとすると、ある場合には違憲無効、ほかの場合には有効ということになり、憲法14条1項の平等原則に違反するおそれがあるとするもので、これはⅠ説からⅡ説への批判である。よって、本記述はⅠ説の論拠となる。

カ Ⅱ説の論拠となる。違憲判決が通常の訴訟法上の効力以上に特別な効力を有すると考えることは困難であるとする。判決の通常の訴訟法上の効力は当該事件に限って及ぶのが原則である。したがって、本記述は違憲判決の効力は当該事件限りであるとするⅡ説の論拠となる。

よって、Ⅰ説の論拠として妥当なものは、イ、ウ、オであり、肢4が正解となる。

正答 4

裁判所
違憲審査制

実践 問題 182 基本レベル

頻出度　地上★★　国家一般職★★　特別区★★
裁判所職員★★★　国税・財務・労基★★　国家総合職★★★

問 **日本国憲法に規定する違憲審査権に関する記述として、最高裁判所の判例に照らして、妥当なのはどれか。** （特別区2014）

1：警察予備隊の設置並びに維持に関する一切の行為の無効の確認について、現行の制度の下においては、特定の者の具体的な法律関係につき紛争の存する場合においてのみ裁判所にその判断を求めることができるのであり、裁判所が具体的事件を離れて抽象的に法律命令等の合憲性を判断する権限を有するとの見解には、憲法上及び法令上何等の根拠も存しないとした。

2：衆議院の解散は、直接国家統治の基本に関する高度に政治性のある国家行為であるが、それが法律上の争訟となり、これに対する有効無効の判断が法律上可能である場合には、かかる国家行為に対しても、裁判所の審査権が及ぶとした。

3：在外国民の投票を可能にするための法律案が廃案となった後10年以上の長きにわたって何らの立法措置も執られなかったとしても、国民に憲法上保障されている権利が違法に侵害されていることが明白なわけではなく、著しい不作為とまではいえないから過失の存在を認定することはできず、違法な立法不作為を理由とする国家賠償請求は認められないとした。

4：安全保障条約のような、主権国としての我が国の存立の基礎に重大な関係を持つ高度の政治性を有するものが、違憲であるか否かの法的判断は、純司法的機能を使命とする司法裁判所の審査になじまない性質のものであるから、一見極めて明白に違憲無効であっても、裁判所の司法審査権は及ばないとした。

5：裁判官が、具体的訴訟事件に法令を適用して裁判するに当たり、その法令が憲法に適合するか否かを判断することは、憲法によって裁判官に課せられた職務と職権であって、憲法は最高裁判所が違憲審査権を有する終審裁判所であることを明らかにしており、違憲審査権は、最高裁判所のみに与えられているとして、下級裁判所の違憲審査権を否定した。

チェック欄

1回目	2回目	3回目

実践 問題 182 の解説

〈違憲審査権〉

1 ○ 本肢は、最高裁判所が、違憲審査権（憲法81条）の法的性質につき付随的審査制を採用したこと、および、抽象的審査制を採用しえない旨を述べている点において妥当である。

警察予備隊訴訟において判例（最大判昭27.10.8）は、「司法権が発動するためには具体的な争訟事件が提起されることを必要とする」。「わが裁判所は具体的な争訟事件が提起されないのに将来を予想して憲法およびその他の法律命令等の解釈に対し存在する疑義論争に関し抽象的な判断を下すごとき権限を行い得るものではない」として、違憲審査権が司法権の範囲内において行使されるものであることを示している。

2 × いわゆる統治行為に関し、有効無効の判断が法律上可能である場合には裁判所の審査権が及ぶ、としているので本肢は妥当でない。

苫米地事件において判例（最大判昭35.6.8）は、「直接国家統治の基本に関する高度に政治性のある国家行為」は、「たとえそれが法律上の争訟となり、これに対する有効無効の判断が法律上可能である場合であっても、かかる国家行為は裁判所の審査権の外にあ」るとして、統治行為論を採用し衆議院の解散に対する司法審査を否定した。

3 × いわゆる立法不作為に対する司法審査について、広範な立法裁量を認めたうえで国家賠償請求を否定している本肢は妥当でない。

在外国民の選挙権が問題となった事件において判例（最大判平17.9.14）は、「立法の内容又は不作為が国民に憲法上保障されている権利を違法に侵害することが明白な場合や、国民に憲法上保障されている権利行使の機会を確保するために所要の立法措置を執ることが必要不可欠であり、それが明白であるにもかかわらず、国会が正当な理由なく長期にわたってこれを怠る場合などには、例外的に、国会議員の立法行為又は立法不作為は、国家賠償法１条１項の規定の適用上、違法の評価を受ける」として、違法な立法不作為を理由とする国家賠償請求を認容している。

4 × 条約に対する司法審査について、一見きわめて明白に違憲無効であっても、裁判所の司法審査権は及ばない、としている本肢は妥当でない。

砂川事件において判例（最大判昭34.12.16）は、純粋な統治行為論を採用していない。すなわち、「日米安全保障条約は、主権国としてのわが国の存立の基礎に極めて重大な関係をもつ高度の政治性を有する」とし、その内容の「違憲なりや否やの法的判断は、純司法的機能をその使命とする司法裁判所の審査には、原則としてなじまない性質のものであ」るとして統治行為論を採用するも、「**一見極めて明白に違憲無効であると認められない限りは、裁判所の司法審査権の範囲外のもの**」として裁量論も加味している。つまり、裏から読むと、一見きわめて明白に違憲無効であると認められる場合には、裁判所の審査権が及ぶことになる。

5 × 本肢は、違憲審査権が最高裁判所のみに与えられる、としているので妥当でない。

違憲審査権は下級裁判所も有すると解されている。この点につき判例（最大判昭25.2.1）は、「憲法81条は、最高裁判所が違憲審査権を有する終審裁判所であることを明らかにした規定であって、下級裁判所が違憲審査権を有することを否定する趣旨をもっているものではない」としている。

正答 1

memo

第3章 # 裁判所

章末 CHECK

? Question

Q1 司法権の行使には法令の解釈について抽象的に審査することも含まれる。

Q2 具体的な請求の当否を判断する前提として宗教上の教義に関する判断を行わなければならない場合には、裁判所の司法審査権は及ばない。

Q3 紛争が法律上の争訟にあたる場合には、常に裁判所の審査権が及ぶ。

Q4 大学は一般社会とは異なる特殊な部分社会を形成しており、単位認定行為に対して司法審査が及ぶことはない。

Q5 地方議会における議員の出席停止処分と除名処分は、いずれも、司法審査の対象となる。

Q6 行政権の行使がその自由な裁量に任されている場合であっても、司法審査の対象となる場合がある。

Q7 判例は、高度に政治性のある国家行為は統治行為にあたり司法審査の対象とはならない、とするいわゆる統治行為論を採用していない。

Q8 特定の事件についてのみ裁判権を有する裁判所を設置しても、それが通常の裁判所の系列にあるのであれば、憲法に反しない。

Q9 憲法上、行政機関が裁判を行うことは一切認められない。

Q10 裁判官は、下級裁判所の裁判官であるか最高裁判所の裁判官であるかを問わず、在任中は一切報酬を減額されない。

Q11 下級裁判所の裁判官には定年があるが、最高裁判所の裁判官については、定年は定められていない。

Q12 裁判官が心身の故障のために職務を執ることができなくなった場合には、弾劾裁判によって罷免される。

Q13 裁判は公開するのが原則であるが、政治犯罪、出版犯罪、基本的人権が問題となっている事件を除き、公開することが公序良俗に反するおそれがあると裁判官が全員一致で決定した場合は、判決を非公開にできる。

Q14 憲法76条３項にいう「良心」は、裁判官個人の主観的な良心を指す。

Q15 下級裁判所の裁判官は、上級の裁判所から判決の内容について指示を受けたときは、これに従わなければならない。

Q16 下級裁判所の裁判官は、国民審査によって罷免される場合がある。

Q17 内閣総理大臣は、非行のあった裁判官に対して懲戒処分をすることができる。

Q18 違憲審査権は最高裁判所のみならず、下級裁判所も行使できる。

Q19 憲法上も解釈上も、条約には違憲審査権は及ばないものとされている。

A1 × 法令の解釈についての抽象的な争いは「法律上の争訟」にあたらず、司法審査の対象とはならない。

A2 ○ 板まんだら事件（最判昭56.4.7）で判例は、本問のような場合には「法律上の争訟」にはあたらないとした。

A3 ×「法律上の争訟」であっても、裁判所の司法審査が及ばない場合はある。

A4 × 富山大学事件（最判昭52.3.15）は、大学は一般社会とは異なる特殊な部分社会を形成しているとしながらも、単位認定行為にも例外的に司法審査が及ぶ場合がありうることを認めている。

A5 ○ 判例は、本問のように述べている（最大判令2.11.25、最大判昭35.3.9）。

A6 ○ 自由裁量行為であっても、裁量権の範囲を逸脱し、または裁量権を濫用した場合には、裁判所の審査の対象となる。

A7 × 判例は、苫米地事件（最大判昭35.6.8）などにおいて、統治行為論を採用している。

A8 ○ 本問の場合には、憲法76条２項前段の特別裁判所にはあたらない。

A9 × 行政機関は終審として裁判を行うことはできない（憲法76条２項後段）が、前審としてであれば裁判を行うことができる。

A10 ○ 最高裁判所の裁判官につき憲法79条６項、下級裁判所の裁判官につき憲法80条２項が、本問のように定めている。

A11 × 最高裁判所の裁判官にも、定年がある（憲法79条５項）。

A12 × 心身の故障の場合には、弾劾裁判によらず分限裁判により罷免される（憲法78条参照）。

A13 × 非公開とすることができるとされているのは「対審」であり（憲法82条２項）、「判決」を非公開とすることは許されない。

A14 × 憲法76条３項の「良心」は、裁判官としての客観的な良心を意味するものと解されている。

A15 × 裁判官の独立には、司法権内部の指示・命令からの独立をも含む。

A16 × 国民審査の対象とされているのは最高裁判所の裁判官のみであり（憲法79条２項）、下級裁判所の裁判官については国民審査は行われない。

A17 × 行政権による裁判官の懲戒は、禁止されている（憲法78条後段）。

A18 ○ 条文上は下級裁判所の違憲審査権については明記されていないものの、一般に本問のように解されている。

A19 × 憲法上は明らかにされていないものの、解釈上、条約にも違憲審査権が及ぶものとされている。

memo

第4章

財政

SECTION

① 財政

第4章 財政

出題傾向の分析と対策

試験名	地上			国家一般職			特別区			裁判所職員			国税・財務・労基			国家総合職		
年度	16-18	19-21	22-24	16-18	19-21	22-24	16-18	19-21	22-24	16-18	19-21	22-24	16-18	19-21	22-24	16-18	19-21	22-24
出題数 / セクション	1	1		1		1		2					2	1	2	1	1	1
財政	★	★		★		★		★★					★★	★	★★	★	★	★

（注）１つの問題において複数の分野が出題されることがあるため、星の数の合計と出題数とが一致しないことがあります。

財政については、予算を中心に問われることが多いです。

地方上級

３年に１回くらいの頻度で出題されています。最近では、租税法律主義について問われています。予算の法的性質についての学説問題が問われることがありますので、各学説の内容をしっかり理解するようにしてください。

国家一般職

３年に１回くらいの頻度で出題されています。最近では財政全般と予算について出題されています。問われている内容は基本的なものですので、過去問を繰り返し解いて、基本的な知識を身につけてください。

特別区

あまり出題されていませんでしたが、最近では、財政全般について問われています。問われている内容は基本的なものですので、過去問を繰り返し解いて、基本的な知識を身につけてください。

裁判所職員

ほとんど出題されていませんが、予算について問われる場合があります。問われている内容は基本的なものですので、過去問を繰り返し解いて、基本的な知識を身につけてください。

国税専門官・財務専門官・労働基準監督官

近年よく出題されています。過去問を解いて、基本的な知識を身につけておいてください。

国家総合職

3年に1回くらいの頻度で出題されています。予算の法的性質に関する学説問題がよく出題されていますので、各学説の内容を理解しておいてください。

Advice アドバイス 学習と対策

財政については、予算の法的性質に関する学説問題がよく出題されています。予算行政説、予算法形式説、予算法律説それぞれの内容と、各学説における予算と法律の齟齬や予算の修正の可否の帰結を理解するようにしてください。

また、租税法律主義における租税の意味は重要です。最近判例も出ていますので、その内容をしっかり理解しておいてください。

第4章 1 SECTION

財政

財政

必修問題 セクションテーマを代表する問題に挑戦！

過去問を解いて、基礎的知識を身につけましょう。

問 予算及び決算に関する次の記述のうち、妥当なのはどれか。

（地上2016）

1：憲法は、予算の作成・提出権を内閣に与えているものの、財政の基本原理として、財政民主主義を明記しているので、国会が予算を作成・提出することも認められる。

2：憲法は、予算に関する議決権を国会に与えているので、予算の作成・提出権が内閣に属していても、国会が予算を修正し、減額又は増額することは認められる。

3：憲法は、予算は会計年度ごとに作成されるものとしているので、長期的な事業の遂行のためであっても、年度をまたがる継続費を認めることはできない。

4：憲法は、予見し難い予算の不足を補うため、あらかじめ国会の議決に基づいて予備費を計上することを認めているので、予備費の支出について事後に国会の承諾を得る必要はない。

5：憲法は、決算が会計検査院による検査を経て、内閣により国会に提出されるものとしているので、決算の内容について国会が内閣の責任を追及することはできない。

直前復習

Guidance ガイダンス

租税の意味

・国が反対給付としてではなく一方的・強制的に賦課・徴収する金銭

※国が一方的・強制的に賦課・徴収する金銭については、租税法律主義の趣旨が及ぶ

予算の修正と限界

減額修正は自由にできるが、増額修正の場合、予算の同一性を損なうような修正はできない

予備費

・国会の議決により設けられる

・支出につき、事前の国会の承諾は不要

・国会の事後承諾は必要…承諾が得られなくても支出は有効

頻出度	地上★★　国家一般職★★　特別区★★ 裁判所職員★★　国税·財務·労基★　国家総合職★★

必修問題の解説

チェック欄		
1回目	2回目	3回目

〈財政〉

1 × 憲法73条5号・86条は内閣に予算の作成・提出権を与えており、国会に予算の作成・提出権を認める規定は存在しない。したがって、国会による予算の作成および提出は認められないので、本肢は妥当でない。

2 ○ 国会は予算に関する議決権を有する（憲法86条）。内閣により提出された予算につき、国会は予算を否決できることから、当然に減額修正もできると解されている。これに対し、増額修正ができるかにつき、通説は、国権の最高機関としての国会の憲法上の地位や財政民主主義の基本原則から、予算の同一性を欠くような大修正を除き、増額修正も認められると解している。なお、財政法19条や国会法57条の3なども増額修正を想定した規定となっている。

3 × 年度をまたがる継続費も認められているので、本肢は妥当でない。予算は一会計年度における国の財政行為の準則であり、会計年度ごとに作成される。財政法上、各会計年度の歳出は、当該年度の歳入で支弁しなければならないのが原則であるが（会計年度独立の原則、同法12条）、完成までに数年度を要する事業について、特に必要のある場合に数年度にわたる支出を継続費として認めている（同法14条の2）。この継続費の合憲性が問題となるが、憲法の明文上、継続費の制度を否定する規定はなく、また、この制度の必要性があることから、法律でこれを認めても憲法86条に反しないと解されている。

4 × 憲法は、予見しがたい予算の不足に充てるために、予備費の制度を設けている（憲法87条1項）。この規定によると、予備費は国会の議決に基づいて計上されなければならず、予備費が支出された場合、事後に国会の承諾を得なければならないとされている（同条2項）。

5 × 国会は決算の内容につき内閣に対して政治責任を追及できるので、本肢は妥当でない。決算は、会計検査院による検査を経た後、内閣によって国会に提出される（憲法90条1項）。決算の制度は、予算執行者である内閣の政治責任を明らかにすることを目的とするため、国会は決算を承認しないことで、内閣に対して政治責任を追及することができる。

正答 2

決算

・各院が審査…国会の議決は不要

・議院が否決しても支出は有効

第4章 財政

財政

財政

1 財政民主主義

憲法83条は、国の財政を処理する権限は国民の代表機関である「国会」の議決に基づいて行使しなければならないこととしています。これを、財政民主主義といいます。

2 租税法律主義

租税法律主義とは、租税の賦課・徴収は、必ず国会の議決する法律に基づかなければならないという原則のことです（憲法84条）。

課税要件法定主義 　租税の課税要件、賦課徴収手続は法律で定めなければならない 課税要件明確主義 　租税の課税要件、賦課徴収手続を定める法律は明確でなければならない

租税とは、国または地方公共団体が特別の役務に対する反対給付としてではなく、その経費に充てるための財力取得の目的で、その課税権に基づいて、一般国民に対して一方的、強制的に賦課し、徴収する金銭給付をいいます（固有の意味の租税）。

国の課税権に対して議会による民主的コントロールを及ぼすという租税法律主義の趣旨から、形式的には租税といえなくても、およそ国がその収入のために国民から一方的・強制的に賦課・徴収する金銭的負担については、租税法律主義の趣旨が及ぶものと解されています。

例　道路負担金、国民健康保険料

判例は、租税以外の公課であっても、賦課徴収の強制の度合い等の点において租税に類似する性質を持つものについては、憲法84条の趣旨が及ぶ、としています（旭川国民健保事件、最大判平18.3.1）。

3 予算

予算とは、一会計年度における国家の歳入歳出の見積りを内容とする財政行為の準則をいいます。憲法86条は、毎会計年度の予算は、内閣が作成し、国会に提出して、審議・議決を経なければならないと規定しています。

予算の作成権限は内閣に専属しています（憲法73条５号、86条）。国会議員による予算案の提出は、認められていません。

予算の種類には、本予算のほかに、補正予算、予算が新年度の開始前に成立しない場合に作成される暫定予算があります。

衆議院の優越	予算については、先議と議決の価値の両面において、衆議院の優越が認められています（憲法60条）。

4 予算に関する諸問題

(1) 予算の法的性質

予算は法律と区別される独自の法形式である、と解するのが多数説です（予算法形式説）。

(2) 予算と法律の不一致

予算法形式説によると、予算と法律は別個のものであるため、両者の間に不一致が生じることがありえます。

補足　法律があるが予算がない場合、内閣はこれを是正するため補正予算の作成や予備費の支出など何らかの措置を講じる義務を負います。
予算があるが法律がない場合には、国会は予算に拘束されるものではないから立法をする義務はなく、内閣は法案を提出して国会の議決を求めることになります。

(3) 予算の修正と限界

減額修正
　自由に修正できる
増額修正
　予算の同一性を損なうような修正はできない

予見しがたい予算の不足に充てるために認められる使途未定の財源を、予備費といいます。予備費は「国会の議決に基づいて」、「内閣の責任で」支出するものとされており（憲法87条1項）、予備費を支出したときは、内閣は、事後に国会の承諾を得なければならないとされています（同条2項）。

5 決算

決算とは、一会計年度における国の収入支出の実績を示す確定的計数書をいいます。決算は、すべて毎年会計検査院が検査し、内閣は、この検査報告とともに決算を国会に提出しなければなりません（憲法90条）。

第4章 財政

6 公金支出の制限

(1) 憲法89条前段

憲法89条前段で宗教上の組織・団体への公金支出が禁じられています。

※宗教上の組織・団体

特定の宗教の信仰、礼拝または普及などの宗教的活動を行うことを本来の目的とする組織ないし団体のことをいいます（箕面忠魂碑事件、最判平5.2.16）。

(2) 憲法89条後段

憲法89条後段は、公の支配に属しない慈善、教育もしくは博愛の事業に対する公金の支出を禁止しています。その趣旨は、私的事業に対して公金を支出する際に、公費の濫用・不当な利用がなされないように、財政民主主義の観点から当該事業を国に監督すべきことを要求する点にあります（公費濫用防止説）。

そして、この趣旨からは、「公の支配」とは、公権力が当該教育事業の運営・存立に影響を及ぼすことにより事業が公の利益にそわない場合に、これを是正する途が確保されており、公の財産が濫費されることを防止しうることをもって足りると解されます。

私立学校に対する助成金の支出は、監督官庁による是正権などにより公費の濫用・不当な利用を防止しうる程度の監督があるといえるから、憲法89条後段には違反しない、と解されています。

memo

財政

財政

実践 問題 183 基本レベル

頻出度	地上★★	国家一般職★★	特別区★★
	裁判所職員★★	国税·財務·労基★	国家総合職★★

問 憲法に定める租税法律主義に関する記述として、妥当なのはどれか。

（東京都2002）

1：租税法律主義は、納税義務者、課税物件、課税標準、税率などの課税要件を法律で定めなければならないことを意味し、租税の賦課・徴収の手続を法律で定めることを含まない。

2：租税法律主義は、一旦法律で定めた後は変更がない限り、毎年引き続いて租税を徴収しうるとする永久税主義を否定し、毎年議会の議決を要するとする一年税主義を定めたものである。

3：パチンコ球遊器事件で最高裁判所は、従来非課税とされていた物件が通達によって課税対象となったことは、通達の内容が法の正しい解釈に合致するものである以上、法の根拠に基づく処分であり、違憲ではないとした。

4：税制の全国的な統一性を確保する見地から、租税法律主義にいう法律には条例が含まれないとされており、地方公共団体が条例によって地方税を賦課・徴収することは違憲である。

5：租税法律主義でいう租税には、負担金、手数料、国の独占事業の料金が含まれるため、すべての負担金、手数料、国の独占事業の料金は、法律の定め又は国会の議決を経て決定・改定されている。

チェック欄

1回目	2回目	3回目

実践 問題 183 の解説

〈租税法律主義〉

1 × 憲法84条は、租税法律主義を定めており、課税要件法定主義と課税要件明確主義をその内容とする。前者は、納税義務者、課税物件、課税標準、税率などの課税要件、および租税の賦課・徴収の手続が法律で定められなければならないことを意味し、後者は、課税要件および賦課・徴収を定める手続は誰でもその内容が理解できるように明確に定められなければならないことを意味する。

2 × 明治憲法は永久税主義によることを明示していた（明治憲法63条）。日本国憲法にはそのような規定はないが、永久税主義を排除する趣旨ではないと解されている。

3 ○ パチンコ球遊器事件で最高裁判所は、通達の変更により従来非課税であったものが課税されることになったことについて、課税がたまたま通達を契機として行われたとしても、通達の内容が法の正しい解釈に合致するものである以上、課税処分は法の根拠に基づくものであるとしている（最判昭33.3.28）。

4 × 憲法84条の租税法律主義にいう法律に条例が含まれるか問題となるも、民主的な手続によって制定された条例は法律に準ずるものと解されることから、一般的に含まれると解されている。地方税法３条も地方税の定めをするには、当該地方公共団体の条例によらなければならないとしている。

5 × 負担金（特定の事業の経費に充てるためその事業の特別関係者に対して課されるもの、たとえば、都市計画負担金）、手数料（免許手数料、試験手数料など）、国の独占事業の料金は租税に含まれないが、国が国民から一方的・強制的に賦課・徴収するものであるため、租税法律主義の趣旨が及ぶ。このため、これらの賦課・徴収は法律または国会の議決によらなければならない。もっとも、手数料のうち、国公立美術館などの入場料、国公立病院の入院料などの利用者の自由意思により支払われるものは、強制的な賦課・徴収の性格を持たないため、租税法律主義の趣旨は及ばない。

正答 3

財政

財政

実践 問題 184 基本レベル

頻出度 地上★★ 国家一般職★★ 特別区★★ 裁判所職員★★ 国税·財務·労基★ 国家総合職★★

問 財政に関するア～エの記述のうち、妥当なもののみを全て挙げているのはどれか。 (財務・労基2024)

ア：内閣は、毎会計年度の予算を作成し、国会に提出して、その審議を受け、議決を経なければならないが、予算は法規範として認められるため、作成・提出権は内閣のみに与えられているのではなく、法案提出権を持つ国会議員にも与えられている。

イ：憲法上、予算は先に衆議院に提出しなければならないとされており、予算を伴う法律案については、憲法に規定はないが、法律で先に衆議院に提出しなければならない旨定められている。

ウ：国の決算については、内閣から独立した地位を有する会計検査院が毎年検査し、内閣は、次の年度にその検査報告とともに決算を国会に提出しなければならない。また、内閣は、国会及び国民に対し、定期に、少なくとも毎年１回、国の財政状況について報告しなければならない。

エ：国会による決算の審査は、決算の内容を審査し、内閣の予算執行の責任を明らかにするためのものであり、両議院一致の議決が必要である。また、両議院は、違法・不当な収入支出行為があった場合には、その決算を修正することができると一般に解されている。

1：ウ
2：エ
3：ア、イ
4：ア、ウ
5：イ、エ

直前復習

チェック欄

1回目	2回目	3回目

実践 問題 184 の解説

〈財政〉

ア× 予算の法的性質については、予算法形式説が通説であり、これは予算に法規範性を認めつつも、法律そのものではないと解する考え方である。したがって、国会議員に法案提出権があるからといって予算の作成・提出権が認められるわけではなく、作成・提出権は内閣に専属する（憲法86条）。

イ× 予算については衆議院に先議権が認められている（憲法60条1項）が、予算を伴う法律案については憲法に規定はなく、法律（国会法）にも特に先議の規定はない。ただ、予算を伴う法律案の提出には、衆議院では議員50人以上の賛成、参議院では議員20人以上の賛成を要するとし、予算を伴わない場合よりも要件が加重されているにすぎない（国会法56条1項但書）。

ウ○ 国の収入支出の決算については、すべて毎年会計検査院が検査し、内閣は、次の年度に、その検査報告とともに、これを国会に提出しなければならない（憲法90条1項）。また、内閣は、国会および国民に対し、定期に、少なくとも毎年1回、国の財政状況について報告しなければならない（憲法91条）。したがって、本記述は妥当である。

エ× 憲法上、決算は国会に「提出」しなければならないが、国会の議決は求められていない（憲法90条1項参照）。明治憲法以来の慣行により、決算は両議院に同時に提出され、各院が単独で審議する。そして、決算は事後審査にすぎないため、予算と異なり、両議院に修正権はないと解されている。

以上より、妥当なものはウであり、肢1が正解となる。

正答 1

財政

財政

実践 問題 185 基本レベル

頻出度	地上★★　国家一般職★★　特別区★★ 裁判所職員★★　国税·財務·労基★　国家総合職★★

問 財政に関するア〜オの記述のうち、妥当なもののみを全て挙げているのはどれか。　（財務・労基2019）

ア：行政権を担う内閣は、社会経済情勢の変化に対して迅速に対応することが求められることから、予見し難い予算の不足に充てるため、予備費を設けることができる。その場合、内閣は、予備費を支出するに当たり、事前に国会の承諾を得ることが憲法上義務付けられている。

イ：予算は内閣によって作成され、内閣のみが国会への予算提出権を有するため、国会は、予算の議決に際して、原案の減額修正はできるが、原案に新たな項を設けたり原案の増額修正を行ったりすることはできないと一般に解されている。

ウ：形式的には租税ではないとしても、一般国民に対して一方的・強制的に賦課徴収する金銭は、実質的には租税と同視できることから、市町村が行う国民健康保険の保険料には、その形式にかかわらず、租税法律主義について定めた憲法第84条の規定が直接適用されるとするのが判例である。

エ：法律上は課税できる物品であるにもかかわらず、実際上は非課税として取り扱われてきた物品に対する課税が、たまたま通達を機縁として行われたものであっても、通達の内容が法の正しい解釈に合致するものである以上、当該課税処分は法の根拠に基づく処分であるとするのが判例である。

オ：予算は一会計年度における国の財政行為の準則であり、会計年度が開始するまでに当該年度の予算が成立しない場合は、内閣は、一会計年度のうちの一定期間に係る暫定予算を作成し、国会に提出することができるが、暫定予算は当該年度の本予算が成立したときに失効する。

1：ア、イ
2：ア、オ
3：イ、ウ
4：ウ、エ
5：エ、オ

チェック欄

1回目	2回目	3回目

実践 問題 185 の解説

〈財政〉

ア× 憲法87条2項は、「すべて予備費の支出については、内閣は、事後に国会の承諾を得なければならない」と規定しており、事前ではなく事後に国会の承認を得なければならないので、本記述は妥当でない。

イ× 現行法上、増額修正を予定する規定として財政法19条、国会法57条の3があるように、国会は、予算の議決に際して、原案の減額修正のみならず、原案に新たな項を設けたりその増額修正を行ったりすることもできると一般的に解されている。したがって、それを否定する本記述は妥当でない。

ウ× 判例は、市町村が行う国民健康保険の保険料は、租税と異なり、被保険者において保険給付を受け得ることに対する反対給付として徴収されるものであり、かかる保険料に憲法84条の規定が直接に適用されることはないとしている（旭川市国民健康保険条例事件、最大判平18.3.1）。

エ○ 法律上は「遊戯具」として課税の対象とされていたにもかかわらず、実際上は非課税として取り扱われてきたパチンコ球遊器の課税が通達によって行われたことの適法性が問題となった事案において、判例は、「本件課税がたまたま所論通達を機縁として行われたものであっても、通達の内容が法の正しい解釈に合致するものである以上、本件課税処分は法の根拠に基く処分」であるとしている（最判昭33.3.28）。

オ○ 暫定予算とは、予算が新年度の開始前に成立しない場合に内閣が作成する一会計年度のうちの一定期間に係る予算をいう（財政法30条1項）。暫定予算は本予算が成立しない間の一時的な予算であるから、当該年度の本予算が成立したときは失効する（同条2項前段）。

以上より、妥当なものはエ、オであり、肢5が正解となる。

正答 5

財政

財政

実践 問題 186 基本レベル

頻出度	地上★★	国家一般職★★	特別区★★
	裁判所職員★★	国税·財務·労基★	国家総合職★★

問 予算に関する次の記述のうち、妥当なのはどれか。（国家一般職2012）

1：予算案には内閣が作成して国会に提出するもの及び議員の発議によるものがあるが、議員が予算案を発議するには、衆議院においては議員50人以上、参議院においては議員20人以上の賛成が必要となる。

2：国会は、内閣から提出された予算案の議決に際し、予算案の一部を排除削減する修正をすることはできるが、予算案の一部を増額修正することは一切できないと解されている。

3：予算について憲法は衆議院の優越を認めている。予算案が衆議院で可決され、参議院でこれと異なった議決がされた場合、衆議院で出席議員の３分の２以上の多数で再び可決されたときは、予算となる。

4：予見し難い予算の不足に充てるため、国会の議決に基づいて一定の金額をあらかじめ予備費として設け、内閣の責任において支出することができる。

5：予算が会計年度開始までに成立しなかった場合には、暫定予算によることになるが、暫定予算も会計年度開始までに成立しなかったときは、暫定予算が成立するまでの間、内閣は、当然に前年度の予算を執行することができると解されている。

チェック欄

1回目	2回目	3回目

実践 問題 186 の解説

〈予算〉

1 × 憲法73条5号によると、内閣は、「予算を作成して国会に提出する」事務を行うとしている。それゆえ、予算案の提出権は内閣の専権とされる。なお、本肢記載にある衆議院において議員50人以上、参議院において議員20人以上の賛成の要件は、「予算を伴う法律案」を発議する場合の要件である（国会法56条1項但書）。

2 × 現行憲法においては、財政民主主義（憲法83条）が採用されている。そこで、内閣に予算案の提出権（肢1解説参照）があることとの関係で、国会における予算の修正の可否が問題となる。この点につき、国会において予算の減額修正が行えるという点について、学説上、争いはない。増額修正についても、多くの学説が肯定する。ただし、通説的見解は、内閣の予算作成権を侵害するような全面的な修正は認められないという限定的な増額修正肯定説に立つ。

3 × 憲法60条2項は、予算について、参議院で衆議院と異なった議決をした場合に、法律の定めるところにより、両議院の協議会を開いても意見が一致しないとき、または参議院が、衆議院の可決した予算を受け取った後、国会休会中の期間を除いて30日以内に議決しないときは、衆議院の議決を国会の議決とすると規定する。すなわち、予算案については、法律案と異なり、衆議院と参議院で異なった議決になった場合には、衆議院による再議決を経ることなく、衆議院の議決が国会の議決となる。

4 ○ 憲法87条1項は、予見しがたい予算の不足に充てるため、国会の議決に基づいて予備費を設け、内閣の責任でこれを支出することができると規定する。

5 × かつて明治憲法下において、予算が成立しない場合には、国会の議決を経ずに、内閣が前年度の予算を執行することが認められていた（明治憲法71条）。しかし、現行憲法においては、財政民主主義（憲法83条）の原則の観点から、明治憲法下で認められていた前年度の予算の執行は認められていない。これは、暫定予算が成立するまでの間についても同じである。

正答 4

財政

財政

実践 問題 187 基本レベル

頻出度	地上★★　国家一般職★★　特別区★★ 裁判所職員★★　国税·財務·労基★　国家総合職★★

問 予算の法的性質については、次のA～Cの３つの説がある。A～C説に関する次の記述のうち、妥当なのはどれか。 (地上2010)

A説：予算は本来行政行為であり、議会の政府に対する意思表示である。
B説：予算は、法規範性を有するが、法律とは異なった国法の一形式である。
C説：予算は法律それ自体である。

1：A説の根拠としては、法律にも租税特別措置法のような効力期間が限定された時限法があることが理由として挙げられる。
2：A説の下では、国会による予算の増額修正および減額修正はともに否定される。
3：B説の根拠としては、予算は国家機関のみを拘束するものであり、直接国民を拘束するものではないことが理由として挙げられる。
4：B説の下では、予算と法律の不一致の問題は生じない。
5：C説に対しては、財政民主主義の原則と矛盾するという批判があてはまる。

チェック欄

1回目	2回目	3回目

実践 問題 187 の解説

〈予算〉

1 ×　予算は、一会計年度における国の財政行為の準則であり、原則として単年度予算の形式をとる。そのため、法律のように一度制定されれば、廃止されるまで効力を有する法律との差異が強調されることがある。もっとも、法律の場合であっても、効力期間が限定された時限法がある。この点を強調すれば、単年度の形式を原則とする予算にも法律と同じ法的効力を認めることができる。したがって、本肢はC説の根拠について説明するものである。

2 ×　予算の修正の可否について、予算の減額修正は、不要不急の財政出動を制限することにつながり、予算の法的性質についてどのような立場からも、財政民主主義の観点からは肯定される。これに対して、予算の増額修正は、三権分立からくる国家権力の権限分配の観点から、これを否定する見解もあるが、財政民主主義の観点から、予算の同一性を害さない限度で認める見解もある。また、財政民主主義を強調して、無制限で増額修正権を認める見解もある。A説の立場からは、増額修正権を否定的に解するのが通常であるが、論理必然的に否定されるわけではない。

3 ○　法律は、国民の権利義務にかかわる法規であるが、予算は、国家機関のみを拘束する。そこで、予算は、法律とは異なる法規範の一形式であると解するのがB説（予算法形式説）である。

4 ×　B説によれば、予算と法律の不一致が生じた場合、内閣は予算に基づいて法律を実行することができなくなるか、または法律に基づいて行政を行うための財政活動ができなくなる。一方、C説（予算法律説）によれば、後法優位の原則により予算と法律の不一致が生じることはない。また、法律がなくとも予算自体に基づいて行政を行うことができる。

5 ×　予算は、国民から徴収した租税を具体的な行政活動に充てる準則であるから、財政民主主義の原則からは、十分に国会に監督権限を与える必要がある。C説によれば、予算を法律と捉えている以上、予算が成立するためには国会の議決が必要である。その点でC説によると、財政民主主義の原則に一層適合することとなり、本肢のような批判はあたらない。なお、予算を議会の政府に対する意思表示にすぎないとするA説は、財政民主主義の原則と矛盾するという批判があてはまる。

正答 3

第4章 SECTION 1 財政

財政

実践 問題 188 応用レベル

頻出度	地上★　国家一般職★　特別区★　裁判所職員★　国税·財務·労基★　国家総合職★

問 憲法第84条に関するア～オの記述のうち、妥当なもののみを全て挙げているのはどれか。（国家総合職2012）

ア：国又は地方公共団体が、課税権に基づき、特別の給付に対する反対給付としてではなく、一定の要件に該当する全ての者に対して課する金銭給付は、その形式のいかんにかかわらず、憲法第84条に規定する租税に当たるというべきところ、市町村が行う国民健康保険の保険料は、被保険者において保険給付を受け得ることに対する反対給付として徴収されるものではあるものの、国民健康保険事業に要する経費の多くは公的資金によって賄われており、これによって保険料と保険給付を受け得る地位との牽連性が断ち切られていること、国民健康保険は強制加入とされ、保険料が強制徴収されることに鑑みれば、国民健康保険の保険料は憲法第84条に規定する租税に当たり、同条の規定が直接に適用されるとするのが判例である。

イ：公共組合である農業共済組合が組合員に対して賦課徴収する共済掛金及び賦課金については、同組合は、国の農業災害対策の一つである農業災害補償制度の運営を担当する組織として設立が認められたものであり、農作物共済に関しては同組合への当然加入制が採られ、共済掛金及び賦課金が強制徴収され、賦課徴収の強制の度合いにおいては租税に類似する性質を有するものであるから、憲法第84条の趣旨が及ぶと解すべきところ、農業災害補償法は、農作物共済に係る共済掛金及び賦課金の具体的な決定を農業共済組合の定款又は総会若しくは総代会の議決に委ねており、かかる法の規定は、その賦課に関する規律として合理性を有するものとはいえないから、憲法第84条の趣旨に反するとするのが判例である。

ウ：法律上は課税できるにもかかわらず、実際上は非課税として取り扱われてきたパチンコ球遊器に対する課税処分は、たまたまそれが通達を機縁として行われたものであっても、通達の内容が法の正しい解釈に合致するものである以上、法の根拠に基づく処分と解することができるとするのが判例である。

エ：憲法第84条により法律に基づいて定めることとされる事項は、租税の創設、改廃はもとより、納税義務者、課税物件、課税標準、税率等の課税の実体的要件も含まれるが、税の賦課徴収の手続的要件については、税の効率的かつ柔軟な賦課徴収を担保するという観点から、法律に基づいて定めることを要しな

直前復習

いとするのが判例である。

オ：形式的には租税ではないとしても、国民に対し、一方的・強制的に賦課徴収する金銭は、実質的に租税と同視しうるものであるから、道路占用料などの負担金、国公立美術館入場料などの手数料、電気・ガス料金などの公益事業の料金は、いずれも憲法第84条にいう「租税」に含まれ、これらは全て法律で定めなければならないと一般に解されている。

1：イ
2：ウ
3：ア、イ
4：ア、ウ
5：エ、オ

財政

チェック欄		
1回目	2回目	3回目

実践 問題 188 の解説

〈租税法律主義〉

ア× 判例は、国または地方公共団体が、課税権に基づき、その経費に充てるための資金を調達する目的をもって、特別の給付に対する反対給付としてでなく、一定の要件に該当するすべての者に対して課する金銭給付は、その形式のいかんにかかわらず、憲法84条に規定する租税にあたるとする。しかし、市町村が行う国民健康保険の保険料は、被保険者において保険給付を受けうることに対する反対給付として徴収されるものであるので、憲法84条の規定が直接に適用されることはないとする。もっとも、租税以外の公課であっても、賦課徴収の強制の度合いなどの点において、租税に類似する性質を持つものについては、憲法84条の趣旨が及ぶとし、本件保険料にも本条の趣旨が及ぶとした（旭川国民健保事件、最大判平18.3.1）。

イ× 判例は、農業共済組合が組合員に対して賦課徴収する共済掛金および賦課金について、国または地方公共団体が課税権に基づいて課する租税ではないから、憲法84条の規定が直接に適用されることはないが、組合への当然加入制が採られ、賦課徴収の強制の度合いにおいては租税に類似する性質を有するものであるから、本条の趣旨が及ぶとする。そして、農作物共済に係る共済掛金および賦課金の具体的な決定を、農業共済組合の定款または総会もしくは総代会の議決に委ねている点については、その決定を農業共済組合の自治に委ね、その組合員による民主的な統制のもとに置くものとしたものであって、その賦課に関する規律として合理性を有するものということができるから、憲法84条の趣旨に違反しないとした（最判平18.3.28）。

ウ○ 従来非課税とされていたものを通達によって課税物件とすることは、実質的に通達によって課税要件等を変更したことになり租税法律主義（憲法84条）に反しないかが問題となった事案で、判例は、本件の課税がたまたま通達を機縁として行われたものであっても、通達の内容が法の正しい解釈に合致するものである以上、本件課税処分は法の根拠に基づく処分であるとしている（パチンコ球遊器事件、最判昭33.3.28）。

エ× 租税法律主義（憲法84条）について、判例は、民主政治のもとでは国民は国会におけるその代表者を通して、自ら国費を負担することが根本原則であり、国民はその総意を反映する租税立法に基づいて自主的に納税の義務を負うものとされ（憲法30条参照）、その反面において新たに租税を課しまたは現行の租税を変更するには法律または法律の定める条件によることが必要とされている（憲法84条）とし、そうであれば、租税を創設し、改廃するのはもとより、納税義務者、課税標準、徴税の手続はすべて法律に基づいて定められなければならないとしている（最大判昭30.3.23）。

オ× 「租税」（憲法84条）とは、国または地方公共団体が、その課税権に基づいて、その使用する経費に充当するために、国民から強制的に徴収する金銭給付のことをいい、特別のサービスに対する反対給付の性質を持たないものをいう。ここで、租税の範囲について、たとえば道路負担金については、特定の事業と特別の関係にある者がその経費を負担するので固有の意味での租税とはいえないが、公共の経費に充てるために強制的に国民から徴収するものであり実質的に憲法84条の適用があると解されている。しかし、国公立美術館の入場料といった手数料については、公の施設の利用に対する反対給付として徴収する料金であり、強制的な賦課・徴収の性格を持たないから租税には含まれない。また、電気・ガス料金などの公益事業の料金については、その支払いを強制されるという点では租税と同様に扱われるべきとする説もある。

以上より、妥当なものはウであり、肢２が正解となる。

正答 2

第4章

財政

章末CHECK　? Question

Q1 財政民主主義とは、国の財政を処理する権限は国民の代表機関である「国会」の議決に基づいて行使しなければならないことをいう。

Q2 租税法律主義は、納税義務者、課税物件、課税標準、税率等の租税の課税要件を法律で定めればならないことを意味し、租税の賦課・徴収の手続を法律で定めなければならないことを含まない。

Q3 租税法律主義からは、条例で課税要件を定めることは許されない。

Q4 判例は、従来非課税とされていた物件が通達によって課税対象となったことは、法の根拠のない処分であるから、違憲であるとする。

Q5 判例によれば、租税以外の公課であっても、租税に類似する性質を持つものについては、本条の趣旨が及ぶ。

Q6 国会議員は、その所属する議院に予算案を提出することができる。

Q7 予算については、衆議院に先議権が認められている。

Q8 予算は法律そのものではないから、政府に対する拘束力はないと解するのが多数説である。

Q9 予算が成立していれば、別個に法律を制定しなくとも、その予算を執行することができる。

Q10 予算について、国会が減額修正をすることは認められるが、増額修正をすることは一切認められていない。

Q11 予備費の支出については事前に国会の承諾を得る必要がある。

Q12 決算は、予算と同様に法規範性を有する。

Q13 決算は、すべて毎年会計検査院が検査し、内閣は、この検査報告とともに決算を国会に提出しなければならない。

Q14 内閣は、国会および国民に対して、定期に、少なくとも毎年1回、国の財政状況について報告すれば足りる。

Q15 憲法は宗教上の組織・団体に対する公金の支出を禁じているが、これは信教の自由および政教分離原則を、財政の面から確保しようとしたものである。

Q16 私立学校に対して公金を支出することは、憲法89条後段に違反しており、許されない。

A1 ○ 憲法83条が、財政民主主義を定めている。

A2 × 租税法律主義（憲法84条）から、法的安定性と予測可能性を確保するために、課税要件のみならず、賦課・徴収手続も法律で定めなければならない。

A3 × 憲法84条は租税法律主義を定めたものであるが、この「法律」は条例をも含むものと解されている。

A4 × 判例は、課税がたまたま通達を契機として行われたとしても、通達の内容が法の正しい解釈に合致する以上、課税処分は法の根拠に基づくものであるとしている（最判昭33.3.28）。

A5 ○ 旭川国民健保事件（最大判平18.3.1）は、本問と同様の趣旨を述べている。

A6 × 予算の作成権限は内閣に専属するものとされており（憲法73条５号、86条）、国会議員が予算案を提出することはできない。

A7 ○ 憲法60条１項は、予算は先に衆議院に提出するものとしている。

A8 × 予算は法律と区別される独自の法形式であるとする予算法形式説が多数説であり、法律と同様に政府に対する拘束力を有すると解されている。

A9 × 予算と法律とは別個のものであると解されているから、法律の根拠がない場合には予算を執行することはできない。

A10 × 予算の同一性を損なわない範囲内であれば、増額修正をすることもできると解されている。

A11 × 予備費の支出については、事前に国会の承諾を得る必要はなく、事後に国会の承諾を得れば足りる（憲法87条２項）。

A12 × 決算とは、一会計年度における国の収入支出の実績を示す確定的計算書をいい、予算と異なり法規範性を有しない。

A13 ○ 憲法90条が、本問のように定めている。

A14 ○ 憲法91条は本問のとおり規定している。

A15 ○ 本問のとおりである。

A16 × 私立学校に対する助成金の支出は、公費の濫用・不当な利用を防止しうる程度の監督があれば、憲法89条後段には違反しない、と解されている。

memo

第5章 地方自治

SECTION

① 地方自治

第5章 地方自治

出題傾向の分析と対策

試験名	地 上			国家一般職			特別区			裁判所職員			国税・財務・労基			国家総合職		
年 度	16-18	19-21	22-24	16-18	19-21	22-24	16-18	19-21	22-24	16-18	19-21	22-24	16-18	19-21	22-24	16-18	19-21	22-24
出題数 / セクション			1	1	1		1	1	1	1			1	2	1	1	1	1
地方自治			★	★	★		★	★	★	★			★	★★	★	★	★	★

（注） 1つの問題において複数の分野が出題されることがあるため、星の数の合計と出題数とが一致しないことがあります。

地方自治については、憲法ではあまり出題されていません。そうした中、条例に関する出題が比較的多いです。

地方上級

たまに出題されます。今後出題される場合でも、問われる内容は基本的なものですので、過去問を繰り返し解いて、基本的な知識を身につけてください。

国家一般職

3年に1回くらいの頻度で出題されています。自治権の法的根拠など細かな知識まで問われることがありますので、過去問を解いてしっかり知識を身につけてください。

特別区

3年に1回くらいの頻度で出題されています。問われている内容は基本的なものですので、過去問を繰り返し解いて、基本的な知識を身につけてください。

裁判所職員

最近はほとんど出題されていません。今後出題される可能性はありますが、過去に問われた内容は基本的なものですので、過去問を繰り返し解いて、基本的な知識を身につけてください。

国税専門官・財務専門官・労働基準監督官

2年に1回くらいの頻度で出題されています。過去問を解いて、基本的な知識を身につけておいてください。

国家総合職

3年に1回くらいの頻度で出題されています。条例制定権に関する出題が目立ちますので、この分野を中心に勉強してください。

第5章 地方自治

Advice アドバイス 学習と対策

地方自治の細かな知識は行政法で問われるため、憲法ではあまり問われることはありません。

憲法では、地方自治の本旨、自治権の根拠、条例制定権など基本的な事項についてしか問われませんので、過去問を繰り返し解くことで、そうした基本的な知識を身につけてください。

地方自治

地方自治

必修問題 セクションテーマを代表する問題に挑戦！

出題頻度はあまり高くない分野なので、過去問を解いて基本的な知識を身につけましょう。

問 日本国憲法に規定する条例又は特別法に関する記述として、判例、通説に照らして、妥当なのはどれか。 (特別区2022)

1：地方公共団体は、法律の範囲内で条例を制定することができるが、この条例には、議会が制定する条例のみならず、長が制定する規則も含まれる。

2：地方公共団体は、法律の範囲内で条例を制定することができるが、法律で定める規制基準より厳しい基準を定める条例は一切認められない。

3：財産権の内容については、法律によってのみ制約可能であり、条例による財産権の制限は認められない。

4：最高裁判所の判例では、大阪市売春取締条例事件において、条例によって刑罰を定める場合、法律の授権が相当な程度に具体的で、限定されていれば足りると解するのは正当でなく、個別的・具体的委任を要するものとした。

5：一の地方公共団体のみに適用される特別法は、法律の定めるところにより、特別の国民投票においてその過半数の同意を得なければ、制定することができない。

直前復習

Guidance ガイダンス

地方自治の保障の性質
・地方公共団体の自然権、固有権的な基本権の保障ではなく、地方自治という歴史的、伝統的制度の保障とするのが通説

条例制定権の範囲と限界
・憲法29条２項の「法律」には条例も含まれ、条例による財産権制限も可
・条例で刑罰を定める場合、法律の授権が相当程度に具体的であり、限定されていれば可
・憲法84条の「法律」には条例も含まれ、課税要件を条例で定めても可

頻出度	地上★	国家一般職★★	特別区★★
	裁判所職員★★	国税･財務･労基★	国家総合職★

チェック欄		
1回目	2回目	3回目

〈条例・地方自治特別法〉

1 ○ 地方公共団体は、法律の範囲内で条例を制定することができる（憲法94条）。ここにいう「条例」とは、地方公共団体が自律的に定める自治立法を意味する。すなわち、その内容は、地方公共団体の議会の制定する条例のみならず、長の制定する規則、教育委員会や人事委員会など各種委員会の定める規則なども広く含まれる。

2 × 法律が定める規制基準より厳しい基準を条例で定めることも許される場合があるので、本肢は妥当でない。判例は、「特定事項についてこれを規律する国の法令と条例とが併存する場合でも、後者が前者とは別の目的に基づく規律を意図するものであり、その適用によって前者の規定の意図する目的と効果をなんら阻害することがないときや、両者が同一の目的に出たものであっても、国の法令が必ずしもその規定によって全国的に一律に同一内容の規制を施す趣旨ではなく、それぞれの普通地方公共団体において、その地方の実情に応じて、別段の規制を施すことを容認する趣旨であると解されるときは、……条例が国の法令に違反する問題は生じえない」とし、法律の基準よりも厳しい基準の条例の定立を許容している（徳島市公安条例事件、最大判昭50.9.10）。

3 × 憲法29条２項は、「財産権の内容は、公共の福祉に適合するやうに、法律でこれを定める」としているが、条例は住民の代表機関である議会の議決によって成立する民主的立法であり、実質的には法律に準ずるものであるから、同項の法律には条例が含まれると解されている。

4 × 判例は、「条例は、……公選の議員をもって組織する地方公共団体の議会の議決を経て制定される自治立法であって、行政府の制定する命令等とは性質を異にし、むしろ国民の公選した議員をもって組織する国会の議決を経て制定される法律に類するものであるから、条例によって刑罰を定める場合には、法律の授権が相当な程度に具体的であり、限定されておればたりる」としている（最大判昭37.5.30）。

5 × 一の地方公共団体のみに適用される特別法を制定するには、特別の国民投票ではなく、地方公共団体の住民投票が必要となる（憲法95条）。したがって、本肢は妥当でない。

正答 1

第5章 地方自治

第5章 SECTION 1 地方自治

地方自治

1 地方自治の意義

> 憲法92条
> 　地方公共団体の組織及び運営に関する事項は、地方自治の本旨に基いて、法律でこれを定める。
> ⇓
> 住民自治と団体自治

(1) 住民自治

住民自治とは、地方の政治および行政が、その地方の住民の意思に基づいて自主的に行われることをいいます（地方自治の民主主義的意義）。

(2) 団体自治

団体自治とは、国から独立した法人格を有する団体（地方公共団体）の設置を認め、地方の政治・行政は当該団体自らの意思と責任のもとで行われることをいいます（地方自治の自由主義的意義）。

2 地方自治の保障

地方自治の保障は、歴史的・伝統的に確立されてきた地方自治という制度を憲法が保障するもの、と解するのが通説です（制度的保障説）。

これによると、「地方自治の本旨」とは、法律をもってしても侵すことのできない地方自治制度の核心部分を意味することになります。

地方自治権の由来をめぐっては、国家成立以前から認められるものであるとする固有権説と、国家の承認により初めて認められたものであるとする伝来説の対立があります。

3 地方公共団体の意味

地方公共団体といえるためには、事実上住民が経済的文化的に密接な共同生活を営み、共同体意識を持っているという社会的基盤が存在し、沿革的にも現実の行政のうえにおいても相当程度の自主立法権、自主行政権、自主財政権など地方自治の基本的権能を付与された地域団体であることを要する、とするのが判例です。

判例は、特別区（東京23区がこれにあたる）は憲法93条２項にいう「地方公共団体」とは認められない、としています。

4 地方公共団体の機関

(1) 議会

地方公共団体には、法律の定めるところにより、議事機関として議会が設置されます（憲法93条1項）。地方公共団体の議会の議員は、地方公共団体の住民が、直接これを選挙するものとされています（憲法93条2項）。

町村においては、議会を置かずに、選挙権を有する者の総会（町村総会）を設けることもできます（地方自治法94条）。

(2) 地方公共団体の長

地方公共団体の長は、議会の議員と同様、住民による直接選挙によって選出されます（憲法93条2項）。

5 条例とは

地方公共団体は、法律の範囲内で条例を制定することができます（憲法94条）。憲法上の条例とは、地方公共団体がその自治権に基づいて制定する自主法を意味します。

憲法94条にいう「条例」には、地方公共団体の議会が制定する「条例」のほか、地方公共団体の長などが制定する「規則」も含まれます。

6 条例制定権の範囲と限界

第1に、**条例は「法律の範囲内」で制定しなければならない**ものとされています（憲法94条）。つまり、法律に反する条例は許されません。

《徳島市公安条例事件》最大判昭50.9.10
【判旨】条例が国の法令に違反するかどうかは、両者の対象事項と規定文言を対比するのみでなく、それぞれの趣旨、目的、内容および効果を比較し、両者の間に矛盾抵触があるかどうかによってこれを決しなければならない。

第2に、条例で制定できるのは、地方自治の事務に関する事項に限られます（地方自治法14条1項）。ここでは、憲法上法律に留保されている事項について、条例による規制が可能かどうかが問題となります。

① 条例による財産権制限

憲法29条2項は、財産権の内容を「法律」で定めると規定していますが、判例・

地方自治

通説は、この「法律」には条例も含まれ、条例により財産権を制限することもできると解しています。

② 条例と罪刑法定主義

判例は、条例によって刑罰を定める場合には、法律の授権が相当程度に具体的であり、限定されていれば足りる、としています（最大判昭37.5.30）。

③ 条例と租税法律主義

憲法84条が定める租税法律主義の「法律」には条例も含まれ、課税要件を条例で定めることもできる、とするのが判例・通説です。

memo

地方自治

地方自治

実践 問題 189 基本レベル

頻出度	地上★　国家一般職★★　特別区★★ 裁判所職員★★　国税·財務·労基★　国家総合職★

問 日本国憲法に規定する地方自治に関する記述として、通説に照らして、妥当なのはどれか。 (特別区2017)

1：憲法は、地方自治の章を設け地方自治を保障しているが、この保障の性質は、地方自治という歴史的、伝統的、理念的な公法上の制度の保障ではなく、地方自治が国の承認する限りにおいて認められるという保障である。

2：憲法は、地方公共団体の組織及び運営に関する事項は、地方自治の本旨に基づいて、法律でこれを定めると規定しており、この地方自治の本旨には、住民自治と団体自治の２つの要素がある。

3：憲法は、地方公共団体には、法律の定めるところにより、その議事機関として議会を設置すると規定しており、町村において、条例で議会を置かず、選挙権を有する者の総会を設けることは、この憲法の規定に違反する。

4：憲法は、地方公共団体は、法律の範囲内で条例を制定することができると規定しているが、この条例には、議会の議決によって制定される条例及び長の制定する規則は含まれるが、各種委員会の定める規則は含まれない。

5：憲法は、一の地方公共団体のみに適用される特別法を規定しているが、この一の地方公共団体とは一つの地方公共団体のことであり、複数の地方公共団体を当該特別法の対象とすることはできない。

チェック欄

1回目	2回目	3回目

実践 問題 189 の解説

〈地方自治〉

1 × 地方自治の性格については、学説上、①個人が国家に対して固有権を持つと同時に、地方公共団体が国家に対して固有の基本権を持つとする固有権説、②地方自治は国家が承認する限りにおいて認められるものとする承認説（伝来説）、③地方自治という、歴史的・伝統的制度を憲法上保障したものとする制度的保障説がある。通説は、本肢が否定した③の制度的保障説である。本肢は②の立場であり、妥当でない。

2 ○ 憲法92条の「地方自治の本旨」には、①地方の政治・行政が、その地方の住民の意思に基づいて主体的に行われるという民主主義的要素（**住民自治**）と、②国から独立した法人格を有する団体（地方公共団体）の設置を認め、地方の政治・行政は当該団体自らの意思と責任のもとで行われるという自由主義的要素（**団体自治**）という２つの要素が含まれる。

3 × 地方自治法94条は、町村が、条例によって、議会を置かずに選挙権を有する者の総会（町村総会）を設置することを認めているが、この制度は、地方公共団体に議会の設置を要求する憲法93条等に違反しないと解されている。なぜなら、人口が少ない町村においては、選挙権を有する者の会議により団体の意思を決定することができる総会を設けたほうが代議制よりも住民自治に合致するといえるからである。

4 × 憲法94条の「**条例**」とは、**地方公共団体が自律的に定める自治立法を意味する**ところ、その内容は、地方公共団体の議会の制定する条例、長の制定する規則に加えて、教育委員会や人事委員会など各種委員会の定める規則なども広く含まれると解されている。したがって、各種委員会の規則も憲法94条の条例に含まれるので、本肢は妥当でない。

5 × 憲法95条は、国会による「一の地方公共団体のみに適用される特別法」の制定には、住民投票による過半数の同意を要件としている。この「一の」とは、文字どおり「１つの」という意味ではなく、「特定の」という意味に解されている。したがって、複数の地方公共団体を当該特別法の対象とすることができる。

第5章 地方自治

正答 2

地方自治

地方自治

実践 問題 190 基本レベル

頻出度	地上★　国家一般職★★　特別区★★ 裁判所職員★★　国税･財務･労基★　国家総合職★

問 条例に関する次の記述のうち、妥当なのはどれか。　　(国家一般職2018)

1：地方公共団体は、その区域内における当該地方公共団体の役務の提供等を受ける個人又は法人に対して国とは別途に課税権の主体となることまで憲法上予定されているものではないが、法律の範囲内で条例を制定することができるものとされていることなどに照らすと、地方公共団体が法律の範囲内で課税権を行使することは妨げられないとするのが判例である。

2：財産権の内容については、法律により統一的に規制しようとするのが憲法第29条第2項の趣旨であるから、条例による財産権の規制は、法律の個別具体的な委任がある場合を除き、許されないと一般に解されている。

3：憲法第31条は、必ずしも刑罰が全て法律そのもので定められなければならないとするものではなく、法律の委任によってそれ以下の法令で定めることもできるが、条例によって刑罰を定める場合には、その委任は、政令への罰則の委任の場合と同程度に個別具体的なものでなければならないとするのが判例である。

4：憲法が各地方公共団体の条例制定権を認める以上、地域によって差別を生ずることは当然に予期されることであるから、かかる差別は憲法が自ら容認するところであり、したがって、地方公共団体が売春の取締りについて各別に条例を制定する結果、その取扱いに差別を生ずることがあっても、憲法第14条に違反しないとするのが判例である。

5：ある事項について規律する国の法令が既にある場合、法令とは別の目的に基づいて、法令の定める規制よりも厳しい規制を条例で定めることができるが、法令と同一の目的に基づいて、法令の定める規制よりも厳しい規制を条例で定めることは、国の法令の趣旨にかかわらず、許されないとするのが判例である。

直前復習

チェック欄		
1回目	2回目	3回目

実践 問題 190 の解説

〈条例〉

1 × 判例は、地方公共団体は、地方自治の本旨に従い、財産を管理し、事務を処理し、および、行政を執行する権能を有するところ（憲法92条・94条）、これらを行うためには財源調達の権能を要することから、憲法上、課税権の主体となることが予定されているとしている（最判平25.3.21）。したがって、地方公共団体が課税権の主体となることまで憲法上予定されているものではないと述べる本肢は妥当でない。

2 × 奈良県ため池条例事件において判例は、ため池の破損・決壊の原因となる堤とうの使用行為は、憲法・民法の保障する財産権の保障のらち外にあり、これらの行為を法律の委任なく条例で禁止・処罰しても、憲法・法律に抵触・逸脱するものとはいえないとしている（最大判昭38.6.26）。したがって、法律の個別具体的な委任がなくとも条例により財産権を規制しうるので、本肢は妥当でない。

3 × 判例は、刑罰は、法律の授権によって、それ以下の法令で定めることもできるとしており（憲法73条６号但書参照）、条例は公選の議員をもって組織する地方公共団体の議会の議決を経て制定される自治立法であることなどを理由に、条例で刑罰を定める場合には個別具体的な委任までは要せず、法律の授権が相当程度に具体的であり限定されていれば憲法31条に反しないとしている（最大判昭37.5.30）。

4 ○ 判例は、憲法94条が各地方公共団体の条例制定権を認める以上、地域によって差別を生ずることは当然に予期されることであるから、都道府県ごとによって異なる刑罰を定める売春等取締条例は違憲にならないとした（最大判昭33.10.15）。

5 × 法令と同一の目的に基づく条例を制定することが許されるかどうかにつき判例は、国の法令が必ずしもその規定によって全国的に一律に同一内容の規制を施す趣旨ではなく、それぞれの普通地方公共団体において、その地方の実情に応じて、別段の規制を施すことを容認する趣旨であるときは、国の法令と条例との間には矛盾抵触はなく、当該条例は国の法令に違反しないとした（徳島市公安条例事件、最大判昭50.9.10）。したがって、法令と同一目的の条例を制定することが許される場合があるので、本肢は妥当でない。

正答 4

地方自治
地方自治

実践 問題 191 基本レベル

頻出度	地上★	国家一般職★★	特別区★★
	裁判所職員★★	国税·財務·労基★	国家総合職★

問 **地方自治に関する次の記述のうち、妥当なのはどれか。** **(財務・労基2021)**

1：憲法が定める地方自治の本旨とは、住民自治と団体自治の二つを要素としており、憲法は、団体自治の原則を具現化するため、地方公共団体の長や議会の議員を住民が直接選挙することを定めていると一般に解されている。

2：憲法は、地方公共団体の長は、その地方公共団体の住民が直接選挙することとしているが、ここでいう「地方公共団体」は都道府県を指しており、したがって、市町村の長を当該市町村の議会の議員による間接選挙により選出することは憲法の規定に違反しないと一般に解されている。

3：条例は、地方公共団体の議会の議決を経て制定される自治立法ではあるが、国会の議決を経て制定される法律以下の法令であり、法律とはその性質を異にするものであることから、法律の授権が相当な程度に具体的なものであっても、条例で刑罰を定めることは許されないとするのが判例である。

4：地方公共団体は法律の範囲内において条例を制定することができるが、条例が国の法令に違反するかどうかは、両者の対象事項と規定文言を対比するのみでなく、それぞれの趣旨、目的、内容及び効果を比較し、両者の間に矛盾抵触があるかどうかによって判断しなくてはならないとするのが判例である。

5：憲法における「地方公共団体」といえるためには、事実上住民が経済的文化的に密接な共同生活を営み、共同体意識を持っているという社会的基盤が存在し、沿革的にみても、また現実の行政の上においても、相当程度の自主立法権、自主行政権、自主財政権等地方自治の基本的権能を付与された地域団体であることが必要であるところ、東京都の特別区はかかる実体を備えた団体であり、憲法上の地方公共団体に当たるとするのが判例である。

チェック欄

1回目	2回目	3回目

実践 問題 191 の解説

〈地方自治〉

1 × 憲法（以下、本解説において法令名を省略する）92条にいう「地方自治の本旨」には、住民自治と団体自治の２つの要素がある。住民自治とは、地方自治が住民の意思に基づいて行われるという民主主義的要素であり、団体自治とは、地方自治が国から独立した団体に委ねられ、その意思と責任においてなされるという自由主義的・権力分立的要素である。地方公共団体の長や議会の議員を住民が直接選挙することは住民自治の原則を具現化したものであり、団体自治の原則から導かれるものではない。

2 × 地方公共団体には市町村も含まれるため、本肢は妥当でない。地方公共団体の長は住民の直接選挙によらなければならない（93条）。ここにいう「地方公共団体」とは、地方自治の沿革や実態を考えると、都道府県と市町村という標準的な二段階の地方公共団体を指すと解されている。

3 × 条例で刑罰を定めることができるので、本肢は妥当でない。判例は、条例は民主的基盤を有する（公選議員から構成される）地方議会が定める自治立法であり、行政権の制定する命令とは性質を異にし、むしろ法律に類するため、「条例によって刑罰を定める場合には、法律の授権が相当な程度に具体的であり、限定されておればたりる」としている（最大判昭37.5.30）。

4 ○ 徳島市公安条例事件において、判例は、条例が国の法令に違反するかどうかは、両者の対象事項と規定文言を対比するのみでなく、それぞれの趣旨、目的、内容および効果を比較し、両者の間に矛盾抵触があるかどうかによりこれを決しなければならないとしている（最大判昭50.9.10）。

5 × 92条は、地方公共団体の組織について、法律でこれを定めることを規定しているが、いかなる地方公共団体を設けるかについて、完全に法律に委ねているわけではなく、地方自治の本旨に基づき、憲法上保障された一定の地方公共団体の存在が認められている。この点につき、判例は、93条の地方公共団体といえるためには、①事実上住民が経済的文化的に密接な共同生活を営み、共同体意識を持っているという社会的基盤が存在し、②沿革的にみても、また現実の行政の上においても、相当程度の自主立法権、自主行政権、自主財政権など地方自治の基本的権能を付与された地域団体であることが必要であるとしている。そして、東京都特別区はこの基準にあたらないとしている（最大判昭38.3.27）。

正答 4

第5章 SECTION 1 地方自治 地方自治

実践 問題 192 基本レベル

頻出度　地上★　国家一般職★★　特別区★★　裁判所職員★★　国税·財務·労基★　国家総合職★

問 条例に関するア～オの記述のうち、妥当なもののみを全て挙げているのはどれか。
(国税・財務・労基2016)

ア：憲法第31条は必ずしも刑罰が全て法律そのもので定められなければならないとするものでなく、法律の授権によってそれ以下の法令によって定めることもできると解すべきであるところ、条例によって刑罰を定める場合には、法律の授権が相当な程度に具体的であり、限定されていれば足りるとするのが判例である。

イ：憲法第29条第２項は、「財産権の内容は、公共の福祉に適合するやうに、法律でこれを定める」と規定しているところ、この「法律」には条例は含まれないため、法律の個別的な委任がある場合を除いて、条例で財産権を規制することはできないと一般に解されている。

ウ：特定事項についてこれを規律する国の法令と条例とが併存する場合において、両者が同一の目的に出たものであっても、国の法令が必ずしもその規定によって全国的に一律に同一内容の規制を施す趣旨ではなく、それぞれの普通地方公共団体において、その地方の実情に応じて、別段の規制を施すことを容認する趣旨であると解されるときは、条例が国の法令に違反する問題は生じ得ないとするのが判例である。

エ：憲法が各地方公共団体の条例制定権を認める以上、地域によって差別を生ずることは当然に予期されることであるから、かかる差別は憲法自ら容認するところであると解すべきであり、地方公共団体が各別に条例を制定する結果、その取扱いに差別を生ずることがあっても、地域差を理由に違憲ということはできないとするのが判例である。

オ：憲法第84条は、「あらたに租税を課し、又は現行の租税を変更するには、法律又は法律の定める条件によることを必要とする」と規定しているところ、この「法律」には条例が含まれないため、条例によって地方税を定めることはできないと一般に解されている。

1：ア、ウ
2：イ、エ
3：ア、イ、オ
4：ア、ウ、エ
5：イ、ウ、オ

チェック欄

1回目	2回目	3回目

実践 問題 192 の解説

〈条例〉

ア○ 判例は、刑罰は法律の授権によってそれ以下の法令によって定めることもできるとしており、条例は公選の議員をもって組織する地方公共団体の議会の議決を経て制定される自治立法であることなどを理由に、条例で刑罰を定める場合には、法律の授権が相当程度に具体的であり限定されていれば憲法31条に反しないとする（最大判昭37.5.30）。

イ× 通説によると、憲法29条2項は、財産権の制限を民主主義の理念に求めたものであり、同項の「法律」には条例が含まれ、法律の委任なくして条例で財産権を規制することができると解している。判例も、財産権を規制する条例について、法律の個別的な委任を前提としていない（奈良県ため池条例事件、最大判昭38.6.26）。

ウ○ 特定事項についてこれを規制する国の法令と条例が併存する場合に両者の関係が問題となるが、判例は、両者が同一の目的に出たものであっても、国の法令が必ずしもその規定によって全国的に一律に同一内容の規制を施す趣旨ではなく、それぞれの普通地方公共団体において、その地方の実情に応じて、別段の規制を施すことを容認する趣旨であると解されるときは、国の法令と条例との間には何らの矛盾抵触はなく、条例が国の法令に違反する問題は生じ得ないとしている（徳島市公安条例事件、最大判昭50.9.10）。

エ○ 判例は、憲法94条が各地方公共団体の条例制定権を認める以上、地域によって差別を生ずることは当然に予期されることであるから、都道府県ごとによって異なる刑罰を定める売春等取締条例について地域差を理由として違憲とはいえないとしている（最大判昭33.10.15）。

オ× 条例による地方税の賦課徴収は憲法84条の租税法律主義に違反しないかについて通説は、同条の趣旨は行政による専断的な課税を防止することにあるから、民主的な手続により制定される条例は憲法84条の法律に含まれると解している。判例も、地方公共団体は憲法上課税権の主体となることが予定されており、法律の範囲内で条例により課税することができるとしている（神奈川県臨時特例企業税事件、最判平25.3.21）。

以上より、妥当なものはア、ウ、エであり、肢4が正解となる。

正答 4

地方自治
地方自治

実践 問題 193 基本レベル

頻出度	地上★	国家一般職★★	特別区★★★
	裁判所職員★★	国税·財務·労基★	国家総合職★

問 日本国憲法に規定する地方自治に関する記述として、通説に照らして、妥当なのはどれか。
(特別区2015)

1：地方自治権の性質として、個人が国家に対して不可侵の権利をもつのと同様に地方自治体も基本権を有するという承認説と、国は地方自治の廃止を含めて地方自治保障の範囲を法律によって定めることができるという固有権説がある。

2：憲法では、地方公共団体には、法律の定めるところにより、その議事機関として議会を設置すると定めており、法律で、町村において議会を置かず、選挙権を有する者の総会を設けることができる旨の規定を設けることはできない。

3：憲法では、地方公共団体の長、その議会の議員及び法律の定めるその他の吏員は、その地方公共団体の住民が、直接これを選挙すると定めており、法律の定めるその他の吏員を必ず設けなければならない。

4：憲法では、法律の範囲内で、条例を制定することができると定めており、この条例とは、地方公共団体の議会の議決によって制定される条例のみが当たり、長の制定する規則はこれに当たらない。

5：特定の地方公共団体のみに適用される特別法は、法律の定めるところにより、その地方公共団体の住民の投票においてその過半数の同意を得なければ、国会は、これを制定することはできない。

チェック欄

1回目	2回目	3回目

実践 問題 193 の解説

〈地方自治〉

1 × 本肢は、地方自治の性質に関する説について、承認説と固有権説との内容が逆であるので、妥当でない。地方自治の性格について、①個人が国家に対して固有権を持つのと同様に、地方公共団体も国家に対して固有の基本権を持つとする固有権説、②地方自治は国家が承認する限りにおいて認められるものとする承認説（伝来説）、③地方自治という歴史的・伝統的制度を憲法上保障したものとする制度的保障説がある。なお、**制度的保障説が通説である**。

2 × 本肢は、法律で、町村において議会を置かず、選挙権を有する者の総会を設けることができる旨の規定を設けることはできないとする点で妥当でない。憲法93条１項は、「地方公共団体には、法律の定めるところにより、その議事機関として議会を設置する」と規定するが、町村に議会を置かず、選挙権を有する住民によって構成される**町村総会**（地方自治法94条）を置くことも、住民自治・団体自治の精神に反するとはいえず、憲法に違反しないと解されている。

3 × 本肢は、法律の定めるその他の吏員を必ず設けなければならないとしている点で、妥当でない。憲法93条２項は、住民自治（肢２参照）の理念に基づき、地方公共団体の長・議員、その他の職員が住民の直接選挙に基づいて選任されることを規定するが、「法律の定めるその他の吏員」は、法律事項なので、法律により設けないとすることもできる。

4 × 憲法にいう条例とは、長の制定する規則を含んだいわゆる自治立法を意味するところ、本肢は、長の制定する規則は条例にあたらないとする点において妥当でない。憲法94条は、「地方公共団体は、その財産を管理し、事務を処理し、及び行政を執行する権能を有し、法律の範囲内で条例を制定することができる」と規定する。**この趣旨は、団体自治（肢２参照）の理念に基づいて地方公共団体の行政権と立法権を保障するとともに、条例制定権を認め、地方の特性に応じた政治を実現させる点にある**。それゆえ、本条の「条例」は、地方議会が制定する条例と地方公共団体の長その他の執行機関が定める規則を包括し、憲法が地方公共団体に直接授権した自治立法権により定められる法規範全体を意味するのである。

5 ○ 本肢は、憲法95条の規定するとおりであり、妥当である。**同条の趣旨は、国の特別法による地方自治権の侵害を防止することにある**。なお、本条は２つの例外的契機を含む。第１は、国会単独立法の原則（憲法41条）の例外である。第２は、住民の立法過程への直接参加という点で直接民主制を導入したものだが、間接民主制（憲法前文１項・43条１項）を原則とする日本国憲法の例外的制度である。

正答 5

地方自治

地方自治

実践 問題 194 基本レベル

頻出度	地上★	国家一般職★★	特別区★★
	裁判所職員★★	国税·財務·労基★	国家総合職★

問 **地方自治に関するア～オの記述のうち、妥当なもののみを全て挙げているのはどれか。** **(財務・労基2020)**

ア：憲法第93条の地方公共団体といい得るためには、事実上住民が経済的文化的に密接な共同生活を営み、共同体意識を持っているという社会的基盤が必要であるところ、東京都の特別区は、かかる基盤を有しており、同条の地方公共団体ということができるとするのが判例である。

イ：地方公共団体は、地方自治の不可欠の要素として、国とは別途に課税権の主体となることが予定され、憲法第84条の租税法律主義の原則の下、法律の範囲内で、条例により課税することができるとするのが判例である。

ウ：憲法は、地方公共団体に議会を置くことを明文で要求しているため、町村において、条例で、議会を置かず、選挙権を有する者の総会を設けることはできない。

エ：地方公共団体の議会は、条例で定数配分規定を定めるに当たり、人口比例により算出される数に地域間の均衡を考慮した修正を加えて選挙区別の定数を決定する広範な裁量を有するため、その定数配分規定について、公職選挙法上の問題が生ずることはないとするのが判例である。

オ：刑罰を法律の授権によってそれ以下の法令によって定めることもできるところ、条例によって刑罰を定める場合には、法律の授権が相当な程度に具体的であり、限定されていれば足りるとするのが判例である。

1：ア、イ
2：ア、エ
3：イ、オ
4：ウ、エ
5：ウ、オ

チェック欄

1回目	2回目	3回目

実践 問題 194 の解説

〈地方自治〉

ア× 東京都の特別区が憲法上の地方公共団体であるかどうかが争われた事案につき、判例は、憲法93条の地方公共団体というためには、事実上住民が経済的文化的に密接な共同生活を営み、共同体意識を持っているという社会的基盤が存在し、沿革的にみても、また現実の行政の上においても、相当程度の自主立法権、自主行政権、自主財政権など地方自治の基本的権能を付与された地域団体であることを必要とするとし、東京都の特別区はこの基準に該当しないとした（最大判昭38.3.27）。

イ○ 判例は、地方公共団体は、地方自治の不可欠の要素として、国とは別途に課税権の主体となることが憲法上予定されているところ、租税法律主義（84条）の原則のもとで、地方自治の本旨を踏まえて、法律において課税標準、税率等の準則が定められた場合には、普通地方公共団体の課税権は、法律の範囲内で条例により行使することができるとした（神奈川県臨時特例企業税事件、最判平25.3.21）。

ウ× 町村は条例で、議会を置かず、選挙権を有する者の総会を設けることができる（地方自治法94条）。これを町村総会という。

エ× 判例は、地方議会に、選挙区別の定数を決定する広範な裁量を認めるも、議員定数配分に不平等が生じた場合、地域間の均衡を図るため通常考慮しうる諸般の要素をしんしゃくしてもなお一般的に合理性を有するものとは考えられない程度に達しているときは、このような不平等は、もはや地方議会の合理的裁量を超えているものとして、これを正当化すべき特別の理由が示されない限り、公職選挙法15条７項（現８項）違反になるとした（最判昭59.5.17）。よって、条例で定める議員定数配分規定については、公職選挙法上の問題が生じることもあるので、本記述は妥当でない。現に、本判例は、東京都議会議員選挙における議員定数配分規定を違法と判断した。

オ○ 判例は、憲法31条は必ずしも刑罰がすべて法律そのもので定められなければならないとするものではなく、法律の授権によってそれ以下の法令によって定めることもできるとし、条例によって刑罰を定める場合には、法律の授権が相当な程度に具体的であり、限定されておればたりるとした（最大判昭37.5.30）。

以上より、妥当なものはイ、オであり、肢３が正解となる。

正答 3

第5章

地方自治

章末CHECK

Question

Q1 住民自治とは、地方行政が住民の意思に基づいて行われなければならないことをいう。

Q2 地方公共団体の議会の議員を住民が直接選挙するものとされていることは、団体自治の現れであるといえる。

Q3 地方自治の保障は、歴史的・伝統的に確立されてきた地方自治という制度を憲法が保障するものと解するのが通説である。

Q4 判例によれば、特別区は憲法93条2項の地方公共団体にはあたらない。

Q5 地方公共団体の組織および運営に関する事項は、地方自治の本旨たる団体自治に基づいて、条例をもって定めることができる。

Q6 町村においては、議会を置かずに、選挙権を有する者による総会を設けることも認められる。

Q7 条例により、地方議会の長の直接公選制を廃止して、地方議会が長を選任するものとすることもできる。

Q8 地方公共団体の長が制定する「規則」も、憲法94条の「条例」に含まれる。

Q9 ある事項について、国の法令中にこれを規律する明文の規定がない場合には、条例を制定することは一切許されない。

Q10 判例は、条例によって刑罰を定める場合には、法律の授権が相当程度に具体的であり、限定されていれば足りるとしている。

Q11 憲法29条2項は、財産権の内容は法律で定める、としているが、この「法律」には条例は含まれず、条例により財産権を制限することはできない。

Q12 地方公共団体が売春等取締条例を制定し違反者に罰金を科す場合、地域によって罰金の額に差異を生ずることは、法の下の平等を定めた憲法14条に違反する。

Q13 条例が国の法令に違反するかどうかは、両者の対象事項と規定文言を対比するのみでなく、それぞれの趣旨、目的、内容および効果を比較し、両者の間に矛盾抵触があるかどうかによってこれを決しなければならない。

Q14 わが国に在留する外国人のうち、永住者等その居住する区域と密接な関係を持つに至ったと認められるものについては、法律をもって、地方公共団体の長、その議会の議員等に対する選挙権を付与する措置を講ずることは憲法上禁止されていない。

A1 ○ 本問のとおりである。

A2 × 地方公共団体の議会の議員を住民が直接投票により選出することは、住民自治の現れである。

A3 ○ 制度的保障説である。この立場によると、「地方自治の本旨（住民自治・団体自治）」が法律をもってしても侵すことのできない制度の核心部分ということになる。

A4 ○ 判例は、本問のとおりに解している（最大判昭38.3.27）。

A5 × 憲法92条は当該事項については、「法律でこれを定める」としており、条例で定めることは憲法に違反する。

A6 ○ 地方自治法94条が、本問のとおり定めている。

A7 × 地方議会の長については、直接公選制が定められている（憲法93条２項）。

A8 ○ 本問のように解されている。

A9 × 判例によると、法律の規定の欠如がいかなる規制も施すことなく放置すべきものとする趣旨でない場合には、条例を制定することは許される場合がある（徳島市公安条例事件、最大判昭50.9.10）。

A10 ○ 判例（最大判昭37.5.30）は、本問のように解している。条例は政令と異なり、その成立手続においては、法律と類似することを理由とする。

A11 × 条例は地方議会が民主的手続により制定するものであり、実質的に法律と同視できることから、条例により財産権を制限することもできると解されている。

A12 × 判例（最大判昭33.10.15）は、憲法が条例制定権を認める以上、地域によって差別を生ずることは当然に予期されるから、憲法自らこれを容認しており、憲法14条に反しないとしている。

A13 ○ 判例（徳島市公安条例事件、最大判昭50.9.10）は、本問のように述べている。

A14 ○ 判例（最判平7.2.28）は、本問のように述べ、在留外国人の地方選挙権は、憲法93条２項では保障されないが、法律により付与することは憲法上禁止されないとする（許容説）。なお、国政選挙の選挙権については、それが性質上わが国の国民のみに認められる権利であるとして、禁止説を採るのが判例・通説である。

memo

憲

第3編
憲法総論

憲法総論

SECTION

① 憲法総論

第1章　憲法総論

出題傾向の分析と対策

試験名	地上			国家一般職			特別区			裁判所職員			国税・財務・労基			国家総合職		
年度	16-18	19-21	22-24	16-18	19-21	22-24	16-18	19-21	22-24	16-18	19-21	22-24	16-18	19-21	22-24	16-18	19-21	22-24
出題数／セクション	1	1	2		1	1	1	1		1			2					1
憲法総論	★	★	★★		★	★	★	★		★			★★					★

（注）１つの問題において複数の分野が出題されることがあるため、星の数の合計と出題数とが一致しないことがあります。

憲法総論では、憲法改正と国事行為についてよく出題されます。

地方上級

比較的よく出題されています。最近では、国事行為について出題されています。憲法改正手続はしっかり勉強しておく必要があります。また、国事行為について細かな内容を問う問題が出されることがありますので、過去問を解いてしっかり理解しておいてください。

国家一般職

あまり出題されていませんでしたが、2024年に憲法改正手続について出題されました。過去問を解いて基本的な知識を身につけるようにしてください。

特別区

たまに出題されます。万全を期するのであれば、憲法改正手続について基本的な知識を身につけておいてください。

裁判所職員

あまり出題されていません。ただ、憲法改正手続については出題される可能性がありますので、過去問を解いて基本的な知識を身につけるようにしてください。

国税専門官・財務専門官・労働基準監督官

たまに出題されます。過去問を解いて基本的な知識を身につけてください。

国家総合職

たまに出題されます。憲法改正についてやや細かな知識を問われることがありますので、万全を期するのであれば、しっかり勉強しておいてください。

Advice アドバイス 学習と対策

憲法総論分野については、あまり出題されません。時間に余裕があって万全を期したいという受験生のみ、勉強したほうがよいです。

その中でも比較的よく出題されるのは、憲法改正と国事行為についてです。

憲法改正については、憲法改正手続の内容をしっかり勉強しておく必要があります。また、憲法改正の限界について、限界説・無限界説それぞれの内容を理解しておくとよいでしょう。

国事行為については、国事行為の法的性質に関する学説問題が問われることがありますので、各学説の内容を理解しておくようにしてください。

SECTION 1 憲法総論

必修問題 セクションテーマを代表する問題に挑戦！

憲法改正手続についてしっかり学んでおきましょう。

問 憲法の保障に関するア～オの記述のうち、妥当なもののみを全て挙げているのはどれか。（国家総合職2022）

ア：憲法は国の最高法規であるが、憲法の崩壊を招く政治の動きを事前に抑止し、又は、事後に是正するための装置は憲法保障制度と呼ばれる。我が国においては、こうした憲法秩序の維持は、最高法規を保障するものであるという性質上、憲法の明文の規定によってのみ行われるべきものとされ、法律レベルで憲法秩序の維持を目的とする規定の例はない。

イ：裁判所による違憲審査制度は、抽象的違憲審査制と付随的違憲審査制に大別される。最高裁判所は、裁判所は具体的な争訟事件が提起されないのに将来を予想して憲法及びその他の法律命令等の解釈について抽象的な判断を下すことができないと判示して、我が国の違憲審査制度が付随的違憲審査制であることを宣明している。

ウ：憲法第81条は、最高裁判所は、一切の法律、命令、規則又は処分が憲法に適合するかしないかを決定する権限を有する終審裁判所であると定めている。このため、違憲審査権は、最高裁判所にのみ与えられており、下級裁判所はこれを有しない。

エ：裁判所の違憲審査の対象に条約が含まれるか否かについて、最高裁判所は、条約は国家間の合意であり、およそ裁判所の違憲審査にはなじまない性質のものであるため、違憲審査の対象から除外されると判示した。

オ：憲法の改正は、各議院の総議員の３分の２以上の賛成で国会が発議し、国民に提案してその承認を経なければならない。憲法の改正案の原案の発議については、憲法の安定性を維持する観点から、衆議院においては議員100人以上、参議院においては議員50人以上の賛成を要するとされており、予算を伴う法律案を含むその他の議案の発議よりも厳しい要件が課せられている。

1：ア、イ
2：ア、オ
3：イ、エ
4：イ、オ
5：ウ、エ

直前復習

頻出度　地上★★　国家一般職★　特別区★　裁判所職員★★　国税･財務･労基★　国家総合職★★

必修問題の解説

チェック欄 1回目 2回目 3回目

〈憲法保障〉

ア× 法律レベルでも、刑法の内乱罪（77条）や破壊活動防止法等により憲法秩序の維持を目的とする規定の例があるので、本記述は妥当でない。

イ○ わが国の違憲審査制（憲法81条）は付随的違憲審査制である。すなわち、警察予備隊訴訟において判例は、本記述のように具体的事件を離れて抽象的に法律命令などの合憲性を判断する権限を有するとの見解を否定している（最大判昭27.10.8）。

ウ× 判例は、裁判官は憲法および法律に拘束され、また、憲法を尊重し擁護する義務を負うので、具体的訴訟事件に法令を適用して裁判するにあたり、その法令が憲法に適合するか否かを判断することは、憲法によって裁判官に課せられた職務と職権であり、このことは最高裁判所の裁判官であると下級裁判所の裁判官であるとを問わないとしている（最大判昭25.2.1）。したがって、下級裁判所も違憲審査権を有している。

エ× 日米安全保障条約の合憲性が問題となった砂川事件において判例は、「安全保障条約は、……主権国としてのわが国の存立の基礎に極めて重大な関係をもつ高度の政治性を有するものというべきであって、その内容が違憲なりや否やの法的判断は、……純司法的機能をその使命とする司法裁判所の審査には原則としてなじまない性質のもの」であるとしつつも、「一見極めて明白に違憲無効であると認められない限りは、裁判所の司法審査権の範囲外のものである」としている（最大判昭34.12.16）。したがって、成立した条約が一見極めて明白に違憲無効と認められる場合であれば、裁判所の違憲審査権を及ぼすことができる。

オ○ 本記述は憲法、国会法の規定を正しく述べており、妥当である。まず、本記述前段は憲法96条１項の規定のとおりであり、正しい。次に、議員による憲法改正案の原案の発議については、衆議院においては議員100人以上、参議院では議員50人以上の賛成が必要となる（国会法68条の２）。この要件は、予算を伴う法律案の発議（衆議院においては議員50人以上、参議院では議員20人以上の賛成）よりも厳しいので（同法56条１項但書）、本記述後段も正しい。

以上より、妥当なものはイ、オであり、肢４が正解となる。

正答 4

憲法総論

憲法総論

1 憲法とは

国家の基本秩序を定めた法（固有の意味の憲法）

2 憲法改正手続

国　会
⇩ 発議→各議院の総議員の３分の２以上の賛成
国　民
⇩ 改正→国民投票または国会議員の選挙で過半数の賛成※
天　皇
⇩ 公布→国民の名で、現行憲法と一体をなすものとして
憲法改正

※日本国憲法の改正手続に関する法律（国民投票法）では、有効投票総数（憲法改正案に対する賛成投票数および反対投票数の合計）の過半数（同法126条１項・98条２項）

3 前文の法的性質

法規範性　…あり
裁判規範性…なし

※法規範性
前文が憲法の一部をなし、本文と同じように憲法改正権を法的に拘束する効力

※裁判規範性
裁判所が裁判をする際の判断基準として用いることができる法規範

4 天皇の地位

明治憲法　…主権者（統治権の総覧者）
日本国憲法　…日本国民統合の象徴（憲法１条）

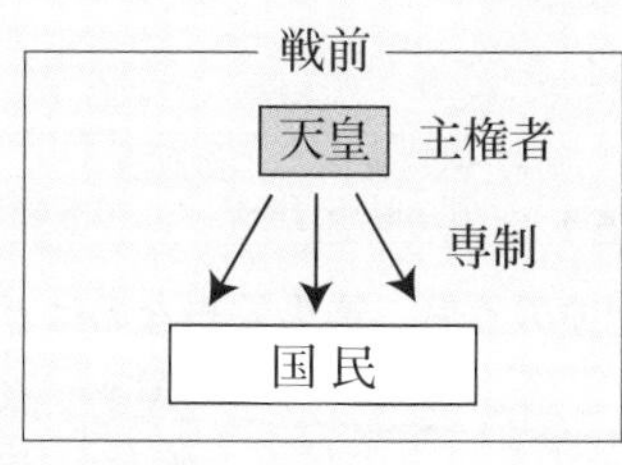

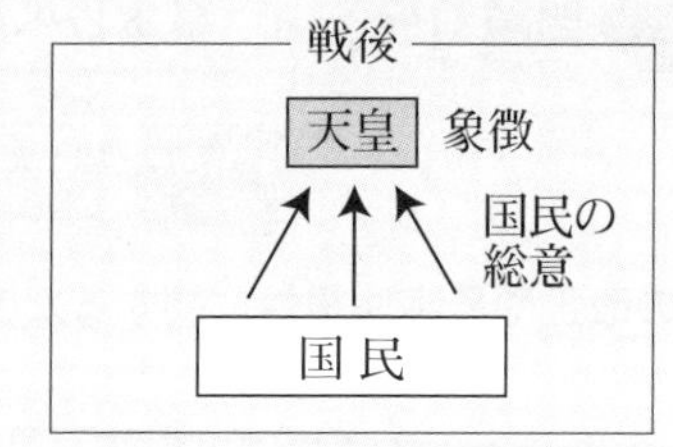

5 天皇の権能

天皇の法的責任について、通説は、民事責任を否定するべき理由はない、としつつ、刑事責任は否定される、と解しています。
ただし、判例は、天皇には民事裁判権が及ばないと解しており、その結果、裁判により天皇の民事責任を追及することはできないとしています。

(1) 国事行為

憲法は天皇の権限として国事に関する行為を行うことを認めていますが、この行為には内閣の助言と承認が必要とされています（憲法3条）。さらに、憲法4条1項で天皇は国政に関する権能を有しないとしています。この両条文の定めた基本原則のもと、憲法7条が具体的な国事行為を列挙しています。

天皇の国事行為について、実質的な権限は、助言と承認を与える内閣にあります。内閣は、その権限に基づき、天皇の国事行為に関して責任を負います（憲法3条）。

(2) 天皇の公的行為

天皇は、国会の開会式に参列して「おことば」を述べ、外国を公式に訪問するなど、純然たる私的行為でもなく、また国事行為にもあてはまらない行為を行っています。これらの行為は、天皇の象徴としての地位に基づく公的行為として認められると解されています。

6 皇室の経済

憲法は、皇室財産の国有化と皇室費用の予算化による国会の議決（憲法88条）、皇室の財産授受に対する国会の議決（憲法8条）を定め、皇室財産に対する民主的コントロールを実現しました。

憲法総論

憲法総論

実践 問題 195 基本レベル

頻出度			
	地上★★	国家一般職★	特別区★
	裁判所職員★★	国税·財務·労基★	国家総合職★★

問 憲法の改正や最高法規性に関する次の記述のうち、最も妥当なのはどれか。

(国家一般職2024)

1：憲法の改正は、各議院の出席議員の3分の2以上の賛成で国会が発議し、国民に提案してその承認を経なければならない。

2：憲法の改正における国民の承認は特別の国民投票によって行われる必要があり、この投票を衆議院議員の総選挙又は参議院議員の通常選挙と同一の期日に行うことはできない。

3：憲法の改正の発議に係る手続及び憲法改正の国民の承認に係る投票に関する手続は、いずれも公職選挙法で規定されている。

4：憲法第98条第1項は、「この憲法は、国の最高法規であつて、その条規に反する法律、命令、詔勅及び国務に関するその他の行為の全部又は一部は、その効力を有しない。」と規定するが、同項にいう「国務に関するその他の行為」とは、国が行う全ての行為を意味し、国が私人と対等の立場で締結した売買契約もこれに該当するとするのが判例である。

5：憲法は、最高法規の章において、天皇又は摂政及び国務大臣、国会議員、裁判官その他の公務員は、憲法を尊重し擁護する義務を負うことを明文で規定している。

実践 問題 195 の解説

チェック欄

1回目	2回目	3回目

〈憲法の改正・最高法規性〉

1 × 憲法改正は、各議院の総議員の3分の2以上の賛成で、国会が、これを発議し、国民に提案してその承認を経なければならない（憲法96条1項前段）。したがって、母数において出席議員の3分の2の賛成では発議するに足りないことになる。

2 × 憲法改正の国民投票を衆議院議員総選挙または参議院議員通常選挙と同一期日に行うことはできないと述べる本肢は、法令の規定と異なるので妥当でない。憲法の改正における国民の承認は、日本国憲法の改正手続に関する法律（以下、「国民投票法」とする）に基づき特別の国民投票によって行われる。この国民投票を衆議院議員総選挙または参議院議員通常選挙と同一期日に行えるかについては、国民投票法にも公職選挙法にも禁止する規定がない。

3 × 発議にかかる手続および国民の承認にかかる投票に関する手続は公職選挙法で規定されていると述べる本肢は、法令の規定と異なるので妥当でない。憲法改正の発議にかかる手続は、国会内部の手続であるから国会法が規定している（国会法6章の2）。そして、国民の承認にかかる投票に関する手続は国民投票法が規定している（肢2の解説参照）。

4 × 国が私人と同等の立場で締結した売買契約も憲法98条の「国務に関するその他の行為」に該当すると述べる本肢は、判例の見解と異なるので妥当でない。国による私有地の売買契約が憲法98条の「国務に関するその他の行為」に該当するかについて、判例は、「国務に関するその他の行為」とは、公権力を行使して法規範を定立する国の行為を意味しており、私人と対等の立場で行う国の行為は、法規範の定立を伴わないため、これに該当しないとしている（百里基地訴訟、最判平元.6.20）。

5 ○ 天皇または摂政および国務大臣、国会議員、裁判官その他の公務員は、この憲法を尊重し擁護する義務を負う（憲法99条）。したがって、本肢は妥当である。国民主権原理から、国民にはこの義務は課せられず、権力の担い手である公務員等が対象になっている。

正答 5

憲法総論

憲法総論

実践 問題 196 基本レベル

頻出度	地上★　国家一般職★　特別区★　裁判所職員★　国税･財務･労基★　国家総合職★★

問 憲法の改正や最高法規性に関する次の記述のうち、妥当なのはどれか。

（財務2018）

1：憲法の改正は、各議院の出席議員の3分の2以上の賛成で、国会が発議する。

2：憲法改正についての国民の承認には、特別の国民投票又は国会の定める選挙の際に行われる投票において、有権者総数の過半数の賛成が必要とされている。

3：憲法改正についての国民の承認に係る投票の手続は、憲法改正の発議に係る手続とともに、公職選挙法で規定されている。

4：憲法は、国の最高法規であって、その条規に反する法律、命令、詔勅及び国務に関するその他の行為の全部又は一部は、その効力を有しない。また、我が国が締結した条約及び確立された国際法規は、これを誠実に遵守することを必要とする。

5：国務大臣、国会議員、裁判官その他の公務員は、憲法を尊重し擁護する義務を負う。天皇又は摂政は、内閣の助言と承認に基づく国事行為のみを行うことから、この義務は負わない。

チェック欄 1回目 2回目 3回目

実践 問題 196 の解説

〈憲法の改正・最高法規性〉

1 × 憲法の改正は、各議院の**総議員**の3分の2以上の賛成で、国会が発議する(憲法96条1項)。したがって、各議院の「出席議員」の3分の2以上の賛成を国会の発議要件としている本肢は妥当でない。このように、総議員の3分の2という厳格な要件を求めた趣旨は、日本国憲法が**硬性憲法**たる性質を有することに由来する。逆に、出席議員の3分の2以上とすれば、硬性の度合いはかなり弱くなるといえる。日本国憲法は、高度の安定性と可変性のうち、前者を重視した構成を採用しており、硬性の度合いが強い。

2 × 従来から憲法96条1項後段の「その過半数の賛成」の意義につき争いがあったが、国民投票法の施行により、**投票総数**(憲法改正案に対する賛成の投票数と反対の投票数を合計した数)**の2分の1を超えた場合**に「その過半数の賛成」があったとされたことで(国民投票法126条、98条2項)、立法的解決が図られた。したがって、「有権者総数」の過半数ではなく**「有効投票総数」の過半数**でよいので、本肢は妥当でない。

3 × 国民の承認にかかる投票手続に関しては、2007年に制定された日本国憲法の改正手続に関する法律(国民投票法)が適用される。また、憲法改正の発議にかかる手続に関しては、国会法68条の2以下が適用される。したがって、「国民の承認に係る投票手続は、憲法改正の発議に係る手続とともに、公職選挙法で規定されている」と述べる本肢は妥当でない。

4 ○ 本肢は、憲法98条1項・2項の規定どおり述べており、妥当である。

5 × 憲法尊重擁護義務を負う主体は、天皇、摂政、国務大臣、国会議員、裁判官、その他の公務員である(憲法99条)。したがって、天皇、摂政もこの義務を負うところ、天皇または摂政は憲法尊重擁護義務を負わないと述べる本肢は妥当でない。

正答 4

実践 問題 197 基本レベル

頻出度	地上★ 国家一般職★ 特別区★ 裁判所職員★★ 国税·財務·労基★ 国家総合職★

問 主権に関する次のア～ウの記述の正誤の組合せとして最も適当なものはどれか。 （裁判所職員2015）

ア：ポツダム宣言８項における「日本国ノ主権ハ、本州、北海道、九州及四国並ニ吾等ノ決定スル諸小島ニ局限セラルベシ」という場合の主権は、憲法41条における「国権」と同じ意味であり、国家権力の最高独立性を意味する。

イ：憲法前文１項における「ここに主権が国民に存することを宣言し」という場合の主権は、国政についての最高の決定権を意味する。

ウ：憲法前文３項における「自国の主権を維持し」という場合の主権は、国家権力そのものを意味する。

	ア	イ	ウ
1：	誤	正	正
2：	正	正	誤
3：	正	誤	誤
4：	誤	正	誤
5：	誤	誤	正

チェック欄

1回目	2回目	3回目

実践 問題 197 の解説

〈主権の意味〉

主権の概念は多義的であるが、一般に次のように分類される。

① 国家権力そのものを意味し、立法権・行政権・司法権を総称する統治権とほぼ同じ意味である。

② 国家権力の属性としての最高独立性を意味する。

③ 国政についての最高決定権を意味し、国の政治のあり方を最終的に決定する力または権威を意味する。

ア× ポツダム宣言8項における「主権」および憲法41条における「国権」は、①国家権力そのもの（国家の統治権）の意味である。したがって、本記述は妥当でない。

イ○ 憲法前文1項の「ここに主権が国民に存することを宣言し」という場合の「主権」は、③国政の最高決定権を意味するので、本記述は妥当である。

ウ× 憲法前文3項における「自国の主権を維持し」という場合の「主権」は、②国家の独立性を意味するので、本記述は妥当でない。

以上より、ア―誤、イ―正、ウ―誤であり、肢4が正解となる。

正答 4

実践 問題 198 基本レベル

頻出度	地上★	国家一般職★	特別区★
	裁判所職員★	国税·財務·労基★	国家総合職★

問 日本国憲法の成立及び改正に関するA～Dの記述のうち、通説に照らして、妥当なものを選んだ組合せはどれか。 (特別区2020)

A：憲法には、明文で改正禁止規定が設けられていないため、憲法所定の改正手続に基づくものである限り、国民主権、人権保障及び平和主義の基本原理そのものに変更を加えることも法的に認められる。

B：憲法改正限界説に立脚する8月革命説は、ポツダム宣言の受諾により天皇主権から国民主権への法学的意味での革命が行われ、この革命によって主権者となった国民が制定したのが日本国憲法であるとした。

C：憲法改正は、国会が発議し、国民に提案してその承認を経なければならず、この承認には、特別の国民投票又は国会の定める選挙の際に行われる投票において、有権者総数の過半数の賛成を必要とする。

D：憲法改正について、国会が発議し、国民に提案してその承認を経たときは、天皇は、国民の名で、日本国憲法と一体を成すものとして直ちにこれを公布するが、この公布に関する行為には内閣の助言と承認を必要とし、内閣がその責任を負う。

1：A　B
2：A　C
3：A　D
4：B　C
5：B　D

実践 問題 198 の解説

チェック欄		
1回目	2回目	3回目

〈憲法の成立・改正〉

A × 通説は、憲法改正には限界があり、国民主権、人権保障、平和主義の基本原理そのものに変更を加えることは許されないと解するので、本記述は妥当でない。確かに、憲法には改正を禁止する明文はない。しかし、通説は、憲法に定められた改正手続に基づいたとしても、**国民主権、基本的人権の尊重、平和主義という3つの基本原理は改正できない**と解している（**限界説**）。これに改変を加えるということは、憲法を破棄するに等しいというのが根拠の1つである。

B ○ 本記述は8月革命説の内容として、妥当である。8月革命説は、国民主権主義を採用することを要求するポツダム宣言を受諾した時点（1945年8月14日）で、**天皇主権から国民主権への法学的意味での革命があったものと捉え、この革命により天皇から主権者となった国民が制定したものが日本国憲法**であると解する立場である。なお、8月革命説によると、日本国憲法と明治憲法との実質的連続性はなく、改正の形式をとったのは便宜的なものにすぎないとの説明がなされる。

C × 憲法改正に必要な「過半数」の母数として「有権者総数」と述べる本記述は誤っており、妥当でない。憲法96条1項は、「この憲法の改正は、各議院の総議員の3分の2以上の賛成で、国会が、これを発議し、国民に提案してその承認を経なければならない。この承認には、特別の国民投票又は国会の定める選挙の際行はれる投票において、その過半数の賛成を必要とする」と規定している。そして、「**日本国憲法の改正手続に関する法律**」（いわゆる**国民投票法**）は、「有権者総数」ではなく、「**投票総数**」（憲法改正案に対する賛成投票数および反対投票数の合計）を基準とする立場を採用している（同法98条2項・126条1項）。

D ○ 本記述は憲法改正の公布の手続と責任の所在についての説明として、妥当である。憲法96条2項は、「憲法改正について前項の承認を経たときは、天皇は、国民の名で、この憲法と一体を成すものとして、直ちにこれを公布する」としている。そして、憲法7条1号で、天皇が内閣の助言と承認により憲法改正の公布を行うことを規定している。これは、天皇は無答責であって内閣のみが責任を負うことを意味している。

以上より、妥当なものはB、Dであり、肢5が正解となる。

正答 5

第1章

憲法総論

章末 CHECK

Question

- Q1 実質的意味の憲法とは、国家の基本秩序を定めた成文の憲法典をいう。
- Q2 現在、どの国でも成文憲法を採用しており、不文憲法を採用する国はない。
- Q3 法の支配の原理においては、「法」とは議会が制定した法であれば足りるものとされており、どのような内容のものであるかは問われない。
- Q4 憲法前文は、日本国憲法の基本原理として国民主権、基本的人権の尊重、平和主義を採用することを明らかにしている。
- Q5 前文には法規範性が認められないので、前文を改正するにあたって憲法96条の手続を採ることは必要ではない。
- Q6 前文の規定は抽象的であり明確性を欠くから、具体的事件において憲法各条の意味内容を解釈するのに用いることはできない。
- Q7 「日本国ノ主権ハ、本州、北海道、九州及四国並ニ吾等ノ決定スル諸小島ニ局限セラルベシ」という場合の「主権」とは、国政の最高決定権を意味する。
- Q8 国民主権とは、国家の政治のあり方を最終的に決定することのできる力が国民にあるとする原理のことである。
- Q9 判例は、わが国に駐留する外国の軍隊は憲法9条2項の「戦力」にあたり、駐留を認めることは憲法に反する、としている。
- Q10 天皇は象徴としての地位のみを有するから、国事行為についての実質的な権限を有しているものではない。
- Q11 天皇は、民事的責任も刑事的責任も負うことはないと通説は解する。
- Q12 天皇の国事行為については、内閣が責任を負う。
- Q13 内閣の助言と承認がなければ、天皇が何らかの行為をすることは一切許されない。
- Q14 憲法は、国民の具体的義務として、納税の義務、教育の義務、勤労の義務を定めている。
- Q15 憲法は国民に勤労の義務を課しているから、働く能力がありながら働かない者に対しては、国がその生活を保障する必要はない。
- Q16 天皇には実質的権限がないので、憲法尊重擁護義務は課されていない。
- Q17 軟性憲法である日本国憲法は、改正に通常の法律より厳格な手続が必要。
- Q18 憲法改正により、国民主権を廃止することも可能である。
- Q19 憲法改正には、衆参両議院で、出席議員の3分の2以上の賛成が必要。
- Q20 明治憲法には、国家緊急権に関する規定が置かれていた。

A1 × 国家の基本秩序を定めた法典であれば、成文か不文かは問わない。

A2 × イギリスは、成文の憲法典を持たない不文憲法の国である。

A3 × 法の支配の原理における「法」は客観的正義に合致する合理的な法でなければならない。本問の説明は形式的法治主義についてのもの。

A4 ○ このほか、代表民主制、国際協調主義も、前文の掲げる基本原理。

A5 × 憲法前文にも本文と同様に法規範性を認めるのが通説であり、したがって、前文の改正にも憲法96条の手続が必要となる。

A6 × 前文の規定は抽象的であるから裁判規範性は認められないが、各条項の解釈指針として用いることは許される、と解するのが通説。

A7 × この場合の「主権」は、国家の支配権を意味している。

A8 ○ 国家の政治のあり方を最終的に決定することのできる力が国民にある場合を国民主権、君主にある場合を君主主権という。

A9 × 判例は、外国の駐留軍隊は憲法9条2項の「戦力」に該当しない、としている（砂川事件、最大判昭34.12.16）。

A10 ○ 天皇は国政に関する権能を有しないので、国事行為についての実質的な権限を持たない。

A11 × 天皇は刑事的責任を負わないが、民事的責任は負う、と通説は解する。ただし、判例は、天皇には民事裁判権が及ばないとしている。

A12 ○ 天皇の国事行為については、内閣が責任を負うものとされている（憲法3条）。

A13 × 天皇の私的行為には、内閣の助言と承認は必要ない。

A14 ○ 納税の義務、教育の義務、勤労の義務を国民の三大義務という。

A15 ○ 憲法27条1項を根拠として、働く能力がありながら働かない者に対しては、生存権（憲法25条）の保障は及ばないと解されている。

A16 × 憲法99条は、天皇にも憲法尊重擁護義務を課している。

A17 × 日本国憲法は、軟性憲法ではなく、硬性憲法である。硬性憲法とは、改正に通常の法律よりも厳格な手続を要する憲法をいう。

A18 × 憲法改正権は憲法によって作られた権力なので、憲法自身の存立基盤である国民主権を廃止することはできないと解されている。

A19 × 出席議員ではなく、総議員の3分の2以上の賛成が必要（憲法96条1項）。

A20 ○ 明治憲法には、緊急勅令などの国家緊急権に関する規定があった（明治憲法8条）。

INDEX

数字

７条説　541, 545

アルファベット

ＴＢＳビデオテープ差押事件　131, 399

あ

アクセス権　98
上尾市福祉会館事件　141, 142, 147
旭川学テ事件　85, 86, 89, 93, 95, 259, 261, 263, 265, 267, 405
旭川国民健保事件　636, 652, 655
朝日訴訟　249
新しい人権　330

い

違憲審査権　611, 612, 615, 625
違憲判決の効力　613, 623
石井記者事件　103, 121, 129, 131
『石に泳ぐ魚』事件　111
泉佐野市民会館事件　142, 401
板まんだら事件　556, 563, 573
一般的効力説　613, 619, 623
岩手県教組学力テスト事件　281
院内の現行犯　477

う

浦和事件　469

え

永久税主義　641
営利的言論の自由　99
愛媛玉串料事件　65, 69, 73, 75, 79
エホバの証人剣道拒否事件　61, 64, 69, 77
エホバの証人輸血拒否事件　337, 339, 405

お

オウム真理教解散事件　69, 73, 83
大阪地蔵像訴訟　79, 83
公の支配　638
屋外広告物条例事件　100, 109, 111, 119

か

海外渡航の自由　196
会議の公開　434
会期不継続の原則　429, 433
外務省秘密漏洩事件　97, 103, 121, 125, 127, 129
閣議　504, 506, 523
学習権　260, 265
学習指導要領　263, 265, 271
学生無年金訴訟　17
学問研究の自由　86, 95, 267
学問の自由　84, 85, 86, 89, 93, 95, 267
加持祈祷事件　63, 73
河川附近地制限令事件　177, 183, 189, 191, 193
神奈川県臨時特例企業税事件　673, 677
川崎民商事件　219, 221, 394
環境権　337
間接選挙　291
間接適用説　53, 381, 382, 385

き

議員定数不均衡事件　17, 19
議院内閣制　540
規制目的二分論　158
喫煙の自由　329, 371, 393, 397
義務教育の無償　261, 265, 271

教育権 258, 260, 261, 263, 265, 267, 271
教育の義務 395
教育を受ける権利 260, 267, 271
教科書検定 93, 135, 137
共産党袴田事件 141, 494, 571, 573
教授の自由 85, 86, 89, 93, 95, 261, 265, 405
行政機関による裁判官の懲戒の禁止 589, 595
行政機関による終審裁判の禁止 578
強制投票制 291
京都府学連事件 329, 330, 342
許可制 143, 159
居住・移転の自由 194, 196
緊急集会 434, 471, 491
緊急逮捕 224, 233
均衡本質説 540
勤労者 273, 274
勤労の義務 395

く

具体的権利説 247, 248, 251
組合の統制権 275
群馬司法書士会事件 353

け

経済的自由権 6, 7, 158
警察法改正無効事件 565, 571, 581
警察予備隊訴訟 556, 611, 617, 619, 625, 687
形式的法治主義 699
決算 637
結社 141, 142
検閲 133, 134, 137, 393
限界説 697
厳格な合理性の基準 158, 174
研究（結果の）発表の自由 86, 95
憲法改正 491, 688
憲法尊重擁護義務 395
権力分立 484

こ

公開投票制 291
公共のために用ひる 179, 187, 189, 191
公共の福祉 7, 9
公金支出の制限 638
麹町中学内申書事件 49, 53
公衆浴場 165
公衆浴場距離制限事件 157, 161, 163, 165, 167, 171
控除説 504
硬性憲法 693
江沢民早大講演会訴訟 334, 337, 343
公的行為 689
公費濫用防止説 638
幸福追求権 330
公務員の人権 370
小売市場事件 157, 159, 161, 163, 165, 167, 174, 410
呼気検査 223, 225
国事行為 689
国政調査権 457, 458, 463, 467, 469
国籍法３条事件 17, 21, 33
国籍離脱の自由 194, 196
国民教育権説 268
国民主権 355
国民審査（制度） 579, 585, 589, 593, 597, 599
国民投票法 697

国民の代表機関 418
国務請求権 8, 303, 304
国務大臣の訴追同意権 505, 519
国務大臣の任免権 505, 517, 519, 529
国会単独立法の原則 417, 419
国会中心立法の原則 417, 419
国家教育権説 267
国歌斉唱拒否事件 47, 51
国家賠償請求権 304
国権の最高機関 417, 418
個別的効力説 613, 619, 623
戸別訪問の一律禁止 109, 290, 295
固有権説 662
固有性 8
固有の意味の憲法 688

さ

在監者喫煙訴訟 329, 371, 393, 397
在監者の人権 370
罪刑法定主義 210
財政民主主義 636, 647
在宅投票制度廃止事件 304, 315, 615
再入国の自由 199, 352
裁判官の身分保障 586, 588, 595
裁判官の良心 588, 595
裁判所の独立 589
裁判の公開 601
裁判を受ける権利 303, 304, 309, 311, 319
歳費受領権 473
サラリーマン税金訴訟 15, 17, 19, 25, 29, 33, 38
猿払事件 483
サンケイ新聞事件 97, 99, 109, 381
参政権 8, 290

し

塩見訴訟 247, 255, 352, 359, 363, 367
自己実現の価値 98
自己統治の価値 98
自己に不利益な供述 223, 225
自己負罪拒否特権 221, 222, 223, 225
私人間効力 382
事前差止め 109, 121, 135
事前抑制禁止 135
思想・良心の自由 46, 48, 59
司法権 554, 556, 575
司法権の限界 564
司法権の独立 588
指紋押捺拒否事件 25
社会学的代表 418
社会権 8, 248, 303, 352
謝罪広告事件 48, 51, 53, 59, 61, 397, 403
集会 142
集会・結社の自由 141, 142
衆議院の解散 541, 545, 625
衆議院の先議権 439
衆議院の優越 432, 637
住基ネット訴訟 334, 343
宗教団体 69, 81
宗教的結社の自由 63, 64, 77
宗教的行為の自由 63, 64, 77
住居などの不可侵 225
自由権 8
私有財産制（度） 177, 178, 183, 187
自由裁量行為 565

自由選挙 291
集団行動の自由 143
住民自治 662, 667
受益権 8, 303, 304
取材の自由 125, 126, 129, 131, 397
主任の国務大臣の署名 419
酒類販売免許制事件
157, 159, 161, 165, 167, 171
殉職自衛官合祀事件（訴訟）
69, 71, 73, 75, 410
純粋政治スト 275
純然たる訴訟事件 602
常会 433, 489, 491
消極目的規制 156, 158
肖像権 11, 329, 330
証人喚問権 223, 225
証人審問権 225
条約 432, 439, 448, 450, 612
条約修正権 449
条約の承認 448, 449, 450
条例 178, 211, 660, 663, 664
昭和女子大事件 365, 383
職業選択の自由 158
女子若年定年制事件 23, 29, 381, 383
職権行使の独立 586, 588
知る権利 11, 98, 115
信教の自由 64
人権享有主体性 352, 353
人権の意味 8
人権の享有主体 355
信仰の自由 64, 77
人身の自由 210
迅速な裁判を受ける権利 225, 311
森林法事件 177, 178, 183, 187, 193

す

砂川事件 448, 449, 555, 611, 617,
621, 625, 687

せ

請願権 303, 304, 307, 321
税関検査事件 103, 106, 119, 121,
133, 134, 137, 139, 393, 399, 401
政教分離原則 64, 75, 81
制限選挙 291
政見放送削除事件 297
政策的制約 9, 158
生産管理 272, 275
政治スト 272
政治的代表 418
政治的美称説 417, 418
精神的自由権 48
生存権 248, 251, 255
政党機関紙配布事件
356, 369, 370, 373, 375, 401
正当な補償 180, 187, 189
制度的保障 65, 79, 86
性表現・名誉毀損的表現 99
責任本質説 540
積極目的規制 156, 158, 159, 178
前科照会事件 329, 330, 334, 342
選挙権 290
全司法仙台事件 281
全逓東京中郵事件 273
全逓名古屋中郵事件 281
全農林警職法事件 273, 275, 351,
369, 370, 375, 403, 410
前文の法的性質 688

そ

相互保証主義 315

相対的平等 15, 16
総評サラリーマン税金訴訟 255
租税 634, 636, 641, 653
租税法律主義 636, 641, 652
尊属殺重罰規定事件 17, 25, 33, 399, 611

た

第１次家永教科書事件 135, 137, 259
第３次家永教科書事件 93
代位責任説 304, 315
大学の自治 84, 85, 86, 93, 95
第三者所有物没収事件 209, 211, 213, 215, 217, 219, 403
対審 600, 601, 602, 603
逮捕 224, 472
高田事件 209, 215, 225, 227, 229, 233
弾劾裁判 579, 585, 589, 597
弾劾裁判所 585, 589, 599
団結権 273, 274, 279
団体交渉権 273, 274, 279
団体行動権 273, 274, 279
団体自治 662, 667

ち

地方公共団体 662, 667
地方自治 662
地方自治特別法 419, 427
抽象的権利説 248, 251
抽象的審査制 612
町村総会 663
直接選挙 291, 663
直接適用 381
直接適用説 382, 385
沈黙の自由 48

つ

津地鎮祭事件 63, 65, 75, 77, 79, 81, 399

て

定足数 433
適正手続の保障 208, 210, 213, 215, 219, 221, 394
適用違憲 612
寺西判事補事件 369, 593, 599
伝習館高校事件 259, 263, 265, 271
天皇 688, 689
伝来説 662

と

等級選挙 291
東京都管理職試験事件 361, 367
東京都公安条例事件 143, 145
東大ポポロ事件 85, 87, 89, 93, 95, 263, 403
統治行為 565, 571, 575, 611, 617, 621, 625
統治行為論 565, 571, 575, 621, 625
都教組事件 281, 369
徳島市公安条例事件 13, 97, 100, 106, 211, 213, 215, 217, 661, 663, 671
特別会 433, 439, 489, 527, 539, 541
特別裁判所 555, 578, 585
特別裁判所の禁止 578, 585
特別の犠牲 180
独立行政委員会 504
独立権能説 458, 463, 467
土地収用法事件 180, 183
届出制 143

どぶろく裁判 339
苫米地事件 565, 569, 571, 575, 611, 617, 625
富平神社事件 71, 75
富山大学事件 564, 571, 573, 575, 583
とらわれの聴衆事件 337, 339, 403
トリーペルの 4 段階論 485

な

内閣 503, 504
内閣総理大臣 503, 504, 521, 523, 525, 527, 529
内閣総理大臣の連署 419, 519
内閣の総辞職 502, 506, 523, 529
内閣の法案提出権 417, 419, 537
内在的制約 9
奈良県ため池条例事件 177, 179, 183, 187, 189, 191
成田新法事件 145, 209, 213, 215, 217, 219, 221, 229, 233, 393, 394

に

新潟県公安条例事件 147
二院制 432
西陣ネクタイ事件 157, 163, 167
二重の基準論 13, 99, 117, 174
日蓮正宗管長事件 569
日本司法支援センター 319

の

納税の義務 395
農地改革事件 180, 187, 189
ノンフィクション『逆転』事件 331, 334, 410

は

売春取締条例 29
売春取締条例事件 25
博多駅事件 13, 97, 103, 106, 109, 115, 119, 125, 126, 129, 355, 397
パチンコ球遊器事件 641, 652
パブリシティ権 337
反論権 96, 98, 109, 381

ひ

被疑者 224
被告人 224
被選挙権 290, 293
秘密選挙 291
百里基地訴訟 615
表決数 433, 491
表現の自由 98
平等選挙 291
ピンク・レディー事件 337

ふ

不可侵性 8
複数選挙 291
付随的審査制 610, 611, 612, 615, 617, 619, 625
不逮捕特権 470, 471, 472, 477
普通選挙 291
不当に抑留・拘禁されない権利 224
不文憲法 699
部分社会の法理 564
普遍性 8
プログラム規定説 247, 248, 251, 255
分限裁判 579, 585, 589, 593, 595, 597
文民 504

へ

弁護人依頼権 225

INDEX

ほ

帆足計事件 196, 199, 201

法案提出権 427

法適用の平等 15, 16

法テラス 319

報道の自由 115, 126, 131

法内容の平等 15, 16

法の支配 699

法の下の平等 16, 29

法律上の争訟 554, 556, 575

法律の公布 419

法律の範囲内 663

法令違憲 612

補助的権能説 456, 458, 467

ポストノーティス命令 59

北海タイムス事件 97, 131, 601, 605

北方ジャーナル事件 13, 103, 109, 119, 121, 131, 133, 135, 137, 139

堀木訴訟 25, 34, 246, 247, 249, 255, 575

本門寺事件 573

ま

マクリーン事件 199, 201, 352, 353, 355, 359, 361, 363, 367, 393, 399

み

三井美唄労組事件 275, 277, 289, 293

三菱樹脂事件 30, 38, 53, 59, 381, 383

南九州税理士会事件 47, 51, 53, 56, 61, 353, 361, 405

箕面忠魂碑事件 66, 69, 73, 79, 81, 638

民衆訴訟 569

む

無罪の裁判 221, 305, 317

め

明確性の理論 100, 117, 211

明白性の原則 158, 174

免責特権 470, 471, 472, 475

も

目的・効果基準 65, 79

黙秘権 225, 455, 457

森川キャサリーン事件 195, 199, 201, 352, 359, 363, 410

や

薬事法事件 157, 159, 161, 163, 165, 167, 171, 619

八幡製鉄政治献金事件 297, 353, 361, 365, 397, 485, 494

山田鋼業事件 275, 281

ゆ

夕刊和歌山時事事件 107, 111, 119, 131, 401

郵便法違憲判決 303, 321

ユニオン・ショップ協定 272, 274

よ

余罪 213, 221

予算 437, 636, 647, 649

予算と法律の不一致 637, 649

予算の修正 634, 637, 647, 649

予算法形式説 637, 649

予算法律説 649

よど号ハイジャック新聞記事抹消事件 13, 115, 356, 369, 371, 410

予備費 525, 529, 634, 637, 647

り

立法者拘束説 15, 16

立法者非拘束説 15, 16
両院同時活動の原則 431, 539
臨時会
433, 489, 491, 527, 529, 539

れ

令状主義 224, 225
レペタ事件 97, 115, 127, 555, 581, 601, 605, 607
蓮華寺事件 583
連座制 290, 293, 295

ろ

労働基本権 273, 274, 279
ロッキード事件 506, 517, 523, 525, 529, 537

わ

和歌山市教組事件 375

2025-2026年合格目標
公務員試験　本気で合格！　過去問解きまくり！
⑨憲法

2019年11月５日　第１版　第１刷発行
2024年11月15日　第６版　第１刷発行
編著者●株式会社　東京リーガルマインド
LEC総合研究所　公務員試験部

発行所●株式会社　東京リーガルマインド
〒164-0001　東京都中野区中野4-11-10
アーバンネット中野ビル
LECコールセンター　0570-064-464
受付時間　平日9：30～19：30/土・日・祝10：00～18：00
※このナビダイヤルは通話料お客様ご負担となります。
書店様専用受注センター　TEL 048-999-7581 / FAX 048-999-7591
受付時間　平日9：00～17：00/土・日・祝休み
www.lec-jp.com/

カバーイラスト●ざしきわらし
印刷・製本●情報印刷株式会社

ISBN978-4-8449-0799-2

Navigato

あなたに向いた「公務員」はこれ

公務員適職 Navigator

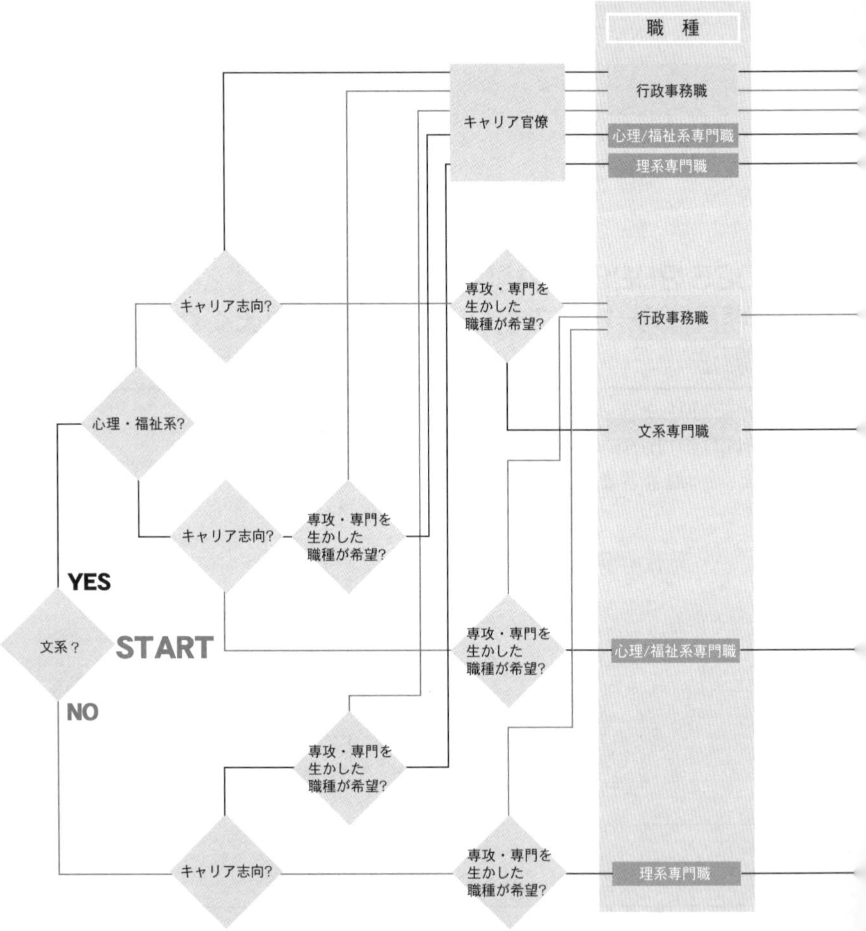

公務員の

企業の利潤追求のためではなく
人のため、社会のために働く

充実感とやり甲斐

給与・休暇・福利厚生
仕事も人生も大切にできる

充実した勤務条件

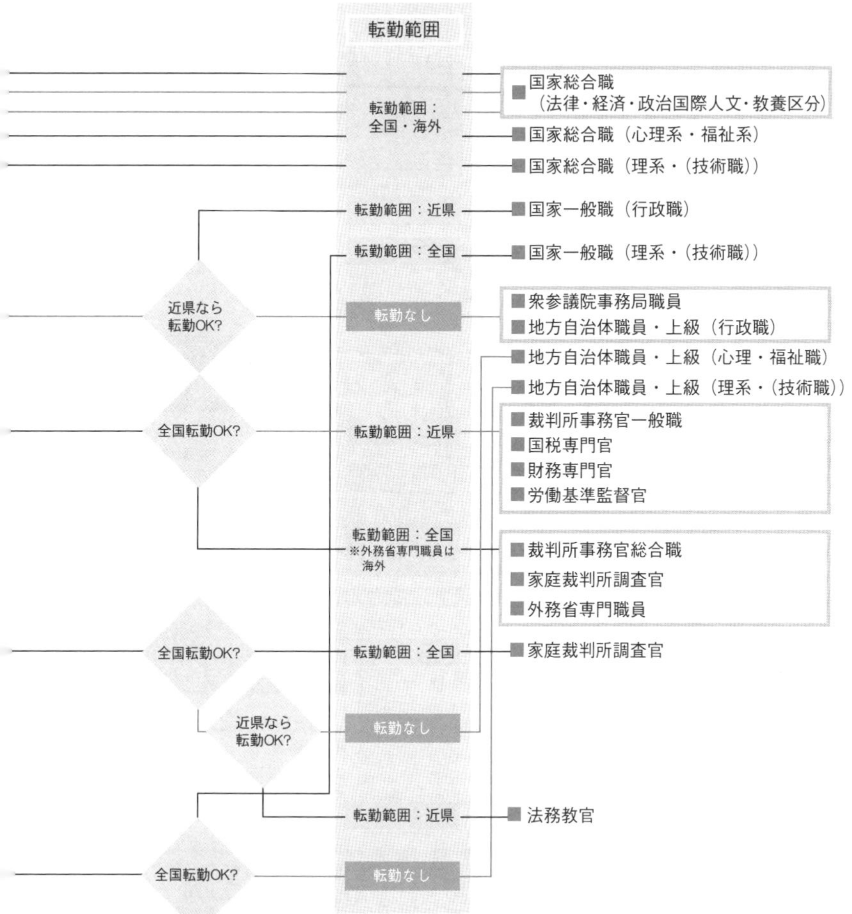

転勤範囲

転勤範囲：全国・海外
- 国家総合職（法律・経済・政治国際人文・教養区分）
- 国家総合職（心理系・福祉系）
- 国家総合職（理系・（技術職））

転勤範囲：近県
- 国家一般職（行政職）

転勤範囲：全国
- 国家一般職（理系・（技術職））

近県なら転勤OK?

転勤なし
- 衆参議院事務局職員
- 地方自治体職員・上級（行政職）
- 地方自治体職員・上級（心理・福祉職）
- 地方自治体職員・上級（理系・（技術職））

全国転勤OK?

転勤範囲：近県
- 裁判所事務官一般職
- 国税専門官
- 財務専門官
- 労働基準監督官

転勤範囲：全国
※外務省専門職員は海外
- 裁判所事務官総合職
- 家庭裁判所調査官
- 外務省専門職員

全国転勤OK?

転勤範囲：全国
- 家庭裁判所調査官

近県なら転勤OK?

転勤なし

転勤範囲：近県
- 法務教官

全国転勤OK?

転勤なし

LEC公開模試

多彩な本試験に対応できる

毎年、全国規模で実施するLECの公開模試は国家総合職、国家一般職、地方上級だけでなく国税専門官や裁判所職員といった専門職や心理・福祉系公務員、理系(技術職)公務員といった多彩な本試験に対応できる模試を実施しています。職種ごとの試験の最新傾向を踏まえた公開模試で、本試験直前の総仕上げは万全です。どなたでもお申し込みできます。

【2025年度実施例】

区分	職種	対応状況
国家総合職	法律 経済	基礎能力(択一式)試験， 専門(択一式)試験， 専門(記述式)試験， 政策論文試験
国家総合職	人間科学	基礎能力(択一式)試験， 専門(択一式)試験， 政策論文試験
国家総合職	工学	基礎能力(択一式)試験， 政策論文試験 専門(択一式)試験は，一部科目のみ対応。
国家総合職	政治・国際・人文 化学・生物・薬学 農業科学・水産 農業農村工学 数理科学・物理・地球科学 森林・自然環境 デジタル	基礎能力(択一式)試験， 政策論文試験

区分	職種	対応状況
国家一般職	行政	基礎能力(択一式)試験， 専門(択一式)試験， 一般論文試験
国家一般職	デジタル・電気・電子 土木 化学 農学 建築	基礎能力(択一式)試験， 専門(択一式)試験
国家一般職	機械 物理	基礎能力(択一式)試験， 専門(択一式)の一部試験 (工学の基礎)
国家一般職	農業農村工学 林学	基礎能力(択一式)試験

区分	職種	対応状況
国家専門職	国税専門官A 財務専門官 労働基準監督官A 法務省専門職員(人間科学)	基礎能力(択一式)試験， 専門(択一式)試験， 専門(記述式)試験
国家専門職	国税専門官B 労働基準監督官B	基礎能力(択一式)試験
裁判所職員	家庭裁判所調査官補	基礎能力(択一式)試験， 専門(記述式)試験， 政策論文試験
裁判所職員	裁判所事務官(大卒程度・一般職)	基礎能力(択一式)試験， 専門(択一式)試験， 小論文試験

区分	職種	対応状況
警察官・消防官・その他※	警察官(警視庁)	教養(択一式)試験， 論(作)文試験，
警察官・消防官・その他※	警察官(道府県警) 消防官(東京消防庁) 市役所消防官	教養(択一式)試験， 論(作)文試験
警察官・消防官・その他※	国立大学法人等職員	教養(択一式)試験
警察官・消防官・その他※	高卒程度(国家公務員・事務) 高卒程度(地方公務員・事務)	教養(択一式)試験， 適性試験， 作文試験
警察官・消防官・その他※	高卒程度(警察官・消防官)	教養(択一式)試験， 作文試験

区分	職種	対応状況
地方上級・市役所など※	東京都Ⅰ類B 事務(一般方式)	教養(択一式)試験， 専門(記述式)試験， 教養論文試験
地方上級・市役所など※	東京都Ⅰ類B 技術(一般方式) 東京都Ⅰ類B その他(一般方式)	教養(択一式)試験， 教養論文試験
地方上級・市役所など※	特別区Ⅰ類 事務(一般方式)	教養(択一式)試験， 専門(択一式)試験， 教養論文試験
地方上級・市役所など※	特別区Ⅰ類 心理系/福祉系	教養(択一式)試験， 教養論文試験
地方上級・市役所など※	北海道庁 (小論文試験型)	職務基礎力試験， 小論文試験
地方上級・市役所など※	北海道庁 (専門試験型)	職務基礎力試験， 専門(択一式)試験
地方上級・市役所など※	全国型 関東型 中部北陸型 知能重視型 その他地上型 心理職 福祉職 土木 建築 電気・情報 化学 農学	教養(択一式)試験， 専門(択一式)試験， 教養論文試験
地方上級・市役所など※	横浜市	教養(択一式)試験， 論文試験
地方上級・市役所など※	札幌市	総合試験
地方上級・市役所など※	機械 その他技術	教養(択一式)試験， 教養論文試験
地方上級・市役所など※	市役所(事務上級)	教養(択一式)試験， 専門(択一式)試験， 論(作)文試験
地方上級・市役所など※	市役所 (教養のみ・その他)	教養(択一式)試験， 論(作)文試験
地方上級・市役所など※	経験者採用	教養(択一式)試験， 経験者論文試験， 論(作)文試験

※「地方上級・市役所」「警察官・消防官・その他」の筆記試験につきましては，ＬＥＣの模試と各自治体実施の本試験とで，出題科目・出題数・試験時間などが異なる場合がございます。

資料請求・模試の詳細などについては、
LEC公務員サイトをご覧ください。
https://www.lec-jp.com/koumuin/

最新傾向を踏まえた公開模試

本試験リサーチからみえる最新の傾向に対応

本試験受験生からリサーチした、本試験問題別の正答率や本試験受験者全体の正答率から見た受験生レベル、本試験問題レベルその他にも様々な情報を集約し、最新傾向にあった公開模試の問題作成を行っています。LEC公開模試を受験して本試験予想・総仕上げを行いましょう。

信頼度の高い成績分析

充実した個人成績表と総合成績表で あなたの実力がはっきり分かる

こう使え！　時事ナビゲーション活用術

教養択一対策に使え！

時事・社会事情の択一試験は、正確な時事知識をどれだけ多く身につけるかに尽きます。そのために「ポイント時事」で多くの知識をインプットし、「一問一答」でアウトプットの練習を行います。

専門択一対策に使え！

経済事情や財政学、国際関係は時事的な問題が多く出題されます。「時事ナビゲーション」を使って、その時々の重要な時事事項を確認することができます。講義の重要論点の復習にも活用しましょう！

教養論文対策に使え！

自治体をはじめ、多くの公務員試験で出題される教養論文は課題式となっています。その課題は、その時々で関心の高い出来事や社会問題となっている事項が選ばれます。正確な時事知識は、教養論文の内容に厚みを持たせることができるとともに、説得力ある文章を書くのにも役立ちます。

面接・集団討論対策に使え！

面接試験では、関心を持った出来事やそれに対する意見が求められることがあります。また、集団討論のテーマも時事要素の強いテーマが頻出です。これらの発言に説得力を持たせるためにも「時事ナビゲーション」を活用しましょう。

時事ナビゲーションを活用！～合格者の声～

時事ナビゲーションの見出しはニュースなどで見聞きしたものがありましたが、キーワードの意味や詳しい内容などを知らないケースが多々ありました。そこで、電車などの移動時間で一問一答をすることで内容の理解に努めるようにしていました！

私は勉強を始めるのが遅かったためテレビや新聞を読む時間がほとんどありませんでした。時事ナビゲーションではこの一年の出来事をコンパクトにまとめてくれており、また重要度も一目で分かるようにしてくれているのでとても分かりやすかったです。

毎週更新されるため、週に1回内容をチェックすることを習慣としていました。移動中や空き時間を活用してスマホで時事をチェックしていました。

LEC Webサイト ▷▷ www.lec-jp.com/

情報盛りだくさん！

資格を選ぶときも，
講座を選ぶときも，
最新情報でサポートします！

最新情報

各試験の試験日程や法改正情報，対策講座，模擬試験の最新情報を日々更新しています。

資料請求

講座案内など無料でお届けいたします。

受講・受験相談

メールでのご質問を随時受付けております。

よくある質問

LECのシステムから，資格試験についてまで，よくある質問をまとめました。疑問を今すぐ解決したいなら，まずチェック！

書籍・問題集（LEC書籍部）

LECが出版している書籍・問題集・レジュメをこちらで紹介しています。

充実の動画コンテンツ！

ガイダンスや講演会動画，
講義の無料試聴まで
Webで今すぐCheck！

動画視聴OK

パンフレットやWebサイトを見てもわかりづらいところを動画で説明。いつでもすぐに問題解決！

Web無料試聴

講座の第1回目を動画で無料試聴！気になる講義内容をすぐに確認できます。

スマートフォン・タブレットから簡単アクセス！ ▷▷▷

自慢のメールマガジン配信中！（登録無料）

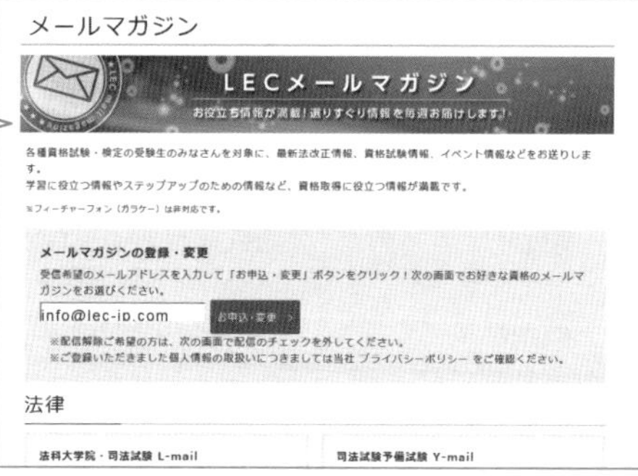

LEC講師陣が毎週配信！　最新情報やワンポイントアドバイス，改正ポイントなど合格に必要な知識をメールにて毎週配信。

www.lec-jp.com/mailmaga/

LEC オンラインショップ

充実のラインナップ！　LECの書籍・問題集や講座などのご注文がいつでも可能です。また，割引クーポンや各種お支払い方法をご用意しております。

online.lec-jp.com/

LEC 電子書籍シリーズ

LECの書籍が電子書籍に！　お使いのスマートフォンやタブレットで，いつでもどこでも学習できます。

※動作環境・機能につきましては，各電子書籍ストアにてご確認ください。

www.lec-jp.com/ebook/

LEC書籍・問題集・レジュメの紹介サイト LEC書籍部 www.lec-jp.com/system/book/

- LECが出版している書籍・問題集・レジュメをご紹介
- 当サイトから書籍などの直接購入が可能(*)
- 書籍の内容を確認できる「チラ読み」サービス
- 発行後に判明した誤字等の訂正情報を公開

*商品をご購入いただく際は，事前に会員登録(無料)が必要です。
*購入金額の合計・発送する地域によって，別途送料がかかる場合がございます。

※資格試験によっては実施していないサービスがありますので，ご了承ください。

LEC全国学校案内

＊講座のお問合せ，受講相談は最寄りのLEC各校へ

LEC本校

北海道・東北

札　幌本校 ☎011(210)5002
〒060-0004 北海道札幌市中央区北4条西5-1　アスティ45ビル

仙　台本校 ☎022(380)7001
〒980-0022 宮城県仙台市青葉区五橋1-1-10　第二河北ビル

関東

渋谷駅前本校 ☎03(3464)5001
〒150-0043 東京都渋谷区道玄坂2-6-17　渋東シネタワー

池　袋本校 ☎03(3984)5001
〒171-0022 東京都豊島区南池袋1-25-11　第15野萩ビル

水道橋本校 ☎03(3265)5001
〒101-0061 東京都千代田区神田三崎町2-2-15　Daiwa三崎町ビル

新宿エルタワー本校 ☎03(5325)6001
〒163-1518 東京都新宿区西新宿1-6-1　新宿エルタワー

早稲田本校 ☎03(5155)5501
〒162-0045 東京都新宿区馬場下町62　三朝庵ビル

中　野本校 ☎03(5913)6005
〒164-0001 東京都中野区中野4-11-10　アーバンネット中野ビル

立　川本校 ☎042(524)5001
〒190-0012 東京都立川市曙町1-14-13　立川MKビル

町　田本校 ☎042(709)0581
〒194-0013 東京都町田市原町田4-5-8　MIキューブ町田イースト

横　浜本校 ☎045(311)5001
〒220-0004 神奈川県横浜市西区北幸2-4-3　北幸GM21ビル

千　葉本校 ☎043(222)5009
〒260-0015 千葉県千葉市中央区富士見2-3-1　塚本大千葉ビル

大　宮本校 ☎048(740)5501
〒330-0802 埼玉県さいたま市大宮区宮町1-24　大宮GSビル

東海

名古屋駅前本校 ☎052(586)5001
〒450-0002 愛知県名古屋市中村区名駅4-6-23　第三堀内ビル

静　岡本校 ☎054(255)5001
〒420-0857 静岡県静岡市葵区御幸町3-21　ペガサート

北陸

富　山本校 ☎076(443)5810
〒930-0002 富山県富山市新富町2-4-25　カーニープレイス富山

関西

梅田駅前本校 ☎06(6374)5001
〒530-0013 大阪府大阪市北区茶屋町1-27　ABC-MART梅田ビル

難波駅前本校 ☎06(6646)6911
〒556－0017 大阪府大阪市浪速区湊町1-4-1
大阪シティエアターミナルビル

京都駅前本校 ☎075(353)9531
〒600-8216 京都府京都市下京区東洞院通七条下ル2丁目
東塩小路町680-2　木村食品ビル

四条烏丸本校 ☎075(353)2531
〒600-8413　京都府京都市下京区烏丸通仏光寺下ル
大政所町680-1　第八長谷ビル

神　戸本校 ☎078(325)0511
〒650-0021 兵庫県神戸市中央区三宮町1-1-2　三宮セントラルビル

中国・四国

岡　山本校 ☎086(227)5001
〒700-0901 岡山県岡山市北区本町10-22　本町ビル

広　島本校 ☎082(511)7001
〒730-0011 広島県広島市中区基町11-13　合人社広島紙屋町アネクス

山　口本校 ☎083(921)8911
〒753-0814 山口県山口市吉敷下東 3-4-7　リアライズⅢ

高　松本校 ☎087(851)3411
〒760-0023 香川県高松市寿町2-4-20　高松センタービル

松　山本校 ☎089(961)1333
〒790-0003 愛媛県松山市三番町7-13-13　ミツネビルディング

九州・沖縄

福　岡本校 ☎092(715)5001
〒810-0001 福岡県福岡市中央区天神4-4-11
天神ショッパーズ福岡

那　覇本校 ☎098(867)5001
〒902-0067 沖縄県那覇市安里2-9-10　丸姫産業第2ビル

EYE関西

EYE 大阪本校 ☎06(7222)3655
〒530-0013　大阪府大阪市北区茶屋町1-27　ABC-MART梅田ビル

EYE 京都本校 ☎075(353)2531
〒600-8413　京都府京都市下京区烏丸通仏光寺下ル
大政所町680-1　第八長谷ビル

LEC提携校

＊提携校はLECとは別の経営母体が運営をしております。
＊提携校は実施講座およびサービスにおいてLECと異なる部分がございます。

北海道・東北

八戸中央校【提携校】 ☎0178(47)5011
〒031-0035　青森県八戸市寺横町13　第1朋友ビル
新教育センター内

弘前校【提携校】 ☎0172(55)8831
〒036-8093　青森県弘前市城東中央1-5-2
まなびの森　弘前城東予備校内

秋田校【提携校】 ☎018(863)9341
〒010-0964　秋田県秋田市八橋鯲沼町1-60
株式会社アキタシステムマネジメント内

関東

水戸校【提携校】 ☎029(297)6611
〒310-0912　茨城県水戸市見川2-3079-5

所沢校【提携校】 ☎050(6865)6996
〒359-0037　埼玉県所沢市くすのき台3-18-4　所沢K・Sビル
合同会社LPエデュケーション内

日本橋校【提携校】 ☎03(6661)1188
〒103-0025　東京都中央区日本橋茅場町2-5-6　日本橋大江戸ビル
株式会社大江戸コンサルタント内

北陸

新潟校【提携校】 ☎025(240)7781
〒950-0901　新潟県新潟市中央区弁天3-2-20　弁天501ビル
株式会社大江戸コンサルタント内

金沢校【提携校】 ☎076(237)3925
〒920-8217　石川県金沢市近岡町845-1
株式会社アイ・アイ・ピー金沢内

福井南校【提携校】 ☎0776(35)8230
〒918-8114　福井県福井市羽水2-701
株式会社ヒューマン・デザイン内

中国・四国

松江殿町校【提携校】 ☎0852(31)1661
〒690-0887　島根県松江市殿町517　アルファステイツ殿町
山路イングリッシュスクール内

岩国駅前校【提携校】 ☎0827(23)7424
〒740-0018　山口県岩国市麻里布町1-3-3　岡村ビル　英光学院内

新居浜駅前校【提携校】 ☎0897(32)5356
〒792-0812　愛媛県新居浜市坂井町2-3-8
パルティフジ新居浜駅前店内

九州・沖縄

佐世保駅前校【提携校】 ☎0956(22)8623
〒857-0862　長崎県佐世保市白南風町5-15　智翔館内

日野校【提携校】 ☎0956(48)2239
〒858-0925　長崎県佐世保市椎木町336-1　智翔館日野校内

長崎駅前校【提携校】 ☎095(895)5917
〒850-0057 長崎県長崎市大黒町10-10　KoKoRoビル
minatoコワーキングスペース内

高原校【提携校】 ☎098(989)8009
〒904-2163　沖縄県沖縄市大里2-24-1
有限会社スキップヒューマンワーク内

※上記は2024年10月1日現在のものです。

書籍の訂正情報について

このたびは，弊社発行書籍をご購入いただき，誠にありがとうございます。
万が一誤りの箇所がございましたら，以下の方法にてご確認ください。

1 訂正情報の確認方法

書籍発行後に判明した訂正情報を順次掲載しております。
下記Webサイトよりご確認ください。

www.lec-jp.com/system/correct/

2 ご連絡方法

上記Webサイトに訂正情報の掲載がない場合は，下記Webサイトの入力フォームよりご連絡ください。

lec.jp/system/soudan/web.html

フォームのご入力にあたりましては，「Web教材・サービスのご利用について」の最下部の「ご質問内容」に下記事項をご記載ください。

- 対象書籍名（○○年版，第○版の記載がある書籍は併せてご記載ください）
- ご指摘箇所（具体的にページ数と内容の記載をお願いいたします）

ご連絡期限は，次の改訂版の発行日までとさせていただきます。
また，改訂版を発行しない書籍は，販売終了日までとさせていただきます。

※上記「2ご連絡方法」のフォームをご利用になれない場合は，①書籍名，②発行年月日，③ご指摘箇所，を記載の上，郵送にて下記送付先にご送付ください。確認した上で，内容理解の妨げとなる誤りについては，訂正情報として掲載させていただきます。なお，郵送でご連絡いただいた場合は個別に返信しておりません。

送付先：〒164-0001 東京都中野区中野4-11-10 アーバンネット中野ビル
株式会社東京リーガルマインド 出版部 訂正情報係

- 誤りの箇所のご連絡以外の書籍の内容に関する質問は受け付けておりません。
また，書籍の内容に関する解説，受験指導等は一切行っておりませんので，あらかじめご了承ください。
- お電話でのお問合せは受け付けておりません。